Susanne Abel

STAY AWAY FROM GRETCHEN

Eine unmögliche Liebe

Der Kölner Nachrichtenmoderator Tom Monderath macht sich Sorgen um seine 84-jährige Mutter Greta, die mehr und mehr vergisst. Als die Diagnose Demenz im Raum steht, ist Tom entsetzt. Bis die Krankheit seiner Mutter zu einem Geschenk wird: Erstmals in ihrem Leben erzählt Greta von sich – von ihrer Kindheit in Preußisch Eylau mit den geliebten Großeltern, der Flucht vor den russischen Soldaten im eisigen Winter, ihrer Begegnung mit dem GI Robert Cooper in Heidelberg. Ist all das der Schlüssel, um Gretas Traurigkeit zu verstehen, die auch Toms Kindheit überschattet hat?
Als Tom auf Briefe und Bilder aus der Zeit nach dem Zweiten Weltkrieg stößt, kommt er einem unglaublichen Geheimnis auf die Spur. Wer ist das kleine Mädchen mit der dunklen Haut auf dem Foto, das Greta wie einen Schatz hütet? Mehr und mehr erkennt Tom, dass auch sein Lebensglück mit der Vergangenheit seiner Mutter verknüpft ist …

Susanne Abel stammt aus einem badischen Dorf an der französischen Grenze. Sie arbeitete bereits mit 17 Jahren als Erziehungshelferin und später als Erzieherin mit geistig behinderten Kindern und Jugendlichen. Im Anschluss studierte sie an der Deutschen Film- und Fernsehakademie in Berlin und realisierte als Regisseurin und Autorin zahlreiche Dokumentationen fürs Fernsehen. Mit ihrem gefeierten Romandebüt ›Stay away from Gretchen‹ stürmte sie die Spiegel-Bestsellerliste. Auch der zweite Roman um die Familie Monderath, ›Was ich nie gesagt habe. Gretchens Schicksalsfamilie‹, steht seit Erscheinen auf allen Bestsellerlisten. Die Autorin lebt in Köln.

SUSANNE ABEL

STAY AWAY FROM GRETCHEN

EINE UNMÖGLICHE LIEBE

Roman

dtv

Von Susanne Abel ist im dtv außerdem erschienen:
WAS ICH NIE GESAGT HABE
Gretchens Schicksalsfamilie

Ungekürzte Ausgabe 2023

Umschlaggestaltung: dtv nach einer Vorlage von semper smile, München
Umschlagmotive: Getty Images / timnewman und shutterstock.com
Satz: Greiner & Reichel, Köln
Gesetzt aus der Adobe Garamond Pro
Druck und Bindung: C.H.Beck, Nördlingen
Printed in Germany · ISBN 978-3-423-22014-9

Für meine Eltern Else und Werner
in liebevoller Erinnerung und Dankbarkeit

»Geschichte, wie bitter sie auch sein mag, ist Realität, die täglich in unserer Gegenwart und die in unsere Zukunft fortwirkt.«

Willy Brandt in einer Rede in Jerusalem am 7. Juni 1973

EINS.
Juli 2015

»In zwei Minuten sind wir live!«, ruft der Aufnahmeleiter durch das Nachrichtenstudio.

Die Kameramänner setzen ihre Kopfhörer auf.

»Wo ist Toms Cola? Und Sabine mit der Krawatte?«

Anchorman Tom Monderath nimmt hinter seinem Moderationspult Platz.

»Wir sind noch am Innenminister dran – eventuell haben wir eine Liveschalte, die du spontan anmoderierst. Ich geb's dir dann aufs Ohr«, sagt die Regisseurin über den Studiolautsprecher.

Tom nickt, zieht am Strohhalm, schlürft die eiskalte Cola und probt murmelnd den Eröffnungstext: »Überall im Land werden Temperaturrekorde gemessen. Unwetter legten heute weite Teile von Deutschland lahm. Vor allem für ältere und kranke Menschen ist die Hitze eine Gefahr …«

»Die Eins etwas closer, die Zwei macht die übliche Fahrt«, gibt die Regie an die Kameramänner durch, und über die Studiolautsprecher ertönt: »Noch mal Maske bitte!«

»Noch eine Minute!«

»… nachdem gestern die höchsten Temperaturen des Jahres gemessen wurden, kam es heute in vielen Krankenhäusern …«

Sabine, Toms Assistentin, richtet mit ungewöhnlich fahrigen Händen seinen Krawattenknoten über dem Hemd.

»Was ist los?«, fragt er leise und deckt mit seiner Hand das Mikro ab.

»Ich hab … mein Vater … Mein Vater ist tot, und ich …« Den Rest des Satzes verschluckt Sabine und dreht sich weg. Das Glas Cola fällt um. Braune Spritzer zieren Toms weißes Hemd.

»Scheiße!«

Seine Assistentin hilft ihm aus dem Blazer. Der Aufnahmeleiter läuft mit dem Ersatzhemd an den Kameramännern vorbei.

»Noch dreißig!«

»Sorry«, stammelt Sabine.

»Mach dir keinen Kopf. Kann ich irgendetwas für dich tun?«, fragt Tom, schlüpft in sein frisches Hemd und stopft es in die Hose.

»Noch fünfzehn, alle aus dem Bild!«

Der Musikticker setzt ein.

Sabine schüttelt den Kopf und richtet Toms Krawatte.

»Letzter Trailer … Achtung, in zehn …«

»Danke«, sagt Tom, streift ihre Schulter und nimmt Platz.

Sabine springt zur Seite.

»Und fünf, vier, drei, zwei …«

»Guten Abend, meine sehr verehrten Damen und Herren. Es folgen die wichtigsten Meldungen vom 5. Juli 2015.«

»Guten Abend, mein sehr verehrter Schatz«, antwortet die vierundachtzigjährige Greta neun Kilometer rheinaufwärts von ihrem Fernsehsessel aus und prostet ihm mit einem Tässchen Pfefferminztee zu. »Nicht schlecht, die Krawatte heute. Aber ich weiß ja nicht, warum deine Haare so kurz sein müssen. Findest du wirklich, dass dir das steht?« Sie nimmt den Teller mit den Schnittchen von ihrem Dinett-Servierwagen, der genauso alt ist wie ihr zu großes Domizil, und beißt von ihrem Leberwurstbrot ab.

»Natomanöver in der Ukraine. Den Krieg in der Ukraine und Putins Kraftmeiereien kann der Westen nicht länger hinnehmen …«

»Putin, dieser Weiberheld«, sagt sie und pult ein Stückchen Gurke aus ihren Zähnen, hört nebenbei, wie die amerikanische Präsidentschaftskandidatin Clinton vor der zunehmenden militärischen Macht der Chinesen warnt. Auch dass der griechische Ministerpräsident Tsipras über Schulden verhandeln will, beachtet sie nicht weiter, denn wie jeden Abend wartet sie nur auf eines: den speziellen Spruch zur Nacht, mit dem sich der Moderator verabschiedet.

»›Nur wer die Vergangenheit kennt, kann die Gegenwart verstehen und die Zukunft gestalten‹, soll August Bebel gesagt haben. Ich wünsche Ihnen eine geruhsame Nacht.«

»Das wünsche ich dir auch, mein Schatz.« Greta schaltet den Fernseher aus und schiebt das schmutzige Geschirr mit dem Servierwagen Richtung Küche. Anfang der Sechzigerjahre ist sie in dieses Mietshaus mit den sechs Parteien eingezogen, das ihr Ehemann Konrad direkt am Rhein in Köln-Porz gebaut hat. Hier ist ihr Sohn Thomas aufgewachsen, und hier lebt sie seit dem überraschenden Tod ihres Mannes vor nahezu achtzehn Jahren auf einhundertsechzig Quadratmetern alleine.

Greta räumt das Geschirr in die Spülmaschine und denkt an Tom, wie alle ihren Jungen nennen. Sie erinnert sich nicht, wann sie ihn zum letzten Mal persönlich gesehen hat. Dabei wohnt er doch nur wenige Kilometer von ihr entfernt, mitten im Zentrum von Köln. Gut, er ist beruflich eingespannt, aber das ist noch lange kein Grund, sich nicht ab und zu telefonisch zu melden.

»Hier ist Mama«, sagt Greta Monderath betont heiter in ihren grünen Telefonhörer. »Lebst du noch? Ich wollte mich mal wieder bei dir melden, wenn du schon nicht anrufst, treulose Tomate du. Hallo?« Sie erzählt ihm von ihrem Tag, an dem sie wegen der großen Hitze nicht vor die Tür gegangen ist. Mitten im Satz wird sie von einer weiblichen Stimme unterbrochen: »Vielen Dank für Ihren Anruf.«

Durch das Wohnzimmerfenster sieht sie, wie sich über dem Rhein dunkle Wolken zusammenziehen. Es grollt und donnert.

»Das passt nicht zu ihm. Wochenlang nichts von sich hören lassen.«

Blitze zucken über dem Campingplatz auf der gegenüberliegenden Rheinseite. In Gretas Kopf überschlagen sich die Bilder vom kleinen Tom, wie er sich früher aus Angst vor Gewitter immer unters Bett verkrochen hat.

Ein Donner kracht. In ihrem rosafarbenen Hauskleid und Pantoffeln an den Füßen stolpert Greta aus der Wohnung, steigt in der Tiefgarage in ihren 3er BMW von 1996, legt den Rückwärtsgang ein, wendet und rast los, sobald sie auf der Straße ist. Schwarze Regenwolken haben den Sommerhimmel verdunkelt. Sie biegt auf die Kölner Straße ab und tritt das Gaspedal durch. Diesen Weg ist sie schon tausendmal gefahren, sie weiß, dass sie in zwanzig Minuten in der Innenstadt sein wird. Doch so weit kommt sie nicht, denn nach anderthalb Kilometern, vor der Autobahnbrücke, ist eine Vollsperrung.

Zwei Krankenwagen rasen an ihr vorbei. Ein Feuerwehrauto folgt. Blaulicht zerschneidet die Dunkelheit. In einem Schwall stürzt Regen vom Himmel, prasselt auf das Dach und hämmert gegen die Windschutzscheibe.

»Was soll ich denn jetzt machen? Ich kann doch hier nicht wenden.«

Der Scheibenwischer kämpft mit den Wassermassen. Die anderen Autofahrer überholen sie langsam auf der Gegenspur und biegen nach links ab. Der stroboskopische Effekt des Flackerlichts macht sie kirre. Sie hat nur einen Gedanken: weg hier.

Greta gibt sich einen Ruck, schert aus und fährt den anderen Autos hinterher. Dabei orientiert sie sich an den Rücklichtern des Vordermannes, biegt wie er links ab, dann rechts und landet auf der Autobahn.

»Was mach ich nur? Was mach ich nur?« Sie krallt sich mit beiden Händen am Lenkrad fest und starrt auf das Hinweisschild des Autobahnkreuzes.

»Gremberg, Gremberg.«

Sie weiß, dass sie hier rausfahren muss, um wieder zurück nach Köln zu kommen. Ein SUV fährt dicht hinter ihr auf, gibt Lichtzeichen und hupt. Sie macht das Fernlicht an, drückt das Gaspedal durch, traut sich nicht, den Lenker loszulassen, um den Schaltknüppel zu bedienen – und fährt am Kreuz Gremberg vorbei. Mit sechzig km/h im zweiten Gang.

Im Kegel ihres Scheinwerfers taucht ein blaues Hinweisschild auf: *Autobahndreieck Heumar 1000 Meter.*

»Heumar. Da muss ich runter! Ja!«

Ein holländischer Blumenlaster setzt sich links neben sie, überholt nicht, sondern bleibt hupend parallel. Greta starrt mit aufgerissenen Augen stur geradeaus. Bloß nicht von der Spur abkommen und mit dem LKW kollidieren, denkt sie und verpasst die Abfahrt zurück nach Köln.

Die weißen Streifen der Fahrbahnmarkierung fliegen ihr entgegen, und das Hupen der anderen Verkehrsteilnehmer verstummt. Sie hört das Quietschen der trocken laufenden Wischerblätter nicht, landet auf der A3 und fährt konstant mit sechzig km/h weiter durch die Nacht Richtung Südosten. Den Gedanken umzukehren hat sie längst vergessen.

Vier Stunden später, zwischen Aschaffenburg und Würzburg, ruckelt ihr Wagen und bleibt auf einem Anstieg mit leerem Benzintank liegen. Greta hört, wie der Regen auf die Scheibe prasselt.

Darunter mischt sich nach einer Weile eine lauter werdende Polizeisirene. Im Rückspiegel flackerndes Blaulicht. Die Fahrertür wird aufgerissen.

»Was ist passiert?« Ein junger Autobahnpolizist leuchtet ihr mit einer Taschenlampe ins Gesicht.

Sie starrt ihn an und schlottert. Der Polizist greift über sie zum Lenkrad, ruft nach seinem Kollegen und schiebt dann gemeinsam mit diesem den alten BMW auf den Seitenstreifen.

»Bringen Sie mich nach Hause, bitte!«

»Wo ist denn zu Hause?«

Greta überlegt. »In Preußisch Eylau.«

»Wo ist das denn?«

»Ostpreußen.«

Der junge Beamte fordert sie auf, auf der Rückbank des Polizeiautos Platz zu nehmen, und verlangt ihre Papiere. Sie hat nichts dabei.

»Wie heißen Sie?«

»Schönaich. Greta Schönaich. Am 7. 3. 1931 geboren.«

»Können wir irgendjemanden aus Ihrer Familie erreichen?«

»Meine Großeltern warten auf mich!«

Die beiden Autobahnpolizisten werfen sich einen Blick zu.

»Haben Sie sonst jemanden? Eine Tochter vielleicht oder einen Sohn?«

»Ja, ich habe eine Tochter.«

»Und wo wohnt die?«

Greta blickt durch ihn hindurch. »Mein Sohn ist im Fernsehen.«

»Alles klar«, sagt der Polizist, und dann fahren er und sein Kollege sie mitten in der Nacht direkt ins Aschaffenburger Klinikum.

—

»Es besteht der dringende Verdacht auf Demenz. Sie sollten Ihre Mutter untersuchen lassen«, sagt Oberarzt Dr. Wirth Tom Monderath, der am frühen Morgen von der Polizei informiert worden ist, dass Greta verwirrt zweihundertfünfzig Kilometer von Köln entfernt aufgefunden wurde.

»Das kann nicht sein.« Tom reibt seine müden Augen. Alles in ihm weigert sich, das, was er hört, an sich herankommen zu lassen. »Ich war vorgestern mit ihr essen. Sie war völlig normal, wie immer. Das wäre mir doch aufgefallen.«

»Natürlich kann es auch andere Ursachen geben«, sagt Dr. Wirth und stellt in den Raum, dass auch Depressionen, Abflussstörungen der Hirnrückenmarksflüssigkeit, Schilddrüsenunterfunktion oder Nebenwirkungen von Medikamenten einen derartigen Zustand verursachen können.

»Und es kann natürlich auch mit dieser Hitze zusammenhängen. Die macht vielen alten Menschen zu schaffen. Sie sollten das auf jeden Fall mit dem Hausarzt Ihrer Mutter besprechen.«

Eine Etage höher riecht es nach Desinfektionsmittel und Urin. Greta schlägt die Augen auf und schaut sich verstohlen um. Neben ihr steht ein Bett, in dem eine alte Dame liegt.

»Entschuldigung, können Sie mir bitte sagen, wo ich hier bin?«, fragt sie.

Die spindeldürre Greisin neben ihr brabbelt Unverständliches und blickt ins Leere. Greta sieht den Toilettenstuhl, den Haltegriff über ihrem Bett, ihr Nachthemd mit den zu kurzen Ärmeln und folgert, dass sie in einem Krankenhaus sein muss. Sie versucht, aus dem Bett zu steigen, doch rechts und links sind Gitter angebracht, die das verhindern.

»Hallo!«, ruft sie. Als niemand reagiert, klettert sie über die

Absperrung, hält sich das Nachthemd hinten zu und irrt suchend den langen Krankenhausflur entlang. Am Schwesternzimmer poltert sie mit ihren Fäusten gegen die Scheibe.

»Was ist los? Warum bin ich hier? Und wo sind meine Kleider?«

»Sie müssen zurück auf Ihr Zimmer«, ruft eine junge Schwester in fränkischem Dialekt, läuft zu Greta auf den Flur und packt sie am Arm.

»Gar nichts muss ich!«, wehrt sie sich. Sie kann es nicht leiden, wenn man an ihr herumzerrt. »Ich bestehe darauf, dass Sie mir meine Sachen zurückgeben und ein Taxi rufen.«

Eine weitere Pflegerin, das Schild weist sie als Stationsschwester aus, kommt hinzu und hakt sich bei Greta unter, um sie auf ihr Zimmer zu begleiten.

Greta mag vielleicht alt sein, doch sie ist körperlich fit und wehrt sich mit Händen und Füßen. »Das ist Freiheitsberaubung! Das wird ein Nachspiel haben.«

»Ja, sicher«, sagt die Stationsschwester routiniert, schiebt Greta einen Rollstuhl unter den Hintern, und mit gekonntem Griff von beiden Seiten bugsieren sie und die junge Pflegerin die alte Dame hinein.

»Warten Sie nur, bis mein Sohn hier ist. Er arbeitet beim Fernsehen!«

»Klar. Mein Vater ist der Chef vom Vatikan.«

In diesem Moment betritt ihr schlaksiger, zwei Meter großer Sohn, der berühmte Moderator Tom Monderath, neben einem Arzt die Station. Als die Schwestern ihn sehen, lassen sie Greta sofort los.

»Tom!«, ruft sie, springt aus dem Rollstuhl, hetzt ihm mit wehendem Nachthemd entgegen und stolpert ihm in die Arme. »Gott sei Dank, dass du endlich da bist!«

Die Krankenschwestern werfen sich einen aufgeregten Blick zu, offensichtlich kennen sie diesen Nachrichtenmann.

»Mam, was machst du denn? Was ist los mit dir?«, flüstert Tom und hält ihr Nachthemd zusammen. »Haben Sie vielleicht einen Bademantel, Dr. Wirth?«

»Sicher«, antwortet dieser, gibt die Bitte an die Stationsleiterin weiter und führt Mutter und Sohn nach einer kurzen Vorstellung ins Arztzimmer. »Wie fühlen Sie sich denn heute Morgen?«

»Na, wie soll ich mich denn fühlen, junger Mann?«, antwortet Greta schnippisch.

»Wissen Sie, wie Sie hierhergekommen sind?«

»Wissen Sie es?«

»Können Sie mir sagen, welchen Tag wir heute haben?«

»Wissen Sie das etwa auch nicht?«, kontert sie.

Unglaublich, denkt Tom und hört sich an, wie seine betagte Mutter den Oberarzt auflaufen lässt. Sie soll dement sein? Im Leben nicht!

Sein Smartphone vibriert. Die Kölner Redaktion versucht ihn zu erreichen.

»Wo kann ich denn kurz in Ruhe telefonieren?«

»Kommen Sie«, sagt die Stationsschwester und führt ihn auf den Balkon. Toms Blick fällt auf einen übervollen Aschenbecher. »Sie können hier auch rauchen. Ist zwar nicht erlaubt, aber Sie sehen ja.«

Er zögert kurz. »Danke, aber ich hab's mir abgewöhnt.«

Als er allein ist, lässt Tom sich auf dem ramponierten Campingstuhl nieder und wählt die Nummer seiner Assistentin. »Sabine, ich schaffe das nicht bis zur Redaktionskonferenz.«

»Hier ist Jenny«, meldet sich stattdessen eine rauchige Stimme. »Ich wollte …«

»Gib mir Sabine.«

»Sabine ist nicht da. Ich bin ihre Urlaubsvertretung.«

Tom beendet das Gespräch und wählt die Nummer des Redaktionsleiters. »Sabine ist in Urlaub, Clemens?«, fragt er und studiert, ob im Aschenbecher Kippen sind, die man noch einmal anzünden könnte.

»Sonderurlaub, es gab einen Todesfall in ihrer Familie. Ich weiß, dass du mit Jenny nicht kannst, aber sie ist gut und die Einzige, die auf die Schnelle einspringen konnte«, sagt Clemens.

»Fuck!« Tom wischt sich den Schweiß von der Stirn. »Ich schaffe es nicht zur Konferenz.« Er blickt auf seine Armbanduhr. Es ist kurz nach zwölf. Wenn er hier zügig loskommt und die Autobahn halbwegs frei ist, müsste er um siebzehn Uhr zurück sein. Genug Zeit, um die Abendsendung vorzubereiten.

»Ist was passiert?«, fragt sein Redaktionsleiter.

»Nein. Ich muss nur was organisieren.«

Die Nachricht, dass der aus dem Fernsehen und Klatschzeitschriften bekannte Journalist anwesend ist, scheint sich wie ein Lauffeuer in der Klinik verbreitet zu haben. Auf dem Flur tummeln sich auffallend viele Schwestern, die versuchen, einen Blick auf ihn zu erhaschen. Tom lächelt, schiebt sich die schwarze Baseballmütze tiefer ins Gesicht und sucht den Weg zum Besprechungszimmer.

Dort sitzt Greta in einem drei Nummern zu großen Jogginganzug auf der Behandlungsliege.

»Die denken, ich bin plemplem.«

»Wo ist denn der Arzt?«, fragt Tom.

»Also, die haben mir jetzt schon ein Loch in den Bauch gefragt. Das kann ich nun wirklich nicht auch noch wissen.«

»Verflucht! Ich muss zurück nach Köln.«

»Kannst du dich mal setzen. Du machst einen ja ganz verrückt. Und nimm endlich diese Mütze ab, du hast so schöne blonde Haare.«

Tom reißt die Tür auf, um Dr. Wirth oder einen anderen Arzt zu suchen, und stolpert fast über eine hochgewachsene Blondine im weißen Kittel, die von der anderen Seite die Türklinke in der Hand hat.

»Sorry«, sagt Tom.

Die Assistenzärztin stellt sich vor und setzt sich hinter den Schreibtisch.

»Hören Sie, Frau Doktor, ich habe keine Zeit.«

»Bevor wir Ihre Mutter entlassen können, müssen wir noch die Personalien aufnehmen. In welcher Krankenkasse ist sie?«

Tom schaut Greta fragend an.

»Techniker. Brauchen sie auch noch meine Mitgliedsnummer?«

»Die weißt du?«

»Sicher!« Greta betet die siebzehnstellige Versichertennummer herunter.

Die Ärztin grinst Tom an.

Schöne Augen, denkt er, lässt seinen Blick den langen Hals hinabwandern und liest auf ihrem Namensschild *Dr. Nadine Ney.* Für einen Augenblick vergisst er den Zeitdruck und den unangenehmen Grund dieses Aufenthalts.

»Jetzt brauche ich noch Namen und Adresse des behandelnden Hausarztes«, fragt sie über Gretas Kopf hinweg. Tom registriert, dass sie keinen Ehering an ihren schlanken Händen trägt.

»Das weiß der nicht! Schreiben Sie auf: Dr. Heinrich Fischer, Hauptstraße 397, 51143 Köln-Porz. Brauchen Sie auch noch die Telefonnummer?«

»Nein, danke.« Die Ärztin schmunzelt.

»Brauchen Sie meine Telefonnummer, Nadine?«, fragt Tom und schaut Dr. Ney in ihre braunen Augen. »Ich meine, nur für alle Fälle.«

»Ach ja, das ist sicherlich nicht verkehrt.« Die Ärztin streicht eine herausgefallene Strähne hinter ihr Ohr und steckt seine Visitenkarte in die Kitteltasche zum Stethoskop.

Ab dem Ortsausgangsschild von Aschaffenburg drückt Tom das Gaspedal durch, fädelt auf die Autobahn ein und rast mit zweihundertzwanzig km/h Richtung Köln.

»Warum fährst du ständig links?«, fragt seine Mutter auf dem Beifahrersitz und hält sich mit ihrer rechten Hand krampfhaft am Griff über der Beifahrertür fest, der nicht umsonst Angstgriff heißt. Ihre linke krallt sich in die Plastiktüte mit ihren Kleidern, die ihnen kurz vor der übereilten Abfahrt eine Krankenschwester übergeben hat. Bei jeder Gelegenheit bremst Greta automatisch, obwohl unter ihrem Fuß nichts ist als eine schwarze Gummimatte.

»Weil ich heute noch ankommen will. Zufälligerweise habe ich eine kleine Nebenbeschäftigung«, sagt Tom mit versteinerter Miene und stellt das Radio lauter.

»In Franken war es gestern mit 40,3 Grad so heiß wie in Rio. Der deutsche Hitzerekord wurde geknackt. Glaubt man alten Bauernregeln, bleibt das Wetter jetzt erst einmal so.«

Der Asphalt flimmert.

Aus den Boxen quäkt Namikas »Hallo Lieblingsmensch« zum gefühlt tausendsten Mal in diesem Sommer.

»Leeven Jott«, flucht Tom in breitestem Kölsch und schaltet das Radio wieder aus. Er hasst diese weinerliche Stimme, und noch mehr hasst er es, dass er sich nicht im Griff hat. DEMENZ. Dieses Wort darf sich nicht in seinem Hirn breitmachen. Er konzentriert sich auf das Atmen, versucht, sich zu beruhigen, und wirft seiner Mutter einen unsicheren Blick zu.

»Mam, jetzt erzähl mir mal alles, damit ich es kapiere.«

Greta schaut ihn an. »Wie?«

»Was ist passiert, dass du mitten in der Nacht durch halb Deutschland fährst?«

»Jetzt mach nicht so einen Aufstand. Ich hab dich früher auch überall rausgeholt. Und hab ich jemals gefragt? Bist du jetzt sauer, oder was?«

»Nein. Ich bin nicht sauer.« Tom weiß, dass er lügt. Er ist stinksauer. Er könnte platzen vor Wut.

»Mein Gott, Junge, vielleicht solltest du einfach mal weniger arbeiten. So viel Stress kann doch nicht gut sein.«

Tom weiß nicht, ob er lachen oder weinen soll. Er hat knapp drei Stunden geschlafen, wurde von der Polizei geweckt, ist mitten in der Nacht nach Aschaffenburg gerast, wurde dort mit der Verdachtsdiagnose Demenz konfrontiert, und jetzt sitzt seine Mutter da und erzählt ihm in aller Seelenruhe von weniger Stress.

»Ich hätte auch mit meinem Auto zurückfahren können«, sagt Greta. »Wo ist es überhaupt?«

»Der ADAC wird es zurückführen. Aber meinst du nicht, dass es besser ist, wenn du das Autofahren ganz sein lässt?«

»Quatsch!«

»Mam, du bist fast fünfundachtzig.«

»Noch lange nicht!«

»Du hast dich auf der Autobahn nicht mehr zurechtgefunden.«

»Bin ich jetzt nichts mehr wert, weil ich ein Mal einen Fehler gemacht habe? Komm du erst mal in mein Alter.«

DEMENZ. Dieses Unwort wabert in seinem Kopf. Er will es loswerden, das Wort und vor allem den Gedanken daran, dass seine Mutter damit in Zusammenhang gebracht werden könnte. Das darf nicht sein. Das kann nicht sein. Nach Depressionen hat der Oberarzt gefragt, und Tom hat ihm keine Antwort gegeben, denn dieser Begriff ist tabu. Seine ganze Kindheit und

Jugend waren geprägt davon, dass Mam tagelang im abgedunkelten Schlafzimmer verschwand und regelmäßig in sogenannten Sanatorien abtauchte. Mit ihr darüber geredet hat er immer nur indirekt.

»Nimmst du eigentlich noch diese Medizin, gegen …?«, versucht er es nebenbei.

»Du meinst diese Leck-mich-am-Arsch-Pillen?«

Er grinst. »Genau die!«

»Schon lange nicht mehr. Brauchst du welche?«

»Wenn du so weitermachst, ja!«, sagt er, wirft ihr einen verstohlenen Blick zu und ist erleichtert, dass das Telefon klingelt.

»Ja?«

»Soll ich dir die Themen schicken?«, fragt Jenny über die Freisprechanlage.

»Ich sitze im Auto, gib sie durch.«

»Ganz oben steht das Hitzeproblem. Gefolgt von Griechenland und der Schuldenkrise.«

»Wie gestern«, kommentiert Tom.

»Ja, aber Varoufakis ist als Finanzminister zurückgetreten. Es ist ein Interview mit Schäuble geplant. Er hat wenig Zeit, wir –«

»Varoufakis ist zurückgetreten? Warum sagst du das nicht sofort?«

»Wie soll ich wissen, dass du das nicht weißt. Das ist bereits über eine Stunde raus. Hast du kein Internet?«

»NEIN, JENNY! ICH FAHRE. ICH HABE KEIN INTERNET!« Wozu um alles in der Welt hat er eine Assistentin? Mit Sabine wäre das nicht passiert. Sie arbeitet ihm seit Jahren zu, weiß genau, was er braucht.

»Das Büro von Schäuble sagt, dass wir vor siebzehn Uhr aufzeichnen müssen, er hat Abendtermine.«

»Das ist zu knapp, verdammt. Soll ich da etwa selber anrufen und einen späteren Termin verhandeln? Ich hab Clemens gesagt, dass ich …«

»Okay! Ich kümmere mich.« Aufgelegt.

»Jenny?« Tom kann es nicht leiden, wenn er unterbrochen wird. Und noch weniger kann er es leiden, abgehängt zu werden.

»Oh, oh!«, sagt Greta, die ihren Sohn länger von der Seite betrachtet hat.

»WAS?«

»Aber du rasierst dich schon noch, bevor du ins Fernsehen gehst?«

»Wenn das deine größte Sorge ist.«

»Ist es nicht.«

»Sondern?«

»Jenny. Ist das deine Freundin?«

»Maaaaaam!«

»Ich meine ja nur …«

Auf dieses Gespräch hat Tom nun überhaupt keine Lust. Seit Jahren ist seine Mutter mit der Frage beschäftigt, warum er noch nicht unter der Haube ist. Seit Jahren glaubt sie, dass jede Frau in seiner Nähe eine potenzielle Schwiegertochter sein könnte, und seit Jahren erzählt sie ihm, dass sie gerne Oma werden möchte.

Er ruft Sabine auf ihrer privaten Nummer an. »Mein herzliches Beileid«, sagt er. »Ich wünsche dir viel Kraft für alles, was jetzt auf dich zukommt«, fügt er hinzu und will eigentlich nur wissen, wann sie wieder zurück ist.

»Danke«, schluchzt sie über die Freisprechanlage.

»Ist dein Vater überraschend verstorben? Oder warst du vorbereitet und konntest dich noch …?«

»Er hat sich … er hat …«, stammelt seine Assistentin. »Er hat sich umgebracht, Tom.«

»Was?« Es ist, als hätte ihm jemand in die Magengrube getreten. Tom merkt nicht, dass ein Porsche hinter ihm Lichtsignale gibt, um ihn von der linken Spur abzudrängen. »Weißt du … warum?«

»Er sollte ins Pflegeheim, hatte Parkinson. Und seit meine Mutter tot ist …« Sabines Stimme versagt.

»Sabine, Mensch, das tut mir so leid«, sagt Tom und vermutet, dass sie das wahrscheinlich gar nicht mehr gehört hat, weil er in ein Funkloch gefahren ist.

Er wechselt die Spur und fährt schweigend und langsamer weiter. In seinem Kopf ist es leer. Bei der Ausfahrt *Montabaur* zuckt er zusammen, denn er kann sich nicht erinnern, wann er über den Elzer Berg gefahren ist. Tom kann sich auch nicht erinnern, wann seine Mutter neben ihm zum letzten Mal etwas gesagt hat. Er wirft ihr erneut einen verstohlenen Blick zu.

Greta sieht verloren aus. So klein und verletzlich in dem geschmacklosen, drei Nummern zu großen Aschaffenburger Jogginganzug.

»Alles okay, Mam?«

»Mir ist kalt.«

»Sorry. Die Klimaanlage. Tut mir leid. Ich mach sie aus, dann wird dir schnell wieder warm.«

Das Telefon klingelt.

»Wir haben Schäuble für 18:30 Uhr klargemacht. Ist das okay für dich?«

»Ja«, sagt Tom und verlässt bei der Abfahrt Köln-Poll die A4.

»Ich muss gleich ins Studio, Mam. Ich kann nicht mit dir nach oben gehen. Ist das in Ordnung?« Tom hat vor ihrem Haus gehalten und sieht sie nun angespannt an.

»Natürlich. Ich brauche dich nicht«, sagt Greta und setzt ihre ganze Kraft ein, um eine gute Verfassung vorzutäuschen und das zu spielen, was früher war. Sie weiß, sie darf jetzt keinen Fehler machen. »Wo ist mein Schlüsselbund?«, fragt sie.

»Ich gebe dir meinen. Versprich, dass du zu deinem Hausarzt gehst.«

»Ja, ja!« Sie winkt ihm hinterher und murmelt: »Unkraut vergeht nicht.«

Greta huscht ins Haus, ist erleichtert, dass kein Mieter ihren Weg kreuzt, und verriegelt in ihrer Wohnung die Tür hinter sich. Als die ganze Anspannung von ihr abfällt, sackt sie in sich zusammen und lässt endlich die Krankenhaustüte mit ihren Kleidern los.

Sie weiß, dass mit ihr etwas nicht stimmt. Und sie hat Angst. »Lass dich nicht hängen!«, befiehlt sie sich, gibt sich einen Ruck, geht zielstrebig ins Bad und vermeidet es, sich im Spiegelschrank anzublicken. Sie muss ihre Gedanken festhalten, die sonst verschwinden.

AUTO schreibt sie in Versalien auf den Post-it-Block, der mit dem Kugelschreiber auf dem Fensterbrett liegt, und klebt das Papierchen auf die geflieste Wand, die voller bunter Zettel ist.

BUCH ÜBER GEDÄCHTNISTRAINING LESEN!
APFEL ESSEN! JEDEN TAG EINEN!!!!!
EINE TABLETTE FÜR HIRNDURCHBLUTUNG!

»Stimmt, die Hirnpillen«, sagt sie zu sich, nimmt eine Tablette aus der Schachtel und schluckt sie ohne Wasser. Dann zieht sie erneut den Blister aus der Packung, drückt fünf weitere raus und würgt sie hinunter.

Mit der Einfahrt in die Tiefgarage des Senders hat Tom das Unwort erfolgreich verdrängt. Die Fragen, ob der griechische Austritt aus dem Euro noch abzuwenden ist und ob das eine Katastrophe für Europa wäre, beherrschen seine Gedanken. Um schneller im Studio zu sein, läuft er am Aufzug vorbei und nimmt die Treppe.

Alles steht. Die Scheinwerfer leuchten sein Moderationspult aus. Auf dem Monitor sieht er den ungeduldigen Finanzminister, der in Berlin auf ihn wartet. Tom wirft sein verschwitztes T-Shirt in die Ecke, Clemens drückt ihm ein Dossier und eine Liste von Fragen in die Hand, Jenny hilft ihm in das weiße Hemd und den Blazer, die Maskenbildnerin rasiert sein Gesicht.

»Halte Schäuble noch zwei Minuten hin, Clem«, sagt Tom zu seinem Redaktionsleiter und geht die Fragen durch.

»Welche Krawatte?«, fragt ihn Jenny Walter und hält ihm drei zur Auswahl hin.

»Die rotgetupfte«, befiehlt Tom und würdigt die vierzigjährige Ersatzassistentin keines Blickes.

Als Jenny skeptisch »Die?« fragt, schaut er auf und sieht, dass die immer schwarz tragende Kölnerin die Krawatte mit den orangefarbenen Punkten mit gerunzelter Stirn mustert.

Tom reagiert nicht und schreibt Notizen auf die Moderationskarten. Wenig später sieht er aus den Augenwinkeln, wie Lars, der Aufnahmeleiter, einen Hocker vor ihn hinstellt.

»Danke, Jens«, sagt Jenny, die mit ihren bestimmt nur eins sechzig nicht an Tom heranragt.

»Lars«, verbessert sie der Kollege.

Jenny beachtet ihn nicht weiter, steigt auf den Hocker, und schon zieht sie Tom die fertig gebundene Krawatte über den Kopf und ordnet seinen Kragen.

»Fertig«, sagt sie. »Was ist mit der Brille?«

»Wie, was soll mit der Brille sein?«

»Du hast doch sonst immer …«

»Ich habe meine Kontaktlinsen zu Hause vergessen«, unterbricht er sie scharf, setzt sein Profilächeln auf und geht zum Moderationspult. »Grüße Sie, Herr Schäuble.«

Routiniert gelassen will Tom im Laufe des Interviews wissen, ob die Verhandlungen mit der griechischen Regierung nun einfacher werden oder der Minister den Austritt Griechenlands aus dem Euro befürchte.

Diplomatisch weicht Schäuble aus. »Ich sehe keine Katastrophe für Europa.«

Nach dem Gespräch konzentriert sich Tom auf die Vorbereitung der Abendsendung.

»Willst du was trinken oder essen?«, fragt ihn die Ersatzassistentin.

»Ja«, antwortet er, ohne aufzublicken.

»Und was?«

»Noch 'ne Frage, und ich flipp aus!«

Er ist dankbar, dass der Aufnahmeleiter ihm ungefragt eine Flasche Wasser auf das Pult stellt. »Fünf Minuten noch.«

Die Kameramänner nehmen Position ein. Die Maskenbildnerin tupft Toms Oberlippe ab und huscht neben die Studiokameras. Die Erkennungsmelodie ertönt.

»Ganz Deutschland leidet unter der Tropenhitze«, moderiert Tom die Sendung vom 6. Juli 2015 an.

»Da sagst du was«, meint Greta in ihrem Porzer Wohnzimmer und schiebt sich ein Salamischnittchen mit Remouladenkringel in den Mund.

»Seit wann trägst du denn die Brille?«, fragt sie und leckt sich die Oberlippe ab. »Du wirst auch nicht jünger, mein Schatz.«

»Die Hitze der vergangenen Tage war für viele nahezu unerträglich. An heißen Tagen sterben fast doppelt so viele ältere

Menschen als an kühlen«, klingt es aus dem Fernsehen. »Der Grund: Ihre körperlichen Warnsignale für Überhitzung arbeiten mit Verzögerung.«

Greta stopft sich die Hälfte eines harten Eies in den Mund. »Du siehst aber immer noch sehr gut aus, nicht so schäbig wie der aus dem zweiten Programm.«

—

»Willst du noch ein Kölsch?«, fragt Jenny nach der Sendung und versucht, auf dem Weg aus dem Studio Schritt mit Tom zu halten.

»Klar will ich ein Kölsch. Ich will IMMER ein Kölsch. Nach JEDER Sendung.«

Es ist ihm egal, dass Jenny kopfschüttelnd stehen bleibt. Er lässt sich mit dem Aufzug nach oben fahren. In seinem geräumigen Büro mit Blick über den Rhein überfliegt Tom weitere Meldungen des Tages. In Dreieich wurden sechzehn Menschen verletzt, weil ein Autofahrer in falscher Richtung in einen Verkehrskreisel gefahren und mit einem Bus kollidiert ist. Der Fahrer ist ein sechsundachtzig Jahre alter Mann. Da ist es wieder das Unwort: DEMENZ.

Die Tür geht auf, und Jenny knallt ihm wortlos die Flasche Kölsch auf den Tisch. »Brauchst du noch etwas?«

»Nein!« Im Monitorlicht wirkt Toms Gesicht hart. Er verkneift es sich zu sagen, dass sie das nächste Mal anklopfen soll.

»Darf ich noch etwas anmerken?«

Er löscht die Suchbegriffe: *Demenz, Kennzeichen.* »Was?«

»Das mit dem Gedankenlesen funktioniert nicht. Du musst mir schon sagen, wenn du was brauchst.«

Tom schaut sie nicht an, überfliegt die Schlagzeilen der ›New York Times‹ und muss sich zusammennehmen, um nicht eine

Grundsatzdiskussion über die Aufgabenbereiche einer Assistentin vom Zaun zu brechen. Auch weil er sich sicher ist, dass Sabine in wenigen Tagen wieder zurück sein wird. Aus den Augenwinkeln sieht er, dass Jenny sich nicht vom Fleck rührt. Langsam hebt er den Kopf und blickt sie an.

»Noch was?«

»Ja«, sagt sie mit Nachdruck. »Deine Krawatte sieht scheiße aus!« Sie macht auf dem Absatz kehrt und lässt die Tür hinter sich zufallen.

»Fuck!« Er zerrt sich den Binder vom Hals und wirft ihn in den Papierkorb, stößt sich am Tisch ab, dreht den Schreibtischstuhl so, dass er aus dem Fenster schauen kann. Er sieht weder den Dom auf der anderen Rheinseite noch das Abendrot am Horizont dahinter, setzt die Flasche Kölsch an und leert sie in einem Zug. »Was für ein beschissener Tag!«

Eine halbe Stunde später sammelt Tom seine Sachen zusammen und fährt nach Hause in die Penthousewohnung im Gerling-Quartier. Er ist hundemüde und froh, endlich allein zu sein. Tom liebt den Purismus in der Wohnung, die er erst vor zwei Wochen bezogen hat. Er kickt die Schuhe von den Füßen. Im Computer öffnet er die Playlist von Avicii, dreht die Anlage auf Anschlag, schließt die Augen. Die Töne explodieren im Ohr. Er tanzt durch sein Wohnzimmer, reißt sich die Kleider vom Leib und stellt sich unter die heiße Dusche. DEMENZ. Fuck! Das Wort ist wieder da.

Nackt zieht er den Korken aus einem Flaschenhals und hofft, dass der Chianti es wegschwemmen kann. Das erste Glas kippt er hinunter. Nach dem zweiten vibrieren in ihm die Bässe. Auf der Terrasse sieht er den glutroten Mond hinter dem Dom aufgehen. Er legt sich mit der Weinflasche in die Hängematte und schließt die Augen.

Zwischen zwei Musikstücken brüllt eine Nachbarin von gegenüber: »Ruhe!«

Tom regelt die Lautstärke und schaukelt in den Schlaf.

Die schrille Stimme holt ihn wieder zurück. »Sind wir denn hier im Irrenhaus? Erst diese Musik und jetzt diese Fickerei. Fenster zu!«

Tatsächlich. Eine Frau stöhnt. Ihr tiefes, langgezogenes »Aaaah« wird lauter. Im Halbschlaf stellt Tom sich vor, wie er der Aschaffenburger Assistenzärztin – wie hieß sie noch gleich? – ihren Kittel aufknöpft. Das »Ah« wird zum rhythmischen »Ja, Ja, Ja!«. Tom denkt daran, wie er mit seiner Innenarchitektin Melanie letzte Woche die Dusche eingeweiht hat. Er lässt sich aus der Hängematte plumpsen, sucht in der Wohnung sein Smartphone und schreibt Mela eine WhatsApp-Nachricht:

Haste noch Zeit? 😍

Sorry, muss morgen um 5 raus und nach Berlin. Schlafe quasi schon ☹

Tom überlegt, wie er Mela wohl zu Telefonsex überreden könnte, eigentlich kennt er sie ja kaum. Sein Telefon vibriert. Unbekannter Anrufer. Vielleicht hat sie ja die gleiche Idee, denkt er.

»Jaaaa?«

»Hier ist Jenny.«

Toms Erektion ist verschwunden.

»Ich schlafe«, sagte er und wirft das Handy in die Ecke.

Am nächsten Morgen joggt er in aller Herrgottsfrüh über den Kaiser-Wilhelm-Ring in Richtung Stadtgarten. Hundertvierzig Beats per Minute geben seinen Laufrhythmus vor. Im künstlichen Weiher am Mediapark spiegelt sich die Morgensonne. ›Levels‹ von Avicii peitscht ihn auf.

Tom reißt die Arme in die Luft. Das wird sein Tag! Er spurtet an den roten Zeitungskästen des ›Kölner Express‹ und der ›Bild‹-Zeitung vorbei, beschleunigt sein Tempo, um die grüne Fußgängerampel an der Inneren Kanalstraße zu erwischen. Schlagartig bleibt er stehen. Dann dreht er sich um, geht langsam auf die Zeitungskästen zu und sieht sein Konterfei auf dem Titelblatt der ›Bild‹-Zeitung. Darüber:

MUTTER VON STARMODERATOR
AUF AUTOBAHN VERIRRT

Eine Gassigeherin wirft Kleingeld in den Kasten, öffnet die Klappe, holt eine Zeitung heraus und mustert Tom von der Seite. Der zieht seine Baseballkappe tiefer ins Gesicht, hetzt den Weg zurück in Richtung Innenstadt und hat plötzlich das Gefühl, von jedem Autofahrer erkannt zu werden. Schritt für Schritt verwandelt sich sein Entsetzen in Wut. Wer hat das an die Presse durchgestochen? Polizei? Krankenhaus?

Tom wählt die oberste Nummer seiner Anrufliste.

»Walter«, meldet sich Jenny nach dem ersten Klingeln.

»Wie kann das passieren, dass ich das nicht vorher erfahre?«

»Wie das passieren kann? Sorry, aber als ich dir das heute Nacht erzählen wollte, hast du mich weggedrückt.«

»Wir müssen …«

Jenny unterbricht ihn. »Ich hab schon Kontakt mit Blücher aufgenommen, dem Medienanwalt. Er kümmert sich.«

»Okay«, sagt Tom und beendet das Gespräch, weil ein Anrufer anklopft. Es ist seine Mutter.

»Mam, ich kann jetzt nicht.«

Greta lässt sich nicht abwimmeln.

»Ich brauch mein Auto! Ich muss einkaufen!«

Herr, schmeiß Hirn vom Himmel, denkt er und rast über die rote Fußgängerampel.

»Tom?«

»Ich kümmere mich darum. Bleib zu Haus, ich komme nachher vorbei.«

Das Schrankzimmer voll gleicher Hosen, Anzüge, Hemden und T-Shirts ist der schallsicherste Raum der Wohnung. Hier kann er sich gewiss sein, dass kein Nachbar hört, wie er brüllt: »Verfickte Scheiße!«

Erneut wählt er Jennys Nummer und bittet sie, in der Aschaffenburger Werkstatt anzurufen, damit der Wagen seiner Mam vor Ort verkauft wird.

»Mach ich«, sagt sie. »Ich denke, du musst dafür sorgen, dass deine Mutter heute in der Wohnung bleibt, nicht dass ihr noch ein Fotograf auflauert. Ich habe gesehen, sie steht mit voller Adresse im Telefonbuch.«

»Fuck!«

Fünf Minuten später sitzt Tom in seinem Wagen und rast auf der Deutzer Brücke über den Rhein.

»Bist du zufällig in der Gegend, oder was verschafft mir die Ehre?«, empfängt ihn seine Mutter misstrauisch, nachdem sie ihm endlich die Tür aufgemacht hat.

»Ich dachte, wir könnten zusammen frühstücken.« Tom stellt vier vollbepackte Einkaufstüten und einen Kasten Wasser ab. Er weiß, dass er Ruhe ausstrahlen muss. »Ich hab für dich eingekauft, dann musst du bei dieser Affenhitze nicht vor die Tür.«

Greta durchsucht die Tüten.

»Da sind auch Kreuzworträtselhefte drin«, sagt er, schleicht in den Flur und zieht den Telefonstecker. »Ich hab sogar ein neues Telefon für dich, Mam. Ein Handy.«

Greta verschränkt ihre Arme und schüttelt den Kopf. »Das kannst du wieder mitnehmen. So was brauch ich nicht.«

»Doch, Mam. In Porz sind alle Telefonleitungen gestört, und bis die wieder in Ordnung sind, kannst du mich damit erreichen.«

Er erklärt ihr, wie simpel das Gerät mit den riesigen Tasten zu bedienen ist und wie sie seine Handynummer anrufen kann. Mit ihren faltigen Fingern probiert Greta und ist erstaunt, dass es jedes Mal bei Tom klingelt.

»Und wenn ich dich anrufe, musst du nur auf die grüne Taste drücken, Mam.«

»Das muss ich mir aufschreiben«, meint sie und geht ins Bad.

Tom nutzt ihre Abwesenheit, um das Festnetztelefon oben auf dem Regal seines früheren Kinderzimmers verschwinden zu lassen.

»Komm mal«, ruft Greta. »Ich weiß nicht, wie ich das schreiben soll.«

Leise schließt er die Zimmertür und geht zu seiner Mutter, die vor einer Wand voll mit bunten Notizzetteln steht.

20 UHR TOM IM FERNSEHEN.

2015!

APFEL ESSEN! JEDEN TAG EINEN!!!!!

ALLES AUFSCHREIBEN!!!

Sein Atem stockt.

»Was guckst du so?«, fragt sie und drückt ihm den Post-it-Block in die Hand. »Das Gedächtnis verrutscht im Alter. Aufschreiben ist immer gut.«

Tom bringt kein Wort heraus. Bleib ruhig, denkt er, notiert die Tastenkombination und gibt seiner Mutter den Block zurück.

Greta klebt den Zettel mit *HANDY. ZWEIMAL UNTERSTER KNOPF = TOM* auf eine freie Kachel. »Ich hab Hunger«, sagt sie und verschwindet Richtung Küche.

Tom lässt sie gehen, reißt den Notizzettel mit der Aufschrift *AUTO* von der Wand, zerknüllt ihn und steckt ihn in die Hosentasche. Wenig später nimmt er den Wohnungsschlüssel vom Brett, fährt unter einem Vorwand zum nächsten Schlüsseldienst und lässt sich einen nachmachen. Denn in dieser Situation keine Möglichkeit zu haben, die Wohnung zu betreten, geht gar nicht.

In den folgenden Tagen schaut Tom täglich bei seiner Mutter vorbei und versorgt sie mit allem Nötigen, um zu verhindern, dass sie vor die Tür geht.

Den Gedanken, dass mit ihr etwas nicht stimmen könnte, wagt er nicht zu Ende zu denken. Und doch holt er ihn Tag und Nacht ein. Er lässt keine Gelegenheit aus, Greta scheinbar beiläufig in Gespräche zu verwickeln. Egal, was für Fragen er ihr stellt, sie ist nie um eine Antwort verlegen und schlagfertig, wie sie es ihr Leben lang war. Sie kann schwierigste Kreuzworträtsel lösen, sich und ihren Haushalt versorgen und ohne Probleme das neue Handy bedienen. DEMENZ, das hält er für ausgeschlossen.

Zum Glück ist es nach der einen Pressemeldung ruhig geblieben, daher meint Tom am Ende der Woche, dass er die Zügel wieder locker lassen kann. Doch dafür muss er die Sache mit dem Auto klären. Den ganzen Samstagnachmittag hat er überlegt, wie er es angehen könnte.

Kurz bevor er aufbrechen will, spricht er es an.

»Mam, hier ist die Telefonnummer der Taxizentrale und die vom nächsten Taxistand.« Er drückt ihr eine Visitenkarte in die Hand. »Wir können die Nummer auch noch mal extra aufschreiben.«

Greta wirft die Karte hinter sich. »Brauch ich nicht. Ich will mein Auto!«, erwidert sie, offensichtlich sauer.

»Meinst du nicht, du solltest das Autofahren erst mal lassen?«

»Das wär ja noch schöner. Wie soll ich denn dann einkaufen und so?«

»Na, mit dem Taxi eben.«

»Und wer zahlt das? Du etwa?«

»Von mir aus gern.«

»Das ist doch Quatsch, Tom! Du wirfst das Geld schneller raus, als es reinkommt. Noch habe ich selbst über mein Leben zu bestimmen«, sagt sie, durchsucht den Zeitungsstapel auf ihrem Küchentisch und blättert energisch in der ›Apothekenumschau‹.

Reiß dich zusammen, denkt er und füllt den Wasserkocher. Argumente bringen nichts. Ich muss Zeit gewinnen, damit sie sich daran gewöhnt. »Fahr Taxi, zumindest bis dein Auto wieder aus der Reparatur ist, okay?«

Greta krallt sich am Kugelschreiber fest und gibt ihm keine Antwort.

Stur bis zum Gehtnichtmehr, denkt er und will nur noch weg. Er hasst es. Und wie er es hasst! Er brüht Tee auf und sieht im Licht den Staub, der sich über alles gelegt hat. »Wie oft kommt Helga eigentlich zum Putzen?«

Heilverfahren, liest Greta und füllt das gesuchte Wort mit den drei Buchstaben aus. »Die ist in Kur.« Sie vermeidet es, Tom anzusehen.

Er stellt ihr die Tasse Pfefferminztee vor die Nase. »Warst du eigentlich schon beim Arzt, Mam?«

»Sicher«, antwortet sie, schreibt einen Buchstaben nach dem anderen in die Kästchen. Sie hofft, dass ihr Sohn endlich zu fragen aufhört und geht. Doch das tut er nicht.

»Und? Was sagt er?«, hakt er nach.

Gretas Blick fällt auf die Überschrift des Artikels, der über dem Rätsel steht: *Wenig Trinken birgt ein hohes Gesundheitsrisiko.* »Ich muss mehr trinken, hat er gesagt. Sonst ist alles bestens.«

»Na schön«, sagt Tom, und endlich verabschiedet er sich. Als die Tür ins Schloss fällt, lässt Greta die Zeitschrift fallen, steht auf, geht zum Fenster, schaut, wie er einsteigt und wegfährt.

»Du hast nicht über mich zu bestimmen«, ruft sie ihm nach und weint.

Auf beiden Seiten des Rheins warten fast eine Million Menschen auf einen der Höhepunkte des Jahres: die Kölner Lichter. Am Tag dieses größten musiksynchronen Höhenfeuerwerks Europas findet jährlich das Sommerfest des Senders FFD statt. Eine bessere Kulisse könnte keiner erfinden.

Auf dem Dach des Studiogebäudes direkt am Rhein wird gegrillt, gezapft, getratscht, gegrölt und auf das Lichtspektakel gewartet. Tom taucht erst auf, als die Sonne längst untergegangen ist. Am liebsten wäre er überhaupt nicht hingegangen, hätte sich ins Bett gelegt und achtundvierzig Stunden am Stück geschlafen. Aber er hat sich aufgerafft, schließlich ist er das Aushängeschild des Senders.

Tom weiß, wie man sich plaudernd auf jeden einstellen kann – vom Intendanten bis zum Beleuchter. Er weiß auch, wie man in jeder Umgebung unbefangen flirtet – mit der Maskenbildnerin und mit der Gattin des Fernsehchefs. Sein jahrelanger Aufenthalt in den USA war die beste Schule für diesen Parcours.

»Und? Läuft alles?«, fragt der Chefredakteur und haut ihm auf die Schulter.

Tom kippt sein erstes Kölsch und spricht die Einschaltquoten an. Doch das ist es ausnahmsweise nicht, was den Chef interessiert.

»Das ist ja ein Ding mit Ihrer Mutter. Die alten Herrschaften, oje. Was bin ich froh, dass ich das hinter mir habe.«

Das freut mich ja für dich, denkt Tom, grinst ihm ins Gesicht und sagt: »Alles halb so wild!« Zweites Kölsch.

Auch Gisbert Wehrle, der Intendant samt Gattin, gefolgt vom Fernsehchef gesellen sich zu ihnen, und innerhalb von Minuten überbieten sie einander mit lustigen Geschichten von ihren alten Herrschaften. Tom hätte es nicht für möglich gehalten, dass es auch zu diesem Thema ein Höher-Größer-Weiter gibt. Drittes Kölsch. Die Intendantengattin erzählt, dass sie ihren Vater entmündigen lassen musste, nachdem eine Pflegerin ihm den Kopf verdrehte und er drauf und dran war, ihr das gesamte Vermögen zu überschreiben.

»›Die Genitalien sind der Resonanzboden des Gehirns‹«, schiebt ihr Gatte nach und lacht über den Schopenhauer-Spruch, während die anderen noch grübeln.

Tom kippt das vierte Kölsch und überlegt, wie er hier galant den Abflug machen kann.

Da holt der Fernsehchef aus: »Mein Vater hat das gleiche Ziel wie einst Billy Wilder – mit hundertvier Jahren, kerngesund, von einem Ehemann erschossen zu werden, der ihn bei seiner jungen Frau inflagranti ertappt.«

»Auf Ihren Vater!« Tom prostet allen zu und checkt verstohlen die Lage. Überall stehen Grüppchen, die laut und wild durcheinanderreden. Inmitten der Technikcrew steht Lars, der Aufnahmeleiter – wie immer zu laut, zu schrill, zu sehr auf Wirkung bedacht –, und sucht Blickkontakt zu Tom. Der grinst kurz höflich und sieht sich weiter um. Etwas abseits sitzt Jenny. Allein. Sie hat die Füße auf die Brüstung gelegt und schaut in den Nachthimmel. Als der nächste Kellner vorbeikommt, schnappt Tom sich zwei Gläser Kölsch vom Tablett und entschuldigt sich bei den Chefs.

»Du schaust so, wie ich mich fühle«, sagt er zu Jenny, reicht ihr ein Bier und prostet ihr zu.

»Ach!« Sie stellt das Glas neben sich auf den Tisch.

Tom bereut auf der Stelle, sie überhaupt angesprochen zu haben, und überlegt, ob sie noch eingeschnappt sein könnte. »Das war 'ne gute Woche, also, ich meine, deine Arbeit war okay.«

Jenny schweigt, blickt weiter in die dunkle Nacht.

»Was?«, will Tom wissen.

»Wie? Was?«, herrscht sie ihn an. »Lass mich doch einfach hier sitzen. Ich habe offensichtlich keine Lust zu reden.«

»Hab ich dir was getan, Jenny?«

»Tom, akzeptier doch einfach, dass es ausnahmsweise mal nicht um dich geht, okay?«

Ein Kanonenschlag kündigt das Feuerwerk an und lässt alle Gespräche verstummen.

Was für eine hysterische ... Tom ist froh, dass die Zusammenarbeit mit ihr und auch dieser Abend bald zu Ende sein wird.

Die ersten Feuerwerkskörper explodieren, und roter Funkenregen verzaubert über dem Dom den Nachthimmel.

»Sorry«, sagt sie. »War blöd von mir eben. Aber es hat wirklich nichts mit dir zu tun.«

»Ist schon okay.«

»Wie geht es deiner Mutter?«

»Gut«, sagt Tom, sieht die Raketen, die in die Luft geschossen werden, und denkt: Ich hab keine Ahnung.

In Köln-Porz schreckt ein Kanonenschlag Greta aus dem Schlaf. Ihr Herz pocht bis zum Hals. Sie hält die Luft an, horcht. Erneut böllert und knallt es. Die Vierundachtzigjährige springt aus dem Bett, eilt zum Fenster und sieht durch die Lamellen ihres Rollladens Lichtblitze. Sie zittert am ganzen Körper.

»Jetzt ist KRIEG!«

ZWEI.
1939–1945

»Jetzt ist KRIEG!«, schrie Rektor Schleifer.

Greta Schönaich, die für ihre acht Jahre recht klein war, stellte sich auf die Zehenspitzen, um über die Köpfe der Erstklässlerinnen hinwegzusehen.

Eben noch hatte sie im Klassenzimmer gesessen und in Sütterlinschrift *Freitag, der 1. September 1939* auf ihre Schiefertafel geschrieben, als die Tür des Klassenzimmers aufgerissen worden war und ein Junge aus der sechsten Klasse gesagt hatte, dass alle Schüler sich auf Befehl des Rektors sofort auf dem Schulhof aufzustellen hätten. Und nun stand sie zusammen mit all den anderen Kindern der ostpreußischen Volksschule in Reih und Glied – die Knaben rechts, die Mädchen links – auf dem Hof und lauschte dem Rektor, der nach dieser großen Ankündigung nun mit bebender Stimme fortfuhr:

»Kinder, heute wird Geschichte geschrieben! Dies ist ein Tag, den ihr euer ganzes Leben nicht vergessen werdet. Der Führer hat erklärt, dass seit 5:45 Uhr auf Polen zurückgeschossen wird. Von jetzt an wird Bombe mit Bombe vergolten!«

Was für ein besonderer Tag!, dachte Greta, tat es den älteren Schülern nach, stieß wie sie Freudenschreie aus, streckte den rechten Arm und rief: »Sieg Heil!«

Zum Abschluss sang sie mit allen gemeinsam die Nationalhymne: »Deutschland, Deutschland über alles, über alles in der

Welt … von der Maas bis an die Memel, von der Etsch bis an den Belt.«

Dann gab Rektor Schleifer den Kindern zur Feier des Tages schulfrei.

Greta schulterte ihren Tornister und hüpfte über das Kopfsteinpflaster des Marktplatzes ihrer Heimatstadt Preußisch Eylau, denn sie wollte so schnell wie möglich nach Hause, um ihrer Familie die Neuigkeiten mitzuteilen. Aus der Ferne hörte sie ein Wummern, das mit jedem Schlag näher kam. Sie blieb stehen und sah, wie eine Abordnung der Hitlerjugend mit wehenden Hakenkreuzfahnen im Rhythmus der schlagenden Trommeln die Straße heraufmarschierte. Hinter den uniformierten Pimpfen schritt ihre Schwester Josefine, die alle Fine nannten, als Fahnenträgerin der Jungmädel, und Gretas Herz pochte im Takt. Noch unendlich lange anderthalb Jahre sollte sie warten müssen, bis auch sie zehn war und in den Jungmädelbund aufgenommen werden würde. Fine war schon seit zwei Jahren dabei.

Mit erhobener Rechter ließ Greta die Marschkolonne vorbeiziehen und stimmte in den Gesang ein: »Die Fahne hoch! Die Reihen fest geschlossen! SA marschiert mit ruhig festem Schritt.« Dann stakste sie im Stechschritt weiter und sang fröhlich alle Zeilen des Horst-Wessel-Lieds: »Es schau'n aufs Hakenkreuz voll Hoffnung schon Millionen, der Tag für Freiheit und für Brot bricht an.«

In der Gartenstraße am Stadtrand, wo das kleine Häuschen ihrer Familie stand, hörte sie schon von Weitem das dumpfe *Tock, Tock* und wusste, dass ihr Großvater in seiner Werkstatt arbeitete.

Greta rannte über den Hof und riss begeistert die Tür auf: »Heil Hitler, Opa!« Ihre Stimme überschlug sich.

»Guten Tag heißt das«, entgegnete Ludwig Sabronski, der an seiner Werkbank saß, einen ausgebeulten Kupferkessel in der

Buchenholzkuhle führte, mit gleichmäßigen Schlägen auf das Blech hämmerte, es im Kreis drehte und in Form brachte. »Hast du keine Schule?«

»Jetzt ist Krieg. Wir haben zur Freude des Tages schulfrei!«

»Krieg ist kein Grund zur Freude, Gretche«, erwiderte ihr Opa grimmig und begutachtete den Kessel. »Reich mir mal die Feile.«

Sie schob den Hocker an die Wand, kletterte hoch und reckte sich nach den Werkzeugen: »Welche?«

»Die zweite.«

Greta schaute ihrem Großvater, der mit seinen einundsechzig Jahren der älteste Kupferschmied im Ort war, gerne beim Arbeiten zu und half ihm auch immer wieder. Sie war fasziniert davon, was er alles reparieren und aus den letzten Blechresten noch zaubern konnte. Weil er im großen Krieg ein Bein verloren hatte und an Krücken humpelte, schickte er seine Enkelin oft mit den reparierten Kesseln oder Tellern in die Nachbarbarschaft. Dann kassierte Greta das Geld, das er dringend brauchte, um seine winzige Rente aufzustocken.

»Wie kann Opa sagen, dass Krieg kein Grund zur Freude ist?«, fragte Greta wenig später ihre Großmutter Guste. Sie half ihr beim Kartoffelschälen. »Du hast mir doch erzählt, dass Opa und du euch ohne den Krieg nie kennengelernt hättet?«

»Ich habe Opa im Lazarett kennengelernt. Und es stimmt, ohne seine Kriegsverletzung wären wir uns nie begegnet. Trotzdem ist Krieg kein Grund zur Freude, denn er bringt viel Leid über die Menschen«, sagte Guste-Oma. Eigentlich war sie gar nicht Gretas richtige Oma. Auguste Holloch, die von allen Guste genannt wurde, war gebürtige Heidelbergerin und die zweite Frau des verwitweten Großvaters und somit Gretas Stiefgroßmutter. Sie war neun Jahre jünger als ihr Mann, versorgte das Haus, den Garten und zog Greta und Fine wie ihre eigenen Kinder groß. Das hat sie auch schon getan, bevor ihre Stieftochter Emma, Gretas Mutter, Arbeit in einer Tuchfabrik fand, in Sechzehnstundenschichten Hakenkreuzfahnen und Stoffe für die Wehrmacht nähte und nur zum Essen und Schlafen zu Hause war.

»Komm, Herr Jesus, sei unser Gast und segne, was du uns bescheret hast«, betete Opa am Abend, als Guste-Oma den dampfenden Suppentopf auf den Tisch gestellt hatte.

Greta hatte die Hände gefaltet, spinkste und beobachtete heimlich ihre Familie: Ihre Mutter Emma, die viel älter als ihre neunundzwanzig Jahre aussah und sich vor Müdigkeit kaum wach halten konnte. Ihren Vater Otto Schönaich, der vor zwei Monaten einunddreißig Jahre alt geworden war, wie der Führer seinen Schnäuzer zu einem Rechteck getrimmt hatte und mit verschränkten Armen und offenen Augen vor sich hin starrte. Fine mit ihren langen blonden Zöpfen, die es ihm gleichtat, und die Stiefgroßmutter, die neben ihrem Gatten betete.

»Amen!«, sagte der Großvater, dessen Zwirbelbart beim Sprechen zitterte.

Guste-Oma teilte die Suppe aus, gab erst ihrem Ehemann einen Teller und dann dem Schwiegersohn, der nur alle paar Wochen heimkam, denn er arbeitete draußen im Reich und baute Autobahnen. Zuletzt kam wie immer als Jüngste Greta dran, doch das war ihr egal.

Nichts war zu hören außer dem Geklapper des Geschirrs, dem Schmatzen von Vati, dem Knacken von Opas Gebiss und dem Schnauben von Mutti. Keiner sprach ein Wort.

»Oh, isch dess ä guädi Flädlesupp!«, posaunte Greta strahlend in die Stille hinein, um die Stimmung anzuheben. Den kurpfälzischen Dialekt der Großmutter zu imitieren war immer eine sichere Bank. Doch heute lachte keiner.

»Iss brav, Mädele!« Guste-Oma strich ihr übers Haar.

Greta war erleichtert, dass sie nach dem Essen zusammen mit Fine die kargen Küchenabfälle an die Hühner, Gänse und die beiden Schweine hinter dem Gemüsegarten verfüttern musste und so der angespannten Stimmung entfliehen konnte.

»Das ist der Anfang vom Ende!«, hörte sie ihren Großvater schimpfen, als sie hinter Fine am angelehnten Küchenfenster vorbeiging, »Hitler ist ein gefährlicher Dummschwätzer.«

»Ich verbitte mir solche Sprüche«, herrschte ihn ihr Vater an.

»Unter meinem Dach verbietet mir keiner etwas! Basta.«

Es ist schön, dass Vati endlich wieder einmal zu Hause war, aber es ist schrecklich, dass er und Opa sich immer streiten, dachte Greta und warf den Hühnern die dünnen Kartoffelschalen hin. Egal, worum es ging, die beiden waren nie einer Meinung.

»Wie stellen diese Idioten sich das vor? Wie soll ich es mit meinem Holzbein jeden Tag fünf Kilometer hin und zurück schaffen«, hörte Greta ihren Opa sich ereifern, und sie spitzte die Ohren, um aus der Entfernung alles genau zu verstehen.

»Sei still, Lud«, mahnte Guste-Oma nun. »Du bringst mit deinem losen Mundwerk noch Unglück über uns alle.«

»Was hat Opa denn?«, fragte Greta Fine, die ebenfalls gelauscht hatte.

»Er ist zwangsverpflichtet, in der Maschinenfabrik zu arbeiten, die Munition und Panzerzubehör herstellt«, erklärte Fine mit einer Erwachsenenmiene. »Vati sagt ja auch nichts dazu, dass er mit seinem Rücken kriegsverwendbar ist. Wir müssen alle unseren Beitrag leisten.«

»Richtig!«, sagte Greta, auch wenn sie nicht verstand, wieso ihr Vater und der Großvater so hitzig debattierten. Sie war noch zu jung und begriff erst viel später, was dahintersteckte: Ihr Opa, ein Sozialdemokrat, der sein Parteibuch hinter dem Kruzifix versteckt hielt, blickte auf seinen Schwiegersohn herab, weil dieser seit 1930 die NSDAP unterstützte. Der Alte hatte dem Jüngeren nie verziehen, dass er seine damals sechzehnjährige Tochter Emma geschwängert und sich seitdem in der Familie breitgemacht hatte. Darüber hinaus ließ Gretas Vater einen Großteil seines Lohns in der Trinkwirtschaft. Und so waren die geringe Verstümmelungszulage, die Ludwig für sein verlorenes Bein bekam, das Geld für Schmiedearbeiten und das Gehalt von Emma in manchen Monaten das einzige Einkommen.

Nach dem Abwasch fuhr Gretas Mutter mit dem Fahrrad in die Fabrik und nahm Fine ein Stück auf dem Gepäckträger mit, damit sie nicht den ganzen Weg zum Jungmädeltreffen zu Fuß gehen musste.

Greta schälte sich in der Schlafkammer aus ihrer Schulkleidung, hängte sie zusammen mit den Strümpfen ordentlich über den Stuhl, schlüpfte in die geflickte Pluderhose und band sich die Arbeitsschürze um. Was bedeutet kriegsverwendbar?, fragte sie sich und hörte von unten das staksige *Klack, Klack* von Opas Holzbein, der über den Hof in seine Werkstatt ging.

Sie hüpfte die Treppe hinab und fand ihren Vater vor dem Volksempfänger in der Stube. Mit seinen riesigen, schwieligen Händen drehte er am Rad und suchte einen Sender. »Vati, was ist kr…«

»Still!«, unterbrach er sie, und dann hörten sie beide den Führer: »Wer mit Gift kämpft, wird mit Giftgas bekämpft.«

Gretas Herz schlug schneller, und sie stellte sich neben ihren Vater. Er lächelte sie an und legte den Arm um sie.

»Wer selbst sich von den Regeln einer humanen Kriegsführung entfernt«, setzte Adolf Hitler fort, »kann von uns nichts anderes erwarten, als dass wir den gleichen Schritt tun. Ich werde diesen Kampf, ganz gleich, gegen wen, so lange führen, bis die Sicherheit des Reiches und bis seine Rechte gewährleistet sind.«

Genau!, dachte Greta und fühlte sich im Arm ihres fast zwei Meter großen Vaters sicher.

»Wo bleibst du, Mädele?«, rief ihre Großmutter, streckte den Kopf durch die Tür und machte eine unmissverständliche Handbewegung.

Auf dem Kartoffelacker neben dem Hühnerstall stach Guste-Oma die Grabegabel senkrecht in die Erde und hob dank der Hebelwirkung die Knollen heraus. Anders als sonst sang sie nicht bei der Arbeit. Greta ging mit zwei Weidenkörben hinter ihr her, las die Kartoffeln auf, sortierte sie der Größe nach und dachte an die Worte des Führers: *Ganz gleich, gegen wen, so lange, bis die Sicherheit des Reiches gewährleistet ist.* Sie studierte die ernste Miene von Guste-Oma und traute sich nicht zu fragen, was es zu bedeuten hatte, dass ihr Vati kriegsverwendbar war.

Am Abend lag Greta im Bett, das sie sich mit ihrer Schwester teilte. Fine schlief schon, das hörte sie an deren regelmäßigem Atem, doch sie selbst war noch hellwach. Als die Treppe knarzte, stellte sie sich schlafend. Hinter dem Vorhang, der das Zimmer trennte, legten sich die Eltern ins Ehebett und fingen an zu tuscheln. Greta spitzte die Ohren. Sie wusste, dass es ungehörig war zu lauschen, aber je leiser sie redeten, umso neugieriger wurde sie.

»Und wenn du als Krüppel zurückkommst, wie mein Vater?«, flüsterte ihre Mutter.

»Wir müssen alle unseren Beitrag leisten!«

»Wir müssen alle unseren Beitrag leisten«, sagte auch Fine am nächsten Morgen, als sie Greta die langen Haare zu Zöpfen flocht und davon erzählte, dass sie im Jungmädelkreis Briefe an Frontsoldaten schreiben würde.

Greta hätte auch gerne zum Kriegsdienst beigetragen, doch dafür hielt man sie für zu jung. Alt genug hingegen war sie, um sechs Uhr abends fünf Kilometer zur Munitionsfabrik zu marschieren, um den invaliden Großvater abzuholen, den Guste-Oma am Morgen mit dem Handwagen hingefahren hatte. Greta musste ihn über das holprige Kopfsteinpflaster nach Hause ziehen. Tag für Tag. Woche für Woche. Oft schlief Opa Ludwig vor Erschöpfung ein, und Greta hatte bei jedem Schritt das Gefühl, dass der Wagen auf der nicht enden wollenden Landsberger Straße immer schwerer wurde.

Jeden zweiten Samstag holte Guste-Oma den Großvater ab, damit Greta Zeit hatte, zum Bahnhof zu gehen. Dort wartete sie aufgeregt auf ihren Vater, der in einer Kaserne in Königsberg auf den Kriegsdienst vorbereitet wurde. Wenn sie den Rauch der Lokomotive sah, lange bevor der Zug einfuhr, schlug ihr Herz schneller, und sie konnte den Moment kaum noch erwarten, bis er ausstieg und sie zur Begrüßung in die Arme schloss.

Am 7. März, Gretas neuntem Geburtstag, war ihr Vater auf einem Manöver. Aber zehn Tage danach überraschte er die Familie mit seinem Besuch und hatte ein Geschenk für sie dabei. Vorsichtig packte Greta die in graues Papier gewickelte Überraschung aus und vergaß vor lauter Staunen, den Mund zuzumachen.

»Gefällt es dir?«

»Ja«, sagte sie verzückt und drehte die dünnwandige Schmucktasse mit dem Goldrand vorsichtig in ihren Händen, bis sie zwischen Rosenranken das Konterfei des Führers sah. »Das ist das Schönste, was ich jemals geschenkt bekommen habe. Danke, Vati!«

Anfang Mai hatte ihr Vater geschrieben, dass er schon am nächsten Donnerstag kommen würde. Zur Freude pflückte Greta Maiglöckchen für ihn und war schon eine Stunde, bevor der Zug endlich in den Bahnhof rollte, auf Gleis eins. Die Bremsen quietschten, und zischend qualmte der Ruß aus dem Schornstein. Greta reckte den Hals und erkannte ihren Vater sofort zwischen den Passagieren, weil er alle überragte.

»Vati!«, rief sie, winkte ihm von Weitem zu und lief ihm entgegen.

»Dein Fräulein Tochter, Otto?«, fragte der fremde Soldat, der mit ihm ausgestiegen war.

»Ja, mein Gretchen!«, sagte ihr Vater stolz, nahm das duftende Begrüßungssträußchen in die eine und Greta an die andere Hand und ging mit ihr nach Hause. Dort angekommen verkündete er, dass er seinen Einberufungsbefehl bekommen hatte.

»Roll deine Kniestrümpfe herunter, dann sieht man nicht, wie schmutzig sie schon wieder sind«, sagte Gretas Mutter am nächsten Tag kopfschüttelnd, als sich alle vor dem Haus für ein Foto versammelten, spuckte in ihr Taschentuch und wischte damit den Dreck vom Knie ihrer Jüngsten.

Greta hatte wie Emma ihr schönstes Kleid an, Fine trug ihre BDM-Uniform: den schwarzen Rock, die weiße Bluse mit dem zusammengerollten Tuch, das von einem geflochtenen Knoten zusammengehalten wurde. Vati strahlte stolz in seiner neuen Wehrmachtsuniform und stellte sich mit seinen Frauchen, wie er sie liebevoll nannte, vor das Haus.

»Achtung, jetzt kommt gleich das Vögelchen«, sagte Guste-Oma und drückte auf den Auslöser des Fotoapparates.

Das gerahmte Bild vom Soldaten Otto Schönaich wurde auf das Wohnzimmerbuffet gestellt. Otto legte das Familienfoto in sein Soldbuch, das er stets in seiner Brusttasche trug. Dann verabschiedete er sich von Guste-Oma und Großvater, und Greta fiel auf, dass die beiden, anders als sonst, nicht stritten, sondern fast verschworen am anderen Ende des Hofs miteinander sprachen. Worüber, konnte sie nicht hören. Nur die letzten Sätze verstand sie, als die beiden näher kamen.

»Hauptsache, du kommst gesund wieder, Otto«, sagte Opa.

»Unkraut vergeht nicht«, antwortete der.

Genau!, dachte Greta, die ihn zusammen mit Fine und ihrer Mutter zum Bahnhof begleitete. Sie war mindestens so stolz wie ihr Vater, der nun für Führer, Volk und Vaterland kämpfen durfte.

Sein Zug fuhr in Richtung Westen, und er schrieb fast täglich. Erst aus Belgien, wo er vom Krieg zerstörte Orte sah und ihm ein ununterbrochener Flüchtlingsstrom entgegenkam. *Sieg Heil.*

Am 20. Juni 1940 meldete er aus Paris: *Meine lieben Frauchen, heute ist Euer Vati in den frühen Morgenstunden als deutscher Soldat durch die Hauptstadt Frankreichs marschiert.*

Greta und Fine saßen wie immer, wenn ihre Mutter die Briefe ihres Vaters vorlas, am Küchentisch und hingen an ihren Lippen.

Ihr könnt Euch nicht vorstellen, wie köstlich Butterhörnchen aus Blätterteig schmecken und wie elegant die Französinnen sind. Alle haben ihre Münder rot angemalt und ihre Gesichter gepudert. Sogar die Alten, die dann wie Mumien aussehen.

Greta lachte sich scheckig, schürzte ihr Mündchen und verzog das Gesicht, um französisch elegant bis mumienhaft auszusehen, und so bekam sie gar nicht mit, dass Emma leise weiterlas, wer von den Kameraden gefallen war.

Ich sehne mich so sehr nach Euch. Bald, wenn der Krieg vorbei ist, werden wir zusammen in diese Weltstadt reisen.

Greta schrieb dem Vater mit der Feldpostnummer 32566 eifrig zurück. Erst formulierte sie: *Lieber Vater*, später: *Mein lie-*

ber Papi, und nachdem er einmal antwortete, dass er sie liebte, eröffnete sie ihre Briefe stets mit: *Mein allerliebstes Papilein.*

Zusammen mit ihren Kameradinnen suchte Greta auf einer Landkarte im Klassenzimmer die Orte mit den rätselhaft klingenden Namen, von denen ihre Väter geschrieben hatten.

»Paris ist die schönste Stadt der Welt«, sagte Greta.

»Aber Bialystok ist viel größer, hat mein Vati geschrieben«, konterte ihre Schulfreundin Elke. »Die haben einen richtigen Palast.«

»Und mein Papa ist am großen Meer. Da sind Schiffe, die sind noch größer als die Schlosskirche von Königsberg«, behauptete die rothaarige Gisela.

Greta hatte keine Ahnung, wie groß die Schlosskirche war, denn im fünfunddreißig Kilometer entfernten Königsberg war sie noch nie gewesen. Sie überlegte sich gerade, womit sie die beiden anderen übertrumpfen könnte, da trat der Lehrer ein und gab bekannt, dass die Winterferien bereits am morgigen Nikolaustag beginnen würden, weil die Schule Brennmaterial sparen musste.

Aus dem Osten blies eisiger Wind den Schnee vor sich her. Keiner, der nicht unbedingt musste, war auf der Straße, aber Greta brachte tapfer ihren Großvater nun auch morgens im Dunkeln zur Munitionsfabrik und holte ihn wie immer abends auch wieder ab. Allerdings nun mit dem Schlitten. Sie war froh, dass Opa am Tag vor dem vierten Advent zu Hause bleiben durfte, denn draußen tobte ein Schneesturm.

Mitten in der Nacht, als alle schliefen, klopfte es laut an der Tür. Greta und Fine hauchten auf die Eisblumen, die das Fenster mit einer geheimnisvollen Schicht überzogen hatten, und schauten durch das kleine Loch, das der warme Atem freigab, hinaus. Unten vor der Tür stand ein Fremder mit einem dichten Bart.

Sie erschraken und erkannten ihn erst, als er nach oben blickte und sie beim Namen rief.

»Vati ist hier!«, schrie Greta, rannte barfuß noch vor Fine und ihrer Mutter die eiskalte Treppe hinab und drehte mit zittriger Hand den Hausschlüssel um.

»Vati!«, rief sie, schlang die Arme um ihn und spürte vor lauter Freude die Kälte nicht.

»Otto?«, sagte ihre Mutter ungläubig, zog ihn ins Haus und überschüttete ihn mit Küssen. Das hatte Greta noch nie gesehen. Sie spürte, wie ihr die Röte ins Gesicht schoss, und warf Fine einen verlegenen Blick zu.

»Komm, gib mir dein Gepäck, Ottoche«, sagte ihre Mutter und nahm ihm den großen Marschrucksack ab.

Ihr Vater ließ es geschehen, stand wie verwurzelt im Hausflur und blickte sich um.

»Meine Mädchen«, sagte er dann leise und drückte die beiden. Greta spürte seine kraftlose Hand.

Guste-Oma und Opa kamen aus ihrer Schlafstube.

»Leg Holz auf, Fine«, sagte die Großmutter und half Gretas durchgefrorenem Vater aus den Kleidern und den Schuhen.

»Wir brauchen jetzt heißes Wasser.«

Greta stand wie angewurzelt dazwischen und sah, wie Guste-Oma die verklebten Socken von den Füßen ihres Vaters schälte, und atmete fauligen Geruch ein. Die Zehen und Ballen waren mit eitrigen Geschwüren übersät. Ihre Mutter schlug beide Hände vor den Mund und drehte sich weg. Greta sah, dass sie weinte.

»Hast du Schmerzen, Otto?«, fragte Guste-Oma, die im letzten Krieg Krankenschwester gewesen war, mit sanfter Stimme.

Müde schüttelte er den Kopf.

Oma schöpfte lauwarmes Wasser in die Waschschüssel, löste Kernseife darin auf und wusch ihm damit die Füße.

Es tat Greta weh, ihren Vater so zu sehen. Sie ging zu ihm, streichelte über sein Haar und hauchte ein Küsschen auf seine Wange. »Erzähl mir von Paris, Vati«, sagte sie, um ihn abzulenken.

Aber er gab ihr keine Antwort. Er war im Sitzen am Küchentisch eingeschlafen.

Mit einer Kopfbewegung schickte Guste-Oma die beiden Mädchen zurück ins Bett.

Otto schlief zwei Tage und zwei Nächte. Alle schlichen auf Zehenspitzen durch das Haus und flüsterten, damit sie ihn nicht aufweckten.

Er schlief auch noch am 24. Dezember, als Greta mit Guste-Oma so leise wie möglich den Tannenbaum mit Marzipanherzchen und Schokofigürchen schmückte. Fine kam vom Jungmädeltreffen und packte aus, was sie extra für dieses Weihnachten erstanden hatte: silberne Kugeln mit der Aufschrift *Sieg Heil* und rote mit einem weißen Glitzerkreis, auf dem ein Hakenkreuz thronte.

»Oh, sind die schön«, flüsterte Greta und war ganz stolz, dass sie Fine die Kugeln anreichen durfte.

In diesem Moment kam Opa ins Zimmer. »Ist euch denn gar nichts mehr heilig?«, polterte er los, doch Guste-Oma zog ihn zur Seite und flehte ihn leise an: »Lass sie, Lud. Ich bitte dich! Um des Familienfriedens willen.«

Greta warf Fine einen verschworenen Blick zu und reichte ihr die letzte rote Kugel, als sie hörte, dass ihr Vater die Treppe herunterkam. Sie ließ alles stehen und liegen, folgte ihm in die Küche und schaute zu, wie er sich den wilden Bart bis auf das moderne Rechteck über der Oberlippe abrasierte. Dass es danach im Haus wieder nach dem für ihn typischen Kampferöl roch, war für sie das schönste Geschenk.

Die Familie besuchte an diesem Abend nicht wie sonst den Gottesdienst, sondern hörte sich die erste Weihnachtsringsendung des Großdeutschen Rundfunks aus Berlin an. Die Kerzen des Baumes brannten, der Volksempfänger wurde in die Mitte gerückt, und alle lauschten gebannt, als der Radiosprecher mit rollendem R ansetzte:

»Neunzig Millionen feiern gemeinsam. Vierzig Mikrofone verbinden Front und Heimat. Vielleicht haben wir noch nie mit größerer Freude und größerem Stolz unsere Mikrofone aufgeschaltet als heute am Heiligabend 1940.«

Ein Soldat, der an der Kanalküste stationiert war, grüßte seine Familie und die Angehörigen der Kameraden. Ein anderer, von der Ostfront, wünschte den Eltern im Gau Westmark das Beste.

Greta sah, wie ihr Vati mit den Tränen kämpfte, setzte sich auf seinen Schoß und schlang ihre Arme um ihn. Sie wollte nicht, dass er so traurig war.

Nach dem Lied ›Heimat Deine Sterne‹ sprach eine Mutter zu ihrem Sohn, der Fallschirmspringer war und von dem niemand wusste, wo er sich zu diesem Zeitpunkt befand. Mit fester Stimme grüßte sie ihn vom Vater und den sieben Geschwistern, wünschte Gesundheit und Glück und erzählte ihm, dass sie am Sonntag das goldene Ehrenkreuz der deutschen Mutter verliehen bekommen hatte. Greta sah, wie Guste-Oma ihrer Mutter einen Blick zuwarf und fast unmerklich den Kopf schüttelte. Sie erinnerte sich an einen Streit zwischen den beiden, in dem es darum ging, dass Frauen, deren Kinder deutschblütig und erbtüchtig geboren waren, Orden bekamen. Für vier Kinder in Bronze, ab sechs in Silber und ab dem achten Kind in Gold. »Das ist ein Kaninchenorden«, hatte Guste-Oma damals geschimpft, und Greta hatte nicht verstanden, was sie damit meinte.

Aus dem Lautsprecher schepperte ›O Tannenbaum‹, und alle außer ihrem Vater sangen mit. Greta lehnte ihren Kopf an seine

Schulter, dachte an die deutsche Mutter, die nicht wusste, wo ihr Sohn war, und vergaß weiterzusingen.

»Warum weiß man nicht, wo der Soldat ist?«, fragte sie nach dem Lied.

»Man sagt dazu vermisst, miene kleene Leeve«, erklärte Opa. »Das ist für diese Mutter wahrscheinlich noch schlimmer auszuhalten, als wenn ihr Sohn tot wäre.«

Greta überlegte, ob man der Mutter ihren Orden wieder abnehmen würde, wenn der Sohn nicht mehr nach Hause kam. Sie spürte, wie ihr Vater schwer atmete, sah seine zitternden Hände und entschied, nicht weiter zu fragen, obwohl sie gerne auch noch wissen wollte, was der Führer alles unternahm, um vermisste Männer zu finden.

»So, jetzt ist Bescherung«, sagte Guste-Oma. Sie stellte das Radio aus, und Opa verteilte die Geschenke.

Greta war selig über den dicken Wintermantel, den ihre Mutter ihr aus Uniformstoff genäht hatte, und Fine, die bald ins Backfischalter kam, freute sich über die Seidenbluse aus dem Pariser Stoff, den ihr Vater vor Wochen geschickt hatte. Emma errötete, als sie die rosa Hemdhose aus reiner Naturseide mit einem daran angebrachten Büstenhalter aus Spitze auspackte.

»Pariser Chic«, sagte Otto und öffnete die Flasche Champagner, die er extra für diesen Moment mitgebracht hatte.

Auch die Kinder bekamen ein Gläschen, und alle stießen miteinander an. Greta wusste, dass dieses Getränk etwas Besonderes war, deshalb sagte sie nicht, dass es abscheulich schmeckte.

Ihr Vati holte eine blaue Packung Zigaretten aus der Hosentasche und bot seinem Schwiegervater eine an. »Gitanes!«

Opa zog an der Filterlosen und atmete den Qualm durch die Nase aus. »Die schmecken noch genauso wie im letzten Krieg«, sagte er und tätschelte den Unterarm seines Schwiegersohnes, als könne er so dessen Tremor beruhigen.

Am Abend des zweiten Weihnachtsfeiertages, als seine offenen Wunden halbwegs verheilt und alle Socken gestopft waren, zog Otto die gewaschene und geflickte Uniform an, um mit dem Nachtzug zurück an die Westfront zu fahren.

»Ich will nicht, dass du wieder wegfährst«, sagte Greta unter Tränen und klammerte sich an ihn.

Ihr Vater nahm sie auf den Arm und drückte sie fest.

»Der Krieg dauert bestimmt nicht mehr lange. Ich komme bald zurück. Das verspreche ich.«

Greta schluchzte. Ihr Vati schluckte und schien alle Mühe zu haben, seine Tränen zu unterdrücken.

»Ich zeig dir mal was, Gretchen«, sagte er dann, trug sie zum Fenster, zog den Vorhang zurück und blinzelte in den Himmel. »Siehst du den hellen Stern?«, fragte er und wischte ihre Tränen weg.

Greta zog die Nase hoch und schaute angestrengt suchend zum Himmel hoch. »Ja.«

»Das ist die Venus, der Abendstern. Und weißt du, was?«

Greta schüttelte den Kopf.

»Ab morgen schickst du mir diesen Stern. Egal wo ich bin, ich werde jeden Abend darauf warten.«

»Und wenn es schneit oder regnet?«

Otto gab ihr einen Kuss auf die Wange. »Die Sterne sind immer da. Auch hinter den Regenwolken. Du musst sie gar nicht sehen. Wenn du ganz doll daran denkst, dann wandert die Venus zu mir. Und wir beide sind verbunden. Egal wo ich bin. Abgemacht?«

Greta nickte entschlossen und schlang ihre Arme um ihn.

Zu ihrem zehnten Geburtstag, am 7. März 1941, bekam sie von ihrem Vati ein Geschenk aus Frankreich. Da seit Beginn des Krieges alle Lebensmittel rationiert waren und Otto wusste, dass sein Nesthäkchen Süßspeisen liebte, schickte er ihr ein großes Paket Kristallzucker. Vorsichtig, damit kein Krümelchen verloren ging, führte Greta einen Teelöffel zum Mund, schloss ihre Augen und ließ die weißen Kristalle auf der Zunge zergehen. Sie war erfüllt von der Süße und spürte die große Liebe ihres Vaters.

Greta platzte fast vor Stolz, dass sie nun endlich in den Jungmädelbund aufgenommen wurde und zum ersten Mal auch eine Uniform tragen durfte. Auf dem Nachhauseweg von der Turnhalle der Volksschule, in der an den Jungmädelnachmittagen gebastelt und gesungen wurde, betrachtete sie sich in jedem Fenster. Mit ihren langen, blonden Zöpfen sah sie aus wie eines dieser arischen Mädchen in der Zeitschrift ›Das Deutsche Jungmädel‹, die Fine oft mitbrachte.

Voller Freude hüpfte sie und sang: »Vorwärts! Vorwärts! Schmettern die hellen Fanfaren. Vorwärts! Vorwärts! Jugend kennt keine Gefahren. Deutschland, du wirst leuchtend steh'n, mögen wir auch untergehn …«

Und dann, am 20. April, zum Geburtstag des Führers, wurde sie vereidigt. Endlich gehörte sie ganz dazu und durfte schwören, was sie mit Fine so lange schon eingeübt hatte: »Ich verspreche, in der Hitlerjugend allezeit meine Pflicht zu tun in Liebe und Treue zum Führer und zu meiner Fahne.«

Schade, Papi, dass du mich nicht sehen konntest, schrieb sie noch am selben Abend an die Feldpostnummer 32 566. *Der Führer stellt dem feindlichen Ansturm ein geeignetes Volk entgegen, und es erfüllt mich mit Stolz, Teil dieser Zeitenwende zu sein. Nun trägst nicht mehr nur Du, sondern auch ich dazu bei, eine bessere Zukunft für alle Deutschen aufzubauen. Sieg Heil! Deine Greta.*

Otto schrieb ihr – ohne Sieg Heil! – zurück, wie wichtig es sei, die Mutter in dieser schweren Zeit zu unterstützen, und dass sie in der Schule aufpassen soll, damit später einmal etwas aus ihr wird.

Ab Mitte des Jahres war ihr Vater nicht mehr im schönen Frankreich, sondern im Osten.

»Wo genau ist Vati jetzt?«, fragte Greta, damit sie den Ort morgen in der Schule auf der Landkarte suchen konnte, denn vielleicht war ihr Vater ja noch weiter weg als die Väter ihrer Klassenkameraden.

»Das darf er aus strategischen Gründen nicht schreiben«, sagte Großvater.

»Was heißt strategisch?«, wollte Greta wissen.

»Ach, Mädele, du fragst deinen müden Opa noch ein Loch in den Bauch«, sagte Guste-Oma und schickte sie ins Bett.

»In welche Richtung ist Osten?«, fragte sie Fine, als sie im Nachthemd am Fenster stand und in den Sternenhimmel schaute.

Fine zeigte müde nach rechts und zog die Bettdecke über ihren Kopf.

Greta konzentrierte sich gerade darauf, den Stern nun in diese Richtung zu schicken, als sie im Mondlicht sah, wie ihre Mutter von der Schicht nach Hause kam.

Auf einem Heimatabend der Jungmädel erfuhr Greta ein paar Wochen später, auf welch große Mission ihr Vater geschickt worden war: Er war einer von drei Millionen tapferen Soldaten, die gegen die sowjetischen Untermenschen kämpften und dafür sorgten, dass die überlegene arische Rasse weiteren Lebensraum bekam.

Mein liebes Papilein, dank so tapferer Soldaten wie Dir wird es bald keinen Bolschewismus mehr geben, schrieb sie ihm daraufhin.

Ihre Begeisterung für den Führer konnte Greta innerhalb der Familie nur mit ihrer Schwester Fine teilen. Abends, wenn sie nebeneinander im Bett lagen, schwärmten sie im Flüsterton, damit weder die Großeltern unten noch die Mutter, wenn sie ins Bett ging, sie hören konnten, von diesem großartigen Mann, der sie auserwählt hatte, und davon, dass es der Höhepunkt des Lebens sein musste, dem Führer einmal persönlich zu begegnen. Die Wand hinter ihrem Bett war mit Fotos geschmückt, die sie aus ›Das Deutsche Mädel‹ ausgeschnitten hatten: wandernde Kameradinnen mit Fahnen, Arbeitsmaiden auf Skiern, marschierende Soldaten und Bilder des Führers. Der Führer mit Hitlerjungen. Der Führer mit Soldaten. Der Führer mit seinem Schäferhund. Ein ganz besonderes Bild vom Führer alleine, eine Fotografie, die Fine für herausragenden Fleiß von der Jungmädelführerin überreicht bekommen hatte, hatten sie gerahmt, damit es geschützt war. Sie hatten es an die gegenüberliegende Wand gehängt, damit sie es liegend gut sehen konnten. Davor, auf einem kleinen Regal, thronte Gretas Schmuckstück: der Führer auf dem Porzellantässchen zwischen Rosenranken.

Greta und Fine waren schon lange alt genug, um ihr Abendgebet alleine zu sprechen. So bekam niemand mit, dass sie nicht mehr zum lieben Gott beteten, sondern sich jeden Abend vor das gerahmte Foto stellten, auf dem Adolf Hitler auf sie herabblickte. Gemeinsam sprachen sie zu ihm, was sie im Jungmädelkreis gelernt hatten:

Wenn ich nur zweifle, trete ich vor dein Bild.
Dein Auge sagt mir, was allein uns gilt.
So manche Stunde sprech ich wohl mit dir,
als wärst du nah und wüsstest nun von mir.
Wo immer einer still wird vor der Tat,
er kommt zu dir, du bester Kamerad.
In deinem Antlitz steht es ernst und rein,
was es bedeutet, Deutschlands Kind zu sein.

Greta fieberte die Treffen der Jungmädel herbei, sie bastelte geschickt und lernte immer mehr Lieder. Am meisten liebte sie jedoch den Sport, denn schließlich wohnte in jedem gesunden Körper ein gesunder Geist.

»Augen rechts, richt euch«, befahl die Jungmädelführerin im Sommer und unterstützte ihre Kommandos mit der Trillerpfeife. Die gesamte Jungmädelschaft von Preußisch Eylau war vor dem Rathaus zusammengekommen.

»Rechts um, im Gleichschritt, marsch!«

Greta wusste, dass sie den linken Fuß zuerst aufsetzen musste, aber sie war so aufgeregt, weil sie die Fahne tragen durfte, und begann mit dem falschen Fuß.

Der schrille Ton der Trillerpfeife gab fortan den Rhythmus vor, und Greta sagte sich in Gedanken immer: links, links, links. Gemeinsam mit ihren Kameradinnen marschierte sie ins größte Abenteuer ihres bisherigen Lebens: zum Sommerlager der Hitlerjugend am zehn Kilometer entfernten Waschkeiter See. Zum ersten Mal schlief sie nicht in ihrem Bett, sondern in einem Zelt und auf Stroh. Zum ersten Mal badete sie im See, und zum ersten Mal hatte sie das Gefühl, so richtig dazuzugehören.

Nach der Parole: »Gelobt sei, was hart macht«, rannte Greta am nächsten Morgen im Dauerlauf um den See, und nach der Morgenwäsche und dem Zähneputzen am Ufer gab es den ersten feierlichen Akt des Tages: den Fahnenappell.

In korrekter Uniform stand sie mit den Kameradinnen in offenem Viereck vor dem Fahnenmast. Sie schmetterten ein Lied, und dann lauschte Greta der kurzen Ansprache der Lagerleitung für die Ausrichtung der weiblichen Jugend:

»Die Gleichberechtigung der Frau besteht darin, dass sie in den ihr von der Natur bestimmten Lebensgebieten jene Hochschätzung erfährt, die ihr zukommt, hat unser Führer gesagt.

Auch die deutsche Frau hat ihr Schlachtfeld: Mit jedem Kinde, das sie der Nation zur Welt bringt, kämpft sie ihren Kampf für Deutschland.«

Genau!, dachte Greta und stand stramm, weil die Flagge gehisst wurde.

»Ich will später einmal Arbeitsdienstführerin werden«, sagte Fine auf dem Nachhauseweg.

»Ich auch«, schloss sich Greta ihr an, und bereits am folgenden Nachmittag probierte sie ihre Führerqualitäten auf der Straße aus. Sie versammelte die jüngeren Nachbarskinder, stieg auf einen Hocker und verkündete wie von einer Bühne herab: »Sehr geehrtes Publikum. Heute hören Sie die fünf Merksätze zur Rassentheorie.«

Die Kleinen applaudierten.

»Die Rasse ist das Wichtigste im Leben, meine deutschen Volksgenossen, sie erhebt den Menschen und gibt ihm seine Rechte.«

Die Kinder nickten geflissentlich, wie sie es bei Erwachsenen gesehen hatten.

»Die höchste Rasse ist die arische.« Greta drückte den Rücken durch, atmete tief ein, erhob die Stimme und rollte dabei das R, so wie es in einer Wochenschau bei Jutta Rüdiger, der Führerin vom Bund deutscher Mädchen, gesehen hatte.

»Wahrrrhaft grrroße Männerrr hat sie herrrvorrrgebrrracht: Lutherrr, Kant, Karrrl der Grrroße, RRRRichard Wagner – und natürlich Adolf Hitlerrr.«

»Hitler«, wiederholten die Kinder, sprangen auf und applaudierten.

»Und hier die zwölf Gebote der Rassereinhaltung:

Erstens: Sichere die Ewigkeit deines Volkes durch den Kinderreichtum deiner Familie.

Zweitens: Deutscher Mann, achte und schütze in jeder Frau die Mutter deutscher Kinder.

Drittens: Deutsche Frau, vergiss nie deine höchste Aufgabe, Hüterin deutscher Art zu sein.

Viertens: Schütze deine Kinder vor dem Schicksal des Mischlings …«

In diesem Moment stieg Guste-Oma von ihrem rostigen Fahrrad. Am Lenker hing ein Einkaufsnetz mit einem Laib Brot.

»Was macht ihr hier?«, fragte sie außer Atem.

»Adolf Hitler spielen!«, antworteten die Kinder im Chor.

Ein Blick von der Großmutter genügte, damit Greta vom Hocker stieg und unaufgefordert nach Hause stakste. Die Kinder sahen ihr nach.

»Kannst du nichts Vernünftiges spielen?«, raunte Guste-Oma und lehnte ihr Fahrrad an die Hauswand.

Greta antwortete nicht. Sie hatte nur Augen für das Brot und konnte an nichts anderes mehr denken als daran, etwas in ihren knurrenden Magen zu kriegen. »Hab Hunger«, sagte sie und folgte ihrer Oma in die Küche, wo sie eine dünne Scheibe von dem Laib Kommissbrot bekam. Greta wusste, dass sie nicht nach Marmelade zu fragen brauchte. Die gab es nur sonntags, wenn überhaupt.

Mit versteinerter Miene räumte die Oma das Brot in den Schrank, holte aus der Holzlade unter dem Herd eine alte Zeitung und knallte sie Greta vor die Nase.

»Hier, damit du auf vernünftige Gedanken kommst. Schneid Klopapier zurecht.«

Greta überlegte, warum Guste-Oma so wütend war, denn schließlich hatte sie ja gar nichts Schlimmes gemacht. Aber als sie verstohlen beobachtete, wie die Großmutter mit sorgenvoller Miene die Lebensmittelkarten übereinanderlegte, wusste sie, dass sie nicht schuld war an deren schlechter Laune. Schon oft hatte sie von Guste-Oma gehört, wie schwierig es war, mit den rationierten Lebensmitteln zu haushalten und alle Familienmitglieder satt zu kriegen. Deshalb folgte sie ohne Widerworte, legte ein großes Zeitungsblatt übereinander, zog die Schneide durch den Falz, faltete erneut und schnitt, bis alle Stücke handtellergroß waren.

Beim dritten Blatt sah sie auf der Rückseite plötzlich einen schwarz gerahmten Text mit dem Foto eines jungen Soldaten. *Karl Wiederkehr, 22 Jahre*, las sie. Sie strich die Seite glatt und sah eine Todesanzeige neben der anderen. *Hermann. Friedrich Wilhelm. Ludwig. Fürs Vaterland gefallen. In Russland. In Frankreich. In Holland. 32 Jahre. 42 Jahre. 43 Jahre.* Greta faltete die Seite und steckte sie in ihre Schürze. Hastig schnitt sie noch ein paar Blätter, ging dann raus auf den hinteren Hof, hielt wie immer die Luft an, als sie neben dem Schweinestall die Holztür mit dem Herzchen öffnete, und legte das Papier in eine Schachtel über der ausgesägten Rundung des Plumpsklos.

Erst nachts, als sie im Bett lag, konnte sie ihre Tränen nicht mehr zurückhalten.

»Was ist denn los?«, fragte Fine verschlafen neben ihr.

»Vati hat schon so lange nicht mehr geschrieben«, stammelte Greta unter Tränen.

»Der schreibt bestimmt bald.« Fine, die oft so garstig war, konnte ganz lieb sein, wenn es darauf ankam. Sie legte den Arm um Greta und sang leise: »Heile, heile Gänsje, es is bald widder gut. Es Kätzje hat e Schwänzje, es is bald widder gut …«

Bevor sie singen konnte, dass »In hunnerd Jahr alles weg is«, hörte Greta an ihrem tiefen Atem, dass Fine eingeschlummert war. Doch sie selbst war hellwach. Ihr Himmel war sternenlos. Alles war schwarz.

Am nächsten Morgen fiel ihr erster Blick auf den Führer. Da wusste Greta, was sie zu tun hatte. Mit Lineal und Bleistift zeichnete sie dünne Hilfslinien auf ein leeres Blatt, füllte Tinte in den Füllfederhalter und schrieb in ihrer schönsten Sütterlinschrift:

Preußisch Eylau, im Oktober 1941.
Lieber Adolf Hitler!
Ich weiß, Du hast viel zu tun, um unser Volk zu beschützen.
Aber bitte sorge dafür, dass mein geliebter Papi Otto Schönaich wieder zu uns zurückkommt.
Sieg Heil, Deine Greta Schönaich

Sie adressierte das Kuvert an *Führer Hitler, Berlin* und wartete täglich auf Antwort.

Der Führer antwortete nicht, aber er hatte ja auch viel Arbeit, wie sie im Radio hörte.

»Das Oberkommando der Wehrmacht gibt bekannt«, krächzte es aus dem Volksempfänger. »Schlacht um Moskau, die Rote Armee beginnt mit aus Sibirien herangeführten Reserven unter General Schukow die umfassende Gegenoffensive bei Moskau.«

Greta sah, wie ihre Mutter und die Großeltern einander stumm anblickten. Sie konnte ihre Gedanken lesen, wusste, dass sie befürchteten, ihr Vati könnte mitten in diesem Gefecht sein. Aus Angst vor der Antwort fragte sie nicht nach. Verstohlen las sie in der Zeitung mehr und mehr Todesanzeigen, in denen immer öfter stand: *Gefallen für Volk und Führer im russischen Feindesland.*

Liebster Vati, schrieb sie ihm täglich und sorgte so dafür, dass das Band zu ihm nicht abriss. *Sicher hast Du viel zu tun. Unsere Fine ist jetzt 15 Jahre alt und im Arbeitsdienst. Sie ist in den War-*

thegau abkommandiert worden und hilft dort auf einem Bauernhof. Die Arbeit gefällt ihr gut. Aber mir fehlt sie sehr.

Greta schrieb ihrem Vater nicht, dass Opa dafür gesorgt hatte, dass sie von ihrer Teilnahmepflicht an den Veranstaltungen der Jungmädel befreit wurde, damit sie ihn täglich von der Munitionsfabrik abholen konnte. Sie wusste genau, was ihr Vati dazu gesagt hätte und dass er diese Entscheidung rückgängig machen würde.

Stattdessen schrieb sie ihm Ende November:

Allerliebster Vati, ich bin so stolz auf Dich. Ich habe Dir Socken zu Weihnachten gestrickt. Hast Du sie schon bekommen? Ich glaube, in Russland ist es jetzt schon richtig kalt. Ich wünsche Dir und Deinen Kameraden an der Front ein frohes Fest. Fine kann in diesem Jahr an Weihnachten nicht zu Hause sein. Auch sie tut ihre Pflicht.

Zwischen Weihnachten und Neujahr brachte die Postbotin endlich den ersehnten Feldpostbrief.

»*Nikolaustag 1941 in Russland. Meine herzallerliebsten Frauchen*«, las ihre Mutter am Küchentisch vor. Greta hing an ihren Lippen. Auch Opa und Guste-Oma rückten ihre Stühle zurecht und lauschten gespannt: »*Euer Vati hätte keinen größeren Wunsch, als dass es endlich ein Lebenszeichen von Euch gäbe. Gestern kam ziemlich viel Post, aber für mich war nichts dabei.*«

»Wie kann das sein?«, empörte sich Greta.

»Pssst!«, ermahnte Guste, und Emma las weiter vor: »*Wir haben minus 41 Grad. Wie schön wäre es, wenn wir alle zusammen in der warmen Stube beieinandersitzen könnten.*«

Als sich Emmas Augen mit Tränen füllten, nahm ihr Guste-Oma sanft den Brief aus der Hand und las weiter vor: »*Wie glücklich könnte man sein, wenn der Krieg zu Ende wäre und man für immer heimkönnte. Aber lange kann es ja nicht mehr dauern. Ich küsse Euch in großer Liebe und mit noch größerem Heimweh.*«

Greta rutschte dicht an ihre Mutter heran und spürte, dass

diese am ganzen Körper zitterte. Zum Dank dafür, dass Otto noch am Leben war, betete Opa laut das Vaterunser. Nach dem »Amen« fügte Greta in Gedanken hinzu: Führer, wir schwören dir einen heiligen, eisernen Eid. Für dich zu leben, für dich zu streben, für dich zu sterben sind wir bereit.

Preußisch Eylau, der 1. Januar 1942
Lieber Führer Hitler,
ich wünsche Dir und dem Deutschen Volke alles Gute für das neue Jahr. Ich bin die Tochter von Otto Schönaich aus Ostpreußen. Bitte, lieber Führer, es wäre so schön, wenn mein Vati wieder einmal nach Hause kommen könnte.
Sieg Heil! Deine Greta Schönaich

Nachdem sie den Brief zugeklebt hatte, zog Greta ihren dicken Wintermantel an, wickelte ein Wolltuch um ihren Kopf, stapfte durch den hohen Schnee und gab den Brief nach Berlin persönlich im Postamt ab.

Als die weiße Pracht längst geschmolzen war und von der Ostsee her eine leichte Brise blies, schrieb ihr Vater Ende April, dass er bald Heimaturlaub bekommen würde. Greta war sicher, wer da die Finger im Spiel hatte. Hinter dem Haus pflückte sie Wiesenschaumkraut und stellte den Strauß mit den zarten blasslila Blüten zum Dank unter das Führerbild in ihrer Schlafkammer.

Am 4. Juni kam dann die Nachricht, dass Urlaubssperre verhängt wurde: *Es hilft alles nichts, wir müssen auf die Zähne beißen und geradeaus schauen auf das große Ziel, dem wir mit jedem Tag näher kommen. Ihr Frauen und Kinder daheim müsst viel mithelfen, jeder Gruß von Euch gibt mir neuen Lebensmut.*

Liebster Vati, schrieb Greta daraufhin und überlegte, wie sie ihm sagen könnte, dass sie traurig war, weil er nicht kommen konnte. Doch dann fiel ihr ein, dass die Jungmädelführerin gesagt hatte, sie sollen die tapferen Frontsoldaten nicht mit Sorgen behelligen. Deshalb schrieb sie: *Ich habe jetzt das Reichsjugendsportabzeichen. Ich bin die schnellste elfjährige Läuferin der Stadt.*

Sie bekam keine Antwort.

In den Sommerferien saß Greta jeden Morgen, bevor Guste-Oma ihren Großvater zur Arbeit fuhr, mit ihm zusammen um sechs Uhr am Volksempfänger und wartete auf den ersten Wehrmachtsbericht des Tages: »Das Oberkommando der Wehrmacht gibt heute, am 7. August 1942, bekannt: Im Verlauf der deutschen Sommeroffensive an der Ostfront beginnt die 6. Armee unter Generalmajor Friedrich Paulus ihre Offensive gegen Stalingrad.«

»Vati ist doch in der 6. Armee?«, fragte sie den Großvater.

Opa nickte, und Greta war stolz, dass über ihren Vater im Rundfunk berichtet wurde.

Am nächsten Tag hörte sie, dass bei schweren Angriffen der deutschen Luftwaffe vierzigtausend Feinde in der Wolga-Stadt ums Leben gekommen waren, und einige Tage später, dass der Belagerungszustand der Millionenstadt ausgerufen wurde. Ihr war klar, dass sowohl ihr Vater als auch der Führer bei der vielen Arbeit keine Zeit hatten, ihr zu schreiben.

Mitte November fiel der Schulunterricht aus, um Brennmaterial zu sparen, und Greta half Guste-Oma, den Volksempfänger in die Küche zu tragen, damit man auch die Stube nicht mehr beheizen musste. Im Lautsprecher krächzte Zarah Leander: »Ich weiß, es wird einmal ein Wunder geschehen.«

Greta und Guste-Oma sangen lauthals mit. Doch als sie schmetterten, dass ihre Seelen eins seien, da kamen, wie zu jeder vollen Stunde, die Wehrmachtsnachrichten. Der Sprecher war kaum zu verstehen, und Greta ging ganz nahe ran, um zu hören, dass die deutschen Truppen etwa neunzig Prozent von Stalingrad erobert hatten.

»Wir müssen Strom sparen, Kind«, sagte Guste Oma danach und schaltete das Gerät ab.

Es pochte an der Tür. Greta öffnete, und als sie sah, dass es Frau Gollub, die Postbotin, war, riss sie ihr voller Freude das Kuvert aus der Hand.

Dann las sie: *An die Ehefrau des Gefreiten Otto Schönaich.* Gretas Herz drohte zu zerspringen. Sie hatte von einer ihrer BDM-Kameradinnen gehört, dass Todesmeldungen von Soldaten auf diese Weise übermittelt wurden.

»Du musst ihn aufmachen!«, sagte sie zu ihrer Oma.

»Der Brief ist an deine Mutter adressiert, Mädele.« Guste-Oma legte ihn auf den Küchentisch und betete leise. Ihre Hände zitterten, sie war weiß wie die Wand.

Greta ging in der Küche auf und ab und ließ das Kuvert nicht aus den Augen. Sie knabberte sich die Fingernägel blutig. Dann hielt sie es nicht mehr aus. Sie packte den Brief und rannte damit aus dem Haus. Ohne Mantel. Im Hof schnappte sie sich Guste-Omas Fahrrad und radelte darauf stehend, weil sie zu klein war, um den Sattel zu erreichen, die drei Kilometer zur Tuchfabrik.

»Ich muss zu meiner Mutter! Zu Emma Schönaich«, forderte sie am Haupttor, außer Atem und schlotternd vor Kälte.

Der alte Pförtner suchte nach einer Antwort, aber Greta ließ ihm keine Zeit. »Es geht um Leben und Tod. Bitte!«

»Wie sieht sie denn aus?«, schrie wenig später eine Arbeiterin aus der Halle gegen das Rattern von unzähligen Nähmaschinen an.

»Arisch!« Greta hat keinerlei Geduld, ihre Mutter zu beschreiben. Sie schaute sich um und entdeckte den Zuschneidetisch in der Mitte der Fabrikhalle. Von dort aus müsste sie alles überblicken können. Sie ließ die Frau stehen, stürmte zwischen den Maschinen durch die Halle, kletterte über Stoffballen auf den Tisch und hielt Ausschau.

»Schuhe aus!«, rief eine Näherin, und als Greta das getan hatte, versuchte eine andere, sie herunterzuziehen. Doch Greta schlug um sich und entdeckte sie endlich in der hintersten Ecke. Mit den Holzgaloschen in der Hand sprang sie vom Tisch, flitzte durch die Halle und streckte ihrer verdatterten Mutter den Umschlag entgegen. Im nächsten Moment ließ Emma den Korb mit den Zuschnitten fallen, riss den Brief auf und las.

Greta konnte sehen, wie ihre Mutter blass wurde. »Was?«, schrie sie, um die Maschinen zu übertönen, und zitterte nun unkontrolliert.

Ihre Mutter gab ihr keine Antwort und zog sie an den neugierig dreinblickenden Kolleginnen raus auf den Hof.

»WAS?« Greta wischte sich mit dem Handrücken die Tränen und die Rotze aus dem Gesicht. »Ist er … tot?«

»Nein«, sagte Emma und gab ihrer Tochter den mit Schreibmaschine getippten Brief.

Betreff: Verbleib von Otto Schönaich, geb 11. 7. 1908.
Sehr geehrte Frau,
ich muss Ihnen die Mitteilung machen, dass Ihr Ehemann seit dem Kampf um die Wolgabrücken bei Rschew als vermisst gilt und davon auszugehen ist, dass er in feindliche Gefangenschaft geraten ist. Sobald wir Näheres wissen, werden wir uns mit Ihnen in Verbindung setzen.
Heil Hitler!
Wilhelm Heitz
Stellvertretender Staffelführer

Die Vorarbeiterin ermahnte Gretas Mutter, dass sie weiterarbeiten solle, und mit gesenktem Haupt ging Emma wieder in die Halle. Greta blieb frierend auf dem Hof stehen, blickte in den nebelverhangenen Himmel und hoffte, dass hinter dem Grau die Venus leuchtete und ihren Vater spüren ließ, wie sehr sie sich nach ihm sehnte. Vor ihrem inneren Auge erschien der Abendstern. Hell und klar. Aber sie hatte Mühe, sich Ottos Gesicht vorzustellen. Sie hatte ihn seit sechshundertneunundachtzig Tagen nicht mehr gesehen.

Einen Monat später, kurz vor Weihnachten, kam Fine auf Heimaturlaub, und endlich durfte Greta ihr Bett wieder teilen. Denn obwohl Fine schon sechzehn Jahre alt war, gab es keinen anderen Platz.

»Ich hab mich verlobt«, flüsterte sie, als ihre Mutter eingeschlafen war. »Er heißt Joachim«, sagte sie und zeigte ihrer kleinen Schwester im Kerzenlicht, was er auf die Rückseite seines Fotos geschrieben hatte: *In ewiger Treue.*

Eng aneinandergekuschelt vertraute Fine ihr an, dass Joachim sie sogar schon geküsst hat. Greta zitterte bei der Vorstellung und spürte, wie ihr Körper von einem warmen Schwall, wie sie ihn noch nie gespürt hatte, durchzogen wurde.

Am Weihnachtsabend packte Guste-Oma das Paket aus, das ihr Bruder wie in jedem Jahr aus Heidelberg geschickt hatte. Gugelhupf und eine Flasche Schwarzwälder Kirschwasser.

Grüße aus Deiner Heimat, schrieb er auf eine Postkarte, auf der das Heidelberger Schloss in Vollmondlicht getaucht war und der Neckar geheimnisvoll glitzerte.

Guste-Oma schnitt den Kuchen an, holte fünf Schnapsgläser aus dem Schrank, füllte die ersten drei bis zum Eichstrich und die beiden für die Mädchen nur halb.

»Auf dass wir alle gesund bleiben und Otto bald wiederkommt«, sagte Opa Ludwig und prostete seiner Frau, seiner Tochter und den Enkelinnen zu.

»Und Joachim auch«, flüsterte Fine in Gretas Ohr und kippte den brennenden Schnaps zur Verwunderung aller in einem Zug herunter.

Wie Millionen andere Rundfunkhörer verfolgte die Familie die Weihnachtsringsendung, in der der Studiosprecher Werner Plücker mit Kameraden zwischen dem Nordmeer und Afrika, der Atlantikküste und Stalingrad Kontakt aufnahm, um Heimat und Front zu verbinden. Keinem fiel auf, dass Emma sich einen Schnaps nach dem anderen einschenkte. Erst als alle mit Tränen in den Augen ›Stille Nacht, heilige Nacht‹ sangen und Emma die Flasche an den Mund setzte und in großen Schlucken trank, nahm Ludwig sie ihr ab, und Guste stellte den Schnaps in den Schrank. Aus dem Volksempfänger krächzte die dritte Strophe des Chorals: ›Ein feste Burg ist unser Gott‹.

Emma erhob sich, streckte die rechte Hand zum Hitlergruß, wankte und grölte: »Und wenn die Welt voll Teufel wär, es muss uns doch gelingen …«

»Ich glaube, ihr bringt eure Mutter jetzt besser ins Bett«, sagte Guste.

»… so fürchten wir uns nicht so sehr, es muss uns doch gelingen.« Emmas Gesang ging in hämisches Lachen über.

Greta und Fine waren aufgesprungen. Während Fine ihre Mutter unterm Arm packte und sie auf der Treppe stützte, schob Greta von hinten. Oben legten sie sie auf ihr Bett, zogen ihr die Schuhe aus, deckten sie zu und schlichen verunsichert auf ihre Seite des Zimmers. Schweigend knöpfte Greta ihr Kleid auf und warf Fine einen fragenden Blick zu. Sie hatte ihre Mutter noch nie so erlebt.

Doch bevor Fine etwas sagen konnte, wurde der trennende Vorhang zurückgerissen, und ihre Mutter warf sich auf ihr Bett.

»Ich schlafe bei euch«, lallte sie und klatschte hysterisch in die Hände. »An so einem Tag darf keiner alleine bleiben.« Mit einem Mal fixierte sie das Bild von Adolf Hitler an der gegenüberliegenden Wand des Bettes. »Du! Du hast mir das angetan!«, schrie sie und sprang auf.

Greta und Fine hielten die Luft an. Ihre betrunkene Mutter nahm das Führerporträt von der Wand, blickte dem entschlossen lächelnden Reichskanzler tief in die Augen und spuckte ihm mitten ins Gesicht. »Du Drecksau!«

»Mutti! Nicht!«, rief Greta, und gemeinsam mit Fine versuchte sie, ihr das Bild aus der Hand zu nehmen.

Emma schüttelte sie ab und warf Hitler in hohem Bogen gegen die Wand. Das Glas zersplitterte, doch als der Rahmen auf den Boden fiel, lächelte der Führer immer noch entschlossen. »Du Verbrecher!«

»Nein, Mutti!« Die Mädchen versuchten vergeblich, ihre Mutter davon abzuhalten, sämtliche Bilder und Zeitungsausschnitte von der Wand zu reißen, zu zerknüllen und darauf herumzutrampeln.

Greta wollte gerade aufgeben, als Guste-Oma in ihre Schlafstube gestürzt kam. Wortlos schloss sie ihre Stieftochter in die Arme und drückte sie an ihre Brust. Und Emmas Wut verwandelte sich in Schmerz: Sie weinte wie ein kleines Kind.

»Es ist gut, Emmachen«, sagte Guste-Oma, legte sie in ihr Bett und deckte sie zu.

Unter dem Schluchzen ihrer Mutter kehrten Greta und Fine die Scherben zusammen. Still verstauten sie das Foto ihres geliebten Führers in einer alten Schachtel mit einem Katzenbild und der Aufschrift *Hoffmanns Stärke* und packten alles unter die Matratze.

Das Führerbild blieb im Versteck, und Greta, die nach der Abreise ihrer Schwester wieder alleine war, holte es nur hervor, wenn sie sich ganz sicher war, dass ihre Mutter es nicht sehen konnte.

Im neuen Jahr, 1943, war die Schule erst wegen Kohlemangel geschlossen, dann fiel der Unterricht infolge einer Scharlachepidemie aus. Opa und ihre Mutter mussten nun noch länger in der Fabrik arbeiten. Greta half Guste-Oma bei der Hausarbeit, aber hauptsächlich saß sie auf der Eckbank in der Küche, strickte Socken für das Winterhilfswerk und verfolgte das Kriegsgeschehen im Volksempfänger.

Zwei Wochen nach der Kapitulation der 6. Armee in Stalingrad übertönte Goebbels' schrille Stimme das Nadelgeklapper.

»Wollt Ihr den totalen Krieg? Wollt Ihr ihn, wenn nötig, totaler und radikaler, als wir ihn uns heute überhaupt vorstellen können?« Die Stimme des Reichspropagandaministers überschlug sich. Greta wurde von der Begeisterung der Massen im fernen Berlin angesteckt und ließ vor Aufregung eine Masche fallen.

»Pass lieber auf dein Strickzeug auf«, schimpfte Guste-Oma und schaltete kopfschüttelnd den Radioapparat ab.

Geliebtes Schwesterherz, schrieb Fine zu ihrem Geburtstag aus dem Warthegau und schickte ihr ein gefaltetes Plakat mit einem Porträt von Adolf Hitler, auf dem sie unten ganz klein hingekritzelt hatte: *WIR FOLGEN DIR. Sicherlich ist der Krieg bald vorbei und für uns alle wird die Sonne aufgehen. Keine Nachricht von Joachim! Sieg Heil! Deine Fine*

Greta packte den Brief und das Plakat in ihr Geheimversteck, wo sie auch die Post ihres Vaters aufbewahrte und ein kleines Heft, in dem sie die Tage zählte. Heute, an ihrem zwölften Geburtstag, waren achthundertein Tage vergangen seit dem letzten Besuch und zweihundertsechsundsiebzig lange Tage seit dem letzten Lebenszeichen ihres Vatis. Ob er gerade im entfernten Osten an sie dachte?

Joachim ist gefallen. Er war achtzehn Jahre alt, schrieb Fine im Herbst 1943, und Greta weinte um den jungen Mann, den sie nicht kannte und mit dem ihre Schwester nun keine Zukunft mehr haben konnte.

Dann färbte sich im Norden der Himmel rot.

»Königsberg brennt«, sagte Opa und blickte in die Richtung ihrer Bezirksstadt. »Wir müssen uns auf den Ernstfall vorbereiten.«

Greta half Guste-Oma, die Fensterläden von innen mit Verdunklungspapier abzukleben, damit kein Lichtstrahl nach außen drang und die feindlichen Flieger ihre Heimatstadt als Ziel ausmachen konnten.

»Ganz Deutschland ist luftbedrohtes Gebiet. Aber: Das gewohnte Leben geht weiter«, erklärte Gretas neuer Lehrer am nächsten Tag. Der Lehrer war viel älter als ihr Großvater und schrieb das Thema *Was tue ich im Ernstfall?* an die Tafel.

Greta meldete sich.

Der Alte zeigte auf sie.

Sie erhob sich und trat aus der Bank. »Ich muss Luftschutzgepäck bereithalten, Herr Lehrer!«

»Was ist Luftschutzgepäck?«

»Eine Gasmaske, warme Kleidung, Decken, Kissen, Taschenlampe, Lebensmittel für Kinder und Kranke, Getränke und wichtige Papiere, Herr Lehrer.«

»Wie ist dein Name?«

»Schönaich, Greta, Herr Lehrer.«

»Gut gemacht, Schönaich. Setzen!«

Nach dem Theorieunterricht wurden praktische Luftschutzübungen abgehalten. Das Kommando hatten zum ersten Mal die Buben der fünften Klasse, denn die dafür ausgebildeten Siebtklässler waren als Luftwaffenhelfer zur Wehrmacht eingezogen worden. In den zu großen Schutzanzügen und Helmen sahen die Zwölfjährigen zwar aus wie kleine Soldaten, aber ihre mangelnde Übung im Befehlen sorgte für Chaos bei der Ausgabe der Gasmasken und bei dem geordneten Abzug in den Luftschutzkeller.

»Das muss besser werden, sonst seid ihr alle tot!« Die Stimme von Rektor Schleifer überschlug sich, und er schickte die Kinder zur Strafe ohne Pause zurück in die Klassenräume.

Der Ernstfall trat nicht ein. Dafür wurden im Rundfunk Siegesmeldungen verbreitet, die Opa stets mit einem schweigenden Kopfschütteln kommentierte.

Greta war inzwischen dreizehn Jahre alt, und sie hatte keine Erinnerung, wie das Leben vor dem Krieg gewesen war, als die Lebensmittel nicht rationiert waren und sie nicht jeden Abend vor Hunger kaum einschlafen konnte.

Fine schrieb von einem neuen Verlobten namens Johann.

Zwei Tage vor den Sommerferien, am 23. Juli 1944, spürte Greta, dass etwas in der Luft lag. Guste-Oma war beim Frühstück wortkarg, und auch auf dem Schulweg fiel ihr auf, dass viele Erwachsene noch bedrückter als sonst aussahen. Der Lehrer kam nicht zum Unterricht. Dafür erschien ein Sechstklässler und befahl, dass sich die Klasse geordnet auf dem Schulhof einzufinden hatte.

Um besser sehen zu können, drängelte sich Greta in eine der vorderen Reihen und stand mit allen Schülern parat, als der Rektor mit ernster Miene auf die Treppe trat und ein Blatt Papier aus der Innentasche seines Jacketts zog.

»Gestern wurde auf den Führer des Großdeutschen Reiches, Adolf Hitler, ein feiger Mordanschlag verübt.«

Der Boden unter Greta wankte. Um sie herum waren aufgerissene Münder und angstvolle Blicke. Kein Laut war zu hören, nicht einmal die Vögel zwitscherten. Doch in Gretas Kopf war es umso lauter: Niemand wusste, was mit ihrem Vati war, jetzt konnte sie nicht auch noch den Führer verlieren.

Der Hustenanfall des Rektors unterbrach die Stille und holte Greta zurück auf den Schulhof. Die Schulsekretärin reichte ihm ein Glas Wasser, damit er weitersprechen konnte.

»Durch eine glückliche Fügung hat er überlebt. UNSER FÜHRER LEBT!«

Die Kinder schrien auf und jubelten. Doch Greta blieb wie gelähmt. Und nachts ratterten ihre Gedanken weiter: Hatte ihr Vati durch eine glückliche Fügung auch überlebt? Sein letztes Lebenszeichen war vor siebenhundertachtzig Tagen gekommen. Gesehen hatte sie ihn seit drei Jahren, sechs Monaten und siebenundzwanzig Tagen nicht mehr. Greta wälzte sich hin und her, sie war hellwach. Und nun bekam sie auch noch Durst. Sie kletterte aus ihrem Bett und schlich durch das dunkle Haus hinunter in die Küche, um sich einen Becher Wasser zu holen. Sie öffnete die Tür und sah im Schein der Petroleumlampe ihren Großvater mit einer Wolldecke über dem Kopf am Volksempfänger sitzen.

»Opa?«

Ludwig schoss unter der Decke hervor, und für einen Moment hörte sie fremd klingende Stimmen.

»Was willst du hier? Ab ins Bett!«, herrschte er sie an.

Greta drehte sich auf der Ferse um, vergaß vor Schreck, die Küchentür zu schließen, und nahm die ersten Stufen nach oben. Aus der Stube erklang die Kuckucksuhr, sie blieb stehen und zählte mit. Zwölf.

Was macht Opa um Mitternacht am Radio?, fragte sie sich und schlich auf Zehenspitzen die Treppe wieder hinunter. An der Küchentür meinte sie, leise Glockenschläge zu vernehmen, dann hörte sie dumpf durch die Decke eine Stimme mit fremdem Akzent: »Hier spricht Radio Moskau. Es folgt eine Sendung für die deutsche Bevölkerung.«

Gretas Hals schnürte sich zu. Moskau war in Russland. Russland war der Feind. Warum hörte Opa Radio Moskau?

»Wir lesen jetzt die Namen von lebenden Stalingradkämpfern, die in der faschistischen Presse für tot erklärt worden waren.«

Greta atmete flach, um besser verstehen zu können.

»Wilhelm Gerber, Albert Kowalek, Karl Eyfler …« Die Reihe der Namen wollte nicht enden. »… Johann Wagner, Fritz Steppat.«

Sie war müde, ihre nackten Füße auf dem Steinboden waren eiskalt, es fiel ihr schwer, weiter zuzuhören.

»Und nun grüßen deutsche Kriegsgefangene ihre Angehörigen in der Heimat.«

Mit einem Schlag war Greta hellwach. Sie konnte gar nicht anders, als einen Schritt vor den nächsten zu setzen und in die Küche zu gehen. Im Radio grüßte ein Mann namens Hans Noé seine Lieben in Düsseldorf. Sie musste niesen. Opa riss sich erneut die Decke vom Kopf und starrte sie entgeistert an.

»Vati.« Mehr brachte sie nicht heraus. Dann fing sie an zu weinen.

»Komm, Gretche«, sagte Opa Ludwig, zog sie auf den Schoß und legte die Decke über sich und die Enkelin. Greta schlang ihre Arme um seinen Hals, und eng aneinandergeschmiegt lauschten sie den Worten eines Soldaten aus dem Rheinland, einem Elsässer, einem aus Bodenmais. Otto Schönaich war nicht dabei. Die Sendung wurde gestört, es brummte nur noch, und Opa Ludwig schaltete den Apparat aus.

»Das muss unter uns bleiben. Du darfst mit niemandem darüber sprechen. Auf keinen Fall mit Fine, aber auch nicht mit deiner Mutter und Guste. Mit keiner Menschenseele!«, beschwor sie Opa unter der Decke.

Greta gab ihm ihr Ehrenwort und lag mit weit aufgerissenen Augen im Bett, als der Kuckuck die erste Stunde des Tages verkündete. Sie stellte sich vor, wie ihr Vater in einer Schlange stand und darauf wartete, seine Familie grüßen zu dürfen. Der Kuckuck rief zwei Mal. Seit langer Zeit wagte es Greta wieder, ihrem Vati den Stern zu schicken. Vor dem dritten Kuckucksruf musste sie eingeschlafen sein.

Auf dem Weg zur Schule am nächsten Morgen steuerte sie gezielt eine Litfaßsäule an und fand, was sie suchte: das orangefarbene Plakat.

DENKE DARAN. Das Abhören ausländischer Sender ist ein Verbrechen gegen die nationale Sicherheit unseres Volkes. Es wird auf Befehl des Führers mit schweren Zuchthausstrafen geahndet.

Daneben hing ein grauer Zettel: *Du bist ein Verräter, wenn du Feindsender hörst. Verräter gehören an den Galgen.*

Im Unterricht hörte Greta nicht, was der Lehrer erzählte, und auch das Pausengeplapper ihrer Klassenkameradinnen ging an ihr vorbei. Ihre Gedanken drehten sich nur um eine Sache: Sie musste alles tun, damit sie und Opa nicht erwischt wurden.

Am Abend schickte Großvater sie vor das Haus, um zu überprüfen, ob die Fenster wie vorgeschrieben verdunkelt waren und kein Lichtstrahl nach außen drang. Flüsternd hatte er ihr auch aufgetragen, nachzusehen, ob sich Nachbarn oder der Blockwart in der Nähe des Hauses aufhielten.

Kurz vor Mitternacht, ihre Mutter und Guste-Oma schliefen schon lange, zog Greta sich eine dicke Strickjacke über ihr Nachthemd, schlich ins Erdgeschoss und kroch zu Opa unter die Decke. Ludwig drehte langsam den Knopf und suchte auf Kurzwelle und fand einen stark gestörten Sender.

»Hier ist der Londoner Rundfunk. Sie hören eine Sendung für die deutsche Bevölkerung ...«

Greta hatte Mühe zu verstehen, worum es ging. Es war so etwas wie, dass die Bombenangriffe sich nur gegen militärische Ziele richten würden.

In der folgenden Nacht hörten sie BBC: »Friede mit dem deutschen Volk? Jawohl! Friede mit Hitler? Niemals!«

Sie wollte nichts hören aus England. Sie wartete nur auf Radio Moskau und darauf, dass ihr Vater sich meldete. Sie wartete vergebens.

Im November forderte die Stimme Amerikas die deutschen Soldaten zum Überlaufen auf: »Die Niederlage Deutschlands ist unabwendbar.«

Doch beim nächsten Treffen in der Jungmädelschaft sprach die Führerin vom Endsieg und davon, dass sich auch die Frauen am Volkssturm beteiligen sollten. Greta wusste nicht mehr, was richtig war und was falsch.

Auf dem Weg nach Hause durch das verschneite Preußisch Eylau las sie auf einer Plakatwand:

SIEG ODER SIBIRIEN
DURCHHALTEN, DIE WENDE KOMMT! UNSERE TREUE ZUM FÜHRER ADOLF HITLER VERBÜRGT DEN ENDSIEG

Endlich wusste Greta wieder, was zu tun war: Sie musste dem Führer ihre Treue beweisen und sich zum Volkssturm melden.

»Du bist erst dreizehn Jahre alt, miene Kleene! Das verbiete ich dir«, sagte Opa, dem sie als Erstem davon erzählte, und hielt ihr eine Holzlatte hin. Obwohl es Sonntag war, sägte Ludwig in seiner Werkstatt Bretter zurecht und vergrößerte den Aufbau des Handwagens.

»Aber …«, versuchte sie es erneut.

»Halt ruhig, Gretche, damit ich besser schrauben kann.«

»Was wird das, Opa?«

»Das ist für den Fall, dass wir fliehen müssen.«

»Fliehen?«, flüsterte sie und schaute aus dem Fenster, ob einer der Nachbarn im Hof stand. »Das ist verboten. Man wird verhaftet, wenn man darüber redet.«

»Die nächste Latte!«, befahl Ludwig.

Gretas Herz schlug vor Aufregung schneller, aber sie gehorchte.

»Ich glaube nicht an die Durchhalteparolen im Radio. Kein vernünftiger Mensch glaubt das«, hörte Greta ihren Opa sagen, als sie am Tag nach dem trostlosesten Weihnachtsfest aller Zeiten, an dem es zum ersten Mal kein Paket von Guste-Omas Bruder aus Heidelberg gab, morgens in die Küche kam.

»Für den Fall, dass wir fliehen müssen und uns verlieren sollten, treffen wir uns in Heidelberg wieder«, erklärte Guste-Oma.

Greta schaute zwischen ihrer Mutter, Oma und Opa hin und her. »Wie verlieren?«

»Das ist nur für den Notfall. In Heidelberg lebt mein Bruder in der Hirschgasse 20. Das haben wir auch Fine geschrieben.«

Heidelberg war für Greta schon immer mehr als nur ein Name für eine Stadt. Es war Guste-Omas Heimat, von der sie den Kindern oft mit Wehmut erzählt und ihnen immer wieder versprochen hatte, dass sie in Friedenszeiten einmal mit ihr dorthin fahren dürften. Auf den Postkarten des unbekannten Großonkels erschien Greta die Stadt mit dem Schloss wie ein märchenhaftes Paradies, ein Sehnsuchtsort. Aber jetzt dorthin zu reisen und die Vorstellung, die anderen dabei zu verlieren, machte ihr Angst.

»Wie soll das gehen? Ich war noch nicht einmal in Königsberg und weiß doch nicht, wo Heidelberg ist.«

»Da muss man sich eben durchfragen«, sagte Opa. »Du bist stark! Dir wird nichts passieren.«

»Und Vati?«

Die Erwachsenen schauten einander an.

»Dein Vater wird uns auch dort finden«, sagte Guste-Oma.

Draußen waren minus vierzig Grad. Es war der kälteste Winter seit fünfundsiebzig Jahren. Der Nachttopf unter ihrem Bett war eingefroren, und von Greta sah man nichts außer ihrer roten Nase, die unter dem Federbett hervorschaute.

»Die Sirene. Hörst du nicht die Sirene? Aufwachen! Wir müssen fliehen.« Emma stand komplett angezogen vor ihrem Bett und schlug nun die Decke zurück. »Schnell, zieh dich an, Kind. Der Russe ist da!«

Zitternd vor Aufregung und vor Kälte zog Greta mehrere Leibchen, Strickjacken und drei wollene Männerhosen übereinander an, wie Guste-Oma das schon mehrfach mit ihr besprochen hatte. Die Füße steckte sie in vier Socken und in Schuhe, die ihr viel zu groß waren. Dann zwängte sie sich in den Mantel, den ihre Mutter ihr aus Militärstoff genäht hatte.

»Mädele! Mach schneller«, rief Guste-Oma von unten.

Greta riss die Matratze hoch, holte die Briefe ihres Vaters aus dem Versteck in der Wäschestärkeschachtel und stopfte sie in die Schultasche. Dann sah sie Adolf Hitler. Sie versuchte, das Bild in den Tornister zu stecken, aber es war zu groß.

»Komm jetzt!«, ermahnte ihre Mutter von unten.

Greta nahm den Führer, legte ihn in ihr Bett und deckte ihn zu. Dann stolperte sie die Treppe hinab.

Als alle draußen waren, schloss Opa die Tür ab, und Greta sah, dass er den Schlüssel zu seinem SPD-Parteibuch steckte, dann stieg er mühsam zu den Koffern und Kisten mit Kleidern und Habseligkeiten auf den Leiterwagen. Guste-Oma und Emma zogen, Greta schob, und so reihten sie sich ein in die Kolonne von Nachbarn, die allesamt ihre Häuser verließen. Frauen jeden Alters, Kinder, Greise und Kranke. Ganz Preußisch Eylau machte sich auf den Weg.

Greta bemerkte die gespenstische Stille und blickte in die leeren Gesichter der Menschen, die ihr seit ihrer frühesten Kindheit vertraut waren. Eisiger Wind, der den Schnee aufwirbelte, blies ihnen ins Gesicht.

In dieser Nacht, vom 19. auf den 20. Januar 1945, bewegten sie sich wie Schatten und kannten nur eine Richtung: weg von der Stadt, nach Westen.

Manchmal glaubte Greta, quietschende Geräusche von rasselnden Panzerketten, das Donnern von Geschützen, die herannahende Front zu hören. Die Straße nahm kein Ende. Das Elend auch nicht. Wer nicht mehr konnte – Kinder, Alte, Schwangere –, blieb am Wegesrand zurück und erfror. Am schlimmsten fand Greta die abgelegten toten Säuglinge, die mit einer Schippe Schnee nur notdürftig zugedeckt wurden.

Ihre durchgefrorenen Hände und Füße schmerzten. Die mageren Essensvorräte waren schnell aufgebraucht, der Hunger machte sie matt und ließ sie weiter abstumpfen. Achtzehn Kilometer, mehr hatten sie in den ersten drei Tagen nicht geschafft. Dann wurden sie von den Russen eingeholt, an eine Stallwand gestellt und blickten in Gewehrläufe. Greta schrie wie ein Tier. Uhren und Schmuck wurde ihnen abgenommen, aber sie blieben am Leben.

Zehn Tage lang irrten sie bei Minusgraden Richtung Westen, um dann im Nirgendwo in geplünderten Häusern zu Dutzenden auf dem Boden zu schlafen. Sie legten sich eng nebeneinander. Die alten Männer vorne, die Frauen hinten. Greta lag zwischen Guste-Oma und Emma und schlief vor Erschöpfung innerhalb von Sekunden ein.

Schreie holten sie aus dem Schlaf. Sie sah, wie russische Soldaten in die Scheune stiefelten, über die Männer hinwegstiegen, Frauen aus den Reihen zogen, sie von hinten nach vorne warfen und ihnen die Kleider vom Leib rissen. Guste legte die Hand vor den Mund ihrer Enkelin und drückte sie unter sich. Greta bekam kaum Luft und klammerte sich mit einer Hand an ihrer Mutter fest. Dann spürte sie, wie diese weggezogen wurde. Alles wurde grau. Greta fühlte nichts mehr.

DREI.
September 2015

In ihrem Porzer Wohnzimmer beißt Greta von einem Leberwurstschnittchen mit Senf ab und sieht im Fernsehen, wie Tom die Abendnachrichten verliest: »Auf ihrer Flucht aus Syrien und dem Irak sind viele Frauen Gewalt, Ausbeutung und sexueller Belästigung ausgesetzt.«

Sie sieht Bilder von Frauen mit Kindern auf der Flüchtlingsroute durch Ungarn, greift zur Teetasse und hört, wie eine junge Mutter mit dem Rücken zur Kamera berichtet, dass sie aus dem Irak kommend seit acht Monaten auf der Flucht sei. »Ich bin nirgendwo sicher vor Männern. In fast allen Ländern, durch die ich gekommen bin«, fügt sie leise hinzu.

Greta atmet flach und hektisch, vergisst zu kauen, rutscht tiefer in ihren Sessel und merkt nicht, dass sie ihren lauwarmen Hagebuttentee verschüttet.

Dann interviewt Tom die Direktorin des Krisenreaktionsteams von Amnesty International. »Frau Hassan, Sie berichten darüber, wie Geflüchtete und Migrantinnen auf der Flucht in großer Gefahr sind, Opfer von sexualisierter Gewalt zu werden.«

»Nachdem sie die Schrecken des Krieges im Irak oder in Syrien durchlebt haben, haben diese Frauen alles aufs Spiel gesetzt, um ihre Kinder und sich selbst in Sicherheit zu bringen«, antwortet Tirana Hassan. »Doch auf der Flucht erleben sie abermals

Gewalt und Ausbeutung und erhalten kaum Unterstützung oder Schutz.«

»Wenn ihr wüsstet, was wir alles mitgemacht haben«, sagt Greta und stellt das schmutzige Geschirr auf den Servierwagen.

»Brauchst du noch etwas, Tom?«, fragt ihn Sabine neun Kilometer rheinabwärts nach einem Feierabendkölsch. Sie reicht ihm den Rucksack mit sämtlichen Unterlagen, die er für die morgige Dienstreise in die Hauptstadt benötigt.

Tom schüttelt den Kopf. Er ist froh, dass sie wieder da ist, denn anders als Jenny hält Sabine ihm ungefragt den Rücken frei. Sie hat nicht nur alles für das Sommerinterview mit der Bundeskanzlerin organisiert, sondern auch für die Erholungswoche an der holländischen Nordseeküste und die zweiwöchige Privatreise nach New York.

Am nächsten Morgen packt er den Kleidersack mit dem Anzug für Berlin und seine Reisetasche für die Woche danach in den Kofferraum und schaut auf dem Weg zum Flughafen noch kurz bei seiner Mutter vorbei.

»Mam?«, ruft Tom und legt ihr eine Brötchentüte auf den Küchentisch.

»Hier!«, hört er sie mit gequetschter Stimme rufen.

Greta liegt in rosa Sportklamotten mitten im Wohnzimmer auf dem Rücken und hebt nun ihr Becken an, sodass Oberkörper und Oberschenkel eine gerade Linie bilden.

»Alles okay bei dir?«, fragt er.

»Wie du siehst!« Sie drückt ihren Unterleib noch weiter Richtung Zimmerdecke. »Kannst schon mal Kaffee machen?«

»Heute nicht«, sagt Tom, der seit der nächtlichen Exkursion

nach Aschaffenburg vor fünf Wochen sehr regelmäßig bei ihr vorbeischaut. »Ich bin auf dem Sprung …«

»Also, eines kann ich dir sagen«, unterbricht ihn Greta und steht mit einem Schwung aufrecht neben ihm. »Immer auf dem Sprung sein ist das falsche Lebensmotto. Ohne richtiges Frühstück sollte man den Tag nicht beginnen.«

»Hab leider keine Zeit. Ich fliege gleich nach Berlin. Zum Interview mit Angela Merkel«, sagt er.

»Oh. Hast du denn auch was Gutes zum Anziehen dabei?«

Tom verdreht die Augen. »Sicher. Und danach fahr ich direkt für ein paar Tage nach Holland. Kann ich dich alleine lassen?«

»Wieso solltest du mich nicht allein lassen können?«

Bevor ihm eine Antwort einfällt, klingelt sein Handy. Seine Gesichtszüge entspannen sich, die Stimme wird weicher. »Super! Dann hol mich um 19 Uhr am Gate ab. Ja, ich freu mich auch! Bis heute Abend.«

»War das Angela?«, will Greta wissen.

»Nein, Mam, das war Annika«, sagt er und hat die Klinke der Wohnungstür schon in der Hand. »Ich muss jetzt los.«

»Sei brav und klau nix, aber wenn du was findest, schick es heim!«, ruft ihm Greta durchs geöffnete Küchenfenster hinterher und winkt mit einem Geschirrtuch.

Der Spruch gehört seit zehntausend Jahren zu ihrem Repertoire, denkt Tom und ist froh, dass sie ihren Humor wiedergefunden hat und er sie guten Gewissens alleine lassen kann.

Im Flughafenparkhaus lässt er die Reisetasche im Kofferraum, denn die braucht er erst heute Abend, wenn Annika ihn abholt und er mit ihr direkt an die Nordsee weiterfährt.

Die Maschine hebt ab, und er sieht unter sich die Höhen des Bergischen Landes. Er ist müde. Nicht nur, weil er notorisch zu wenig schläft. Die Beschäftigung mit Mam hat ihn in den letzten Wochen Kraft gekostet. Es ist genau der richtige Zeitpunkt, sich auszuklinken. Sabine war es, die angeregt hat, dass er sich doch für einige Tage in seiner Domburger Ferienwohnung erholen sollte. Auf die Idee, die vierundzwanzigjährige Stewardess aus München mitzunehmen, der er vor drei Wochen die Visitenkarte zugesteckt und mit der er seitdem zwei heiße Nächte verbracht hat, kam er selbst.

Tom bestellt einen Kaffee und kramt die Interviewfragen aus seinem Rucksack. Es muss ihm gelingen, Angela Merkels Haltung zu den demonstrierenden Bürgern im sächsischen Heidenau zu erfahren, die gegen die neue Erstaufnahme-Einrichtung des Deutschen Roten Kreuzes protestieren. Vor einigen Tagen randalierten rund eintausend Rechtsextreme vor dem ehemaligen Baumarkt und wollten verhindern, dass die Busse mit den Kriegsflüchtlingen dort ankamen. Bilder von brennenden Barrikaden, von Schlägereien und verletzten Polizisten, von einem Bus, der mit Flüchtlingen an Bord nachts durch ein Spalier von pöbelnden Demonstranten fuhr, gingen um die Welt. Merkel hat bislang zu den Übergriffen in dieser und auch in anderen Einrichtungen geschwiegen. Vizekanzler Sigmar Gabriel hat die Stimmung angeheizt, indem er die aufgebrachten Heidenauer als »Pack« bezeichnete.

Der Balkon des Kanzleramts ist gut ausgeleuchtet. Die Kanzlerin bekommt ein Ansteckmikro, schreibt eine SMS, bevor sie ihr Handy ausmacht und Tom vor laufender Kamera erklärt, dass das, was in Heidenau passiert, beschämend und abstoßend sei. »Es gibt keine Toleranz gegenüber denen, die die Würde anderer Menschen in Frage stellen.«

»Frau Bundeskanzlerin, gestern hat das Bundesamt für Migration und Flüchtlinge die Dublinregeln für Syrer ausgesetzt, und heute titelt die britische Zeitschrift ›Independent‹: *Deutschland öffnet die Tore.*«

Merkel gibt Tom eine ausweichende Antwort, denn diese Regelung war eigentlich nicht für die Öffentlichkeit bestimmt.

Nachdem die Kameras ausgeschaltet sind und die Kanzlerin sich verabschiedet hat, nimmt ihn ihr Pressesprecher, den Tom aus der Zeit, als dieser noch beim ZDF war, kennt, zur Seite.

»Frau Merkel fährt morgen nach Heidenau«, sagt er. »Ohne Presse. Willst du da mit?«

Morgen will ich einfach nur die Nordsee sehen oder den ganzen Tag mit Annika poppen, denkt Tom und antwortet: »Ja, ist ’ne gute Idee. Passt vielleicht auch ganz gut zu dem Interview. Ich danke dir.«

Per Handy bittet er sein Redaktionsbüro, den Dreh und entsprechende Verschiebungen im Schneideraum zu organisieren, lässt den Rückflug nach Köln canceln und fährt mit einem Limousinenservice Richtung Dresden. Auf Höhe von Königs Wusterhausen meldet sich sein Redaktionsleiter Clemens Weiner.

»Ich schick dir ein Drei-Mann-Team«, sagt er.

»Warum drei?«

»Wenn die dich nicht mit der Kamera hineinlassen, dann kann Jenny mit dem Team draußen drehen, während du mit Merkel im Asylantenheim bist.«

»Kann die das denn?«, fragt Tom.

»Die ist seit zwanzig Jahren dabei! Ich bitte dich.«

»Die ist gut im Recherchieren. Aber Interviews führen? Die kann doch nicht mit Leuten.«

»Sie hat auch Erfahrung hinter der Kamera und wird in Zukunft mehr in diese Richtung machen. Außerdem ist sie bereits unterwegs.«

»Vielleicht kannst du mir demnächst solche Überlegungen mitteilen, bevor du entscheidest.« Tom drückt das Gespräch weg.

Annika schickt ihm per WhatsApp einen Kussmund.

»Fuck, die hab ich ganz vergessen!«, flucht Tom und schreibt rasch zurück: Müssen unsere Reise leider um 24 Stunden verschieben. Melde mich. T

Wie? Ich bin schon auf dem Weg nach Köln … Annika

Sorry! 😮 Melde mich später, textet er in der Höhe von Lübbenau, schaltet sein Handy aus und starrt auf den vorbeirasenden Verkehr.

»Wir sind in zehn Minuten da«, weckt ihn der Fahrer kurz vor der Ausfahrt.

Tom streckt sich und schaltet sein Smartphone ein. Als sie in der Dresdner Innenstadt über die Elbe fahren, liest er die WhatsApps von Annika, die sich in den letzten Stunden angesammelt haben.

17:33h: Hey, Honey. In ganz Köln gibt es kein Hotelzimmer wegen dieser fuck Caravanmesse in Düsseldorf. Warum pennen die Idioten nicht gleich auf dem Campingplatz???

17:40h:??????????????????

17:59h: Wann ist später???

18:12h: Ich überlege, ob ich den letzten Flug zurück nach MUC nehme.

18:41h: Bin bei einer Kollegin auf dem Sofa untergekommen. Ein Traum …

Sorry, schreibt Tom zurück. War die ganze Zeit im Funkloch … Ich komm morgen mit dem letzten Flieger aus Dresden. Lande 17:40 und dann geht's ab ans Meer. Freu mich!!!

Die Limousine hält vor einem schmucklosen Kasten am Altmarkt. Für einen Moment zögert Tom und überlegt, im Sender anzurufen und zu fragen, ob dieses Hotel wirklich ihr Ernst ist.

Doch dann sieht er auf dem Parkplatz, wie sein Team das Equipment auslädt, und steigt aus.

»Manes?«, ruft er von Weitem, geht strahlend auf den Kameramann zu und umarmt ihn. »Super, dass du Zeit hast!«

Tom kennt Manes, der eigentlich Hermann Schmitz heißt und wie er Kölner ist, seit der Studienzeit. Sie haben beide mit Theaterwissenschaften angefangen, gleichzeitig abgebrochen und haben sich auf der Suche nach einer sinnvollen Tätigkeit Presseausweise gefälscht. Damit waren sie im ehemaligen Jugoslawien unterwegs und gerieten als Kriegsreporter ohne Erfahrung und Skrupel 1995 mitten in das Massaker von Srebrenica, bei dem achttausend männliche Bosniaken zwischen dreizehn und achtundsiebzig Jahren hingerichtet wurden. Ihren herausragenden Beitrag konnten sie einem privaten Nachrichtensender verkaufen, und für beide war das der Anfang ihrer Karriere. Manes machte sich als Kameramann einen Namen, Tom als Reporter, der 2005 in den USA auffiel und danach sechs Jahre für CNN in New York arbeitete.

»Ihr kennt euch?«, fragt Jenny Walter.

»Sischer dat«, sagt Manes in breitestem Kölsch, hebt die Kameratasche aus dem Kofferraum und drückt sie seinem Assi in die Hand.

»Lasst uns nach dem Einchecken zusammen essen gehen«, schlägt Tom vor.

»Hat einer was gegen ein vegetarisches Restaurant einzuwenden?«, fragt Jenny.

Manes und Tom werfen sich einen finsteren Blick zu.

Beim besten Italiener in der Altstadt gibt es auch für die Veganerin etwas zu essen. Ebenso für Tom, der sich nie wirklich entscheiden kann, in der Regel die Beilagen umbestellt – und oft auch das gesamte Menü –, sobald die Kellner alles notiert haben. Beim Aperitif bespricht Tom mit dem Team, wie der Einsatz morgen auszusehen hat: »Ich gehe mit Merkel rein. Ohne Kamera. Das ist Bedingung. Aber vielleicht bekommen wir einen O-Ton von ihr, wenn sie rauskommt. In der Zwischenzeit macht ihr Interviews mit den Demonstranten.«

»Wir müssen uns auf einiges gefasst machen, wenn wir da drehen«, meint Manes. »Die sind alle von der Rolle in diesem Heidenau und aggressiv auf alles, was wie Presse aussieht.«

Der Kellner entkorkt die Flasche Chianti und lässt Tom probieren. Der schnuppert, schlürft, schlotzt und nickt schließlich anerkennend.

»Für mich nur Wasser, bitte«, sagt Jenny und deckt mit der Hand ihr Rotweinglas ab.

Kein Wunder, dass sie immer so verkniffen aussieht, denkt Tom und beschließt, sich von der Kollegin den Abend nicht versauen zu lassen. Sein Handy klingelt. Ein Blick aufs Display verrät ihm: Es ist seine Mutter.

»Mam, ich kann jetzt nicht. Alles okay bei dir?« Er trinkt das Glas in einem Zug leer.

»Ist was passiert?«, fragt Greta.

»Nein, wieso?«

»Na, weil du nicht in den Nachrichten warst, sondern so ein junger Kerl. Der sieht aber nicht schlecht aus.«

»Ich hab dir doch gesagt, dass ich in Berlin bin.«

Der Kellner verteilt die Antipasti.

Tom beißt von einem Zuccini-Speckröllchen ab und beendet das Gespräch. »Meine Mutter steht auf unser Bübchen«, sagt er zu Jenny, die neben ihm sitzt.

»Auf wen?«

»Jan Rickels.« Toms Unterton verbirgt nicht, was er von dem jungen Kollegen hält.

»Auf den stehen viele«, meint sie und schiebt sich eine Olive zwischen die Lippen. »Der kommt bei allen Altersgruppen an.«

Da ist es wieder, dieses Süffisante, denkt er. Das ist es, was mich an ihr nervt.

Beim dritten Glas Wein stellt er fest, wie furchtbar sie aussieht, blass, schlecht gekleidet und mit diesen raspelkurzen braunen Haaren – einer Frisur, die keine ist. Als sie sich nach ihrer halben Pizza und Toms zweiter Flasche gemeinsam mit dem Kameraassi verabschiedet, um den morgigen Dreh vorzubereiten, widerspricht er ihr nicht und ist froh, mit Manes ungestört in Erinnerungen schwelgen zu können.

Nach einer kurzen Nacht besorgt sich Tom in aller Herrgottsfrühe an einer Tankstelle Pfefferminzdragees und fährt mit seinem Drehteam und Jenny von Dresden nach Heidenau. Schon von Weitem sehen sie die Demonstranten, die vor dem Flüchtlingsheim hinter Absperrgittern auf die Ankunft der Bundeskanzlerin warten.

Ein Polizist winkt sie auf den gesicherten Parkplatz, auf dem Kollegen aus der ganzen Welt ihr Equipment vorbereiten. Innerhalb von Sekunden ist Manes drehfertig. Der Kameraassistent macht einen kurzen Soundcheck und überreicht Tom das Mikro.

»Warum protestieren Sie hier gegen die Unterbringung von Kriegsflüchtlingen?«, fragt Tom von jenseits des Gitters in die Menge.

»Ach, Kriegsflüchtlinge. Das sind doch keine Kriegsflüchtlinge«, antwortet ein Mittsechziger, der nicht einmal seinem Gürtel traut und deshalb die dreiviertellange stützstrumpffarbene Cargohose zusätzlich mit Hosenträgern vor dem Rutschen sichert. »Die jungen Kerle sind alle Schmarotzer. Ich möchte betonen, ich bin kein Nazi, aber Schmarotzer sind das!«

Eine blondierte Frau um die dreißig, deren zehn Zentimeter langer dunkler Haaransatz verrät, dass sie genauso wenig Zeit für den Friseur wie für einen Zahnarzt hat, fällt dem Rentner ins Wort: »Diese Leute aus Kriegsgebieten, die sollen in die reichen Ölländer gehen, wo sie hingehören. Da muss man ja Angst bekommen um seine Kinder, wenn die alle hier rumlaufen.« Dabei drückt sie ein Kleinkind fest an sich.

Jenny tippt Tom von hinten an und formt mit ihren Lippen lautlos: *Merkel kommt.* Er gibt Manes ein Zeichen und tritt auch hinter die Kamera.

Bei der Ankunft der Wagenkolonne der Kanzlerin wird die Menschenmenge laut. Sie pfeifen, buhen und brüllen im Chor: »Wir sind das Pack! Wir sind das Pack!«

Mit ihrem Kind auf dem Arm schreit die Blondine: »Volksverräterin!«

Tom setzt sich von seinem Team ab, schließt sich als einziger Journalist der Abordnung rund um Merkel und den DRK-Präsidenten Rudolf Seiters an. Er betritt mit ihnen den ehemaligen Baumarkt, der, wie er weiß, binnen weniger Tage vom Deutschen Roten Kreuz zu einer Flüchtlingsunterkunft umgebaut wurde. Statt wie geplant sechshundert Personen sind wegen der Proteste jedoch noch nicht einmal hundert Flüchtlinge angekommen.

Die Helfer des DRK begrüßen die Kanzlerin.

»Ihnen gehört mein ganzer Respekt«, erklärt diese, nachdem sie jedem die Hand geschüttelt hat. Sie bedankt sich im Namen der Regierung bei den Organisatoren und den vielen zum Großteil ehrenamtlichen Helfern, die tagelang ohne Pause das Durchgangslager aus dem Boden gestampft haben.

Anschließend führt sie der Leiter der Einrichtung durch die große Halle, in der Hunderte von Feldbetten stehen.

Tom sieht ausgemergelte Menschen, blickt in unsichere, verstörte Gesichter. Kinder. Mütter. Söhne. Großväter.

Selbst hinter den Mauern des ehemaligen Baumarktes sind

die wütenden Parolen von draußen zu hören. In den Augen der Menschen sieht Tom nackte Angst.

Angela Merkel setzt sich zu den Flüchtlingen, hört sich ihre Geschichten an und versucht, ihnen Mut zu machen.

»Sie sind hier in Sicherheit«, sagt sie. »Das verspreche ich.«

Auf der Krankenstation, die durch ein leeres Hochregal abgetrennt ist, riecht es nach Eiter, Fäulnis und Desinfektionsmittel. Alle Feldbetten in diesem Raum sind belegt. Mit Menschen, die sich ihre Füße bis auf die Knochen wund gelaufen haben, deren unbehandelte Schussverletzungen entzündet sind, die Geschwüre haben und Brandzeichen – am Körper und auf der Seele. Tom entdeckt ein junges Mädchen neben einem alten, abgemagerten Mann, der an einem Tropf auf einem Feldbett liegt, und die Opa und Enkelin sein könnten.

Das Mädchen greift dem Alten unter die Arme, hilft ihm zum Sitzen auf und stützt ihn dann, sodass er die prominente Besucherin besser sehen kann.

Als die Bundeskanzlerin an sein Bett tritt, reicht sie erst dem Mann, dann dem Mädchen die Hand.

»Chakera«, sagt der Alte – was der Dolmetscher mit »Danke« übersetzt – und schämt sich seiner Tränen nicht.

»Woher kommen Sie?«, fragt Angela Merkel und setzt sich zu ihm.

Tom kann den Blick nicht von dem Mädchen abwenden. Ihre riesig wirkenden Hände sind voll eitriger Schürfwunden, die Füße mit Mullbinden umwickelt. Sie muss monatelang unterwegs gewesen sein. Ihrer Größe nach ist sie zwölf oder vierzehn Jahre alt. Die hellen Augen wirken leer, sie erzählen von unsäglichem Leid und der Angst vor einer ungewissen Zukunft.

Er wählt Jennys Nummer. »Wir kommen gleich raus. Merkel wird ein Statement abgeben. Ich bleib hinter ihr. Schau, dass ihr mich auf jeden Fall mit draufhabt.«

Wenig später verlässt Tom dicht hinter der Kanzlerin die Flüchtlingsunterkunft. Er sieht, wie Manes sich mit seinem Assi und Jenny im Schlepptau durch die riesige Pressemeute nach vorne in seine Richtung drängt, um das beste Bild der Regierungschefin vor dem ehemaligen Baumarkt zu bekommen. Polizisten öffnen die Absperrung mit der blickdichten Bauzaunplane, und die Kanzlerin tritt vor die Mikrofone.

»In unserem Gesetz steht«, sagt Merkel entschieden, »dass jeder Mensch, der politisch verfolgt ist, der vor einem Bürgerkrieg fliehen muss, ein Recht hat auf ein Asylverfahren oder auf Anerkennung als Bürgerkriegsflüchtling. Es ist beschämend und abstoßend, was wir in Heidenau erleben mussten.«

Tom gibt Manes ein Zeichen näher zu kommen, der Kameraassistent drückt ihm ein Mikrofon in die Hand.

Als Merkel zum Weitergehen ansetzt, macht Tom einen großen Schritt nach vorne und stellt ihr eine Frage: »Frau Bundeskanzlerin. Hinter dem Bauzaun sind hundert Menschen untergebracht. Vielen von denen sind Sie heute begegnet. Was ist Ihr persönlicher Eindruck?«

»Wenn man diesen Menschen begegnet, dann bekommt das Recht auf eine faire Behandlung natürlich menschliche Gestalt«, antwortet sie.

»Volksverräterin!«

»Schlampe!«

»Fotze!«

»Hure!«

»Zeig dein hässliches Gesicht!«, brüllen die Demonstranten durcheinander, als Angela Merkel in ihren Wagen steigt und davonfährt.

Dann wendet sich der Pulk gegen die Kamera- und Tonleute, die unter dem Schutz der Polizei zu ihren Fahrzeugen gehen: »Lügenpresse! Lügenpresse!«

»Wo ist Jenny?«, ruft Manes.

Tom, der alle überragt, dreht sich um und entdeckt sie als Erster. Die Kollegin steht am Zaun und übergibt sich.

Superprofessionell, denkt er.

Manes drückt ihm die Kamera in die Hand, läuft zurück, legt den Arm um sie und schützt sie mit seinem bulligen Körper vor der Meute.

»Alles okay?«, fragt Tom, als sie neben dem Kameraassi auf dem Rücksitz Platz nimmt.

Jenny, die noch blasser ist als sonst, nickt.

»Dreckskaff«, flucht Manes und lenkt den Kombi durch ein Spalier von Wutbürgern. »Du hast genau das Richtige gemacht, Jenny. Kotzen ist die einzige Antwort auf diese Idioten.«

»Sorry, aber kannst du mal schnell anhalten?«, fragt sie kurz hinter dem Ortsausgangsschild, stürzt aus dem Wagen und übergibt sich erneut.

Manes reicht ihr eine Flasche Wasser und sagt, dass sie sich alle Zeit der Welt lassen soll.

Tom tippt auf seine Armbanduhr und formt lautlos mit den Lippen: *Mein Flug!*

»Das ist mir so unangenehm«, murmelt sie.

»Hast du dir irgendwas eingefangen?«, will Tom wissen. Er kann jetzt nicht auch noch einen Magen-Darm-Virus gebrauchen.

»Nein«, sagt sie. »Aber es ist, glaub ich, besser, wenn ich vorne sitze.«

Tom quetscht seine langen Beine hinter den Fahrersitz und ist froh, als er endlich am Dresdner Flughafen aussteigen kann. Doch sein Flug ist gecancelt. Auch nach Düsseldorf fliegt keine Maschine. Es geht gar nichts, weil die Fluglotsen streiken.

Er ruft das Team wieder zurück, zwängt sich erneut neben den Kameraassi auf den Rücksitz, zieht sein Jackett aus und lockert den Krawattenknoten. Sein Handy klingelt. Er sieht die Nummer seiner Mutter und wartet, bis sie eine Nachricht auf der Mailbox hinterlassen hat.

»Tom, hier ist alles voll Wasser!«, hört er sie jammern.

Er ruft sofort zurück. »Was ist los, Mam?«

»Überall ist Wasser! Im Flur und …«, schreit sie in den Hörer. »Wo kommt das Wasser her?«

»Hast du schon versucht, Helga zu erreichen?«

»Nein«, weint Greta. »Komm doch vorbei!«

»Ich kümmere mich darum, Mam«, sagt Tom, beendet das Gespräch und wählt die Rufnummer, die sich in den letzten fünfunddreißig Jahren nicht verändert hat. Er kann sie immer noch auswendig.

»Helga Schmitz«, meldet sich die alte Nachbarin mit klarer Stimme.

»Wie gut, dass du da bist! Kannst du sofort bei meiner Mam vorbeischauen. Da gibt es offensichtlich eine Überschwemmung.«

»Klar, Jung.«

Tom steckt sein Handy ein. »Holy Shit«, flucht er. »Meine Mutter macht mich noch wahnsinnig.«

»Ich hab das damals in der ›Bild‹-Zeitung gelesen«, sagt Manes.

»Lass mich bloß mit diesem Drecksblatt in Ruhe!«

Manes tritt das Gaspedal durch und rast mit zweihundertzehn km/h konstant links auf der A4 an Jena vorbei in Richtung Westen. »Jenny, geht's dir wieder besser?«, fragt er.

Sie nickt und schaut schweigend aus dem Fenster.

»Dann könnten wir doch vielleicht wieder die Plätze tauschen«, schlägt Tom vor.

»Nein!«, bestimmt Manes, bevor sie reagieren kann.

Erneut klingelt Toms Telefon. Diesmal ist es Annika. Er

drückt den Anruf weg, wartet ungeduldig, dass Helga zurückruft. Annika versucht es ein zweites Mal.

»Ich melde mich gleich«, sagt Tom, aber sie lässt sich nicht abwimmeln.

»Ich stehe jetzt hier in Köln am Flughafen und sehe, dass dein Flug gecancelt ist. Wieso ...«

»Sorry«, unterbricht sie Tom. »Hab ich ganz vergessen.«

»VERGESSEN?«, schreit sie so laut, dass sie die Motorengeräusche übertönt.

»Annika, ich kann jetzt nicht«, antwortet er. »Ich melde mich gleich!« Er drückt sie weg und hat endlich Helga in der Leitung.

»Die Badewanne ist übergelaufen«, sagt die Nachbarin seiner Mutter mit betont ruhiger Stimme. »Alles halb so wild, nicht wahr, Frau Monderath?«

Tom hört seine Mutter aufgeregt im Hintergrund reden.

»Mach dir keine Sorgen, Jung. Ich kümmere mich um alles.«

Willst du mich verarschen? Machst du das immer so???????, fragt Annika per WhatsApp.

Tom antwortet nicht.

Hallo geht's noch????, versucht sie es dreißig Sekunden später und legt nach: Bist du schon mal auf die Idee gekommen, dass sich nicht immer alles nur nach dir richten kann???????

Tom löscht den Nachrichtenverlauf. Sekunden später ruft Annika wieder an.

»Ja?«, meldet er sich nach kurzem Zögern betont kühl.

»Wie, ›Ja‹?«, schreit sie am anderen Ende. »Kannst du mir mal sagen, was das soll?«

Tom will es erklären, doch er kommt nicht zu Wort. »Hör mal einen Moment zu«, sagt er langsam in den Hörer und hält die Hand über das Mikrofon, als würden die anderen so nicht mithören können. Aber Annika gibt ihm keine Chance. Das Gefühl, dass er mit ihr gespielt hat, lässt ihre Sicherungen durchbrennen.

»Ich leg jetzt auf«, sagt Tom und beendet das Gespräch.

Der Kameraassi setzt seine Kopfhörer auf, rutscht tiefer in den Sitz, verschränkt seine Arme und schließt die Augen.

Zehn Sekunden später klingelt Toms Handy schon wieder. Er versucht es erneut, noch leiser, aber bestimmt: »Weißt du, Annika, in meinem Leben gibt es manchmal Dinge, die kann man nicht vorhersehen.«

»Und ich?«, unterbricht sie ihn schreiend. »Hab ich etwa nicht auch einen Job? Ich habe mir extra freigenommen, habe auf dem unbequemsten Sofa Deutschlands übernachtet …«

»Lass uns noch mal reden, wenn ich wieder in Köln bin.«

»Und wann soll das sein?«, fragt Annika.

Jenny streckt ihre Hand in die Luft und zeigt ihm drei Finger.

»In vier Stunden«, sagt Tom zögerlich, denn er möchte sie nicht noch einmal versetzen, und legt auf.

Manes stellt die Musik lauter. Im MDR-Radio singt Namika: »Hallo Lieblingsmensch …«

»Leeven Jott!«, mosert Tom. »Mach um Himmels willen diese Betroffenheitsscheiße aus! Haben die in diesem Sommer denn nur diesen elenden Song?«

Manes wechselt den Sender, gibt dem Vordermann Lichtzeichen, bis er den Weg frei macht, und starrt geradeaus.

»Was ist mit deiner Mutter? Kann ich irgendwie helfen?«, fragt Jenny in das Schweigen hinein.

»NEIN!«, brüllt Tom nach vorne.

Manes reißt das Steuer herum und fährt von der äußersten Spur zwischen LKWs hindurch auf den nächsten Parkplatz, bremst energisch ab und schaltet den Motor aus.

»Was?«, fragt Tom.

»Pissen! Komm mit!«, befiehlt er, reißt die Fahrertür auf und stapft in Richtung Toilettenhäuschen. An der Art, wie er jeden

Schritt buchstäblich in den Boden haut, erkennt Tom, dass Manes gleich explodiert.

Im Pissoir schlägt ihm beißender Uringestank entgegen.

»Was ist denn in dich gefahren?«, fragt Tom und stellt sich neben seinen Freund ans Urinal.

»Ich habe größtes Verständnis dafür, dass du außer dir bist wegen deiner Mutter. Aber ich habe keinen Bock, mir deine miese Laune reinzuziehen wegen irgendwelcher Weibergeschichten. Reiß dich zusammen, verdammt!«

»Wie redest du mit mir?«, fragt Tom und schlackert den letzten Urintropfen ab.

»Reiß dich zusammen. Ich hab's dir gesagt!« Manes lässt ihn stehen.

Beim Rausgehen tritt Tom gegen den Abfalleimer. »Arschloch.«

Im Parkhaus am Köln-Bonner Flughafen schaut er den Rücklichtern von Manes' Auto hinterher, wirft seinen Kleidersack in den Kofferraum und setzt sich hinters Steuer. Erleichtert, endlich für sich zu sein, schließt Tom die Augen und versucht, kurz zu entspannen. Einatmen, ausatmen, einatmen. Ein ungutes Gefühl überkommt ihn bei dem Gedanken an seine Mutter. Er kann es nicht wegschieben – trotz aller Bemühungen – und startet den Wagen.

Dreizehn Minuten später klingelt er an der Tür der elterlichen Wohnung und schließt direkt auf.

»Gott sei Dank bist du endlich hier«, empfängt ihn Greta. »Ich weiß nicht, wie das mit dem Wasser passiert ist.«

»Dat is ja noch mal jut jejangen«, ruft eine Stimme aus dem Badezimmer.

Tom schaut durch die Tür und sieht, wie Helga Schmitz über der Badewanne hängt, mit hochrotem Kopf vor Nässe triefende

Putzlappen und Handtücher auswringt und sie in eine Plastikwanne wirft. Ächzend richtet sie sich auf.

»Gut, dass du so schnell einspringen konntest. Danke, Helga!«, sagt er und begutachtet den feucht glänzenden Holzboden, der sich vor dem Badezimmer deutlich verfärbt hat.

»Ich kann mir das nicht erklären«, jammert Greta.

»Es ist ja nicht zu viel passiert.«

Ein lautes Knacken – die Verklebung des Parketts hat sich gelöst, eine Diele springt heraus. Eine Schrecksekunde später versucht Tom, sie wieder reinzudrücken, doch dann wölbt sich im Dominoeffekt ein Brett ums andere krachend nach oben.

»Fuck«, flucht er, seine Mutter weint.

Helga schüttelt fassungslos den Kopf. »So, Leute, es hilft alles nichts. Ich brauch jetzt erst mal eine Zigarette!«

»Und ich einen Schnaps.« Greta hört auf zu weinen und holt eine Flasche Schwarzwälder Kirsch aus dem Wohnzimmerschrank und füllt drei Pinnchen.

Toms Handy vibriert, und er weiß es, bevor er nachsieht: Es ist Annika. Er kippt den Schnaps in einem Zug und geht raus auf den Balkon.

»Ich verstehe, dass du sauer bist. Aber in meinem Leben ist gerade Land unter«, sagt er zu ihr und cancelt die gesamte Reise.

Annika tobt und lässt ihn nicht mehr zu Wort kommen. »Es kann doch nicht sein, dass du mich tagelang hinhältst! Was meinst du, wer du bist.«

»Wenn du wüsstest, was hier los ist.« Tom merkt, dass sie nicht mehr in der Leitung ist.

»Ist was passiert?«, fragt Helga. Sie ist zu ihm auf den Balkon getreten und zückt ihre Zigaretten.

»Ach, ich wollte nach Holland fahren … Daraus wird jetzt wohl nix.« Durch das Wohnzimmerfenster sieht er, wie seine Mam sich vor den Fernseher setzt.

Helga hustet. Am liebsten würde Tom sich ebenfalls eine Kippe anstecken, aber er hat vor vier Monaten mit dem Rauchen aufgehört. Zum x-ten Mal. Diesmal mit Hilfe von Spritzen, Hypnose und einem teuren Verhaltenstraining in der Uniklinik. Er hat durchgehalten, obwohl er fünf Kilo zugenommen hat.

»Das müsst ihr euch anschauen. *Fahr mal hin – Heidelberg!*«, ruft Greta von drinnen und singt mit dem Chor im Fernsehen: »Alt Heidelberg, du Feine, du Stadt an Ehren reich. Am Neckar und am Rheine, kein andre kommt dir gleich …«

»Ja, Mam.« Tom ist froh, dass sie abgelenkt ist, lässt sich neben Helga auf den zweiten Plastikstuhl fallen und starrt auf den Rhein.

»Was überlegst du?«

»Wohin das alles noch führen soll«, sagt er, zückt sein vibrierendes Smartphone und liest eine WhatsApp von Annika: Fick dich, alter Mann!!!!! Und weiterhin viel Spaß bei deiner Midlifecrisis.

Er blockiert ihre Nummer und knallt das Handy neben die Zigarettenpackung auf den Tisch. Wie ferngesteuert nimmt er eine Kippe heraus und zieht den Rauch bis in die Lungenspitzen.

»Kann ich dich mal was fragen, Jung?«

»Klar«, sagt Tom.

»Warum hast du dich nicht früher bei mir gemeldet?«

»Du warst doch in Kur.«

»Quatsch! Warum sollte mir einer eine Kur bezahlen? Mit einer Sechsundsechzigjährigen in Rente ist nichts mehr zu verdienen.« Helga zündet sich eine zweite Zigarette an der Glut der ersten an.

»Aber Mam hat mir vor ein paar Wochen gesagt, dass du nicht da bist, weil …«

»Sie will nicht, dass ich mich um sie kümmere. Aber mach dir keinen Kopf, ich hab sie im Auge. Meistens jedenfalls …«

Tom kennt Helga, solange er denken kann. Die Frau aus der Dachwohnung, die sicherlich einiges mehr wiegt als er und einen halben Meter kleiner ist, war früher, vor allem dann, wenn drei Etagen tiefer die Luft brannte, seine wichtigste Instanz gewesen. Eine, die stets herzlich war, aber immer Klartext mit ihm geredet hat. Nach außen hat sie ihn verteidigt, als wäre er ihr eigener Sohn.

Helga zog Anfang der Sechziger mit ihrem Mann Alfred ein, der hier und in den drei anderen Mietshäusern der Monderaths Hausmeister war. Als Greta 1970 den kleinen Thomas bekam und ihre Wochenbettdepression nicht enden wollte, ist sie eingesprungen. Das tat sie gerne, denn sie liebte Kinder und konnte keine eigenen bekommen. Helga war immer zur Stelle, wenn Greta regelmäßig in einem sogenannten Sanatorium verschwand. Mitte der Achtziger verstarb ihr Alfred überraschend, und sie stand buchstäblich vor dem Nichts. Toms Vater Konrad hat ihr am offenen Grab lebenslanges Wohnrecht zugesichert. Mit einer kleinen Miete, die nicht erhöht werden durfte. Weder Greta noch Tom haben nach Konrads Tod nur eine Sekunde daran gedacht, dieses Versprechen in Frage zu stellen. Das Haus war längst abbezahlt, und die Einnahmen aus den sechs vermieteten Wohnungen und den anderen Mietshäusern waren üppig genug.

»So, Jung!«, sagt Helga und erhebt sich mit einem Seufzer. »Du gehst jetzt nach Hause, schläfst dich aus, und morgen fährst du in deinen Urlaub.«

»Aber …«

»Kein ›aber‹. Du siehst furchtbar aus. Außerdem, was willst du hier machen mit deinen zwei linken Händen?« Sie verpasst ihm einen kameradschaftlichen Knuff, geht nach drinnen und setzt sich neben Greta vor den Fernseher.

Alter Mann, was für ein Schwachsinn, denkt Tom, als er in die Innenstadt fährt. In knapp einem Monat wird er fünfundvierzig, und wenn er sich mit anderen Männern vergleicht, dann muss er sich wirklich nicht verstecken. Im Gegenteil! Es ärgert ihn, dass er sich ärgert. Der Aufzug bringt ihn in seine Penthousewohnung, er wirft den Kleidersack und die Reisetasche in die Ecke und zieht eine Flasche Badia a Passignano aus dem Weinregal. Das erste Glas leert er in einem Zug. Er lässt Badewasser ein, sucht vergeblich nach passender Musik, kippt das zweite Glas hinunter und steigt in die Wanne.

»Fuck!«, flucht er, springt erschrocken aus dem viel zu heißen Wasser und sieht sich unvorbereitet im leicht beschlagenen Spiegel. Dieser Anblick ist nicht mit dem Bild übereinzubringen, das er von sich hat. Routiniert weicht er dem Spiegelbild aus, lässt kaltes Wasser nachlaufen und setzt sich wartend auf den Klodeckel. Auf die Ellbogen gestützt sieht er, wie der Dampf sich langsam verzieht und hofft, dass seine trüben Gedanken es ihm gleichtun.

Er holt sich ein drittes Glas Wein und entdeckt nach dem Einschenken ein graues Haar auf der Brust. Geschickt packt er es zwischen Daumen- und Zeigefingernagel, zieht – und das Haar ist Geschichte. Was jedoch trotz konsequenten Baucheinziehens nicht wegzukriegen ist: der Rettungsring um die Taille. Tom greift in seinen Speck und nimmt sich vor, ab morgen mehr zu trainieren.

Das Badewasser gluckert im Überlauf. Er steigt in die Wanne. Jetzt ist es zu kalt. »Fuck!« Tom zieht den Bademantel an und setzt sich mit seinem Laptop und dem, was noch in der Flasche ist, aufs Bett. Es ist Donnerstag, er hat endlich ein paar Tage Urlaub und keine Idee, was er damit anfangen soll.

Alleine nach Domburg will er nicht – Tom sieht sich einsam am Strand entlangspazieren und ohne Begleitung in einem Restaurant speisen. Er klappt den Laptop auf, durchsucht sein Adressbuch und nickt darüber im Sitzen ein.

Der schrille Ton seines Telefons reißt ihn aus dem Schlaf. 4:46 Uhr. Draußen ist es noch dunkel.

»Ja?«

Niemand antwortet. Tom knallt den Hörer auf, stretcht den verspannten Hals, schält sich aus dem Bademantel und legt sich bäuchlings zum Schlafen hin.

Es klingelt erneut. Auf dem Display sieht er die Porzer Vorwahl, die Nummer seiner Mutter.

»Mam, was ist?«

Er vernimmt Rascheln, aufgeregtes Atmen.

»Mam!«, brüllt er in den Hörer, doch er bekommt keine Antwort, hört, wie sie leise wimmert.

»Mam?« Null Reaktion.

Schlaftrunken wählt er Helgas Nummer. Sie nimmt nicht ab. Auch nicht nach dem zehnten Klingeln. »Na super!«, flucht er, lässt sich ins Bett fallen und presst die Augen zu. Im Halbschlaf sieht er, wie die Nachbarin die Treppe herunterstürzt, und wird schlagartig wach.

Schwachsinn! Er zieht seine Bettdecke über den Kopf. Doch dann sieht er Helga hilflos mit verdrehten Gliedmaßen im Badezimmer liegen. Resigniert gibt er auf und macht sich einen Espresso.

Es dämmert, als er über die Deutzer Brücke fährt. Schon im Treppenhaus hört er seine Mutter weinen und Helga auf sie einreden. Er bleibt an der Tür stehen und lauscht.

»Ich kann mich nicht beruhigen, wenn das hier so aussieht«, schreit Greta.

»Frau Monderath, bitte!«

»Du mit deinem ewigen Bitte, da wird man ja noch ganz verrückt.«

Tom holt tief Luft, dann klopft er an die Tür.

»Was ist denn jetzt passiert?«, fragt ihn Helga fast vorwurfsvoll. »Wo um Himmels willen kommst du denn her?«

»Schau mal, wie das hier aussieht, Tom«, ruft seine Mutter hysterisch und zeigt auf den aufgesprungenen Parkettboden.

Helga schüttelt den Kopf und versucht schnaubend und vergeblich, den ausgewaschenen Morgenmantel über dem apricotfarbenen Nachthemd zu schließen. Ihre Haare zeigen in alle vier Himmelsrichtungen, sie hat tiefe Ränder unter den Augen. Wütend stapft sie Richtung Terrasse und zündet sich eine Zigarette an. Die Stare auf der Pappel hören schlagartig auf zu ratschen. Tom folgt ihr, übermüdet, aufgekratzt und hilflos. Er starrt auf den Rhein, der träge ist und grau wie der morgenhelle Himmel. Die Singvögel brechen ihr Schweigen, ihr schwätzender Gesang wird immer lauter.

Helga drückt die Zigarette aus und atmet schwer. »Ich muss zusehen, dass ich einen Handwerker kriege. Gleich trinke ich einen Kaffee, dann geht es schon wieder.« Sie nimmt eine zweite Zigarette aus der Packung.

»Gib mir auch eine.«

»War die letzte«, sagt sie und hält ihm ihre brennende Kippe hin. Tom zögert kurz, aber dann zieht er und genießt dieses Verschwörerische, was in dem gemeinsamen Rauchen steckt.

Greta stößt temperamentvoll die Tür auf. Die Stare verstummen erneut und fliegen auf. »Aha! Da sind ja meine Turteltäubchen«, plappert sie fröhlich und zu laut. »Ernähren sich von Luft, Liebe und von Zigaretten.«

Tom und Helga schauen einander an und können sich ein Grinsen nicht verkneifen.

»Ja, ja, ja. Wenn alte Scheunen brennen!« Greta zeigt der Nachbarin den Drohfinger.

»Mam«, flüstert Tom mit gespieltem Vorwurf in der Stimme. »Was ist denn in dich gefahren? Und sei vor allen Dingen etwas leiser.«

»Und wann fährst du nach Holland?«, fragt Helga, um das Thema zu wechseln.

Greta schaut ihn voller Neugierde an.

»Ach, keine Ahnung. Ich glaube, ich lass das.«

»Ich mach uns erst mal einen guten Kaffee«, sagt Helga.

»Ich kann auch …« Tom deutet an aufzustehen.

Doch sie winkt ab. »Quatsch. Bleib sitzen. Du siehst furchtbar aus.«

»Stimmt«, meint Greta und folgt Helga nach drinnen.

Tom verkneift sich eine Antwort, zückt sein Handy, betrachtet sich im Selfie-Modus und muss feststellen, dass er wirklich zum Kotzen aussieht.

»Frau Monderath, lassen Sie doch die Sachen im Schrank«, hört er Helga von drinnen. »Wo wollen sie denn hin?«

»Na, nach Holland!«

»Ich bitte sie!«

»Du hast hier nicht über alles zu bestimmen!« Gretas Ton klingt scharf.

Keine zwei Stunden später thront sie mit ihrer rosafarbenen Baseballmütze tief im Gesicht auf dem Beifahrersitz von Toms grauem X5er und liest die Hinweisschilder laut vor. »*Frechen … Kerpen* … Von mir aus kannst du ruhig schneller fahren.«

»Und wer zahlt dann das Knöllchen, Mam? Du oder ich?« Tom betrachtet die weißen Wolken, die sich über den Kühltürmen des Kraftwerks Weisweiler im blauen Himmel auflösen. Nichts war abwegiger, als mit seiner Mutter zu verreisen, aber er hat klein beigegeben und sich eingeredet, dass Helga so in aller Ruhe die Bodenleger beaufsichtigen und klar Schiff machen kann.

Greta liest weiter die Verkehrsschilder vor. An der Art, wie sie die Namen der Städte rechts und links der Autobahn betont, spürt er ihre Vorfreude: *Aachen, Heerlen, Tessenderlo, Herentals. Antwerpen* unterschlägt sie. Daran merkt er, dass sie eingenickt ist.

Als Tom klein war, war er es, der diese Städtenamen vorgelesen hat, wenn die Familie an jedem freien Wochenende und vor allen Dingen in den Ferien an die Spitze der holländischen Halbinsel Walcheren fuhr. Sein Vater hat immer an der ersten Tankstelle hinter der deutschen Grenze getankt, immer Zigaretten für sich und eine Tüte weiche Lakritztaler für seinen Stammhalter gekauft. Der durfte dann auf dem Beifahrersitz Platz nehmen, während Mam auf der Rückbank schlief. Der letzte Taler schmolz zwischen den Fingern, und erst, wenn sie am weißen Ortseingangsschild von Domburg vorbeifuhren, steckte der kleine Thomas ihn sich in den Mund. Er pulte sich den Rest der klebrigen Masse aus den Zähnen, wenn der Vater in der Schuitvlootstraat seinen Kasten Kölsch ins Haus trug, damit er die Grachtenpisse, wie er das holländische Bier bezeichnete, nicht trinken musste.

Toms Eltern hatten mitten im Ort ein altes Häuschen gekauft, weil ihr Junge schon früh Asthma bekam und nur an der See frei atmen konnte. In der Pubertät verschwanden zwar seine Asthmaanfälle, aber mit Mam und Pap einen auf heile Welt zu machen raubte ihm trotzdem die Luft. So mussten Greta und Konrad ihre Wochenenden zu zweit schweigend am Meer verbringen. Immer öfter vermieteten sie das Haus und verkauften es 1990. Seitdem war Greta nie wieder in Domburg gewesen. Auch nicht, als Tom sich vor anderthalb Jahren dort eine Ferienwohnung kaufte.

Nach seiner Rückkehr aus den USA Ende 2012 verbrachte er mit einer damaligen Freundin ein Wochenende in Zeeland und bekam Heimatgefühle, als er »sein« Badpaviljoen auf den Dünen von Domburg wiedersah. Dieses Bauwerk, das im ausgehenden 19. Jahrhundert im Stil der Neorenaissance errichtet worden war und an dem bereits während seiner Kindheit der Zahn der Zeit nagte, war für den kleinen Thomas ein verwunschenes Schloss, in dem die Geister und Ritter spukten. Inzwischen war es renoviert, beherbergte unten ein nobles Restaurant und in den oberen Stockwerken privat genutzte Appartements. Tom setzte sich in den Kopf, dass er in einer dieser Wohnungen mit Blick auf die Nordsee in Zukunft seine Freizeit verbringen wollte. Aber egal, wie viel Geld er bot, keiner der Eigentümer war bereit zu verkaufen.

Letzten Sommer bekam er endlich den entscheidenden Anruf von einem Makler. Wegen der Kongresswahlen war er zu der Zeit oft in den USA, deshalb ließ er das einhundertvier Quadratmeter große Luxusappartement mit Blick aufs Meer von einer Innenarchitektin einrichten. Anfangs fuhr er in jeder freien Minute hierher, dann wurden die Abstände größer und größer.

»Komm, Mam. Jetzt gibt es erst einmal eine Palastführung.«

»Als Erstes muss ich aufs Klo.«

Tom stellt die Koffer ab und führt sie durch die lichtdurchflutete, offene Wohnung ins Badezimmer.

Seine Mutter begutachtet die Toilette, streckt den Hals, schaut über das graue Mäuerchen auf einen freistehenden Whirlpool. »Oha!«

»Ich geh inzwischen aufs Gästeklo.« Tom grinst, als er sich vorstellt, dass Greta beim Pinkeln durch das gläserne Dach den blauen Himmel sieht.

»Alles okay, Mam?«

Keine Antwort.

Er wartet fünf Minuten, dann öffnet er vorsichtig die Badezimmertür. »Mam? Kommst du klar?«

»Der Wasserhahn ist kaputt«, sagt Greta und hat Mühe, das Wasser am StoneArt-Waschbecken zum Laufen zu bringen.

Tom aktiviert den Infrarotsensor und reicht ihr nach dem Händewaschen ein Handtuch. »Ich zeig dir jetzt dein Schlafzimmer.« Er führt sie in den Raum, der von einem überbreiten Boxspringbett dominiert wird und von dem aus man einen Blick auf die Nordsee hat. »Und? Gefällt es dir?«

»Nobel geht die Welt zugrunde.«

Tom verkneift sich eine Antwort. »Du kannst deine Sachen hier im Schrank verstauen, ich brauche den Platz nicht.«

»Aber du schläfst auch hier in dem Hotel, oder?«

»Das ist kein Hotel, Mam. Das ist meine Ferienwohnung. Ich mache es mir auf der ausziehbaren Couch im Wohnzimmer bequem.«

Gretas Blick fällt auf das 1,80 Meter hohe Schwarz-Weiß-Foto an der linken Wand, auf dem eine junge Frau die Hände vors Gesicht geschlagen hat und mit den Armen ihre nackten Brüste bedeckt. »Ist das deine Freundin?«

»Schön wär's! Das ist der Schwarm meiner Jugend. Christy Turlington. Dieses Bild war in einer Modezeitschrift, und ich hatte es in meinem Jugendzimmer aufgehängt, weißt du noch? Ich hab mir geschworen, wenn ich mal Geld habe, dann kaufe ich mir das Foto.«

»Wenn du die Frau schon nicht kriegen kannst!«

»Deine direkte Art ist immer so erfrischend«, sagt Tom, öffnet die Balkontür und tritt hinaus. Der Wind bläst ihm ins Gesicht, die Wellen brechen sich laut am Strand. Es ist Flut.

Greta stellt sich neben ihn und schaut aufs Meer. »Da hinten ist Amerika«, sagt sie und zeigt mit dem Finger gen Westen.

Das hat sie immer gesagt, als ich klein war, denkt Tom und sieht, wie eine Träne über ihre Wangen rinnt.

»Lass uns eben runtergehen, 'ne Kleinigkeit essen.«

Der Kellner bringt die Karten und fängt an, die Tagesgerichte herunterzubeten.

»Mam, willst du lieber Meeresfrüchte oder ...«

»Ich will Pommes«, unterbricht sie ihn.

»Die haben sie hier nicht. Aber wie wäre es mit Pasta?«

Tom sucht für sich und seine Mutter das Beste aus, fragt beim Kellner nach, ob er die Beilagen switchen kann, und als der alles notiert hat, bestellt er noch einmal um.

»Sehr wohl«, sagt der Kellner, nimmt die geänderten Wünsche auf.

»Von wem hast du das nur geerbt?«, fragt Greta.

»Was?«

»Na, dein umständliches Bestellen.«

»Meinst du, so was vererbt sich?«, fragt Tom.

Bevor sie antworten kann, kredenzt der Kellner den südafrikanischen Chardonnay.

»Auf ein paar schöne Urlaubstage, Mam!«

»Ja«, sagt Greta. »Diesen Urlaub habe ich mir redlich verdient.« Sie leert das Glas in einem Zug. »Hab ich vielleicht einen Durst.«

»Mach langsam!« Tom lässt eine Flasche Wasser kommen. Der Kellner empfiehlt sich mit einer angedeuteten Verneigung und einem süffisanten Lächeln.

»Der denkt jetzt, wir sind ein Liebespaar«, sagt Greta, ohne ihre Stimme zu dämpfen.

»Mam, ich bitte dich!«

»Na, hast du nicht gesehen, wie dieser Gockel mich angestarrt hat?«

»Red bitte leiser!«, flüstert Tom und schaut verstohlen in die Runde, um zu überprüfen, ob die anderen Gäste etwas gehört haben.

Er weiß, dass an den meisten Tischen Deutsche sitzen, denn er kennt die hohlen Blicke derer, die so tun, als würden sie ihn nicht erkennen.

Zwei Kellner tragen gleichzeitig das Essen auf. Greta bekommt Linguine met Truffel en Paddenstoelen, Truffelroomsaus, Rucola en Parmezaanse Kaas, und Tom Noordzeegarnalen op ijs met huisgemaakte mayonaise en boerenbrood. Gretas Kellner zückt den Trüffelhobel und verteilt Späne des edlen Pilzes über ihrem Gericht.

Auf Toms Smartphone blinkt eine Sondernachricht auf. Er wünscht seiner Mutter einen guten Appetit, pult die erste Krabbe und schielt mit einem Auge auf das Display. *Viele tote Flüchtlinge in Schleuser-LKW entdeckt.*

Mechanisch isst er weiter und liest, dass fünfzig Kilometer von Wien entfernt auf einem Pannenstreifen der Autobahn im Burgenland ein abgestellter Kühllaster geöffnet wurde, in dem einundsiebzig tote Flüchtlinge lagen. Vier Kinder, acht Frauen, neunundfünfzig Männer – grausam erstickt.

Tom sieht zwar, nimmt es aber nicht wahr, wie Greta minutiös sämtliche Trüffelspäne auf den Tellerrand schiebt, das Schälchen Mayo über die Nudeln kippt, alles ordentlich vermanscht und die Linguinefäden genussvoll in den Mund zieht. Der Nachrichten-Junkie googelt, ob es schon eine Reaktion der Kanzlerin gegeben hat, denn sie ist in Wien auf der Westbalkankonferenz und berät sich mit EU-Mitgliedern und Vertretern der Balkanländer über die eskalierende Lage der europäischen Flüchtlingsproblematik.

Greta nimmt das Weinglas in ihre mit Mayo verschmierten Hände und leert auch dieses in einem Zug.

Galant tauscht der Kellner das fettige Glas aus und schenkt ihr nach. »Darf ich noch mehr Wein bringen, Mijnheer?«

Tom schreckt auf, schüttelt den Kopf, sieht endlich wirklich die leere Flasche, die Nudeln und Fettflecke auf der weißen Tischdecke rund um Gretas Teller, ihren verschmierten Mund, die glasigen Augen und glühenden Wangen. Er sieht auch die Blicke der anderen Gäste und verlangt die Rechnung.

Augen zu und durch, denkt er und hilft Greta aus ihrem Stuhl. Sie wankt und muss sich am Tisch festhalten.

Mit schleppenden Schritten geht sie untergehakt an Toms Seite und steuert auf die Gäste am Nachbartisch zu. »Einen guten Appetit wünsche ich Ihnen!«

Die beiden Holländer nicken höflich, und Greta macht Anstalten, sich zu den Herren zu setzen.

»Mam, bitte!«, sagt Tom, legt den Arm um sie, packt beherzt unter ihre Achsel.

»Jawohl, mein Führer«, antwortet sie und hebt ihren rechten Arm.

Tom schiebt sie nach vorne gebeugt, als wäre er so unsichtbarer, durch das Spalier der Tische, an denen die Gäste verstummt sind.

»Führer befiehl, wir folgen dir«, lallt seine Mutter.

In der Skala von eins bis zehn der peinlichsten Momente in meinem Leben hat dieser das Zeug zum Hauptpreis, denkt er und sieht nach einer gefühlten Ewigkeit die rettende Ausgangstür vor sich.

Da windet sich Greta aus seinem Arm, dreht sich um und lallt in die Stille: »Ich wünsche Ihnen allen noch einen wunderschönen Tag!« Sie winkt zum Abschied in die Runde, bevor Tom sie durch die Tür schieben kann.

»Du bist ein richtiger Spaßverderber! Hat dir das schon mal einer gesagt?« Greta lässt sich auf die Couch plumpsen.

»Na, dann bin ich ja froh, dass ich das endlich weiß. Vielen Dank!« Er schaltet den Fernseher an und sieht auf dem Nachrichtenkanal Bilder des Hühnerlasters aus dem Burgenland, die unterbrochen werden von einem Statement, das Angela Merkel in der Wiener Hofburg gibt: »Wir sind alle erschüttert von der entsetzlichen Nachricht.«

Greta ist im Sitzen eingeschlafen, kippt zur Seite und schreckt auf. »Wo bin ich?«

»Wir sind in Domburg, Mam.«

»Wie schön«, sagt sie und nickt wieder ein.

Tom zieht ihr die Schuhe aus, legt ihre Beine hoch und ist froh, dass er sich nicht weiter um sie kümmern muss.

Im Internet findet er unter »Ein Blick in den halbgeöffneten Laderaum« ein Foto. *Das Schrecklichste an diesem Bild ist nicht das Blut, sind nicht die verrenkten Glieder. Das Schrecklichste ist, dass man keine Menschen mehr sieht, nur noch Köpfe, Beine, Haare, Fleisch*, beschreibt ›Der Spiegel‹ die Szene.

Tom greift zum Telefon und ruft seinen Redaktionsleiter in Köln an. »Seit 2011 haben sie die Krise ignoriert. Jetzt ist sie auch in Mitteleuropa angekommen«, sagt er ohne lange Begrüßung.

»Es ist kaum auszuhalten, sich vorzustellen, was diese Menschen durchgemacht haben, bis sie starben«, antwortet Clemens Weiner am anderen Ende der Leitung.

Um Greta nicht zu stören, und auch, weil ihr in unregelmäßigen Abständen ein lautes Schnarchen entfährt, verzieht Tom sich zum Weitertelefonieren auf den Balkon und setzt sich auf den Boden hinter die windschützende Glasbrüstung. »Wer moderiert die Sondersendung?«

»Jan Rickels.«

»Das ist nicht dein Ernst, Clemens!«, sagt Tom, der nichts von dem fünfzehn Jahre jüngeren Kollegen hält, der seit Kurzem die Spätnachrichten verliest. »Der hat doch viel zu wenig Erfahrung. Gerade jetzt, wo die Einschaltquoten angezogen sind, könnt ihr doch nicht so ein arrogantes Greenhorn da draufsetzen.«

»Das ist mit oben abgestimmt.« Clemens beendet das Gespräch, weil er die Sendung vorbereiten muss.

Tom schleicht sich an seiner schnarchenden Mutter vorbei aus der Wohnung, kauft unten im Restaurant dem Kellner eine angebrochene Packung Zigaretten ab und verschanzt sich zum Rauchen auf dem Balkon. Er könnte platzen vor Wut, dass er nicht in Köln geblieben ist. Und wieder einmal bereut er, den New Yorker Job aufgegeben zu haben. Er kann diese rheinischen Kleingeister nicht ertragen.

Pünktlich um zwanzig Uhr sitzt er mit Greta auf dem Sofa und schaut sich die Sondersendung seines Senders an.

Jan Rickels ist offensichtlich in den Geltopf gefallen, denkt er und hört, mit welchen Worten der junge Kollege die Sendung eröffnet: »Nun ist also die so lange ignorierte Krise, die sich ab 2011 aufgebaut hatte, auch in Mitteleuropa angekommen.«

»WAS?«, brüllt Tom und schießt vom Sofa hoch. »Dieser Idiot. Das sind genau meine Worte.« Er zündet sich eine Zigarette an.

»Ist wieder was passiert?«, fragt Greta kleinlaut.

»Allerdings!«

Merkel wird zu einem Liveinterview zugeschaltet. Tom vergisst zu atmen. Es ist ihm eine Genugtuung, dass der Moderator sich bereits bei der Begrüßung verhaspelt. Doch dann fällt ihm auf, dass der Kollege exakt dieselben Fragen stellt, wie er dies vor einigen Tagen im Sommerinterview getan hat.

»Haben die noch irgendwas in der Birne außer Scheiße?« Er

wählt die Nummer des Redaktionsleiters, reißt die Balkontür auf und geht zum Brüllen nach draußen, droht, dass er das zur Chefsache macht, versucht vergeblich, den Intendanten zu erreichen, und kommt nach zwei Minuten mit hochrotem Kopf wieder herein.

»Alles klar bei dir, Mam?«, fragt Tom und ist an keiner Antwort interessiert, denn Jan Rickels im On treibt seinen Blutdruck weiter nach oben.

Sein Smartphone klingelt.

Wenigstens den Fernsehdirektor hat er an der Strippe. »Wir können das gesamte Sommerinterview in die Tonne treten«, brüllt Tom in einer Lautstärke, als gelte es, die Entfernung zwischen Domburg und Köln schreiend zu überwinden.

Schlömer sichert Tom sofortige Konsequenzen zu, was positive Auswirkungen auf seinen Blutdruck und die Gesichtsfarbe hat.

Als er aufgelegt hat, will er sich Rickels nicht eine Sekunde länger zumuten. Er schaltet den Fernseher aus. »Komm, Mam, wir gehen noch mal raus, den Sonnenuntergang anschauen. Wir waren überhaupt noch nicht am Meer.«

»Ich gehe keinen Meter mehr«, sagt sie und starrt weiter auf den schwarzen Bildschirm.

»Mam, du hast dich doch heute null bewegt!«

»Hast du eine Ahnung!«

Mitten in der Nacht wird Tom wach und spürt, wie seine Mutter versucht, sich neben ihn auf die Couch zu legen. »Mam, bitte!« Mechanisch schiebt er sie weg. »Ich bin eben erst eingeschlafen. Geh wieder in dein Bett.«

Sie gibt ihm keine Antwort, bleibt sitzen und schnauft aufgeregt.

»Geh wieder ins Bett, bitte!«

Als Greta seine Hand sucht und sich zitternd daran festkrallt, schlägt Tom die Bettdecke zurück, steht auf, macht das Licht an und schaut in ihre schreckhaft aufgerissenen Augen. Dieser Blick macht ihm Angst.

»Alles ist gut, Mam. Bist du aufgewacht und hast nicht gewusst, wo du bist? Mach dir keine Sorgen. Wir sind in Domburg.«

Sie nickt mechanisch und lässt sich ohne Widerstand zurück ins Bett bringen.

Tom deckt sie zu und dimmt das Licht, damit sie sich im Dunkeln nicht fürchten muss. »Schlaf jetzt. Morgen ist auch noch ein Tag«, sagt er und denkt, dass es eine Schnapsidee war, mit ihr zu verreisen.

Als es hell wird, schiebt er die Schlafbrille vor die Augen, um dem Hirn länger Nacht vorzugaukeln. Pünktlich um 8:25 Uhr weckt ihn seine innere Uhr, die exakt mit dem Bekanntwerden der Einschaltquoten gekoppelt ist. Im Halbschlaf greift er sein Smartphone, tapert zum Klo und liest beim Pinkeln als Erstes die Tagesmarktanteile. FFD ist Tagessieger. Im Quoten-Quick sieht er, dass 4,2 Millionen die Sondersendung gesehen haben, der Marktanteil bei den Vierzehn- bis Neunundvierzigjährigen war so hoch wie sonst nie.

»Bei dem Thema hat jeder Vollpfosten eine gute Quote«, murmelt er und findet beim Googeln eine Kritikerstimme, die von dem jungen Rickels als *Entdeckung* schreibt, einem *Gewinn für den Sender, dessen Anchorman vor lauter Selbstbewusstsein kaum noch durch eine Tür kommt.* Schlagartig ist Tom hellwach, knallt sein Handy gegen die Wand und drückt die Spülung. Arschlöcher, denkt er und sieht sein vierundvierzigjähriges Konterfei im Spiegel.

Während sich das Wasser in der Espressomaschine erhitzt,

startet er eine Internetrecherche zum Thema Tränensäcke. Ein Artikel über durchwachte Nächte, erhöhten Zigaretten- und Alkoholkonsum als Ursachen ploppt auf. Der Kaffee plätschert in die Tasse, und Tom recherchiert, wie man mit einem kleinen Eingriff, der nur etwa fünfundvierzig Minuten dauert, einen wachen und frischen Ausdruck der Augen zurückbekommen kann. Er schlürft den Espresso und notiert sich die Rufnummer einer Schönheitschirurgin aus Köln-Rodenkirchen.

Die zweite Tasse und die erste Zigarette nimmt er auf dem Balkon ein und schaut auf das tosende Meer. In seinem Hirn hämmern die Quoten und der unbändige Hass auf den Kritiker, der meint, frischer Wind würde dem Sender guttun. Er beschließt, eine Runde zu joggen.

Ich bin am Meer und spätestens um 10:15 Uhr zurück!, schreibt er mit Filzstift auf einen Zettel und legt ihn vor die angelehnte Schlafzimmertür. Durch den Spalt wirft er einen Blick hinein und wird skeptisch, denn das Bett ist zurückgeschlagen. »Mam?«

Keine Reaktion.

Er drückt die Tür auf und sieht das leere Zimmer. »Mam?«, versucht er es lauter, klopft ans Badezimmer. Als sie nicht antwortet, öffnet er die Tür. Hier ist sie ebenfalls nicht. »Verfluchte Kacke!« Tom wühlt im Wohnzimmer nach dem Feldstecher, reißt die Balkontür auf und blickt durch das Fernglas. Die Selbstvorwürfe überschlagen sich. Warum nur hat er die verfickte Wohnungstür nicht abgeschlossen? Warum hat er sich das überhaupt angetan? Ist sein Leben nicht so schon stressig genug? Warum hat er seine Mutter nicht in Köln gelassen? Und warum überhaupt hat er sie nicht schon längst in irgendein blödes Altersheim gesteckt?

In Richtung Norden erspäht er auf dem Dünenweg in der Höhe des Wasserturms jemanden mit einer pinkfarbenen Kopfbedeckung. Er wartet, bis die Person näher gekommen ist, stellt dann jedoch fest, dass es sich um eine junge Frau mit einem Kinderwagen handelt. Er sucht den Strand ab, folgt dem Verlauf der Wasserkante. Niemand ist unterwegs. Er könnte so was von kotzen und schwört, dass er noch heute mit ihr zurück nach Köln fährt.

Im Süden entdeckt er ein Grüppchen von Menschen, die aufgeregt wirken und immer wieder in Richtung Westkapelle zeigen. Tom folgt ihrem Blick und sieht in einiger Entfernung orangefarbene Jeeps am Strand. Das sind die Autos der Rettungswacht, denkt er und wird stutzig, als aus der Ferne ein Polizeiwagen mit Blaulicht heranbraust, gefolgt von einem Rettungswagen.

Innerhalb weniger Sekunden ist er am Strand, rennt gegen den Wind, der ihm schier den Atem raubt, und schnappt trotz der Brandung, die alles übertönt, in Höhe der Gaffer so etwas wie »angespülte Wasserleiche« auf. Er verlangsamt seinen Schritt, sieht, wie etwa zweihundert Meter entfernt Gestalten in signalroten Anzügen etwas aus dem Wasser ziehen.

»Lieber Gott, nein!«, stammelt Tom, bleibt stehen und starrt Richtung Unglücksort. Seine Augen füllen sich mit Tränen. Die Füße weigern sich weiterzugehen, denn mit jedem Schritt kommt er der Gewissheit näher.

Stehen bleiben heißt, Zeit gewinnen. Noch einige Sekunden Sohn zu sein. Noch ein wenig eine Mutter haben. »Bitte!« Wie damals als kleiner Junge verhandelt er in Gedanken mit dem Herrgott, zu dem er vor einunddreißig Jahren jeglichen Kontakt abgebrochen hat. Er verspricht alles, will geduldiger, verständnisvoller, demütiger werden, wenn nur …

»Bitte«, flüstert er mantramäßig und merkt nicht, wie die Wellen der stärker werdenden Flut seine Laufschuhe mit Wasser füllen und er im Sand einsinkt.

Ein Golden Retriever springt ihn von hinten an und hört

nicht auf zu bellen. Tom wischt sich mit dem Handrücken die Tränen weg und geht zaghaft weiter.

»Je kunt hier niet doorgaan!« Ein Polizist kommt ihm entgegen und gibt ihm Zeichen, dass er nicht weitergehen kann.

Mit starrem Blick auf die Männer, die geschäftig mit Funkgeräten hantieren und sich um den abgedeckten Strandfund scharen, setzt Tom einen Fuß vor den anderen.

»Stop!«, brüllt der Beamte und stemmt sich mit beiden Händen gegen Toms Oberkörper. »You have to leave«, wiederholt er die Anweisung auf Englisch und fixiert ihn. »Now!«

Tom bewegt die Lippen, aber es kommen keine Worte aus seinem Mund. Er starrt über die Schulter des Polizisten, sieht, wie der Wind das Leichentuch anhebt und sackt in sich zusammen.

»Is everything okay with you?«

»Ja«, haucht Tom. »Alles ist in Ordnung mit mir.« Zwischen den Beinen des Beamten liegt der Körper eines toten Kindes.

Nach einer Zigarette des Polizisten und der Zusage, für die Suche seiner Mutter Verstärkung aus Middelburg anzufordern, nimmt Tom zwei Stufen der hölzernen Treppe gleichzeitig und spurtet auf dem Dünenweg zurück ins Dorf. Der Rückenwind beflügelt ihn. Er hat nur ein Ziel: das Haus in der Schuitvlootstraat, das früher ihr Ferienhaus war. Greta ist dort hingegangen, das weiß er sicher. Das ist ihr vertraut, da kennt sie sich aus.

Von Weitem sieht Tom das Backsteinhaus im alten Ortskern. Ein Schild des Fremdenverkehrsverbandes VVV zeigt an, dass es vermietet wird. Er klingelt, doch nichts bewegt sich.

»Mam?«, ruft er in den Hof und öffnet das schmiedeeiserne Tor, das quietscht und klemmt wie vor einunddreißig Jahren, als er das letzte Mal hier war.

Der knarzende, ratschende Splitt unter seinen Füßen klingt wie die Schritte des Vaters, der neben ihm herlief, als er hier im

Hof zum ersten Mal ohne Stützräder geradelt ist. *»Vöran, Tömmes!«*, hört er Pap lachend rufen.

Die Hainbuche am Ende des Grundstücks ist einem Trampolin gewichen. Tom sieht seine junge Mam in eine Decke gewickelt dort auf einem Liegestuhl liegen. Er sieht sie ins Haus schleichen, denn bei ihrer Migräne ist ihr selbst das Rascheln der Blätter zu laut.

Beim Blick durch das Küchenfenster hat er schlagartig diese Mischung aus Kaffeeduft, Zigarettenqualm und Mams Parfum in der Nase. Neben dem Kühlschrank entdeckt er einen gedrechselten Stuhl, einen, wie er schon damals zur Einrichtung gehörte. Sein Mund wird trocken, und in ihm zieht sich alles zusammen, denn er sieht sein dreizehnjähriges Ich auf genau diesem Stuhl sitzen. Unfähig, sich zu bewegen, weil Mutter ihm von hinten die Arme festhält und Vater vor ihm steht und mit den Beinen seine Knie zusammendrückt. Mit der linken Hand packt er ihn am Kinn, führt mit der rechten die Haarschneidemaschine und schert den Sohn wie ein Schaf. Der Irokesenschnitt fällt auf den Küchenboden.

Der erwachsene Tom spürt das Ausgeliefertsein, die Erwartungen, die pausenlose Aufmerksamkeit. Wie hat er dieses Einzelkindleben gehasst! Wie gerne wäre er manchmal im Windschatten von Geschwistern gewesen. Wie froh wäre er heute, wenn er nicht die alleinige Verantwortung tragen müsste.

Er setzt die Suche auf dem Roosjesweg fort, spricht Passanten und Radfahrer an, dann Kunden und Verkaufspersonal im Supermarkt um die Ecke. Doch niemand hat eine Frau gesehen, auf die Gretas Beschreibung zutrifft.

An der Tabaktheke deckt er sich mit Zigaretten ein, setzt sich an der Kreuzung vor dem Supermarkt auf eine Bank und versucht zu kombinieren. Wo, um Himmels willen, könnte sie stecken? Nach zweieinhalb Kippen hat er plötzlich eine Idee, springt auf, und als er keine Minute später an der Kirche ist, hört er das erlösende Lachen.

Greta steht im Jogginganzug und mit ihrem rosa Käppi auf dem Kopf mit zwei wildfremden Menschen an einem Stehtisch vor der Pommesbude in der Noordstraat und klatscht vor Freude in die Hände.

Toms Handy klingelt. Die Polizisten aus Middelburg sind eingetroffen und fragen, wo sie sich mit ihm zwecks genauer Personenbeschreibung zusammensetzen können. »Tausend Dank«, sagt er erleichtert. »Aber ich habe meine Mutter gerade gefunden.«

Er überquert den Markt und hört Greta freudig rufen: »Nein, das gibt es doch nicht!«

»Mam?«

Sie dreht sich erschrocken um.

»Ich habe dich überall gesucht!«

Greta fällt ihm um den Hals. »Aber ich bin doch hier.«

Tom umarmt sie, drückt ihren Körper fest an seinen, zieht die sonst so verhasste Mischung aus Waschmittelduft und Chanel No. 5 ein und kann sich nicht erinnern, wann er sich das letzte Mal so gefreut hat, sie zu sehen.

»Das ist mein Sohn«, sagt sie und strahlt ihre neuen Freunde an.

Tom stellt sich vor und merkt an der Verlegenheit des etwas älteren Paares aus Castrop-Rauxel, dass sie genau wissen, wer er ist.

»Du musst dir vorstellen, diese Menschen sind auch aus Preußisch Eylau. Wie klein die Welt doch ist. Auf der Königsberger Straße. Nein, das gibt es nicht. Die kenn ich!«

»Also wir kommen nicht daher«, korrigiert die propere Seniorin mit einer Vorliebe für Glitzer-Applikationen und schiebt sich mit ihren gegelten Nägeln eine Pommes in den Mund. »Unsere

Mutter, also die Schwiegermutter, ist von dort, und wir sind im letzten Jahr mit ihr zusammen hingefahren. Hansi, zeig doch der Dame mal die Fotos, die wir gemacht haben.«

Der Ehemann, der sich als Hans Choroba vorstellt, fingert sein Handy aus der beigen Wanderweste und durchsucht den Bilderordner.

Tom bestellt am Tresen einen Kaffee für sich, und für seine Mutter Pommes Spezial. Während er wartet, beobachtet er Greta. Noch nie hat Mam über ihre Heimat geredet. Immer hat sie so getan, als wäre sie in Heidelberg geboren. Als er sie 2001 zu ihrem siebzigsten Geburtstag mit einer Reise nach Ostpreußen überraschte, ist sie regelrecht ausgeflippt. Doch nicht aus Freude, wie er es erwartet hatte, sondern vor Wut und hat sich jedes Gespräch darüber verbeten.

»Der Warschkeiter See. Das gibt es nicht!«, sagt sie gerade.

Ihre Stimme klingt hell wie die eines Mädchens, denkt Tom und hört, wie sie das R rollt, die Endungen und Vokale langzieht. Sie hat ihren kurpfälzischen Singsang, den sie selbst in sechzig Jahren Köln nicht abgelegt hat, angesichts der Erinnerungen an Ostpreußen vergessen.

Greta reißt ihm das Plastikschälchen regelrecht aus der Hand, bevor er es auf dem Stehtisch abstellen kann, und stürzt sich hungrig auf die Pommes.

»Sind Sie denn nie mehr da gewesen?«, fragt Frau Choroba.

»Ach, Sie wissen ja, wie das ist. Erst sind die Kinder klein, und dann hat man andere Pläne.«

Tom sieht im Hintergrund einen Leichenwagen vorbeifahren.

»Meine Schwiegermutter hat alles aufgeschrieben, was sie auf der Flucht erlebt hat. Für die Kinder und Enkelkinder, wissen Sie?«

»Das sollte ich auch einmal machen.« Greta greift mit beiden Händen in das Pommesschälchen. Die Matsche aus Ketchup,

Mayo und Zwiebeln trieft ihr aus dem Mund. »Das Schlimmste waren nicht die Kälte und der Hunger«, sagt sie und leckt ihre Finger. »Das Schlimmste waren die Russen.«

Tom ist platt. Seine Mam hat vergessen, dass sie das alles vergessen wollte!

Auf den Dünen ziehen Mutter und Sohn ihre Schuhe aus und gehen hinunter zum Strand. Greta muss sich an Tom festhalten, um im weichen Sand das Gleichgewicht nicht zu verlieren. Sie lässt seine Hand auch nicht los, als der Untergrund trittfest ist, weil die Ebbe den Meeresboden freigegeben hat.

Der Wind hat sich gelegt. Der Muschelkies knirscht unter ihren Füßen. Alles ist friedlich. Nur die Reifenspuren erinnern Tom an das Drama, das sich vor wenigen Stunden hier abgespielt hat. Er drückt die Hand seiner Mutter fester.

Noch nie bin ich händchenhaltend mit ihr gegangen, denkt er und spürt, wie richtig sich das anfühlt. »Du hast mir nie von Ostpreußen erzählt, Mam«, bricht er nach einer langen Zeit das Schweigen.

»Das ist doch Quatsch, Tom.«

»Ja, gut, dann habe ich es wahrscheinlich vergessen.«

Greta bückt sich nach einer schwarzen Muschel.

»Warst du denn als Kind oft an der Ostsee?«

»Meinst du, wir hatten Geld für Reisen?«

»Aber die Ostsee war doch höchstens fünfzig Kilometer von Preußisch Eylau entfernt.«

»So war das damals, da ist man eben nicht in Urlaub gefahren. Aber gefehlt hat mir das nie.«

Als würden mit den Wellen ihre Erinnerungen hochgespült werden, kommt Greta vom Hölzchen aufs Stöckchen, erzählt von ihrer Guste-Oma, ihrem Opa Ludwig, ihrer großen Schwester Fine und den Abenteuern, die sie mit der Hitlerjugend erlebte. Übergangslos spricht sie von der Flucht. »Wir hatten uns schon nach drei Tagen verloren.«

»Wie? Du warst alleine unterwegs?« Tom konzentriert sich darauf, sie nicht direkt anzuschauen, und betrachtet sie aus den Augenwinkeln.

»Nur mit Opa. Meine Mutter und Guste wurden von den Russen geholt. Du weißt ja, was die mit den Frauen gemacht haben.« Greta marschiert stoisch weiter, drückt sich zwischen den muschelbewachsenen Buhnen durch und sucht sofort danach wieder Toms Hand.

In seinem Kopf hämmern Fragen. Doch diesmal wagt es der professionelle Fragesteller nicht, sie zu stellen, aus Angst, die Magie des Augenblicks zu zerstören. Bis er es nicht mehr aushält. »Und du? Ich meine, haben sie dich auch … geholt?«

Greta schüttelt entschieden den Kopf und grinst verschmitzt. »Die dachten doch, ich sei ein Junge!«

»Wieso, du warst doch schon fast fünfzehn. Warst du so eine Spätentwicklerin?«

»Opa hat mir mit seinem scharfen Messer die Haare abgeschnitten. Ratzekurz. Und Männerkleider hatte ich ja sowieso an. Ich hab studiert, wie die Kerle sich verhalten. Breitbeinig gehen und im richtigen Moment ausspucken.«

Sie macht ihm vor, wie sie geübt hat, die Rotze geräuschvoll hochzuziehen, sie im Mund zu sammeln und dann im höchsten Bogen herauszuschleudern. »Probier mal«, sagt sie.

»Das muss ich nicht, Mam. Ich bin ein Kerl. Spucken wurde mir quasi in die Wiege gelegt.«

»Feigling. Du traust dich nicht!«

Grunzend zieht Tom den Schnodder bis ins Hirn und nimmt die Herausforderung an. Sie rotzen und spucken um die Wette in den Sand.

»Okay, ich geb auf. Du hast gewonnen, Mam!« Tom packt ihren rechten Arm und streckt ihn in die Luft. »Lass uns zurückgehen.«

»Ja«, sagt Greta und bleibt nach wenigen Schritten stehen. »Ich bin so müde.«

Tom überlegt. Sie sind genau zwischen Westkapelle und Domburg. Vier Kilometer in beide Richtungen.

»Komm, Mam. Ich nehm dich huckepack.« Er geht auf die Knie und klopft auf seinen Rücken. Sie zögert keine Sekunde, klammert sich an ihm fest und lässt sich von ihrem großen Sohn über die Düne tragen, wo am Schelpweg ein Taxi wartet und sie nach Domburg fährt.

Den restlichen Nachmittag lässt Tom sie schlafen, döst vor sich hin und schaltet kurz vor siebzehn Uhr die Nachrichten ein. Das Flüchtlingsthema beherrscht alles. In Ungarn spitzt sich die Lage zu. Am Keleti-Bahnhof im Budapester Osten räumen Polizisten mit ernsten Mienen und Schlagstöcken am Gürtel die riesige Bahnhofshalle, in der Hunderte von Flüchtlingen tagelang unter katastrophalen hygienischen Bedingungen ausharrten und auf eine Weiterfahrt nach Österreich und Deutschland warteten. »We want go – Germany!«, skandieren die Menschen.

Greta schreckt auf und starrt auf den Bildschirm. »Ist was passiert?«

»Nichts Neues, Mam.«

Sie zuckt bei jedem Schlag, der auf einen Flüchtling niedergeht, zusammen.

»Mam?«

Greta gibt ihm keine Antwort. Es dämmert Tom, dass sie sich mitten in diesen Bildern wähnt und ihre eigene Geschichte wieder und wieder erlebt. Er drückt auf den roten Knopf der Fernbedienung. »Komm, wir überlegen uns mal, was wir uns zum Abendessen kommen lassen.«

Nach einer durchgeweichten Pizza Tonno und lauwarmem Bier lässt Tom ihr ein Vollbad ein. Als nur noch ihr Kopf aus dem Schaum ragt, öffnet er die Dachjalousie, damit sie den Himmel sehen kann.

»Gefällt es dir?«

»Ja«, sagt Greta und zeigt ihm den Abendstern.

Eine Stunde später liegt sie im Bett. Tom schließt die Wohnungstür von innen ab und versteckt den Schlüssel. Er findet keine Ruhe. Die Gedanken an das, was seine Mutter als Mädchen auf der Flucht erlebt hat, die Angst, sie zu verlieren, und der Ärger über Clemens, seinen Redaktionsleiter, überschlagen sich im Kopf und lassen ihn immer wacher werden.

Er schaltet den Elektrokamin ein, setzt sich im Schneidersitz davor und versucht, mit Hilfe der Flammen zu entspannen. »Simuliertes Feuer«, murmelt er. »Alles Fake!« So wie sein Leben.

Früher hat er gebrannt für Themen, hat Reportagen gedreht und ist um die halbe Welt gereist. Jetzt sitzt er hauptsächlich im Studio, ist unzufrieden und satt. Es geht nur noch um Quoten, um Ansehen, um Kohle.

Tom stellt sich auf den Balkon und sieht in der Dunkelheit die Schaumkronen der Wellen, die sich am Strand brechen. Er schließt die Augen, spürt den salzigen Geschmack auf den Lippen und hofft, dass der Wind den Gedanken daran, dass sein Feuer erloschen ist, aus seinem Schädel bläst. Einen Augenblick gelingt das sogar. Doch dann übertönen fröhliche Stimmen von der Restaurantterrasse die Brandungsgeräusche, und Tom fängt an, darüber nachzugrübeln, wann ihm die Leichtigkeit abhandengekommen ist.

Er genehmigt sich einen Whiskey, zieht die Bettdecke über den Kopf und hört auf der Schwelle zum Schlaf schlurfige Tapser.

»Mam?«

»Wo bin ich?«

»Du bist in Domburg. Wir machen hier ein paar Tage Ferien.«

»Ja?« Ihr weißes Nachthemd leuchtet in der Dunkelheit, sie hat etwas von einem Geist.

»Komm. Ich bring dich wieder in dein Bett.« Er führt sie zurück und deckt sie zu.

»Wo ist Opa?«

»Der ist doch schon …« Tom spricht den Satz nicht zu Ende. Er will sie jetzt nicht auch noch damit beunruhigen, dass der einzige Mensch, der ihr auf der Flucht geblieben ist und der sie vor dem Schlimmsten beschützt hat, tot ist. Seit über sechzig Jahren. »Opa ist in Sicherheit. Mach dir keine Sorgen.« Er setzt sich auf den Boden neben das Bett und hält ihre Hand. »Hab keine Angst, Mama. Ich bin bei dir. Dir kann nichts passieren.«

Greta schließt die Augen.

Was hat sie alles gesehen, als sie mit ihrem Großvater auf der Flucht war?, überlegt Tom und hört ihren unruhigen Atem. Der Blick des jungen Mädchens aus der Heidenauer Flüchtlingsunterkunft fällt ihm wieder ein. Voller Angst. Am Abgrund. Er spürt den Schmerz dieses Mädchens. Das Leid seiner Mutter. Und fängt an zu weinen.

Am nächsten Morgen sagt Tom die zweiwöchige Privatreise in die USA ab, die er als Jahresurlaub direkt im Anschluss an den Aufenthalt in Domburg geplant hatte. Dem Intendanten unterbreitet er die Idee, in Zukunft zu fünfzig Prozent wieder als Außenkorrespondent unterwegs sein zu wollen. »Das war immer meine Leidenschaft, bei der ich zu Hochtouren aufgelaufen bin und die besten Ergebnisse abgeliefert habe.«

Es fuchst ihn, dass ihm Gisbert Wehrle nicht widerspricht, und er ist genervt, dass ihn das ärgert. Doch dann taucht im

Netz ein Bild auf, und Tom weiß wieder, worauf es wirklich ankommt. Das Foto zeigt ein Kind mit einem roten T-Shirt und einer kurzen blauen Hose bekleidet auf dem Bauch im nassen Sand liegend. Es sieht aus, als würde es schlafen. Doch es ist tot.

Welt, schäm dich, titelt die türkische Zeitung ›Milliyet‹.

Die spanische ›El País‹ schreibt: *Ein Bild, das das Bewusstsein Europas erschüttert.*

Die ›Sun‹ forderte den britischen Premier auf: *Es geht um Leben und Tod. Mr. Cameron, der Sommer ist vorbei. Jetzt unternehmen Sie etwas gegen die größte Krise Europas seit dem Zweiten Weltkrieg.*

In Ungarn sind Tausende Flüchtlinge, die sich nur mit Gewalt von ihrem Ziel abhalten lassen würden, nach Österreich und Deutschland zu kommen. Merkel beschließt gemeinsam mit dem österreichischen Kanzler Werner Faymann, dass die seit 1995 offenen Grenzen aus humanitären Gründen nicht verschlossen werden. Noch in der Nacht lässt Ungarns Ministerpräsident Victor Orbán Züge mit Flüchtlingen nach Deutschland ausreisen, und um Mitternacht kommen sechshundert Menschen am Münchner Hauptbahnhof an. Als der Zug einfährt, rufen sie aus den Fenstern: »We love you, Germany.«

Ärzte und Krankenpfleger versorgen dehydrierte Kinder, Säuglinge mit Lungenentzündung, Frauen mit Verbrennungen und ausgezehrte Männer, an deren entzündeter Haut die Kleidung klebt, die sie seit der gefahrvollen Überquerung des Mittelmeeres nicht mehr gewechselt haben. Deutsche aus allen Bevölkerungsschichten kommen spontan, um Spenden abzugeben, um Kleidung und Essen zu verteilen. Der Besitzer eines Münchener Supermarktes spendet alles, was die Ankommenden brauchen: Monatsbinden, Seife, Einmalrasierer, Babynahrung und hektoliterweise Wasser. Eine beispiellose Hilfswelle rollt an, doch CSU und AFD attackieren die Kanzlerin, weil sie meinen, dass sie mit ihrer Entscheidung die Situation eher verschlimmert habe.

»Wenn wir jetzt anfangen, uns noch entschuldigen zu müssen dafür, dass wir in Notsituationen ein freundliches Gesicht zeigen, dann ist das nicht mein Land«, bezieht Angela Merkel Stellung.

Fünf Tage später sitzt Tom mit Manes und Olli, seinem Stamm-Assi, im Auto auf dem Weg in Richtung Sachsen und bereitet sich auf den morgigen Dreh vor. Zwischen Siegen und Bad Hersfeld überlegt er, wie er die aktuelle Entwicklung konzeptionell einarbeiten könnte. Angela Merkel hat vor drei Tagen erstmals ausgesprochen, dass achthunderttausend Flüchtlinge im Land sind. Sie hat die Flüchtlingskrise mit dem Atomausstieg, der Wiedervereinigung und der Finanzkrise verglichen und wird wegen ihres Satzes: »Deutschland ist ein starkes Land. Wir haben so vieles geschafft – wir schaffen das«, von der CSU und vor allen Dingen vom ungarischen Ministerpräsidenten angegriffen.

Auf der Raststätte Hörselgau kurz vor Gotha liegt nach Mitternacht nur schrumpelige Bratwurst unter der Wärmelampe. Tom stippt die Wurst in Senf und hört, wie LKW-Fahrer über die Asylschmarotzer schimpfen.

Im Morgengrauen überqueren sie bei Riesa die Elbe.

Wenn mir vor einem halben Jahr einer gesagt hätte, dass ich Merkel einmal verteidige, hätte ich ihm eine reingehauen, denkt Tom, als sie um sieben Uhr am neunzig Kilometer entfernten Drehort ankommen.

»Wir stammen aus der syrischen Stadt Homs«, übersetzt der Dolmetscher die Worte des siebenundsechzig Jahre alten Kamil Saad in der Flüchtlingsunterkunft von Heidenau.

Der Alte sitzt inzwischen in einem Rollstuhl, neben ihm steht wie versteinert Hanadi, seine vierzehnjährige Enkelin. Sie ist der

Grund, warum Tom zurückgekommen ist. Seit er eine Ahnung davon bekommen hat, was seine Mutter als Vierzehnjährige auf der Flucht aus Ostpreußen erlebte, ging ihm dieses Mädchen nicht mehr aus dem Kopf. Reglos, mit ihren hellen, weit aufgerissenen Augen schaut sie in die Kamera, während ihr Großvater erzählt, dass sie seit über zwei Jahren auf der Flucht sind.

»Ohne meine Enkelin wäre ich jetzt nicht hier. Sie hat mich monatelang auf einem klapprigen Krankenhausstuhl durch alle möglichen Länder geschoben.« Trotz seiner Gebrechlichkeit strahlt der Alte Würde aus.

»Warum mussten Sie fliehen?«

»Mein Sohn, Hanadis Vater, war Arzt wie auch ich selbst. Er hat verletzte Demonstranten versorgt. Vom Operationstisch aus hat man ihn verhaftet. Einige Tage später hat man seinen verstümmelten Leichnam vor unsere Tür geworfen. Auch meine anderen Söhne wurden umgebracht.«

Hanadi verzieht keine Miene, doch Tom liest in ihren Augen, dass sie in den Abgrund der Hölle geblickt hat.

»Ich bin mit meinen Schwiegertöchtern und den Enkeln geflohen. Aber wir haben einander verloren auf der Flucht. Nur wir beide sind zusammengeblieben.«

Das Mädchen steht kerzengrade neben ihm und zeigt keine Regung.

»Wissen Sie, wo Ihre Familie jetzt ist?«, fragt Tom.

Die Stimme des Alten versagt, er verdeckt sein Gesicht.

»Wir können jederzeit aufhören. Ich will Sie nicht quälen.« Tom gibt Manes ein Zeichen.

Das Rotlicht erlischt, der Assi schiebt die Mikrostange zusammen.

»Wir wissen nicht einmal, ob sie noch leben«, sagt Hanadi leise.

VIER.
1946–1947

Drei Wochen vor ihrem fünfzehnten Geburtstag schlurfte Greta in Holzpantinen und ihrer dunkelblauen, etwas zu großen Schiebermütze durch eine der vielen Barackenstraßen im Lager Friedland. Sie ging dicht neben ihrem beinamputierten Opa und passte auf, dass er mit seinen Holzkrücken auf dem gefrorenen, holprigen Untergrund nicht ausrutschte. Friedland lag fünfzehn Kilometer südlich von Göttingen und war von der britischen Regierung als Durchgangslager eingerichtet worden. Hier, am Schnittpunkt der sowjetischen, englischen und amerikanischen Besatzungszone, sollten die fünfzehn Millionen Evakuierten, Flüchtlinge, Kriegsheimkehrer, Zwangsarbeiter und Heimatvertriebene, die durch Deutschland und Europa irrten, erfasst und kontrolliert weitergeleitet werden.

Greta und ihr Opa waren im Morgengrauen bei minus zwölf Grad aus einem Güterzug gestiegen, wurden mit Flohpulver bestreut, ärztlich untersucht, registriert und bekamen von Caritas-Schwestern belegte Brote und heißen Kakao. Es war der 22. Februar 1946, und hinter den beiden lagen dreizehn Monate, in denen sie in Notunterkünften gehaust und über Landstraßen geirrt waren.

Mehr als ein Jahr, in dem sie nicht wussten, wo Guste, Emma und Fine und auch der seit 1942 vermisste Otto Schönaich geblieben waren.

»Ich glaube, da vorne ist es«, sagte Greta, zog den Kälberstrick, der ihren viel zu großen Militärmantel an der Taille zusammenhielt, fester und rückte ihren Rucksack zurecht.

Vor der Baracke, die sie gesucht hatten und in der der Suchdienst des Roten Kreuzes untergebracht war, standen Trauben von Menschen und schauten auf Anschlagtafeln mit Suchplakaten und Zetteln. Kinder suchten ihre Eltern. Eltern ihre Kinder. Frauen ihre Männer. Männer ihre Familien.

Voller Hoffnung drängten sich Greta und Opa Ludwig nach vorne und studierten die Bilder, lasen die Namen, fanden jedoch keinen Hinweis auf ihre Liebsten.

»Ich kann sie nicht finden, Opa«, sagte Greta enttäuscht.

Ihr Großvater nickte ihr mit versteinerter Miene zu.

»Und jetzt?«, fragte sie.

»Das heißt nur, dass sie nicht hier waren. Wir müssen fragen, ob sie sich woanders beim Roten Kreuz gemeldet haben«, sagte Opa Ludwig.

Greta stellte sich mit ihm in die lange Schlange, die sich vor der Baracke gebildet hatte, zog ihre Mütze tiefer ins Gesicht und beobachtete die Menschen, die herauskamen. Weinten sie? Hatten sie Hoffnung? Waren sie am Boden zerstört? Sie weigerte sich, auch nur eine Sekunde zu denken, dass ihre Suche negativ ausgehen könnte: Sie war sich sicher, dass sie gleich erfahren würden, dass Mami, Fine und Guste-Oma bereits in Heidelberg wären und dort auf sie und Opa warteten.

Endlich standen sie vor dem provisorischen Tisch, an dem vier Rotkreuzschwestern nebeneinandersaßen und die Personalien der Gesuchten und der Suchenden auf Karteikarten schrieben.

»Mein Name ist Greta Schönaich, und das ist mein Großvater Ludwig Sabronski. Wir stammen aus Preußisch Eylau und suchen meine Großmutter, Auguste Sabronski, meine Mutter, Emma Schönaich, meine Schwester Fine und …«, sagte Greta voller Ungeduld.

»So schnell kann ich nicht schreiben, mein Junge«, unterbrach sie die Rotkreuzschwester. »Eins nach dem anderen. Wie ist noch mal dein Name?«

»Greta Schönaich.«

Die Schwester musterte sie erstaunt. Greta wusste, dass sie sie wegen ihres Burschenhaarschnitts, der Männerkleider und ihres Verhaltens für einen Knaben gehalten hatte. Das taten viele. Zudem hatte die jahrelange Mangelernährung dafür gesorgt, dass die Geschlechtsreife bei ihr bislang ausgeblieben war. Eben in der Untersuchung hatte sie erfahren, dass sie nur ein Meter fünfzig groß und fünfunddreißig Kilo schwer war.

Weiblich, kreuzte die Rotkreuzschwester an, schrieb dann den Namen von Opa Ludwig auf und füllte auf der Rückseite der Karteikarte aus, welche Familienmitglieder die beiden suchten. »Die Karteikarten müssen abgeglichen werden«, erklärte sie dem Großvater. »Falls Ihre Familienmitglieder bei uns registriert sind, informieren wir Sie.«

»Danke,« sagte er, stützte sich auf Greta und ging mit ihr nach draußen.

Dort forderte eine Durchsage über die Lautsprecheranlage die heutigen Neuankömmlinge auf, sich am Lagereingang einzufinden. Lastwagen standen bereit, die die Heimatlosen in die umliegenden Dörfer zu Bauern bringen sollten, die verpflichtet waren, sie aufzunehmen.

Vier Kilometer weiter, in Klein Schneen, ächzten die Bremsen des Hanomag vor der Einfahrt zu einer heruntergekommenen reetgedeckten Bauernkate. Greta half ihrem Opa, von der Pritsche zu steigen. Aus einem Schuppen neben dem Stall kam ein Mädchen mit einem Korb voller Holzscheite. Sie blieb stehen und hielt Maulaffen feil. Greta hörte, wie der Hanomag davonfuhr und Kühe muhten.

»Sind wir hier richtig bei Familie Haider?«, rief sie dem Mädchen zu.

Die Kleine, die Greta auf sechs oder sieben Jahre schätzte, ließ den Holzkorb fallen und rannte ins Haus. »Mutter, Mutter, die Flüchtlinge sind da!«

Greta stützte ihren Großvater auf dem Weg über den holprigen Hof zur Eingangstür. Sie hat auf der Flucht viele Schimpfwörter gehört. Polacke, Rucksackdeutsche, und jetzt kam ein weiteres hinzu: Flüchtlinge. Hasserfüllt und voller Verachtung ausgesprochen.

Die Bäuerin trat aus der Tür, erwiderte Ludwig Sabronskis Gruß mit einem stummen Nicken und nahm ihm die Einweisungsverfügung aus der Hand. »Mann?«, rief sie Richtung Stall.

Greta blickte sich verstohlen um. Anders als zu Hause in Preußisch Eylau, wo alles seinen Platz hatte, schien hier die Unordnung zu regieren.

Nach einer gefühlten Ewigkeit kam der Bauer heraus und musterte schweigend die beiden Fremden. Er verbarg die Ablehnung über den alten Krüppel und das Kind nicht. Seine Augen waren wie ein Spiegel. Greta errötete, schämte sich ihres Schmutzes und ihrer Kleider.

Der wortkarge Bauer zeigte den beiden eine kleine, dunkle Kammer unter dem Dach, die voller Gerümpel stand, in der es kalt war und stank. Auf dem Fußboden lagen zwei Strohmatratzen mit Wolldecken. Aber immerhin gab es eine Tür, die sie hinter sich schließen konnten.

»Danke«, sagte Ludwig und vermied es, den Bauern anzusehen.

Greta wusste, wieso. Das Schlimmste war für ihren Opa nicht, dass sie alles verloren hatten. Das Schlimmste war, dass er hier, außerhalb seiner Heimat Ostpreußen, niemand mehr war.

So gut es ging, räumte sie das Gerümpel zur Seite. Dann legte sie ihre Mütze ab, zog den Mantel aus und kroch, da es schon Abend war und immer noch eiskalt, in ihren Kleidern neben ihrem Opa unter die Decken. Sie schlang die Arme um ihren Rucksack, der außer den wenigen Habseligkeiten die Briefe ihres Vaters enthielt.

Am nächsten Morgen saßen Greta und ihr Opa mit der Bauersfamilie um den Küchentisch und aßen aus einer großen Schüssel Hafergrütze. Keiner sprach ein Wort.

Greta konnte vor Hunger kaum klar denken, und bevor sie auch nur halbwegs satt war, war die Schüssel leer.

Mittags gab es eine Suppe, in der man Fettaugen vergeblich suchte.

»Mehr haben wir auch nicht«, blaffte die Bäuerin beim Abräumen der Teller und stellte Greta einen Korb Flickwäsche hin. »Man kann nicht nur essen, man muss auch arbeiten.«

»Natürlich«, sagte sie und setzte sich damit auf die Küchenbank neben ihren Opa.

Unter dem Tisch tätschelte Ludwig ihr Knie, um sie aufzumuntern. Nach dem Frühstück hatte er Greta erklärt, wieso die Bauersleute so ablehnend und die Stimmung so schlecht war: Der Krieg war vorbei. Alle wollten endlich wieder ihre Ruhe haben, und jetzt hatten sie die Flüchtlinge im Haus. Greta wusste, dass Opa es bedauerte, dass er nicht in der Lage war mitzuarbeiten, aber sein einziges Bein hatte sich entzündet, er konnte nur mit Mühe stehen.

Sie stopfte den ganzen Nachmittag Socken, nähte Spickel auf Unterhosen, umsäumte ausgefranste Lappen und war froh, dass sie abends zum Ausmisten in den Stall durfte. Anpacken, das hat sie in der Zeit der Flucht, als alle dachten, sie sei ein Junge, gelernt. Sie gabelte den Dung auf, schob die schwere Schubkarre über den Hof und kippte die dampfenden Exkremente auf den Misthaufen. Sie kletterte auf den Heuboden, warf Stroh durch die Luke und verteilte es auf dem Stallboden um die beiden Kühe. Dann drückte sie sich an deren Leiber und wärmte sich auf.

Der Bauer schmiss Heu und geschnetzelte Runkelrüben in den Futtertrog und beäugte Greta aus den Augenwinkeln.

»Jetzt noch den Schweinestall«, sagte er im Weggehen.

»Ja.« Sie schaute ihm nach, und als er weit genug entfernt war, griff sie in den Trog und füllte ihre Taschen mit Rübenschnitzen.

Tags drauf stapfte Greta im Schneetreiben die vier Kilometer nach Friedland und stellte sich vor der Wellblechbaracke des Suchdienstes in die Schlange. Sie wartete, bis die Rotkreuzschwester, die ihre Daten aufgenommen hatte, frei war.

»Wir wohnen jetzt in Klein Schneen. Bei Bauer Haider«, sagte sie und wollte wissen, ob sich inzwischen schon etwas ergeben hatte.

»O Kind, das dauert.« Die Schwester warf ihr ein mitleidiges Lächeln zu. »Du kannst dich aber gerne aufwärmen, während ich Karteikarten sortiere.«

Dankbar ließ sich Greta neben dem warmen Kanonenofen nieder. Pünktlich um zwölf Uhr schoben die Schwester und die anderen Helfer ihre Karteikästen zur Seite und packten ihr Vesperbrot aus. Greta liefen fast die Augen über. Die Schwester brach ihr Wurstbrot in der Mitte entzwei und reichte ihr die Hälfte.

»Danke«, sagte sie und hatte das Gefühl, noch nie so ein leckeres Brot gegessen zu haben.

Von da an schaute Greta täglich beim Roten Kreuz vorbei und suchte die Nähe der mütterlichen Schwester, von der sie nun den Namen wusste: Hilde. Sie bekam dort nicht nur warme Worte und heißen Tee, sondern auch Verbandsmaterial für Opas offenes Bein und Papier für einen Brief nach Heidelberg.

Lieber Schwager Hermann, begann Opa mit zitteriger Handschrift und bat den Bruder von Guste, sich bei ihm zu melden, wenn seine Frau und die Tochter in der Neckarstadt sein sollten. Greta hatte die Adresse, die Guste-Oma ihr kurz vor der Flucht in Preußisch Eylau gesagt hatte, auswendig gelernt. Sie schrieb sie auf das Kuvert und brachte den Brief auf die Poststelle im Lager.

Dort weckte das laute *Tschugg, Tschugg* einer Dampflokomotive und Krankenschwestern, die mit Bahren zum nahe gelegenen Bahnhof eilten, Gretas Neugierde. Sie folgte ihnen und sah, dass aus dem langen Zug nicht nur Flüchtlinge ausstiegen, sondern auch Kriegsheimkehrer: junge Soldaten in Uniformen ohne Abzeichen, mit Wolldecken über dem Kopf. Manche trugen wattierte Jacken, andere hatten ihre Füße mit Lappen umwickelt. Entzündete Augen schauten aus verwirrten Gesichtern. Vielen fehlte ein Arm, ein Bein oder das Augenlicht. Sie waren abgemagert und zerlumpt.

Greta hörte jemanden sagen, dass die Männer aus russischer Kriegsgefangenschaft kämen. Wie elektrisiert kletterte sie auf ein Mäuerchen, um sich einen größeren Überblick zu verschaffen, und studierte jedes Gesicht. Doch unter den Versehrten, den Geschlagenen, Deserteuren und einstigen Idealisten fand sie ihren geliebten Vati nicht.

Als niemand mehr aus dem Zug stieg, sprang sie von dem Mäuerchen, rannte zur Suchdienstbaracke und drückte sich an den Männern vorbei ins Innere. An die Wand neben den Kanonenofen gepresst hörte sie zu, wie jeder nicht nur persönliche Angaben machte, sondern auch gefragt wurde, ob er Informationen über andere Kriegsgefangene hatte.

Mit Hilfe von Schwester Hilde schrieb Greta *WER KENNT OTTO SCHÖNAICH?* auf ein Schild und stellte sich von da an Woche für Woche, wenn wieder ein Zug aus dem Osten einfuhr, an den Bahnsteig neben die Frauen, die ihre Männer, oder Mütter, die ihre Söhne suchten.

Mehrere tausend ehemalige Soldaten waren an ihr vorbeigezogen, als Ende Februar ein junger, magerer Mann vor ihr stehen blieb.

»Otto? Den kenne ich«, sagte er mit zahnlosem Mund.

»Das ist mein Vati. Wo ist er?« Greta bebte. Am liebsten wäre sie dem Fremden um den Hals gefallen.

»Otto war im gleichen Steinbruch wie ich. In Sibirien.«

»Und? Ist er auch hier im Zug?«

»Ich habe keine Ahnung, was aus ihm geworden ist. Das ist zwei Jahre her«, sagte der Fremde und humpelte langsam weiter.

Greta ließ ihr Schild sacken, taumelte, und für einen Moment glaubte sie, dass die Kraft sie verlassen würde. Dann gab sie sich einen Ruck, wischte mit dem Ärmel über ihre feuchten Augen, drehte sich wieder in Richtung der Ankommenden und rief, so laut sie konnte:

»Kennen Sie meinen Vater Otto Schönaich?«

Sie blickte in leere Gesichter.

In dieser Nacht schreckte Greta aus dem Schlaf auf. Sie setzte sich auf und sah zu ihrem Opa, der neben ihr unruhig schlief. Was hatte sie geweckt? Als sie das unterdrückte Quieken eines Schweines hörte, schlich sie aus dem Haus und sah durch einen Spalt in der Scheunentür, wie der Bauer einer toten Sau den Bauch aufschnitt und die Därme herausquollen. Die Haiders schlachteten schwarz, ohne die notwendige Sondergenehmigung der britischen Besatzungsmacht. Unbemerkt ging sie zurück ins Haus, legte sich neben Opa und konnte nicht mehr einschlafen, denn der Gedanke daran, dass sie sich morgen endlich satt essen konnte, hielt sie wach.

Doch am nächsten Tag gab es mittags wieder nur die übliche Wassersuppe. Greta war wütend und verbittert und überlegte, wie sie den Speck, der im Rauch hing, und die Würste, die sie im Keller hinter dem Mostfass entdeckt hatte, klauen könnte. Doch dann bekam sie Angst, dass sie und Opa wieder auf der Straße landen würden, und verwarf das Vorhaben.

Am 7. März schien nach wochenlangem Regen zum ersten Mal die Sonne, und mit acht Grad bekam man eine Ahnung vom bevorstehenden Frühling. Dass Greta an diesem Tag fünfzehn Jahre alt wurde, hatte niemand registriert, nicht einmal sie selbst dachte daran. Auf ihrem täglichen Gang nach Friedland entdeckte sie den ersten sprießenden Löwenzahn am Wegesrand und nahm sich vor, auf dem Rückweg welchen zu ernten, um daraus Suppe zu kochen. Über ihrer dunkelblauen Trainingshose trug sie eine wollene Bluse, die sie sich aus einem karierten Herrenhemd geschneidert hatte, das sie von Schwester Hilde bekommen hatte. Aus dem Reststoff hatte sie auch ein Haarband genäht, doch als sie dies wie die anderen Frauen über der Stirn zusammengeknotet hatte, fühlte sie sich verkleidet und zog ihre Schiebermütze vor.

Im Dampf der Lokomotive tauchte der Menschenstrom auf, der sich langsam über den Bahnsteig in Richtung Durchgangslager schob.

Wieder nichts, dachte Greta und packte ihr Schild ein. Da tippte ihr jemand auf die Schulter. Erschrocken drehte sie sich um. Vor ihr stand eine junge Frau mit verfilzten Haaren.

»Ich kenne Otto Schönaich.«

Die Stimme war Greta vertraut, aber sie brauchte einen Moment, bis sie die Person hinter der abgemagerten und verkrusteten Fassade erkannte. »Fine?«

»Gretchen«, flüsterte ihre Schwester kraftlos.

Die Zeit blieb stehen. Alles war still. Zaghaft berührten sie ihre Gesichter, um sich zu vergewissern, dass sie nicht träumten. Dann nahmen sie einander in die Arme und schluchzten hemmungslos.

Die Freude war weniger groß, als die Schwestern in Klein Schneen ankamen.

»Noch ein Esser mehr«, raunte die Bäuerin, und ihre Tochter gaffte Fine an.

Greta pfiff darauf, dass sie bei der Gemeinde einen Holzsammelschein hätte beantragen müssen, rannte in den Wald und sammelte Äste ein. Sie war zu stolz, die Bäuerin nach Brennholz für heißes Wasser zu fragen. In der Waschküche half sie Fine aus ihrer verdreckten Kleidung und tupfte behutsam mit dem nassen Waschlappen über die eitrigen Rötungen, mit denen ihr Körper übersät war. Greta sah Fines Druckstelle über dem Steiß, Blutergüsse am Hals, an den Oberarmen und auf den Innenseiten ihrer dünnen Schenkel. Vorsichtig hüllte sie die große Schwester in saubere Kleider, die sie für sich selbst von Schwester Hilde bekommen hatte, massierte ihren Kopf mit Petroleum, um die Flöhe abzutöten, und entwirrte mit Engelsgeduld das verfilzte Haar. Der Bauer brüllte über den Hof. Fine zuckte ängstlich zusammen. Frau Haider polterte gegen die verrammelte Tür, weil sie wissen wollte, wie lange das alles noch dauert. Fines Zittern hörte nicht mehr auf.

»Hab keine Angst! Die hab ich im Griff«, flüsterte Greta. Sie musste ihre Schwester nichts fragen. Sie wusste, warum sie zitterte und ihr Lächeln erloschen war. Sie kannte diesen Blick, hatte ihn unzählige Male gesehen. Am Anfang hatte sie nicht verstanden, was los war, wenn Frauen leise jammernd übereinandergelegen hatten, blutend und mit zerrissenen Kleidern. Bis sie eines Tages, als sie und Großvater mit anderen Flüchtlingsfamilien in einer Häuserruine in Danzig übernachteten, von lautem Geschrei geweckt wurde.

»Frau, komm!«, brüllten russische Soldaten.

Opa hatte sich auf sie geworfen, aber Greta hatte trotzdem gesehen, wie die betrunkenen Männer an den jungen Frauen zerrten. An einer Mutter klammerten sich ihre vier Kinder fest und schrien. Da schoss der russische Soldat mehrfach in die Luft. Die Frauen wurden in einen anderen Raum gebracht, blieben dort die ganze Nacht, und Greta hörte ihr Wimmern.

In einem Dorf bei Stettin wurden alle deutschen Männer – und auch Greta, die für einen Burschen gehalten wurde – mit Gewehren gezwungen, sich anzusehen, wie eine Jugendliche von drei Russen festgehalten und von einem vierten vergewaltigt wurde. Unendlich lang, denn alle waren einmal der Vierte.

In Demmin hatte Greta die Schreie gehört. Tag und Nacht. Sie hatte gesehen, wie eine Mutter mit ihren beiden Kindern fest an sich geknotet und einem Rucksack voller Ziegelsteine auf dem Rücken in die Peene gesprungen war.

Fine musste ihr nichts erzählen. Greta war einfach nur froh, dass sie lebte und hier war.

»So, meine Kleine. Du bekommst jetzt was zu essen, und dann kannst du schlafen, so lange du willst«, sagte sie zu ihrer achtzehnjährigen Schwester und bettete sie zwischen sich und Opa auf das Strohlager.

»Gott, erhöre mein Gebet und verbirg dich nicht …«, begann Opa zu beten. Dann versagte ihm die Stimme.

»… vor meinem Flehen«, ergänzte Greta leise und legte ihren Arm um ihre Schwester.

Nachts schreckte Fine schreiend neben ihr auf.

»Du bist in Sicherheit. Schlaf weiter. Ich pass auf dich auf!« Schützend legte Greta den Arm um sie und versuchte weiterzuschlafen. Im Halbschlaf fiel ihr ein Satz ein, den sie irgendwo im Osten auf der Flucht gehört hatte: »Jetzt rächen sich die Russen für all das, was ihnen die Deutschen angetan haben.«

Fine schlief fast ohne Unterbrechung zwei Tage lang. Dann saß sie zum ersten Mal mit den Bauersleuten beim Frühstück.

»Ich kann gut melken«, sagte sie. »Ich habe im Warthegau als Arbeitsmaid in der Landwirtschaft gearbeitet.«

Der Bauer nahm das Angebot gerne an, denn er hatte genug damit zu tun, jetzt im Frühjahr die Felder zu bestellen. Und als er sah, dass »seine Flüchtlingsmädchen«, wie er sie nannte, die Tiere alleine versorgen konnten, machte er immer öfter einen Abstecher in die Dorfwirtschaft und kam mit einer Schnapsfahne zurück.

»Ich bin fertig mit den Schweinen«, rief Greta etwa eine Woche später ihrer Schwester zu, die noch eine Kuh zu melken hatte und gerade deren Euter wusch. »Ich gehe schon mal ins Haus.«

Als sie die Stallgaloschen in die Diele stellte, sah sie durch die angelehnte Tür, wie Bauer Haider mit dem Fahrrad auf den Hof fuhr.

Greta ging nach oben, trat in die dunkle Kammer und zog ihre Schürze aus. »Steh auf, Opa. Gleich gibt es Abendbrot«, sagte sie zu dem alten Mann, der die meiste Zeit in der Kammer verbrachte, weil er niemandem im Weg sein wollte. Sie schloss die Fensterluke und sah den Bauern Richtung Kuhstall wanken. Ein flaues Gefühl breitete sich in ihrem Magen aus. Ohne Opa wie sonst in die Joppe zu helfen, eilte sie die schmale Treppe hinunter, rannte über den Hof und warf keine Minute später durch das staubige Fenster einen Blick in den Stall.

Fine saß auf dem Melkschemel und spritzte die Milch in den Eimer zwischen ihren Beinen. Der Bauer war nicht zu sehen.

Alles wirkte wie immer, und doch war Greta irritiert. Sie schlich über den Hühnerhof, um von der anderen Seite in den Stall zu kommen. Vorsichtig schob sie den Riegel zurück, und ihr Herz blieb fast stehen, weil die Stalltür laut knarzte. Sie stellte das Atmen ein und wartete. Der Hahn krähte. Auf allen vieren kroch sie an den Hasenställen vorbei. Dann entdeckte sie ihn.

Der Bauer stand an der Heuluke und beobachtete Fine. Greta sah, dass er eine Hand in der Hosentasche hatte und diese rhythmisch bewegte. Seine Bewegungen wurden immer schneller. Sie schlich sich an, griff eine Mistgabel, holte aus und schlug ihm mit dem Stiel ins Kreuz.

Mit einem Aufschrei drehte er sich um und zog blitzartig die Hand aus der Hose.

»Entschuldigung, ich habe Sie gar nicht gesehen«, sagte Greta und blickte auf den ausgebeulten Hosenschlitz.

»Pass doch auf!«, entfuhr es ihm.

»Darauf können Sie Gift nehmen!« Mit Karacho spießte sie die Mistgabel direkt vor ihm ins Heu und spuckte aus.

Zehn Tage später radelte der Briefträger an den Schwestern vorbei, die auf einem Acker Kartoffeln pflanzten. »Seid ihr nicht die Flüchtlingsmädchen vom Haiderhof?«

»Wieso?«, fragte Greta, die diesen Ausdruck hasste.

»Ich habe hier einen Brief an Herrn Ludwig Sabronski.«

Die beiden nahmen den Brief entgegen, warfen ihre Harken zur Seite, rannten zum Hof, rissen die Haustür auf und hechteten die Treppe hoch.

»Schuhe abputzen«, brüllte die Bäuerin aus der Küche.

Sie schenkten ihr keine Beachtung.

»Aus Heidelberg!« Außer Atem hielt Greta ihrem Großvater das Kuvert entgegen.

Ludwig zitterte, und weil er nicht reagierte, nahm Fine den

Brief, riss den Umschlag auf, und ihre Augen flogen über den Text.

»Guste und Emma leben, steht hier!«

Alle drei brachen in Tränen aus, hielten sich in den Armen, und Fine musste wieder und wieder die Zeilen vorlesen, die Elise Holloch aus Heidelberg geschickt hat:

Mein lieber Schwager Ludwig!
Welch große Freude zu hören, dass Du mit Deiner Enkelin in Sicherheit bist. Auch Guste hat mir geschrieben. Sie ist mit Emma in einem Lager an der Warnow in Mecklenburg. Es geht ihnen den Umständen entsprechend gut.

»Wir fahren da hin«, sagte Greta.

»Bist du verrückt! Das ist in der russischen Zone. Die müssen da raus!« Fine war empört.

Noch am selben Tag schrieb Opa in einem Brief an die über alles geliebte Ehefrau und seine Tochter Emma, dass sie versuchen sollten, nach Friedland zu kommen.

Nachts lagen die beiden Enkelinnen rechts und links eng an ihn gekuschelt auf den Strohmatratzen.

»Sie leben«, sagt Opa Ludwig.

»Das ist die Hauptsache«, antwortete Greta, und zum ersten Mal seit dem Aufbruch in Preußisch Eylau sah sie einen Hoffnungsschimmer am Horizont.

Zwei Wochen lang wechselten sich die Schwestern auf dem Bahnhof von Friedland ab, um keinen Zug zu verpassen. Dann endlich sah Greta ihre Mutter und Guste-Oma am Ende des Bahnsteigs aus einem Güterwagen steigen. Sie bahnte sich einen Weg durch die Menschenmenge und fiel den beiden weinend in die Arme.

»Habt ihr was von Vati gehört?«, fragte Emma, als sie wieder sprechen konnte.

Greta schüttelte den Kopf.

Dank des Einladungsschreibens der Heidelberger Schwägerin erhielten sie zügig einen Passierschein für die Einreise in die amerikanisch besetzte Zone. Auf dem Weg zum Friedländer Bahnhof setzte sich Greta von ihrer Familie ab, rannte, so schnell es mit Holzgaloschen eben nur ging, ins Lager und suchte Schwester Hilde.

»Danke für alles, was Sie für mich getan haben«, sagte sie.

Hilde drückte sie an ihre Brust und flüsterte: »Ich wünsche dir, dass du auch noch deinen Vater findest.«

»Ja«, sagte Greta, wischte ihre Tränen mit dem Handrücken aus dem Gesicht, atmete tief durch und eilte zum Gleis.

Nach sechzehn Monaten der Flucht, des Sich-Verlierens und -Wiederfindens, des Gedemütigt-und-herablassend-behandelt-Werdens stieg die fünfköpfige Familie in einen Viehwagen. Sie fuhren in Richtung Süden, passierten auch Kassel, eine menschenleer scheinende Trümmerwüste, in der kein Stein auf dem anderen geblieben war und wo man sich nicht vorstellen konnte, dass hier einmal zweihundertzwanzigtausend Menschen gelebt hatten.

Im vom Kriegsschutt befreiten Frankfurter Bahnhof suchten sie Schutz für die Nacht, wie Hunderte heimatsuchende Reisende und obdachlose Bewohner.

Während Guste und Emma sich am nächsten Morgen um die Weiterfahrt kümmerten und Opa bei ihrem überschaubaren Gepäck blieb, wagten sich Greta und Fine vor die fensterlose Bahnhofshalle. Sie wollten einen Blick auf die Großstadt am Main erhaschen.

Ausgehöhlte Häuser ragten wie verfaulte Zähne in die Frühlingsluft. Doch anders als in Kassel waren die Straßen der Altstadt bereits vom Kriegsschutt befreit: Es wimmelte von Menschen, auf Fahrrädern wurden Teppiche und Koffer transportiert, auf Leiterwagen Brennholz und Kohlen. In Kinderwägen lag nicht der Nachwuchs, sondern wurden Bettwäsche, Porzellan oder eine Schreibmaschine befördert.

Je länger die beiden Schwestern diesem ameisenartigen Treiben zusahen, desto mehr erkannten sie ein System, in dem angeboten und abgeschätzt wurde, wo man sich handelseinig wurde oder auch nicht. Greta sah, wie ein etwa zwölfjähriger Junge seinen übergroßen Mantel öffnete und den Blick auf die vielen kleinen Taschen freigab, die auf die Innenseite genäht waren, und in der Zigarettenpackungen steckten. Flink zog er ein Päckchen heraus, auf dem ein Kamel abgebildet war, und ließ es in der Hand eines Mannes verschwinden, der dem Jungen einen Pelzmantel übergab. Als plötzlich ein Pfiff ertönte, stoben alle auseinander und bewegten sich wie unbescholtene Passanten.

Sekunden später ratterten zwei amerikanische Militärpolizisten auf Motorrädern vorbei. Und kaum waren sie um die Ecke gebogen, wurde der verbotene Schwarzhandel fortgesetzt.

Greta und Fine hielten einander fest an den Händen und sogen die fremden Eindrücke in sich auf. Erst das Bimmeln der Straßenbahn riss sie aus ihren Gedanken. Sie sprangen von den Gleisen und rannten in ihren Holzgaloschen in Richtung Zeil, einer der bekanntesten Einkaufsstraßen Deutschlands. Dort stand ein Kübelwagen, an dem amerikanische Soldaten lässig lehnten und miteinander scherzten. Steif und mit gesenkten Häuptern stiefelten die Schwestern an ihnen vorbei. Dabei fielen Greta die Schuhe auf, die diese jungen Männer trugen. Sie waren leicht und sahen weich aus im Gegensatz zu den Knobelbechern der Wehrmacht und gänzlich anders als ihre eigenen hölzernen Pantinen.

»Hello, Frollein!«, sagte einer der GIs mit rollendem R, und als Greta den Kopf hob, sah sie, dass er ihre Schwester anlächelte.

Fine tastete nach ihrer Hand und zerquetschte sie fast.

Greta zog ihre Rotze hoch und spuckte aus. »Komm!«, sagte sie mit tieferer Stimme und zog breitbeinig weiter. Erst als die beiden ein Stück entfernt waren, blieben sie dicht an die Hauswand gepresst stehen und blickten zurück.

»Das sind ja Riesen. Hast du jemals so große Männer gesehen?«, fragte Greta, die inzwischen völlig vergessen hatte, dass auch ihr Vater so groß war.

»Sei still!«, zischte Fine.

Verstohlen beobachteten sie das Männergrüppchen. Wie wohlgenährt sie aussahen. Ganz anders als die deutschen Soldaten, die abgekämpft waren und müde.

Eine Schar barfüßiger Kinder rannte an den Schwestern vorbei auf die GIs zu. »Plies, Mister! Tschoklätt, Dschuingamm«, riefen die Kleinen und klatschten bettelnd in die schmutzigen Händchen.

Die GIs griffen in ihre Taschen und verteilten lachend Süßigkeiten.

Greta bekam den Mund nicht mehr zu und machte fast unbewusst ein paar Schritte auf die Soldaten zu.

»Here!«, rief einer von ihnen und warf etwas in ihre Richtung.

Sie fing es auf und presste sich damit schnell wieder neben Fine an die Wand. »*Hershey's Chocolate*«, las sie, öffnete behutsam die Packung und roch daran. »Schokolade! Das ist echte Schokolade!«

Plötzlich riss ihr Fine die Tafel aus der Hand. »Bist du verrückt! Das ist vom Feind. Das ist alles vergiftet.«

Vom Hunger getrieben versuchte Greta, die Schokolade zurückzuerobern. Sie rang mit ihrer Schwester, weil Fine größer und stärker war, gelang es ihr, sich aus Gretas Klammergriff zu befreien und davonzurennen.

Greta lief ihr nach, doch da warf Fine die Tafel in den nächsten Gully. Greta versetzte ihr erst einen Tritt, dann holte sie aus und gab ihr eine schallende Backpfeife.

»Du hast keinen Anstand im Leib!«, schimpfte Fine. »Bei der erstbesten Gelegenheit wirst du dem Führer untreu.«

»Der Führer ist tot, falls dir das noch keiner gesagt haben sollte.«

Fine drosch auf Greta ein. Die Kleinen liefen mit verschmierten Schokomündern kauend an ihnen vorbei.

»Schau sie dir an! Sehen die etwa vergiftet aus? Du dumme Nuss!«

Greta wühlte in einem Schutthaufen und fand zwei Eisenstäbe. Sie drückte Fine einen in die Hand. »Hier! Das schaffen wir nur zu zweit.«

Obwohl ihre Augen nach wie vor zornig funkelten, legte sich Fine neben Greta bäuchlings auf die Straße. Sie benutzten die Stäbe wie eine Pinzette und fischten im Gully nach der Schokolade. Im dritten Anlauf waren sie erfolgreich und beförderten gemeinsam die Tafel hoch.

»Gleich haben wir sie«, sagte Greta und streckte ihre linke Hand durch das Gitter, um zugreifen zu können.

»Kann isch hälfen Sie?«

Die beiden Mädchen erschraken, verloren die Schokolade und schossen herum. Über ihnen stand ein baumlanger Kerl und schaute sie aus tiefbraunen Augen an. Sein Mund war riesig, die Nase breit, seine Haut schimmerte schwarz.

Nie zuvor hatte Greta so jemanden gesehen. Nur im Rassekundeunterricht war sie mit Bildern von diesen wilden Untermenschen konfrontiert worden. Ihr Herz krampfte sich zusammen, sie spürte, wie die Farbe aus ihrem Gesicht wich, und sie hatte das Gefühl, jeden Moment in Ohnmacht zu fallen. Der Schwarze beugte sich vor, um zu sehen, was im Gully lag. Greta schrie auf, ließ die Stange los, packte Fine am Arm und rannte mit ihr davon.

Außer Atem und mit hochroten Köpfen kamen sie am Bahnhof an.

»Was ist denn passiert?«, fragte Guste-Oma. »Ihr seht ja aus, als wäre euch der Leibhaftige über den Weg gelaufen.«

»Fast«, japste Greta. »Die ganze Stadt ist voller Neger!«

»Schlimmer als die Russen können die auch nicht sein«, murmelte Opa.

Sie brauchten einen weiteren Tag, bis sie am 1. Mai 1946 endlich an ihrem neunzig Kilometer entfernten Ziel ankamen. Und das Erste, was Greta sah, als sie mit Mutter, Guste-Oma, Opa und Fine aus dem Heidelberger Bahnhof trat, war ein schwarzer GI, der die Passierscheine kontrollierte. Doch der Schreck darüber wurde schnell von einem ganz anderen Eindruck verdrängt: Sie sah keine Ruinen, keine Schutthalden. Das war befremdlich und verstörend zugleich.

Guste-Oma leuchtete geradezu und führte die Familie durch ihre Heimatstadt, in der die Straßen sauber und Fenster intakt waren. Wo Schaufenster in der Mittagssonne glänzten und in Vorgärten Blumen blühten, die Einwohner gut genährt wirkten und die Stadt wie eine Oase der Normalität erschien. Trotz der vielen fremden Soldaten und des großen Schildes über den Kolonnaden am Bismarckplatz, auf dem die Anwesenheit des Hauptquartiers der 7. US-Armee verkündet wurde, hatte sich die Stadt den Zauber der Vergangenheit bewahrt. Nur die gesprengte Alte Brücke erinnerte an den Krieg. Guste redete ununterbrochen und verfiel mit jedem Satz mehr in ihren kurpfälzischen Dialekt.

Sie gingen am Neckar entlang, und auf der Höhe des Karlsplatzes zeigte Guste-Oma auf ein Haus auf der gegenüberliegenden Uferseite in Heidelberg-Neuenheim.

»Da drüben ist es!«

Greta war wie vom Blitz getroffen. Noch nie hatte sie etwas so Schönes wie diese viergeschossige Gründerzeitvilla mit ihren Jugendstilelementen, Erkertürmchen aus Sandstein, geschwungenen Balustraden, einem Balkon und einer Loggia und verspielten Gauben unter dem Schieferdach gesehen. Hier sollten sie wohnen dürfen? In diesem Schloss an einer Straße, die Hirschgasse hieß?

Guste konnte gar nicht schnell genug ans andere Ufer kommen und betrat als Erste den Holzsteg an der Staustufe. Greta hüpfte hinter ihr her. Sie waren kurz vor dem Ziel, und sie freute sich darauf, endlich wieder in einem Haus zu leben und endlich kein Flüchtling mehr sein zu müssen. In der Mitte des Flusses blieben sie und Guste-Oma stehen und blickten zurück auf Emma und Fine, die mit dem hinkenden Opa Schwierigkeiten hatten, so schnell zu folgen.

Greta sah in der Abendsonne das Schloss rot leuchten und war sich sicher, dass hier in dieser Stadt ihre Zukunft lag.

»Jetzt wird alles gut!«, rief Guste gegen das Tosen des Neckars an, der unter ihnen als Wasserfall in sein Bett zurückstürzte, und nahm Greta an die Hand. Sie begann zu singen, und im Rhythmus des Liedes marschierten die beiden weiter über die Holzplanken. »Alt Heidelberg du Feine, du Stadt an Ehren reich, am Neckar und am Rheine, kein andre kommt dir gleich.«

Greta kannte dieses Lied, das Guste in ihrer Kindheit und Jugend immer gesungen hatte, und trällerte lauthals mit: »Stadt fröhlicher Gesellen, an Weisheit schwer und Wein, klar ziehn des Stromes Wellen, Blauäuglein blitzen drein.« Dabei betrachtete sie ihre Stiefgroßmutter und war glücklich, dass diese ihre alte Kraft und Lebensfreude wiedergewonnen hatte. »Am Neckar und am Rheine, kein andre kommt dir gleich. Und stechen mich die Dornen …«

Plötzlich hörte Guste auf zu singen und blieb wie angewurzelt stehen. Greta folgte ihrem fassungslosen Blick und sah vor der Villa mehrere Jeeps der US-Armee parken. Die Einfahrt wurde von einem GI bewacht.

Erst als Emma, Opa und Fine zu ihnen aufgeschlossen hatten, näherten sie sich langsam dem Soldaten.

»Das ist das Haus meines Bruders, Professor Hermann Holloch. Ich, äh, wir wollen zu ihm«, stammelte Guste.

Der kantige GI in weißen Gamaschen verlangte die Papiere, musterte Gustes erstarrtes Gesicht, besah Ludwig, Emma und zuletzt die beiden Mädchen, die nicht wagten, das Grundstück zu betreten. Dann marschierte er mit den Behelfsausweisen ins Haus. Opa legte schweigend den Arm um seine Frau, die in den letzten Minuten um Jahre gealtert schien.

Greta spürte, dass es unangemessen war, irgendetwas zu fragen. Die Zeit stand still. Nichts passierte, außer dass der Wachhabende wieder heraustrat und seine Position bezog. Ab und zu linste ein Uniformierter aus einem der unzähligen Fenster und begutachtete vor allen Dinge Fine. Instinktiv nahm Greta Habachtstellung ein und stellte sich vor ihre ältere Schwester.

Das eichene Eingangsportal mit den opulenten Schnitzereien öffnete sich. Greta zuckte zusammen. Zwei Soldaten traten heraus, positionierten sich zackig rechts und links daneben und salutierten, als ein dekorierter Offizier die ausladende Sandsteintreppe herabschritt, in ein wartendes Auto stieg und davonfuhr.

Es wurde bereits dunkel. Endlich kam ein GI mit den Behelfsausweisen heraus und gab sie ihnen zurück.

»Wo ist …«, setzte Guste-Oma an.

Im Befehlston wurde sie von einem »Wait!« unterbrochen.

Greta bekam langsam Angst, denn sie wusste, dass man sich im Dunkeln wegen der Ausgangssperre nicht draußen aufhalten durfte. Aber wo sollten sie hin? Von der Seite näherten sich Schritte im Kies.

An der Hausecke erschien eine dürre, verhuschte Frau und winkte sie zu sich. »Ihr könnt mit mir hochkommen, haben sie gesagt.«

»Elis!« Guste lief auf ihre Schwägerin zu und umarmte sie.

Sie durften die Vordertür nicht benutzen, sondern mussten das Haus an der Rückseite durch den Dienstboteneingang betreten. Schmale, düstere Wendeltreppen führen sie unters Dach zur ehemaligen Dienstbotenkammer.

»Das ist, was mir geblieben ist. Die Besatzer haben vor zwei Wochen alles beschlagnahmt. Sogar den Volksempfänger haben sie mir weggenommen«, jammerte Elise Holloch, zog ihr wollenes Dreieckstuch über dem Bauch zusammen und verschränkte die Arme. »Die Amerikaner sitzen in den schönsten Villen, Restaurants und Hotels. Unsereiner kann froh sein, dass er überhaupt für die Herren putzen darf.«

Ohne ihre unbekannte Verwandtschaft aus dem Osten auch nur anzusehen oder ihnen Fragen zu stellen, jammerte Elise Holloch Guste ihr Leid. Sie habe bis vor einigen Monaten nicht einmal gewusst, wie ihre zwei Dienstmädchen unter dem Dach hausten. Jetzt müsse sie hier leben, wo sie doch in der bürgerlichen Gesellschaft von Heidelberg zu den Oberen gehörte und Frau Professor genannt wurde. Greta horchte erst auf, als sie meinte, dass sie nicht nur ihren Status verloren habe, sondern auch ihre beiden Söhne. Albert und Armin, die einzigen Kinder, waren im Krieg gefallen. Elise Holloch wirkte kalt und gebrochen.

»Ihr könnt nicht hierbleiben. Höchstens für den Übergang«, schloss sie. »Nicht, dass die Herren Besatzer mich am Ende auch noch hier herauskomplimentieren.«

Guste rang nach Worten und guckte in die ratlosen Gesichter ihrer Lieben. »Wir werden für alles eine Lösung finden, Elis.«

Praktisch, wie sie war, sorgte die Großmutter dafür, dass jeder in der Zehn-Quadratmeter-Stube ein Plätzchen zum Schlafen fand. Opa durfte sich in eines der beiden schmalen Betten legen, Guste-Oma richtete auf dem Boden daneben ein Lager für sich und Emma ein. Greta kuschelte sich unter dem Tisch eng an ihre Schwester, und obwohl sie hundemüde war, konnte sie nicht einschlafen. Fine ging es nicht anders.

»Wo ist Hermann?«, hörten sie Guste-Oma flüstern.

»In einem Internierungslager der Amerikaner in Garmisch-Partenkirchen«, flüsterte Elise zurück.

»Warum?«

»Mein Gott, er musste ja in die Partei. Das weißt du. Das musste doch jeder.«

Der Boden knarzte, und Greta sah, wie Tante Elise durch den Raum schlurfte, eine braune Flasche aus der Kommode zog und sich und Guste etwas einschenkte. Beide leerten ihr Glas in einem Zug.

»Was ist ein Internierungslager, Fine?«, wisperte Greta.

»Ein Gefängnis.«

Sie schlug die Hand vor ihren Mund und lauschte nun erst recht, was die beiden tuschelnden Frauen sich zu erzählen hatten.

Gerade meinte Guste empört: »Aber die können ihn doch nicht einfach so festhalten. Er hat doch nichts anderes gemacht, als an der Universität Medizin zu lehren.«

»Die können alles. Die Amerikaner können einfach alles. Die können sogar behaupten, dass er Experimente mit Jüdinnen gemacht hat.«

»Wie?«

»Er hat geforscht, um unfruchtbaren Frauen zu helfen. Bei dem sogenannten Entnazifizierungsprozess ist ein Assessor aufgetreten und hat gegen Hermann ausgesagt. So ein Judas.« Greta klammerte sich an ihrer Schwester fest. Sie konnte nicht mehr zuhören, die nicht enden wollende Aussichtslosigkeit fror ihre Gedanken ein.

In aller Herrgottsfrühe versuchte Guste-Oma mit Greta im Schlepptau, unauffällig an der Wache vorbeizuschleichen. Vergeblich, der wachhabende GI hörte ihre Schritte im Kies und sah sich um. Es war ein Riese, der auf sie herabblickte. Greta blieb vor Schreck stehen, schaute ihm kurz in die Augen und wusste nicht, ob sie besser vor oder hinter ihm vorbeigehen sollten. Guste räusperte sich und deutete nickend einen Gruß an.

»Morning!«, sagte der Soldat und trat zur Seite.

Als Greta an ihm vorbeiging, entdeckte sie am Koppel seinen Schlagstock, dachte an das Internierungslager und war froh, als sie die Hirschgasse hinter sich ließen und die Stufen zum Steg über das Neckarwehr nahmen. In ihrem Kopf raste es. Sie hatte sich fest vorgenommen, von ihrer Oma zu erfahren, was es zu bedeuten hatte, dass Onkel Hermann im Gefängnis war. Musste jetzt die ganze Familie vor den Amerikanern Angst haben?

Erst konnte sie die Frage nicht stellen, weil die Staustufe unter ihnen zu laut war. Auf der anderen Seite des Neckars schreckte sie der undurchdringliche Gesichtsausdruck ihrer Großmutter ab. »Wo gehen wir hin?«, fragte sie schließlich.

»Zum Rathaus.«

Schon von Weitem sahen sie die lange Schlange auf dem Marktplatz und waren froh, dass sie nach fünf Stunden endlich an einem der abgewetzten Tische im Eingangsbereich Gehör fanden.

»Ich wollte eine Wohnung beantragen für mich und meine Familie«, sagte Guste und reichte die provisorischen Ausweise über den Tisch.

»Es gibt keine Wohnungen mehr in Heidelberg«, antwortete der betagte Amtmann, dem der linke Arm fehlte, in breitem kurpfälzischen Dialekt und gab ihr die Ausweise zurück. »Die Stadt quillt über. In Friedenszeiten hatten wir sechsundachtzigtausend Einwohner, jetzt hundertzehntausend. Und dazu noch die Amerikaner.«

»Aber ohne Wohnung bekommen wir keine Lebensmittelkarten.«

»Es tut mir leid, Frau.«

Greta beobachtete, wie Guste-Oma ihre Haltung veränderte.

»Horsche Se«, sprach sie in exakt der gleichen Mundart wie der Amtmann, erzählte ihm, dass sie in Heidelbersch aufgewachsen, im ersten Krieg als Krankenschwester gearbeitet habe und mit ihrem Mann, der auch Kriegsinvalide sei, nach Ostpreußen gezogen war. Dabei berührte sie den Armstumpf des Fremden.

Greta saugte jedes Wort und jede Geste auf und sah, dass der Amtmann Guste nun als Person wahrnahm.

Ächzend erhob er sich vom Stuhl, schaute sich verstohlen um und beugte sich zu ihr vor. »Ich sage Ihnen jetzt was«, begann er, und weil er immer leiser wurde, verstand Greta den Rest nicht.

Guste nickte und bedankte sich.

»Was hat er gesagt?«, wollte das Mädchen auf dem Rückweg wissen.

»Ab übermorgen ist Heidelberg dicht. Und alle, die keine Unterkunft haben, werden in die umliegenden Dörfer geschickt. Wir müssen noch heute eine Lösung finden.«

»Das Bienenhaus?« Elise Holloch war konsterniert. »Da war seit Jahren niemand mehr drin. Da gibt es kein fließendes Wasser, kein Klo. Da kann man doch nicht wohnen!«

»Wir haben in den letzten Monaten erlebt, was man alles kann, Elis.«

Mit ihrer Familie im Schlepptau zog Guste auf der Hirschgasse den Hang hinauf und fand nach rund fünfhundert Metern hinter einer mannshohen, zugewucherten Hecke das Gartentor. Von der Straße aus war nichts zu erkennen, doch als alle mit vereinten Kräften die Brombeerhecken niedertrampelten, sahen sie das Holzhäuschen, in dem Gustes Vater Bienen gezüchtet hatte. Ein Holunderbusch hatte sich über dem Dach ausgebreitet, doch innen war alles so, wie Prof. Dr. Christian Holloch es kurz vor seinem plötzlichen Tod 1930 hinterlassen hatte. Unter dickem Staub standen Bienenkästen und Bienenkörbe, auf einem Regal lagerten Waben, und nach all dieser Zeit roch es hier immer noch nach Wachs. Die kupferne Honigschleuder stand neben dem Küchenherd, auf dem einst die dickflüssige Masse im Wasserbad gewonnen wurde.

»Daraus kann man was machen«, sagte Opa entschlossen. »Ich brauch Werkzeug!«

Als mitten in der Nacht keinerlei Geräusche der Amerikaner mehr nach oben drangen, trugen Guste, Emma, Fine und Greta Opa über die Dienstbotentreppe hinunter in den Keller der Villa. Im Schein der Kerzen wühlte der alte Handwerker in Schubladen und Werkbänken und legte zur Seite, was er gebrauchen konnte: eine Axt, eine Harke, eine Säge, einen Hammer, Draht und Nägel. Am liebsten hätten sie sofort alles in den Garten hochgeschleppt, doch es gab eine nächtliche Ausgangssperre, die die Alliierten verhängt hatten, um zu verhindern, dass nationalsozialistische Freischärler, sogenannte »Werwölfe«, Anschläge verübten. Sich nachts auf der Straße blicken zu lassen bedeutete Lebensgefahr.

Fine wurde am nächsten Morgen als Erste auf die Einfahrt geschickt.

»Hallo!«, sagte sie und blinzelte den Wachsoldaten an.

Hinter ihm zog die Familie mit Gepäck vorbei und verließ das besetzte Anwesen in Richtung Bienenhaus.

Innerhalb eines Tages hatten sie die Gartenlaube entstaubt, eine Küchenecke und Schlafplätze geschaffen und bezogen dank der Hilfe des Heidelberger Amtsmannes Lebensmittelmarken.

Nach einer Woche war das Gartengrundstück vollständig von Brombeerhecken befreit und die Brennnesseln als Spinatersatz und Suppengrün verkocht, um die kargen Essensrationen, für die sie endlos anstehen mussten, anzureichern.

Nach zwei Wochen wusste Greta, wie man aus den weggeworfenen Kippen vor Tante Elises Villa die Tabakreste sammelte, daraus neue Zigaretten drehte und somit Zahlungsmittel hatte.

Nach drei Wochen legte sich Fines Scheu vor dem Feind. Mit jeder Zigarettenpackung, die sie für ihre schönen Augen bekam, wuchs ihr Interesse an den GIs, die ihr gerne Komplimente machten. Gleichzeitig lernte die burschikose Greta, sich gegen die Rabauken durchzusetzen, die auf dem Schwarzmarkt das Sagen hatten. Sie kletterte bei Razzien über Mauern, kannte bald jeden Schleichweg und tauschte Fines Lucky Strikes in Bretter, Schüsseln, Teppiche, Bettzeug, Gemüsesamen, Setzlinge, Setzkartoffeln, Küken und Häschen um.

Ende Mai hatte die Familie am oberen Ende der Hirschgasse ein kleines, aber feines Zuhause mit einem Gemüsegarten, einem Hühner- und Hasenstall.

»Wir müssen zusammen aufs Rathaus, um Flüchtlingsausweise zu beantragen«, sagte Emma eines Tages.

»Ich will kein Flüchtling mehr sein«, entgegnete Greta, die sich geschworen hatte, niemals wieder wie einer behandelt und ausgegrenzt zu werden. Sie ließ sich nicht überzeugen und ging stattdessen auf den Schwarzmarkt.

Dort ergatterte sie Schulhefte und Bleistifte und notierte alles, was sie auf der Straße aufschnappte. Das tat auch Fine. Doch während ihre große Schwester sich Ausdrücke einprägte wie »Hau du ju du?«, »Neis tu miet ju« oder »Sänk ju weri matsch«, lernte Greta, dass die Wolldecke »Debbisch« und die Kartoffel »Grumbeer« hießen, die Zwiebel eine »Zwiwwl« und der Dummkopf ein »Simbel« war. Der kurpfälzische Tonfall war ihr durch Guste seit jeher vertraut, und so fiel ihr das Lernen leicht.

Abends, wenn die Arbeit verrichtet war und wegen der Ausgangssperre sowieso niemand mehr auf die Straße durfte, las sie aus ihrem Heft vor. Sie merkte, dass sie mit den Worten, die für die ostpreußischen Ohren witzig klangen, ein Lächeln in die sorgenvollen Mienen zauberte, und baute ihre Vorträge von Tag zu Tag aus. Nach ein paar Wochen hatte sie Alltagsszenen rund um zwei Heidelberger Tratschweiber, sogenannte »Babbelgosche«, entwickelt. Täglich führte sie neue Kapriolen von Frau Dabbisch und Frau Babbel vor.

»Was kummsch ma jetzt so dabbisch?«, fing die eine stets an, und die andere antwortete: »A hald emol, so kannsch dess awwa ned mache.«

Obwohl niemand außer Guste verstand, worum es im Detail ging, blieb kein Auge trocken. Die Vorführungen machten das Leben für Greta und alle anderen leichter.

»Oh, miene kleene Leeve!«, sagte Opa und schüttelte grinsend den Kopf.

Anfang Juli führte Greta mit den Worten »Dädsch ma gschwind?«, eine weitere Person ein. Sie musste nicht erwähnen, dass es sich dabei um Tante Elis handelte, die die weiblichen Mitglieder der Familie nach und nach als Dienstboten rekrutiert hatte. »Dädsch ma gschwind?« – also »Würdest du mal eben?« –

war stets der erste Satz, wenn jemand zu ihr kam. Und so fingen Emma, Fine und Guste an, für sie bei den Amerikanern zu putzen, zu waschen und zu bügeln, und machten um des lieben Friedens willen der Frau Professor sogar den Haushalt.

»Mädsche, dädsch ma gwschind des Pelzmäntelsche aus dem Schrank hole?«, imitierte Greta die Großtante, die sich als das größte Kriegsopfer überhaupt sah und für die sie in den letzten Wochen nicht nur hochwertige Kleidung, sondern auch Schmuck auf dem Schwarzmarkt in Suppenhühner, Brot oder Zucker umgetauscht hatte. Für Elise, die trotz aller Konfiszierungen in Gretas Augen reich war, war dies eine selbstverständliche Gefälligkeit unter Verwandten.

Doch Greta war clever genug, für sich und ihre eigene Familie eine Prämie abzuziehen, deren Höhe proportional mit der Unfreundlichkeit von Frau Professor anwuchs. Als sie mitbekam, wie Elise Holloch ihre Mutter zur Schnecke machte, weil diese beim letzten Putzen den Nachttopf nicht geleert hatte, schwor sie Rache. Die Fünfzehnjährige hatte keine Skrupel, Tante Elis zu verkünden, dass es für das Diamantcollier im Tauschhandel lediglich eine Gans gab, und verschwieg, wie sie an die ersten Lederschuhe seit vielen Jahren gekommen war.

Greta luchste der Tante auch Geld ab und lud Fine davon ins Kino ein. Für zwei Zehnpfennigscheine der badischen Landesregierung, zwei Zehnerle, bekamen sie im Schlosskino auf der Hauptstraße die letzten freien Plätze. Das Licht wurde gelöscht, der Vorhang öffnete sich, Fanfarenmusik ertönte, und der Titel ›Welt im Film‹ flimmerte auf der Leinwand. Greta saß aufrecht, mit durchgedrücktem Kreuz auf dem Sessel, sie glühte regelrecht vor Aufregung, denn es war das erste Mal seit dem Krieg, dass sie in einem Kino war.

Zu mitreißender Musik erschien der Schriftzug *AMERIKANISCHE BAUMWOLLE FÜR DEUTSCHLAND.* Auf bewegten Schwarz-Weiß-Bildern sah Greta, wie Kräne in Bremerhaven große Ballen aus dem Schiffsbauch eines US-Frachters hoben.

»Durch die Hilfsaktion der amerikanischen Regierung werden in den folgenden Wochen sämtliche Webstühle in den amerikanischen Besatzungszonen voll beschäftigt sein«, sagte der Sprecher, und Greta dachte daran, dass das ihrer Mutter helfen könnte, wieder Arbeit zu finden. Ihre Augen wurden noch größer, als Filmbeiträge aus anderen Ländern kamen: In Neuseeland brannte der Busch, in England fand das größte Pferderennen der Welt statt, und in Amerika sprangen Clowns möglichst ungeschickt von Sprungtürmen in ein Schwimmbassin. Der Kinosaal tobte vor Begeisterung.

Dann wurde die Musik bedrohlich. Die Worte *SCHWARZER MARKT FLIEGT AUF* rasten immer größer werdend regelrecht auf die Zuschauer zu. Greta erlebte mit, wie Dutzende Polizisten einen Berliner Schwarzmarkt stürmten. Sie rutschte tiefer in den Kinosessel, sah auf der Leinwand eine weinende Frau, die mit den anderen Händlern verhaftet und auf einem Pritschenwagen ins Polizeipräsidium gefahren wurde. »Die Schuldigen werden bestraft. Der Kampf gegen den Volksschädling Schwarzmarkt geht unerbittlich weiter!«, sagte der Sprecher mit harter Stimme.

Noch während Ausschnitte vom Nürnberger Prozess gegen führende Politiker der Nationalsozialisten gezeigt wurden, raste es in Gretas Kopf: Was würde mit ihr geschehen, wenn man auch sie auf dem Schwarzmarkt verhaftete?

Hunger und Überlebensinstinkt ließen keinen Raum für Moral oder Angst. Und so widersprach sie nicht, als Guste-Oma ein paar Tage später vorschlug, mit ihr in die französische Zone zu fahren, um in der Nähe von Baden-Baden Lebensmittel zu beschaffen. Der Zug in Richtung Süden, der in aller Herrgottsfrühe Heidelberg verließ, war so voll, dass man nicht hätte umfallen können. In Baden-Oos mussten sie den französischen Soldaten ihre Passierscheine vorzeigen, und Greta war erleichtert, dass keiner die Zigaretten entdeckte, die sie in ihrer Unterhose versteckt hatte. Zu Fuß marschierten Oma und Enkelin weiter Richtung Rhein nach Söllingen, wo in der Herrenstraße Gustes Verwandtschaft wohnte. Die Luft hing schwer und schwül im Oberrheintal zwischen Schwarzwald und Vogesen. Auf den fünfzehn Kilometern kamen sie an bestellten Rübenfeldern vorbei, auf denen Frauen Unkraut harkten. Es duftete nach Heu, und am Feldrand blühte der Klee. Heuschrecken zirpten, Hummeln brummten und über Wassergräben standen Libellen in der Luft.

Greta traute ihren Ohren nicht, als Gustes Cousine Mina den Mund aufmachte. Obwohl sie nicht einmal hundert Kilometer von Heidelberg entfernt waren, verstand sie in der ersten halben Stunde kaum ein Wort. Sie horchte und saugte alles in sich auf, und als sie am nächsten Morgen wieder aufbrachen, hatte Greta sich satt gegessen, in einem richtigen Bett unter einem schweren Plumeau geschlafen und jede Menge witzige Geschichten gespeichert. In ihrer Schürze stand Cousine Mina an der Hoftür und winkte mit einem Geschirrtuch, bis Greta und Guste sie nicht mehr sehen konnten.

Die Rucksäcke waren gefüllt mit Speck, Mehl, Eiern, Brot, Sauerkraut, Blumenkohlsetzlingen und schwarz gebranntem Mirabellengeist, wofür Greta vier Päckchen Zigaretten auf den Küchentisch gelegt hatte. Guste-Oma schleppte zusätzlich noch einen Rübenkorb, in dem nicht nur ein Jutesack voll Setzkartoffeln lag, sondern auch eine Trompete. Die hatte Mina extra für Opa Ludwig mitgegeben, denn die Männer, die dieses Instrument hätten spielen können, waren alle gefallen. Die Krönung der Hamsterware war jedoch etwas ganz anderes: Es war fünfunddreißig Zentimeter groß, drei Kilo schwer und rosarot – ein strammes Ferkelchen.

Greta spürte nicht, wie die Riemen des Rucksacks in die Schulter schnitten, denn all ihre Aufmerksamkeit galt dem zitternden Tier in ihrem Arm. »Wie sollen wir das Schweinchen nur an den Kontrollen vorbeibringen?«, fragte sie ihre Oma. Tierzucht war grundsätzlich verboten.

»Wenn es schläft, können wir es im Kartoffelsack verstecken.«

Greta schüttelte den Kopf. Wie konnte Guste-Oma nur so naiv sein. Als würde ein Ferkel auf Kommando schlafen. Sie drückte das Tierchen feste an sich, das nicht viel länger als ihr Unterarm war und das sie in der kurzen Zeit schon liebgewonnen hatte.

Am Ortsrand von Baden-Oos schlichen die beiden in eine Feldscheune. Guste wickelte erst sich, dann ihrer Enkelin geräucherten Speck eng an den Leib, zog Kleider und Schürzen darüber und öffnete schließlich die Schnapsflasche. »Du musst es ganz ruhig halten«, sagte sie und flößte dem Ferkel einige Schlucke von dem Hochprozentigen ein.

Das Schweinchen verdrehte die Augen, wurde schlaff und schlief ein. Greta war begeistert. Sie packten das betrunkene Tier in Jutestoff und legten es so in den Kartoffelsack, dass es auf jeden Fall Luft bekam. Zu zweit trugen sie den Korb mit der wertvollen Fracht Richtung Bahnhof.

Schon von Weitem sah Greta, wie französische Kontrolleure Schmugglern ihre Waren abnahmen. Ihr wurde heiß und kalt, und sie konnte an nichts anderes denken als an das selig schlafende Tierchen im Korb.

»Votre Laisser-Passer s'il vous plait«, forderte ein Soldat, als sie an der Reihe waren.

Guste reichte die Passierscheine über den Tisch. Er stempelte sie ab und gab sie zurück. Gretas warmer Körper ließ den Geruch des Specks so richtig entfalten, sie duftete wie eine Räucherkammer auf zwei Beinen.

Ob sie etwas zu deklarieren hätten, fragte der nächste Soldat mit französischem Akzent.

»No, Monsieur«, versicherte Guste.

Er inspizierte die Rucksäcke. Dann zeigte er auf den Korb, auf dem über den Kartoffeln die Trompete lag.

»Ce sont des pommes de terre.«

Der Soldat trat dagegen, bückte sich und hob das Blasinstrument an.

In dem Moment machte Greta einen Sprung nach vorne. »Ich habe etwas zu deklarieren!«, sagte sie.

Guste entgleisten sämtliche Gesichtszüge. Der Franzose schaute Greta fragend an. Sie griff in das Innenfutter ihres Mantels, holte die goldene Armbanduhr hervor, die Tante Elis ihr für den Schwarzmarkthandel gegeben und von der sie behauptet hatte, die Amerikaner hätten sie konfisziert.

Der Soldat blickte sich verstohlen um, steckte die Uhr ein und winkte sie weiter. »Allez!«

Greta schnappte den Korb. Noch bevor der Franzose tief einatmen und ihr sehr spezielles Parfum in die Nase bekommen konnte, waren sie auf dem Weg zum Zug.

»Gut gemacht, Mädele«, raunte Guste, ohne eine Miene zu verziehen.

Der Zug setzte sich ruckelnd in Bewegung. Greta wickelte das Schweinchen aus dem Stoff und hielt ihr Ohr an seinen Bauch. Es lebte. Gott sein Dank! »Sollen wir ihm noch etwas geben?«

»Ein kleines Schlückchen vielleicht.« Guste kramte den Schnaps aus ihrem Innenfutter, aber das alkoholisierte Ferkel reagierte nicht, und die scharfe Flüssigkeit lief ihm aus dem schlaffen Maul. Sie legten es zurück zwischen die Kartoffeln.

In Karlsruhe stiegen amerikanische GIs zu und begannen mit der Kontrolle. Greta zog das Fenster auf, damit Frischluft den Räucherduft verdünnte.

Die Stimmen kamen näher, ein bulliger, blonder GI riss die Tür zu ihrem Abteil auf. »Something to declare?«

Greta und Guste schüttelten gleichzeitig den Kopf. Die Rucksäcke wurden kontrolliert, aber zwischen Sauerkraut und Mehl fand der Soldat, auf dessen Namensschild *Charles Truman* stand, nichts. Er schaute misstrauisch, inhalierte übertrieben, bat die beiden aufzustehen und presste die Faust gegen die Sitzpolster. Dann zeigte er auf den Korb.

»Das sind nur Kartoffeln. Only Potatoes, Corporal Truman«, sagte Greta, die auf dem Schwarzmarkt gehört hatte, dass es höflich war, die GIs mit ihrem Namen und ihrem Rang anzusprechen.

Der Soldat mit den zwei Streifen auf der Uniform bückte sich und schnüffelte an dem Kartoffelkorb.

Greta vernahm ein leises Quiecken, und weil ihr auf die Schnelle nichts anderes einfiel, um dieses verräterische Geräusch zu übertönen, simulierte sie einen Hustenanfall.

Truman schaute sie scharf an. »Shush!«, befahl er, stellte den Korb auf einen Sitz, zog den Kartoffelsack auseinander und blickte in die Knopfaugen des zappelnden Ferkels.

Die Röte schoss Greta ins Gesicht, und sie vergaß zu atmen. Gleich würden sie und Guste-Oma verhaftet werden. Ihre Augen füllten sich mit Tränen, und so sah sie nur verschwommen, wie Corporal Truman den Korb wieder auf den Boden stellte und das Abteil verließ. »Have ä gutä Trip, Myladies.« Die Abteiltür knallte hinter ihm zu.

Greta starrte Guste an. »Kneif mich!«, flüsterte sie, als sie sicher war, dass er nicht zurückkommen würde.

Hoch über dem Neckar, im Kreis der Familie, lief sie abends zu Hochtouren auf und imitierte den Corporal, dem die speckgetränkte Abteilluft das Gehirn vernebelt hatte. Als sie vormachte, wie der Star des Sketches, das Ferkelchen, quiekte und den GI unschuldig anlinste, bekam sie Szenenapplaus.

Zum Abschluss des erfolgreichen Tages spielte Opa auf seiner neuen Trompete ›Guten Abend, gute Nacht!‹. Greta hatte das Schweinchen in einer mit Stroh gefüllten Sanellaschachtel neben sich liegen und streichelte es.

»Wisst ihr, wie es heißen soll?«, fragte sie in die Dunkelheit hinein.

»Wie denn?«, wollte Emma wissen.

»Truman, Charly Truman.«

Dank der Eicheln, Bucheckern und Kastanien, die Greta unermüdlich an den steilen Hängen oberhalb des Philosophenwegs sammelte, war Truman nach drei Monaten so bullig wie sein Namensvetter und quiekte aufgeregt, wenn das Mädchen auf das Grundstück kam und seinen Namen rief. Die kleine Sau streckte sich und ließ sich von Greta am Bauch kraulen, machte auf Befehl Sitz und Platz, grunzte zufrieden und wedelte mit ihrem Ringelschwanz, wenn sie als Belohnung eine Eichel bekam.

Opa hatte für das Schwein am Ende des Grundstücks einen Verschlag gebaut. Die Bretter dafür und auch sonst alles, was die Familie zum Leben brauchte, organisierte Greta und schleppte es den gesamten Sommer über wie eine Ameise den Hügel hinauf.

Die Lucky-Strike- und Camel-Währung dafür erhielt sie von ihrer Schwester Fine, die über das amerikanische Arbeitsamt eine Stelle als Haushaltshilfe bei einem Colonel bekam und schnell einen Jeff kennenlernte, der sie ins Kino und zum Tanzen ausführte und sie mit Zigaretten versorgte. Während Emma und Guste besorgt um den guten Ruf der Ältesten waren und an ihren Anstand appellierten, wartete Greta jeden Abend am unteren Ende der Hirschgasse auf Fine, die oft knapp vor der Sperrstunde über den Wehrsteg gerannt kam oder aus einem

Jeep sprang. Täglich hörte sie sich neue Jeff-Geschichten an. Mal schwärmte Fine von einer baldigen Verlobung, dann sah sie sich mit dem gutaussehenden GI zwischen Wolkenkratzern in New York wandeln und stellte sich vor, wie es wäre, nach der Heirat mit ihm in Amerika zu leben.

Doch plötzlich war Jeff verschwunden. Ohne Ankündigung und ohne eine Adresse zu hinterlassen. Fine war nicht nur am Boden zerstört, sondern auch ohne Zigaretten, und so musste die Familie mit dem Wenigen auskommen, was sie über die Lebensmittelkarten beziehen konnten.

Es fehlte an allen Ecken und Enden. Sorge machte ihnen vor allem der vor der Tür stehende Winter. Sie brauchten Brennmaterial, und Opa musste dringend das Dach der Hütte verstärken. Mitte Oktober schwärmte Fine ihrer jüngeren Schwester von einem Jack vor, und keiner fragte, wie Greta plötzlich zu Dachpfannen und Eierkohlen kam.

Die Wiese vor dem ehemaligen Bienenhaus war mit Raureif überzogen. Nebelschwaden hingen am frühen Morgen des 1. November im Tal, als Greta den wollenen Militärmantel über Strickjacke und Pluderhose zog, die Kappe tief ins Gesicht schob, den Rucksack schulterte und hinunter in die Stadt trottete. Wie immer wollte sie kurz bei Tante Elis vorbeischauen, denn je nachdem, was Elise Holloch brauchte und dafür zu investieren bereit war, veränderte sich Gretas Verhandlungsmasse.

Am Ende der Hirschgasse öffnete sie das rostige Hoftor. Aufgeschreckt von dem Knarren erhob sich der Wachsoldat, der zusammengekauert auf der Treppe ein Nickerchen gemacht hatte. Greta hielt inne, als er auf sie zukam. Es war keiner der GIs, die ihr im Laufe der Zeit vertraut geworden waren, sondern ein Fremder. Er war schwarz wie die Nacht, fror wie sie und schien äußerst schlecht gelaunt.

»Stop!«, sagte der junge Kerl, der sie um mindestens zwei Kopflängen überragte, und blickte streng auf sie herab. Sein Namensschild hing direkt vor ihrer Nase: *Robert Cooper.*

»Ich will zu meiner Tante, Misses Holloch, Preiväd Kooper«, stotterte sie und zeigte Richtung Dach.

Robert Cooper reagierte nicht, und als Greta Anstalten machte weiterzugehen, stellte er sich ihr in den Weg. »STOP!«, befahl sein breiter Mund.

Sie blickte sich vorsichtig um. Niemand war unterwegs. Ihr war mulmig zumute, deshalb machte sie kehrt. Sie verschloss das Tor und sah, wie der schlaksige Kerl sich wieder auf die Treppe setzte. »Arschloch!«, murmelte sie.

»I can hear you! Thanks furrr Aschloch«, hörte sie ihn rufen.

Greta nahm die Beine in die Hand und flitzte, so schnell sie konnte, über die Staustufe davon. Immer wieder drehte sie sich um, aus Angst, er würde ihr folgen. Erst auf der anderen Uferseite fühlte sie sich sicher, und sie wurde langsamer.

Sie trieb sich am Neckar herum, weil dort Kohleschiffe gelöscht wurden. Doch die Militärpolizei bewachte das Verladen des Brennstoffes auf Lastwagen und verscheuchte alle Kinder und Alte, die versuchten, die heruntergefallenen Briketts aufzuklauben. Müde und hungrig zog sie schließlich weiter und klapperte den Schwarzmarkt hinter dem Bahnhof ab.

Greta suchte nach Brennholz und hätte an diesem Tag viel dafür geboten, aber keiner hatte welches im Angebot. Da entdeckte sie eine Nähmaschine. Es war das gleiche Modell, das in Preußisch Eylau in der guten Stube gestanden hatte. Ihre Mutter hatte Fine und ihr darauf alle Kleider genäht und ihnen beigebracht, wie man den Fußantrieb rhythmisch bewegt, damit der Keilriemen die Maschine in Gang bringt, die Nadel von oben einsticht und sich mit dem Unterfaden verschlingt. Greta kannte jedes Detail: das gusseiserne Untergestell, den Holztisch mit der Schublade für Zubehör und unter der hölzernen Abdeckhaube die schwarze Nähmaschine, verziert mit goldenen Ornamenten, in deren Mitte der Firmenname SINGER prangte. »Wie viel?«, fragte sie die etwa dreißigjährige Frau mit den eingefallenen Wangen und aufgesprungenen Lippen.

»Was hast du?«

»Fünf«, sagte Greta, obwohl sie sechs Zigarettenpackungen dabeihatte, denn aus Erfahrung wusste sie, dass es besser war, eine Reserve in der Hinterhand zu haben.

Die Frau schüttelte energisch den Kopf. »So eine Nähmaschine ist mindestens das Dreifache wert!«

Greta zog weiter, überlegte, ob sie ihre Zigaretten gegen Wolle eintauschen sollte, die ein Mütterchen feilbot, oder gegen Schweinefett von einem Bauernjungen. Aber sie war unentschlossen, denn die Nähmaschine ging ihr nicht aus dem Kopf. Mit so einem Gerät könnte ihre Mutter, die ausgebildete Schneiderin war, Geld verdienen, schließlich waren auch Kleider Mangelware. Aus der Entfernung beobachtete sie die Lage. Niemand schien an der Singer interessiert zu sein, alle suchten an diesem kalten Tag das Gleiche: Essen und Brennmaterial.

»Funktioniert sie überhaupt?«, fragte Greta bei ihrer nächsten Runde und hob die Maschine an.

»Sicher. Alles ist hundertprozentig in Ordnung. Nähgarn gehört auch dazu«, sagte die Frau und zog die Schublade auf, die voller Garn und Spulen war.

Greta machte Anstalten zu gehen.

Die Frau hielt sie am Arm fest. »Bitte. Ich gebe sie dir für fünf. Ich habe drei kleine Kinder zu Hause, und mein Mann ist gefallen.«

»Ich bin alleine hier, ich kann sie unmöglich transportieren.«

»Das Untergestell hat kleine Rollen. Ich kann dir helfen.«

Greta versuchte nicht, den Preis weiter herunterzuhandeln,

denn sie wusste, dass das ein Schnäppchen war. Sie holte die fünf Päckchen Lucky Strike aus dem Mantelfutter, und die Nähmaschine wechselte die Besitzerin. Zu zweit trugen sie das Gerät Richtung Bahnhof. Dann ertönte ein Pfiff. Die Frau ließ die Maschine los und rannte wie die anderen Händler und Käufer davon. Greta zerrte die Singer auf den winzigen Rollen auf dem holprigen Boden hinter sich her, und bevor die Militärpolizei mit vier Jeeps und einem Lastwagen das Gelände einkreiste, kippte sie das Gerät über den Bahndamm.

Das letzte verbliebene Zigarettenpäckchen warf sie hinterher. Sie war sich sicher, dass die MPs nichts gesehen hatten. Weil sie wusste, dass sie weder im Rucksack noch in den Manteltaschen etwas Verbotenes verbarg, blieb sie gelassen und schaute unschuldig, als ein Polizist sie aufforderte, ihren Mantel zu öffnen. Neben ihr spuckte ein Mann, dem ein halbes Huhn abgenommen wurde, einem schwarzen GI vor die Füße. Der holte mit einem Holzknüppel aus, schlug auf den fluchenden Heidelberger ein und führte ihn in Handschellen ab.

Greta hatte alle Mühe, ihre Aufregung zu verbergen, und lungerte scheinbar unauffällig herum, bis die MPs mit den Verhafteten davonfuhren. Dann kletterte sie hastig über die Böschung zu ihrer Nähmaschine. Die hölzerne Haube war gebrochen, der Tisch hatte Kratzer, aber sonst war das stabile Gerät unversehrt. Sie hielt Ausschau nach der Packung Lucky Strike, konnte sie jedoch nicht entdecken. Zentimeter für Zentimeter wuchtete sie die Maschine den Abhang hinauf, und als sie endlich oben ankam, stand da ein vor Dreck strotzender Dreizehnjähriger und hielt die Hand auf.

Greta wusste sofort, dass er zur sogenannten Kirchheim-Bande gehörte, einer skrupellosen Gang, die den Schwarzmarkt absicherte und dafür von allen Schutzgeld verlangte. »Was?«, blaffte sie ihn an.

»Kippen!«

»Du spinnst wohl. Ich hab nichts mehr.«

»Ohne uns hättest du auch die Nähmaschine nicht!« Er pfiff durch seine Finger.

In Windeseile war ein zweiter, nicht viel älterer Junge zur Stelle. Er hielt Greta fest, während der erste ihren Mantel aufknöpfte und das Innenfutter untersuchte. Greta wehrte sich mit Leibeskräften, trat und schlug um sich. Doch als ein drittes Bandenmitglied dazukam und sie ebenfalls festhielt, hatte sie keine Chance mehr. Weil nichts Brauchbares zu finden war, nahm ihr der erste Junge die Kappe ab und setzte sie sich auf seinen Kopf. Dann griff er unter ihre Strickjacke und betatschte ihre Brust.

»Ihr elenden Dreckschweine«, schrie Greta und spuckte dem Grabscher mitten ins Gesicht.

Vom Bahnhof kam ein alter Mann, der eine Karre hinter sich herzog. »Habt ihr denn keinen Anstand im Leib, ihr Lausbuben!«

Die Jungs ließen Greta los und rannten davon.

»Macht, dass ihr nach Hause kommt, sonst vergesse ich mich«, rief ihnen der Alte hinterher.

Sie knöpfte weinend ihren Mantel zu. »Danke.«

»Wo musst du denn hin?«

»Nach Neuenheim.«

»Du lieber Gott, Kind, wie willst du das denn schaffen?«, fragte der Alte und bot an, die Nähmaschine auf seinem Handwagen zu transportieren.

Gemeinsam zogen sie durch die Altstadt. Doch als Greta sah, dass der Marktplatz voller Militärjeeps war, stockte sie.

»Mach dir keine Sorgen, Meedsche. Es ist nicht verboten, eine Nähmaschine zu haben. Solange du außerhalb eines Schwarzmarktes bist, kann dir keiner was. Vielleicht hast du sie ja geschenkt bekommen. Zum Beispiel von mir«, beruhigte sie der Alte.

An dem Wehrsteg der Staustufe sagte ihm Greta, dass sie den Rest alleine schaffte. »Da drüben wohnt meine Tante, da kann ich die Maschine unterstellen.«

Sie bedankte sich bei dem alten Mann, hob das gusseiserne Gestell an und zog das Gerät hinter sich her über die Holzplanken der Brücke. Es fing an zu nieseln. Ohne die gewohnte Kappe fühlte Greta sich nicht nur ungeschützt, sondern fast nackt. Auf der Neuenheimer Uferseite hievte sie die schwere Maschine die Treppe hinunter, zog sie über die Ziegelhäuser Landstraße und bog in die Hirschgasse ein. Das Tor zur Villa, die eigentlich Tante Elis und nicht den Amerikanern gehörte, stand offen. Greta peilte die Lage. Sie sah einen GI, der das Verdeck eines Jeeps festzurrte. Er ging um den Wagen herum. Da erkannte sie ihn: Cooper.

»Scheiße! Den habe ich ganz vergessen!«, murmelte sie. Ihr war eiskalt, sie schlotterte und strich über ihr nasses Haar. Dann gab sie sich einen Ruck und zog mit starrem Blick gen Boden die Maschine an der Hofeinfahrt vorbei, den Berg hinauf. Als sie hinter sich Schritte im Splitt hörte, drehte sie sich erschrocken um und sah den Schwarzen.

Mit verschränkten Armen stand er im Sprühregen, der ihm nichts auszumachen schien, und starrte sie an. »Miss Aschloch?«

Greta wich seinem Blick aus, drehte sich wieder nach vorne und ging schneller, konnte jedoch mit der schweren Maschine im Schlepptau kaum Strecke machen. Jeder Meter dauerte eine Ewigkeit. Trotz der niedrigen Temperatur schwitzte sie. Vor Angst.

Vor der Haarnadelkurve drehte sie sich erneut um. Cooper stand noch immer im Regen mitten auf der Gasse und blickte ihr nach. Ihre Pupillen bewegten sich suchend von links nach rechts und zurück. Sie hoffte, hinter einer Hecke oder einem Fenster jemanden zu erblicken, der ihr notfalls zu Hilfe kommen könnte. Aber da war keine Menschenseele. Es war, als gäbe es nur sie und diesen Schwarzen, aus dessen Sichtfeld sie langsam verschwand.

Ihr hektischer Atem kondensierte, als sie ihre schwere Fracht weiter den Hang hinaufzog. Nach der zweiten Kurve wusste sie, dass es nur noch knapp hundert Meter waren, bis sie zu Hause war. Da hörte sie hinter sich schnelle Schritte, spürte nur noch den Stoß und sah den Boden auf sich zukommen.

»Wie siehst du denn aus!«, rief ihre Mutter, als sie durch die Tür kam. Greta hatte ein blaues Auge, Schürfwunden an den Händen, der Ärmel ihres Mantels war teilweise ausgerissen, die Pumphose an den blutigen Knien zerfetzt.

»Was um Himmels willen ist denn passiert?«, fragte Guste-Oma und half ihr aus den Kleidern.

Greta war zum Heulen zumute, aber sie presste die Lippen zusammen und schwieg. Guste holte saubere Tücher und versorgte die Wunden, während Emma ihre Tochter behutsam wusch.

»Ich habe schon immer gesagt, dass wir dat Mädche nicht alleine gehen lassen dürfen«, sagte Opa. Er hatte sich weggedreht, weil Greta nur Unterwäsche trug. »Dieser Schwarzmarkt ist zu gefährlich.«

Es klopfte an der Tür. Greta zuckte zusammen. Guste und Emma schauten einander fragend an, denn noch nie, seitdem sie hier oben logierten, war irgendein Fremder vorbeigekommen. Nicht einmal Tante Elis hatte sie hier besucht.

»Hello?«, fragte eine sonore Männerstimme.

Gretas Blut gerann in ihren Adern. Es klopfte erneut. Diesmal etwas heftiger. Guste schlich zur Tür, öffnete sie einen Spalt und schlug sie wieder zu.

»Lud, da draußen steht ein Neger!«, flüsterte sie aufgeregt. »Was will der hier?«

Greta lugte aus dem Fenster. Sie sah zwar nur die Uniform, war sich aber sicher, dass es Cooper war. Hastig suchte sie irgendwelche Kleider zusammen und zog sich an. Was wollte dieser Kerl? Sie verhaften, weil sie ihn beleidigt hatte? Sie überlegte zu fliehen. Aber wohin? Sie hatte keine Chance.

»Der darf mich nicht finden!«, sagte sie mit zitternder Stimme und schob sich unter Opas Bett. Von hier aus hatte sie einen guten Blick auf die Tür, war selbst aber unsichtbar.

»Hat der dir das angetan?«, fragte Guste leise.

»Hello?« Cooper klopfte erneut.

Greta hörte nicht nur ihr Herz rasen. Sie vernahm auch ein entferntes Grunzen.

»Truman! Der darf ihn nicht sehen, sonst wird er beschlagnahmt.«

»Ich geh raus.« Guste strich sich entschlossen die Schürze glatt. »Spiel was Lud, damit er die Sau nicht hört!« Nach einem kurzen Stoßgebet öffnete sie couragiert die Tür.

»Hello«, wiederholte der schwarze GI. Greta sah, dass er freundlich lächelte und auf die Nähmaschine zeigte, die er neben sich abgestellt hatte.

Fassungslos starrte Guste auf das Gerät, dann in sein Gesicht. Sie verstand überhaupt nichts.

»Here, das Mädschen hast valorren das«, sagte er in seinem breiten amerikanischen Akzent und hielt der Großmutter Gretas Kappe hin.

Die Sau grunzte.

»Lud. Los!«, sagte Guste-Oma aufgeregt über ihre Schulter und lächelte den GI dann unbeholfen an.

»Auf Wiedasäähn!« Private Cooper schien die Angst zu spüren, die er auslöste, und ging in Richtung Gartentor.

Endlich begann Opa, auf der Trompete zu spielen. Ihm war auf die Schnelle nichts anderes eingefallen als das ›Ave Maria‹ von César Franck. Der Amerikaner blieb wie angewurzelt stehen.

»Du lieber Gott im Himmel, der soll endlich gehen«, presste Guste-Oma heraus und gab ihrem Mann ein Zeichen aufzuhören.

Cooper drehte sich um und sagte: »Donkä!«

Dann hörte Greta, dass ein Wagen gestartet wurde und davonfuhr.

»Was war denn das jetzt?« Guste-Oma war fassungslos.

»Und wo um Himmels willen kommt diese Nähmaschine her?«, fragte Emma und inspizierte das Gerät.

»Ist er wirklich weg?« Greta kroch unter dem Bett hervor. Dann erzählte sie, dass sie die Maschine vom Schwarzmarkt hatte und dass zwei Jungs ihr gefolgt waren und sie ihr – ebenso wie die Kappe – abgenommen hatten.

»Mein Gott, Kind«, sagte Emma und streichelte über Gretas blaue Flecke. Dann holte sie einen Lappen, putzte den Dreck vom gusseisernen Gestell, drehte vorsichtig an dem Handrad und sah, wie die Nadel sich bewegte. Wie ein Heiligtum trugen sie die Singer in die Hütte. Emma fand Garn in der kleinen Schublade, spulte den Unterfaden auf, fädelte den Oberfaden ein, kippte ihre Füße auf dem Pedal, brachte den Antriebsriemen in Schwung und nähte Probestiche auf einem Stofffetzen. Alles funktionierte perfekt.

»Bring mir deine zerrissenen Kleider, Gretchen!«

Das Schnurren der Nähmaschine erfüllte den ganzen Raum und erinnerte an die verlorene Heimat. Emma blühte regelrecht auf.

»Pst! Hör mal kurz auf!«, befahl Opa und lauschte. Er hatte richtig gehört. Draußen spielte jemand Trompete.

»Wer ist das?«, fragte Greta und eilte zum Fenster. »Ich kann niemanden sehen.«

»Still«, sagte Ludwig gerührt. »Das ist das Stück, das ich vorhin gespielt habe, das ›Ave Maria‹.«

Greta sah ihren Opa an: Er war wie elektrisiert, holte die Trompete aus dem Schrank, steckte sie unter den erstaunten Blicken der Frauen in seinen Hosenbund und humpelte vor die Hütte.

»Was macht er?«, fragte Greta leise.

Auch ihre Mutter und Guste-Oma eilten jetzt ans Fenster und starrten hinaus, konnten jedoch nichts sehen, sondern hörten nur, dass Opa nun auch Trompete spielte. Dieselbe Melodie, in einer anderen Tonlage.

Es hörte sich wunderschön an, und doch konnte Greta es nicht genießen, denn das Gartentor ging auf, und da stand nun dieser Private Cooper, blies seine Backen auf und trompetete weiter. Als das Stück zu Ende war, strahlte er übers ganze Gesicht.

»Komm rein«, rief Opa ihm zu, und Greta vergaß zu atmen. »Ich bin Ludwig.«

Durch die angelehnte Tür hörte sie: »My Name is Bob. So nice to meet you!«

Dann stieß Opa die Tür auf, und hinter ihm steckte der baumlange Kerl seinen Kopf herein. Greta erschrak und versteckte sich hinter ihrer Mutter. Doch die ging auf ihn zu und reichte ihm die Hand.

»Danke für die Nähmaschine«, sagte sie.

Cooper schaute Greta an.

»Everything okay mit sie?«, fragte er.

Sie nickte schüchtern.

Truman quiekte. Greta gefror das Blut in den Adern.

»Was?«, fragte Bob neugierig und zeigte in die Richtung, aus der das Geräusch gekommen war.

Keiner gab Antwort. Truman grunzte laut.

»Das ist unser Haustier«, brach Guste-Oma schließlich das Schweigen.

»Housetier?«, fragte Bob.

»Wie Hund oder Katze«, warf Guste-Oma ein, bellte und miaute, damit der Fremde sie sicher verstand. »Nicht zum Essen.«

Bob streckte den Kopf aus der Tür und blickte zum Verschlag, wo in diesem Moment das ehemalige Ferkel, das zu einer prächtigen, dreißig Kilo schweren Sau herangewachsen war, quiekend über das Gatter linste.

»Los, Gretchen, zeig mal, was sie kann!«, sagte Guste-Oma.

Greta schob sich an Bob vorbei, lief zu ihrem Lieblingstier, das, sobald sie das Gatter geöffnet hatte, herauskam und sich schlagartig auf den Rücken warf und am Bauch gekrault werden wollte.

»Brav! Und jetzt mach schön Sitz!« Das Schwein gehorchte und setzte sich. Beim nächsten Befehl legte es sich flach auf den Boden und schaute Greta mit treuen Augen an.

Mit Emma, Guste-Oma und Opa im Schlepptau kam der Amerikaner näher.

»Wie Mitglied aus Familie.« Gretas Mutter lachte aufgesetzt.

»Brav, Truman!« Greta gab der Sau eine Eichel.

»Truman? Like my Präsident of America?«, fragte Bob mit großen Augen.

Allen stockte der Atem. Nur das Hausschwein, von so viel Publikum angestachelt, führte sein nächstes Kunststück vor und drehte sich auf der Stelle.

Bob klatschte in die Hände. »Truman«, platzte es aus ihm heraus, und seine Lachsalve steckte die gesamte Familie an.

Am nächsten Morgen stand eine Schachtel mit Küchenabfällen vor der Tür. Darauf lag ein Pappschild: *For Truman.*

Drei Wochen später, am Nachmittag des 22. November, begleitete Greta ihren Großvater in die Klingenteich-Turnhalle, wo der Vorsitzende der neu gegründeten Partei Christlich Demokratische Union, Dr. Konrad Adenauer, sprechen sollte. Sie versuchte, für ihren kriegsversehrten Opa einen Stuhl zu organisieren. Doch Sitzgelegenheiten waren Mangelware. Nicht so hingegen Invaliden. Jedem Zweiten im Saal fehlte ein Arm oder ein Bein, vielen das Augenlicht. An den Wänden sah Greta Plakate, auf denen ein magerer Mann mit einem Bündel auf dem Rücken vor den Umrissen von Ostpreußen abgebildet war. *Helft den Flüchtlingen,* war darauf zu lesen. *Wählt CDU.*

Opa lehnte an der Wand, und Greta stand neben ihm auf Zehenspitzen, als der alte Politiker mit dem vernarbten Gesicht die provisorische Bühne betrat.

»Das Deutsche Reich besteht faktisch nicht mehr; es besteht keine Regierungsgewalt aus eigenem Recht; die Alliierten besitzen die volle Gewalt«, sagte Adenauer in dem für sie fremd klingenden rheinischen Sprachklang, und Greta fiel auf, dass er aus jedem »sch« ein »ch« machte.

»Unser Ziel ist die Wiedererstehung Deutchlands. Deutchland soll ein demokratischer Bundeschtaat mit weitgehender Dezentralisation werden. Wir glauben, dass eine solche staatliche Gestaltung Deutchlands auch die beste ist für die Nachbarländer. Ich hoffe, dass in nicht zu ferner Zukunft die Vereinigten Staaten von Europa, zu denen Deutchland gehören würde, geschaffen werden und dass dann Europa, dieser so oft von Kriegen durchtobte Erdteil, die Segnungen eines dauernden Friedens genießen wird.«

Greta hatte schon neunzehn falsche »Sch« gezählt und beobachtete ihren Großvater, der zustimmend nickte, jedoch nicht wie die anderen Männer frenetisch applaudierte.

»Wir wollen Sorge und Hilfe in materieller, sozialer und kultureller Hinsicht für die Millionen von Flüchtlingen, die aus allem herausgerissen sind und vielfach überhaupt nichts mehr besitzen«, setzte der Politiker fort. »Die Sorge für sie ist ebenso ein Gebot christlicher Barmherzigkeit wie politicher Klugheit, um das Überhandnehmen asozialer Elemente zu verhindern.«

Adenauer war längst weitergezogen, als Ludwig Sabronski noch mit anderen Ostpreußen, Pommern und Sudetendeutschen debattierte.

»Kein Wort hat er darüber verloren, wie wir unsere Heimat zurückgewinnen können«, schimpfte Opa wütend.

Genau!, dachte Greta. Unter dem Führer hätte es das nicht gegeben.

Ein Heidelberger Mitglied der neu gegründeten Partei gesellte sich dazu und versuchte, die Heimatvertriebenen zu überzeugen. Erst mit Argumenten, dann mit Bier im *Roten Ochsen.*

Die Aschenbecher quollen über, und dichte Rauchschwaden vernebelten Gretas Blick auf den Tresen, an dem ihr Großvater sie offensichtlich vergessen hatte. Sie ging vor die Tür, um Luft zu schnappen, und las den Anschlag auf einer Litfaßsäule:

AUSGANGSBESCHRÄNKUNG

Wer sich im besetzten Gebiet von 17:30 bis 5:00 Uhr im Freien oder außerhalb seiner eigenen Wohnung aufhält, wird mit einer Geld- oder Freiheitsstrafe bestraft. WARNUNG: Die Militärwachen haben den Befehl erhalten, auf alle Personen zu schießen.

Die Uhr der Heiliggeistkirche schlug fünf Mal, das Schloss war im Novembernebel versunken, und in einer halben Stunde mussten sie und Großvater von der Straße sein.

Greta hatte Mühe, ihren Opa zum Aufbruch zu bewegen. Er war betrunken. Das hatte sie noch nie erlebt. Sie schleppte ihn die zweihundertfünfzig Meter bis zum Karlstor. Wankend schaffte er die Treppe auf die Staustufenbrücke und hielt sich dann mit einer Hand am Geländer, mit der anderen an seiner Enkelin fest. Es war bereits dunkel, dichte Nebelschwaden zogen über den Fluss.

»Politiker sind alle Verbrecher«, lallte er und blieb mitten auf dem Neckar stehen.

»Ja, Opa. Wir müssen trotzdem weiter!«, schrie Greta gegen das Rauschen des Stauwerks an und zog ihren Großvater am Ärmel. »Gleich ist Sperrstunde. Sei doch vernünftig!«

Mit Müh und Not schaffte Ludwig die vier Treppenstufen am Ende des Stegs. Greta schob ihm eine Krücke unter die Achsel, legte den Arm um ihn und bugsierte ihn wankend die Hirschgasse hinauf.

»Alles Verbrecher!«, schrie er und schaute in die Richtung, in der seine Schwägerin unter dem Dach der Villa hauste. »Verbrecher! Hermann, der alte Nazi, ist auch ein Verbrecher, hörst du das, Elise?«

»Sei still, Opa!«, herrschte sie ihn verzweifelt an.

Ludwig löste sich aus ihrem Griff. »Du hast mir nichts zu sagen. Keiner hat mir was zu sagen!«, brüllte er, verlor das Gleichgewicht und stürzte zu Boden.

Greta versuchte, ihn wieder auf die Beine zu stellen. Vergeblich. Sie hörte, wie ein Motor angeworfen wurde. Ein Auto fuhr direkt auf sie zu, der Scheinwerfer blendete. Sie nahm ihre zitternden Hände hoch, zum Zeichen, dass sie sich ergab. Ihr Hals schnürte sich zusammen. Bob Cooper sprang aus dem Wagen, und ohne ein Wort zu verlieren, packte er Ludwig unter den Armen und bugsierte ihn auf den Beifahrersitz. Mit einem Handzeichen forderte er Greta auf, sich hinter ihn zu setzen, und brauste mit den beiden den Hang hinauf. Er sprach nicht und schaute gehetzt in den Rückspiegel.

Wenig später riss Greta die Tür des ehemaligen Bienenhauses auf. Der gut ein Meter fünfundneunzig große Amerikaner musste den Kopf einziehen, dann trug er Opa Ludwig unter den fassungslosen Blicken von Guste-Oma, Emma und Fine ins Häuschen und legte ihn auf sein Bett.

»Was ist denn passiert?«, wollte Guste wissen, griff Opas Handgelenk und fühlte den Puls.

Ludwig schüttelte sie ab und zeigte auf Bob. »Alles Verbrecher«, brabbelte er.

»Lud!«, ermahnte ihn seine Frau und schaute den GI entschuldigend an. »Er meint es nicht so.«

»Auf Wiedersähn«, sagte Cooper und warf Greta einen kurzen Blick zu. Sie presste die Lippen zusammen und starrte verschämt zu Boden.

»Bob?«, rief Opa.

Greta hob den Kopf und sah, dass sich der GI angespannt zu ihrem Opa umdrehte.

»Nur du nicht. Du bist ein guter Mensch.« Liegend nahm er Haltung an und salutierte.

Cooper legte ebenso die Hand an seine Schläfe, grüßte militärisch zurück und verschwand in die Nacht.

»Was war denn los?«, fragte Emma, als der Motor des Jeeps nicht mehr zu hören war.

»Freibier«, antwortete Greta und rieb ihre durchgefrorenen Hände.

»Wie? Von diesem Adenauer?«, fragte Guste.

Im Dezember fiel die Temperatur auf minus zwanzig Grad. Kälte waren sie aus Ostpreußen gewohnt, aber der Winter 1946 traf sie besonders hart, weil sie in dem Bienenhaus lebten. Ihr erstes

Weihnachten in Heidelberg fand nicht statt. Sie lagen alle zusammen, wärmten sich aneinander und versuchten, einfach nur zu schlafen.

An Neujahr 1947 wurde für die Dauer von drei Wochen die Neckarschifffahrt wegen Eises eingestellt. Die Versorgung mit Lebensmitteln über den Fluss funktionierte nicht mehr, und weil auch der nahe Rhein zugefroren war, kamen weder Lebensmittel noch Kohlen in die Stadt.

Es grenzte für Greta an ein Wunder, dass Truman die Minustemperaturen überlebte. Dank der heimlich abgestellten Küchenabfälle vor dem Gartentor hatte die Sau in diesem Hungerwinter immer etwas zu fressen. Dass die Abfälle an manchen Tagen nicht nur im Schweinetrog, sondern auch im Suppentopf der Familie landeten und dass manchmal unter den Essensresten Briketts lagen, rettete ihnen vielleicht das Leben. Denn überall in Deutschland starben Menschen an Hunger und Kälte. Es waren mehrere Hunderttausend.

Als der Neckar wieder Richtung Rhein floss, Frühling in der Luft lag und auf der Wiese am Ufer Märzveilchen blühten, sammelte Greta erste Kräuter für Truman. Sie öffnete das Gartentor und wunderte sich, dass die vertraute grunzende Begrüßung ausblieb. Sie eilte zum Gatter. Es war leer. »Wo ist Truman?«, rief sie und rannte ins Haus.

Guste und Emma waren dabei, Schinken und Koteletts in Salz einzulegen, und hatten begonnen, Fleisch einzukochen.

Greta schrie und weinte. »Warum habt ihr mir nichts gesagt?«

»Hör mal, Mädele«, sagte Guste-Oma und wollte Greta in den Arm nehmen. Doch die schüttelte sie ab.

»Das war nicht geplant.« Mit zwei Gabeln holte Emma den Kochschinken aus der Brühe und legte ihn auf den Tisch. »Aber dann haben wir für heute einen Metzger bekommen und konnten nicht Nein sagen.«

»Ich konnte mich nicht einmal verabschieden!« Greta rannte heulend hinaus. Sie riss das Gartentor auf und stürmte die Gasse hinunter und hielt erst, als sie über der tosenden Staustufe stand und ihre Trauer in die Welt schreien konnte.

In den nächsten Tagen fühlte sie sich elend und wollte nichts wissen von Blutsuppe oder Nierchen. Als Guste Leberspätzle schabte, verdrehte sich ihr der Magen.

»Sei nicht dumm«, sagte ihre Mutter. »Du musst etwas essen. Du bist viel zu dünn!«

Emma servierte Kotelett mit Sauerkraut und Kartoffeln. Vor lauter Hunger zwang Greta einen Bissen in sich hinein. Doch als das Fleisch ihre Zunge berührte, bekam sie einen Würgereiz, rannte hinaus und übergab sich am Gartenzaun. Auf der Gasse hörte sie Schritte aus dem Tal kommen und sah durch die Kirschlorbeerhecke, wie Bob Cooper eine Schachtel abstellte.

»Komm jetzt rein, Greta!«, befahl Guste-Oma.

Sie legte ihren Zeigefinger vor den Mund und winkte ihre Oma heran. »Der Ami hat eben was abgestellt«, flüsterte sie.

Guste riss das Gartentor auf. »Mister Bob!«

Bob Cooper drehte sich um. Die Großmutter lief hinter ihm her, stolperte über ihre Schlappen und wurde von dem jungen Schwarzen aufgefangen. Dann nahm sie ihn bei der Hand, kam mit ihm zurück und bat ihn in die Hütte.

»Danke!«, sagte Guste und zeigte auf die Schachtel, die Greta inzwischen auf den Tisch gestellt hatte.

»Is for Truman.« Bob lächelte verschmitzt.

»Es gibt keinen Truman mehr«, knurrte Greta und verschränkte ihre Arme.

Bob schien nicht zu verstehen.

»Tot«, sagte sie trotzig und tat, als würde sie sich mit einem Messer die Kehle durchschneiden.

Einen Augenblick schauten die Erwachsenen einander an, denn Schlachten war bei Strafe verboten.

Guste-Oma sorgte dafür, dass der Besucher einen freien Stuhl bekam. »Setzen Sie sich, Mister Bob, Sie sind so groß, dass sie in unserem Haus gar nicht aufrecht stehen können.«

»Hol zwei Gläsche un dat Schlubberche aus dem Schrank, mien Gretche«, befahl Opa Ludwig und prostete Bob dann mit dem Schwarzgebrannten zu. »Wir wissen nicht, wie wir dir danken können.«

»For nicks«, entgegnete der Schwarze und kippte wie Opa den Schnaps in einem Zug hinunter. »Holy shit«, entfuhr es ihm. Die braunen Augen traten hervor, er verzog den riesigen Mund, der dadurch noch größer wirkte, und schüttelte sich. Das Schütteln ging in Lachen über und steckte alle an.

Nur Greta blieb ernst. Und als Bob sich in der ärmlichen Behausung umschaute, schämte sie sich. Doch schon schenkte Opa ihm einen zweiten Schnaps ein, und Emma machte ihm mit Händen und Füßen klar, dass er seine Jacke ausziehen solle, damit sie den ausgerissenen Ärmel reparieren könne. Mit halbnacktem Oberkörper saß Bob neben Opa und staunte, wie Gretas Mutter die Nähmaschine anwarf und in Windeseile die ausgefranste Naht zusammennähte.

Greta beobachtete ihn verstohlen und war fasziniert, dass alles an ihm schwarz war außer der Innenfläche seiner Hände.

Um sich besser zu verständigen, zog der Amerikaner seinen ›Pocket Guide to Germany‹ aus der Tasche. *DO NOT FRATERNIZE – Verbrüderung verboten* – hieß es in Großbuchstaben auf dem Titelblatt. Überlesen hatte der junge GI, das erfuhr Greta viel später, offensichtlich auch, was darunterstand: *Vorsicht! Wahrt Abstand. Denkt daran, dass vor elf Jahren die Mehrheit der*

Deutschen durch Wahl den Nazis zur Macht verholfen hat. Das gesamte deutsche Volk hat Hitlers ›Mein Kampf‹ gelesen.

»Deine Bein?«, fragte Bob und zeigte auf Opas Beinstumpf.

»Im letzten Krieg. Frankreich. Wie lange bist du schon Soldat?«

Zahlen schien Bob nicht gelernt zu haben, denn er schrieb *1944* auf einen Zettel, den er aus seiner Hosentasche holte.

»Wie alt bist du?«, fragte Opa weiter.

»Zwanzig Jahr. Geboren zwanzig sechs«, sagte er und schrieb zu Sicherheit sein Geburtsjahr, *1926*, auf.

Bob besuchte Opa öfter. Die beiden saßen dann auf der Bank vor dem Häuschen und unterhielten sich mit Händen und Füßen. Greta tat dann immer so, als müsste sie jäten oder das Gras mähen, und lauschte.

»Bring mir mal mein Parteibuch, Guste«, rief ihr Großvater in die Hütte und zeigte es Bob.

»Schau. Die Nummer. Zweistellig. Mitglied von Sozialdemokratische Partei Deutschlands. Ich bin kein Nazi!«

»Aha, Socialist«, sagte Bob.

Ein paar Tage später hatte er einen Zettel dabei und gab zu verstehen, dass ihm jemand bei der Übersetzung geholfen habe. Greta hatte Mühe, sich alles zusammenzureimen, aber der Film ›The Negroe Soldier‹ von Frank Capra war wohl ausschlaggebend dafür gewesen, dass Bob sich als Soldat gemeldet hatte. In diesem Film wurden die Schwarzen überzeugt, gegen die Nazis zu kämpfen.

Bob sagte etwas von ›Mein Kampf‹, und Greta fiel ein, was einmal an einem Jungmädelnachmittag aus dem Buch des Führers vorgelesen worden war: *Von Zeit zu Zeit sieht man Bilder in Illustrierten, die zeigen, wie Neger Anwälte werden oder Lehrer, vielleicht sogar Minister. Das ist eine Sünde gegen alle Vernunft. Es ist kriminelle Verrücktheit, einen Halbaffen zu trainieren, bis man glaubt, man hat einen Anwalt aus ihm gemacht. Um das große Deutsche Reich aufzubauen, müssen wir alle eliminieren, die gegen uns stehen.*

»Hitler war ein Verbrecher«, hörte sie ihren Opa sagen. Greta hielt es nicht mehr aus. Sie ging ins Häuschen und wartete dort, bis Bob gegangen war.

»Wie lange warst du schon nicht mehr zu Hause?«, fragte Opa Bob bei seinem nächsten Besuch.

1048, schrieb er auf einen Zettel.

»Eintausendachtundvierzig Tage?«, fragte Opa.

Bob nickte.

Ich zähle auch immer die Tage!, dachte Greta und wusste, dass sie seit eintausendsiebenhundertzweiundsechzig Tagen nichts mehr von ihrem Vater gehört hatte.

Eine Woche später knieten sie und ihre Mutter in der Hütte auf dem Boden. Sie hatten roten Fahnenstoff vor sich liegen und lösten gerade mit einer spitzen Schere den weißen Kreis, in dessen Mitte ein schwarzes Hakenkreuz prangte, als ein Jeep bremste und das Gartentor quietschte. Schnell rafften sie den Stoff zusammen und schoben ihn unters Bett.

»Misses Emma«, rief Bob und lief ins Haus. »Du musst kommen mit mich.« Mit Händen und Füßen versuchte er zu erklären, was er von ihr wollte, aber keiner verstand ihn.

Emma nahm die Schürze ab, richtete das Kopftuch, das sie über der Stirn zu einem Knoten gebunden hatte, und zog ihre Holzschuhe an. »Komm mit, Greta, das ist mir nicht geheuer.«

Zu dritt brausten sie im offenen Militärjeep die Gasse hinunter und hielten auf der Ziegelhäuser Landstraße vor einer fremden Villa. Bob salutierte, ging mit den beiden Frauen an den Wachhabenden vorbei und machte sie mit Lieutenant Colonel Francis Winkler bekannt.

»Das gute badische Essen«, sagte der Offizier in bestem Deutsch und tätschelte seinen Bauch, über dem die Uniformjacke spannte. »Ich habe gehört, Sie können gut nähen?«

»Ja, schon«, antwortete Emma. »Aber ich habe nichts dabei. Ich muss Sie vermessen.«

Bob raste mit Greta zurück, damit sie in der Nähschatulle nach Stecknadeln, Schneiderkreide und dem Maßband kramen konnte.

Während Emma den Lieutenant vermaß, saß Greta auf dem Rücksitz des Jeeps hinter Bob, der den ›Pocket Guide to Germany‹ zückte und las: »Gooden Taag, FROY-lain. Eash schbreschen DOI-tsh.«

Greta musste sich ein Grinsen verkneifen.

Schnell sprach sich Emmas Geschick in Army-Kreisen herum, und Bob holte die Schneiderin regelmäßig ab, um sie neuen Kunden zuzuführen. Sie arbeitete für hochrangige Offiziere, die zum Teil mit ihren Familien in prächtigen Villen lebten, aber auch für einfache Soldaten, die im Süden Heidelbergs bei Rohrbach in der ehemaligen Großdeutschland-Kaserne untergebracht waren. Greta fuhr stets mit. Sie genoss es, durch die Stadt zu brausen, die sie bislang nur auf endlosen Fußmärschen durchschritten hatte. Wenn sie den Fahrtwind in ihrem Gesicht spürte, träumte sie davon, dass sie später nie mehr zu Fuß gehen, sondern nur noch Autofahren würde.

Solange Emma arbeitete, kletterte Greta auf den Beifahrersitz, weil Bob wollte, dass sie ihm Deutsch beibrachte. Stets hatte er ein Blöckchen dabei, auf dem er in Lautschrift alles notierte, was er aufschnappte, und wunderte sich, wie viele dieser Wörter es genauso auch in seiner Sprache gab: »Bratwurst, Prezel, Doppelganger, Dummkopf, Kaffeeklatsch, Rucksäck.«

»Perfekt! Sag mal: Donnerlittchen.«

»Donnerlitschen. What does it mean?«

»Das sagt man so. Donnerlitchen, da hast du aber wieder was angestellt. Oder: Donnerlittchen, du hast vielleicht lange Zähne.« Greta schaute bierernst in das fragende Gesicht. »Oder sag mal Hupfdohle.«

Bob wiederholte das Wort, schrieb es in Lautschrift in sein Büchlein und ergänzte es mit Gretas Erklärung, dass man das zu einer Frau sagt, die besonders schön tanzen kann.

Mit der Zeit konnte er sich richtig gut verständigen, auch wenn der Schalk in Gretas Nacken ihm zwischendurch Wörter beibrachte, die keinen anderen Sinn hatten, als dass er sich fast die Zunge brach.

»Sag mal Flutschen, Bob.«

»Flooshen?«

Greta lachte. »F L U T S C H E N. Los, probiere es noch mal!«

»Flooshen.« Er grinste übers ganze Gesicht.

»Stellst du dich jetzt extra doof an?«

»Was is Flooshen?«

»Wenn du eine Seife in der Hand hast und die Hand nass ist und die Seife dir deshalb entgleitet und zack auf den Boden fällt. Das ist flutschen. Verstehst du?«

»Verstehe! Sehr, sehr wischtiges doitsches Wort!«

»Genau! Mindestens so wichtig wie Verkackeiern.«

Am 4. Juli, dem amerikanischen Unabhängigkeitstag, zogen alle ihre Sonntagskleider an. Opa trug einen Anzug, den ihm seine Tochter aus einer abgelegten Militäruniform geschneidert hatte, Guste ein schwarzes Kostüm und einen Hut, der ihrer verstorbenen Mutter gehört hatte. Emma, Fine und Greta gingen im Partnerlook. Ihre Kleider hatten eine breite Schulterpartie, Puffärmel, einen schwingenden Rock, ein enges Oberteil und waren rot. Gretas Rundhalsausschnitt war mit weißen Paspeln abgesetzt, der ihrer Mutter war schwarz.

»Bin ich nicht zu alt für so etwas?«, fragte Emma, die inzwischen siebenunddreißig Jahre alt war.

Opa klopfte mit seiner Krücke gegen das Gartentor. »Jetzt mach nicht lange rum, sonst kommen wir noch zu spät!«

»Du siehst schön aus, Mami«, sagte Greta und zuppelte an dem roten Haarband, das ihre Mutter ihr über die kurzen Haare geknotet hatte.

»Mach kleinere Schritte, Mädele«, ermahnte Guste-Oma sie auf der Straße. »Du marschierst ja wie ein Stallbursche!«

Greta fühlte sich nicht richtig angezogen, so ohne Kappe und Beinkleider, und war verschämt, weil sie in diesem roten Kleid besonders auffiel. Doch dann sah sie vor dem Schloss viele rote Sommerkleider und interessierte sich nur noch dafür, wo sie sich hinstellen könnten, um möglichst gut zu sehen.

Ein Trommelwirbel ertönte. Aus den Kulissen des Schlosses marschierte in Formationen die Militärkapelle der US Army auf und spielte ›Stars and Stripes Forever‹. Greta stellte sich auf die Zehenspitzen und entdeckte ihn sofort, denn Bob war der größte Musiker von allen.

Nach dem Konzert stieß der Trompeter zu der deutschen Familie, die auf einem Mäuerchen saß.

»Ihr habt gut gespielt«, lobte Opa.

Cooper begrüßte alle außer Greta mit Handschlag. Dann blickte er sich theatralisch suchend um. »Wo is meine kleiner Bruder? Habt ihr forgässen ihm?«

»Der hat Stubenarrest?«, platzte es aus Greta heraus.

»Stuben-what? What's that?«

»Gefängnis zu Hause!«, sagte sie zwinkernd.

Bob winkte einen Kameraden herbei und drückte ihm seinen Fotoapparat in die Hand. Dann stellte er sich in die Mitte, zwischen Opa, Guste, Fine, Emma und Greta. Und Greta kam es so vor, als sei er Teil der Familie.

Eine Woche später saß sie in ihrer üblichen Montur mit der Kappe tief im Gesicht auf der Mauer am Neckarufer und warf Steine in den Fluss. Hinter ihr hupte ein vorbeifahrendes Auto, und als sie sich umdrehte, sah sie Bob in der Einfahrt von Tante Elis' Villa stehen. Er beobachtete sie und winkte ihr zu. Greta reagierte nicht und warf den nächsten Stein in den Fluss.

Sie hörte ihn kommen. »No more Gefängnis zu Hause?«, fragte er.

»Nein, ich bin entlassen«, antwortete sie ausdruckslos und schaute ins Wasser.

»Gretchen?« Bob blätterte in seinem Notizblock und suchte die Übersetzung für »How are you?« – »Wie geht es Ihnen?«

Sie gab ihm keine Antwort und warf mechanisch einen Stein nach dem anderen in den Fluss.

Bob setzte sich neben sie und puffte sie von der Seite an. »Wir sind Freunde. Du kannst sagen mir alle Dinge.«

Gretas Tränen tropften auf ihre Hose.

»Hey, little brother. What's up? Was passiert?«

Aus der Innentasche ihrer Jacke zog Greta ein Foto von einem Soldaten in Wehrmachtsuniform.

»Deine Dad?«

Sie nickte.

Bob studierte das Bild und hielt es neben Gretas Gesicht. »Deine Vater. He looks like you!«

»Er ist in Russland«, sagte sie wütend und schniefte. »Heute hat er Geburtstag, und seit eintausendachthundertdreiundsechzig Tagen haben wir nichts mehr von ihm gehört. Der Krieg ist doch vorbei, verdammt! Warum kommen nicht alle Soldaten nach Hause. Ich verstehe das nicht. Manchmal frage ich mich, ob er mich überhaupt noch erkennt, nach diesen fünf Jahren.«

Bob schaute sie fragend an.

»Ach, du verstehst mich sowieso nicht«, sagte sie und sah hinter ihm, dass sein Captain am Jeep stand und nach ihm Ausschau hielt. »Ich glaube, du wirst gesucht.« Sie zeigte ihm mit einer Kopfbewegung die Richtung an.

Bob sprang von dem Mäuerchen. »Wait, Gretchen!«, rief er ihr zu, eilte über die Straße und brauste mit dem Offizier davon.

Greta achtete nicht auf die Schiffe, die auf der anderen Neckarseite nach der Schleuse flussaufwärts fuhren, und überhörte auch das Glockengeläut aus der Altstadt. Sie holte einen abgegriffenen Brief von ihrem Vati aus der Brusttasche und las zum tausendsten Mal: *Wie könnte man glücklich sein, wenn der Krieg zu Ende wäre und man für immer heimkönnte. Aber lange kann es ja nicht mehr dauern. Ich küsse Euch in großer Liebe und mit noch größerem Heimweh.*

»Hey, Gretchen!« Bob war außer Atem. Er war zu Fuß zu ihr zurückgekehrt.

Sie reagierte nicht.

»Ich bringen Sie nach Hause«, sagte Bob.

Sie gingen nebeneinanderher die Hirschgasse hinauf. Greta flüsterte Zahlen.

»What?«, fragte Bob.

»Ich zähle. Jeder Schritt ist für einen Tag, seitdem ich nichts mehr von Vati gehört habe«, antwortete sie leise.

»Okay«, sagte er und zählte mit.

Greta wusste, dass deutsche Zahlen Bob ein Graus waren, deshalb zählte sie laut und deutlich vor.

»Zweihunderfünfundzwanzig«, sagten sie an der ersten Kurve, »vierhundertachtundsiebzig« an der zweiten, und als sie in der Höhe der Gartenlaube standen, war sie bei achthundertzweiunddreißig angekommen. Sie schauten einander kurz an, waren sich ohne Absprache einig und gingen weiter den Berg hinauf, bogen auf den Philosophenweg ein, und nach fast eineinhalb Kilometern blieb Greta stehen. »Eintausendachthundertdreiundsechzig!«

»Viel Tag for eine Kind«, sagte Bob außer Atem.

»Ich bin kein Kind mehr, Quatschkopf. Ich bin sechzehn!«

»Quatsch. WHAT???«

»Quatschkopf ist einer, der dummes Zeug redet.«

Bob baute sich vor ihr auf und schaute bedrohlich auf sie herab.

»Man kann auch Schnattermaul sagen oder Plapperhans«, foppte ihn Greta.

Mit gespieltem Ernst holte Bob sein Notizbuch aus der Tasche, zückte den Stift und setzte an, die neuen Wörter aufzuschreiben. Dann steckte er es wieder ein, nahm seine Zigaretten und hielt ihr die Schachtel hin.

»Nein, ich rauche nicht.«

»But, Sie bist doch keine Kind.« Er schob sich eine Filterlose zwischen die Lippen und reichte Greta sein Sturmfeuerzeug.

Sie klickte am Reibrad, streckte ihren Arm aus und hielt ihm die Flamme hin. Er beugte sich vor und zog die Luft ein. Hinter der Glut sah Greta seine Lippen, die die weiße Zigarette umschlossen. Ein warmer Schauer durchströmte ihren Körper, es verschlug ihr den Atem. Dann wurde ihr Daumen heiß. Schnell ließ sie das Reibrad los, gab ihm das Zippo zurück. Ihr Herz klopfte wild, die Knie wurden immer weicher.

Schweigend schaute Greta ins Tal, ohne irgendetwas zu sehen, und spürte, dass Bob sie ansah. Eine gefühlte Ewigkeit. Dann hörte sie, wie er sich eine zweite Zigarette anzündete. Sie konnte die Spannung nicht länger ertragen. »Warst du schon einmal da oben?«, fragte sie, ohne ihn anzusehen, und zeigte auf den Berg, der hinter ihr lag.

»No. I was only there where you can go by car.«

»Papperlapapp!«

»Papperla WHAT?«

Greta drehte sich um und streifte seinen Blick. Er grinste und kam näher.

»Komm!«, sagte sie und sprang ihm davon. Wie eine Gams kletterte sie den Heiligenberg hinauf und registrierte, dass Bob Schwierigkeiten hatte, ihr zu folgen. »Bin ich etwa zu schnell?«, rief sie scheinheilig und legte schelmisch einen Zahn zu.

Im Bismarckturm rannte sie die fünfzehn Meter hohe Wendeltreppe hinauf, stieg auf die Plattform, von der aus man den schönsten Blick auf die Stadt und das Neckartal hatte. Aus dem Turm waren keine Schritte zu hören. Sie hastete von einer Seite zur anderen, beugte sich über die Brüstung und schaute suchend hinab. Panik machte sich in ihr breit. »Bob?« Sie bekam keine Antwort. Greta kniff die Augen zusammen, weil die Sonne sie blendete, und auch, um schärfer sehen zu können. Ihr Blick suchte den Wald ab, aus dem sie gekommen war. Er war wie vom Erdboden verschluckt.

Sicher ist er umgekehrt, dachte sie. Das ist auch besser so!

Plötzlich spürte sie eine Hand auf ihrer Schulter. Langsam drehte sie sich um.

Bobs Blick ruhte auf ihr. »Ich habe neues Wort«, sagte er.

»Welches?«

Er spitzte die Lippen. »Gluckspils.«

»GLÜÜÜckspilzzz!«, verbesserte ihn Greta in alter Gewohnheit und starrte atemlos auf seinen näher kommenden Mund.

FÜNF.
Dezember 2015

»An eine Frau wie die kommst du nicht ran. Vorher fliegen dir kleine Engel aus dem Hintern.«

Greta starrt auf ihren Fernseher, in dem Jack Dawson auf dem Unterdeck der *Titanic* sitzt und auf dem Erste-Klasse-Deck darüber Kate Winslett als Rose auftaucht.

Tom liegt auf dem Sofa und versucht zu dösen. »Mam, kannst du das bitte ein wenig leiser machen.«

Sie reagiert nicht und lauscht mit offenem Mund der Off-Stimme einer alten Frau: »Ich sah mein Leben vor mir, als wenn ich es bereits hinter mir hätte.«

Tom überlegt, wie er die Fernbedienung vom Couchtisch fischen könnte, entscheidet sich jedoch dagegen. Denn eigentlich ist er froh, dass seine Mutter etwas gefunden hat, was sie interessiert, und er sie nicht auch noch an diesem zweiten Weihnachtsfeiertag unterhalten muss.

»Tun Sie es nicht!«, ruft Leonardo di Caprio und versucht, Kate Winslett davon abzuhalten, in den eisigen Atlantik zu springen.

Das Sofa vibriert unter dem basslastigen Sound der dramatischen Filmmusik. Dieses Weihnachten nervt. Alle, die er kennt, haben sich abgesetzt: zum Skifahren nach Südtirol, zum Sonnenbaden an den Strand von Ko Samui oder zum Chillen an die Waterfront von Kapstadt. Nur er schlägt in Köln-Porz die Zeit tot, weil seine Mutter außer ihm niemanden mehr hat.

Kate ruft um Hilfe.

»Ich lasse Sie nicht los!«, schreit Leonardo.

Tom gibt auf. »Kann ich dich mit der ›Titanic‹ alleine lassen?«

»Es würd nicht schaden, wenn du dir so was auch mal anschaust«, meint Greta und krallt sich an ihrer Wolldecke fest.

»Ich denk drüber nach.« Er überlegt, womit er die drei Stunden bis zum Abendessen totschlagen könnte, und entscheidet, eine Runde am Rhein spazieren zu gehen.

Im Flur nimmt er seine Jacke von der Garderobe und wundert sich über die Kartons, die seit der Überschwemmung vor vier Monaten hier rumstehen. Wollte Helga die nicht wegräumen? Kurz entschlossen hechtet er ins Dachgeschoss und klingelt zum ersten Mal seit zehn Jahren an der Tür von *H. Schmitz.* »Fröhliche Weihnachten. Ich wollte dich nicht stören, es ist nur …«

»Ich bin froh, wenn mich einer stört, Jung«, sagt Helga, die seit dem letzten Treffen mit Tom noch runder geworden ist, in breitestem Kölsch und zieht ihn in ihre Wohnung.

»Ich wollte eigentlich nur wissen, was mit den Kartons ist.«

»Oje! Das ist ein Dauerthema zwischen mir und deiner Mutter.«

»Was ist denn da alles drin?«

»Na das, was in deinem früheren Kinderzimmer war. Das musste raus, als der Boden neu verlegt wurde.«

»Kann man den Kram nicht so, wie er ist, zur Deponie fahren?«

»Das muss man vorher aussortieren. Soll ich dir mal sagen, wie oft ich damit anfangen wollte? Deine Mutter hat sich mit Händen und Füßen gewehrt. Sie ist so misstrauisch und denkt, dass ich ihr etwas wegnehme. Ich lass die Finger davon. Aber komm, du siehst aus, als könntest du einen Kaffee gebrauchen.«

Tom vergisst den Spaziergang, zögert keine Sekunde, folgt Helga in die Küche, zieht die Jacke aus und setzt sich auf seinen alten Stammplatz, so als wäre er gestern das letzte Mal da gewesen. Genau hier hat er früher immer Hausaufgaben gemacht und gegessen und war froh, dass er weit entfernt war von der bedrückenden Stimmung, die seine Eltern umgeben hatte. Jetzt atmet er tief die Mischung aus Fettgebackenem, Zigaretten, Kaffee und Wachstuchtischdecke ein. Den Geruch von Kindheit.

Helga reicht ihm einen Teller mit Zimtsternen.

»Danke.« Er tätschelt seinen Bauch. »Ich habe in den letzten Tagen mindestens drei Kilo zugelegt.«

»Quatsch nicht rum, Jung. Das waren früher deine Lieblingsplätzchen. Auf die kommt es auch nicht mehr an.«

Tom weiß, dass es zwecklos ist, ihr zu widersprechen, nimmt einen Stern und sucht auf dem Küchentisch ein freies Plätzchen, auf dem er den Teller abstellen könnte. Vergeblich, denn überall liegen Zeitungsausschnitte. Vorsichtig schiebt er Diätrezepte zu Seite.

»Bring mir bloß nix durcheinander. Das hat alles seine Ordnung.«

»Klar, Helga! Das Genie beherrscht das Chaos.« Grinsend überfliegt er die Ausschnitte und erkennt ein System: Stapel mit Preisausschreiben, Nachrichten des 1. FC Köln, Berichte über Helene Fischer. Dann entdeckt er sich selbst: abgebildet im ›Kölner Express‹ vom 20. Dezember, in dem prominente Kölner erzählen, wie sie die Feiertage verbringen.

Tom Monderath feiert gemütlich im Kreise seiner Familie, steht über einem Foto, auf dem er eine Christbaumkugel an einen Tannenbaum hängt und in die Kamera lächelt.

»Die klebe ich alle ein«, sagt Helga, drückt ihm den rot-weißen Kaffeebecher mit dem Konterfei von Geißbock Hennes in die Hand, klettert auf ihren Tritthocker und zieht kurzatmig einen Aktenordner aus dem Hängeschrank.

Tom schielt mit einem Auge auf die orangefarbene Küchenuhr. Die zeigte vor vierzig Jahren schon, wenn es Zeit war, nach unten zum Schlafen zu gehen.

»Hab alles gesammelt von dir«, sagt Helga und blättert vor ihm ihre in Klarsicht abgehefteten Schätze auf: wie er als Fünfundzwanzigjähriger von dem Massenmord aus Srebrenica berichtete; das Interview im ›Spiegel‹, das er Jahre später gab und in dem er gestand, dass er als Student seinen Journalistenausweis für diesen ersten Einsatz gefälscht hatte.

»Was ist das denn?« Er zeigt auf unscharfe Fotos, die von einem Fernseher abfotografiert wurden.

»Das war in Paris. Da hattest du noch lange Haare, was?«

»Und weniger grau waren sie auch, Helga!« Er zieht das Bild aus der Hülle, auf dem er mit einem Mikrofon in der Hand am Eingang des Pont de l'Alma-Tunnels, in dem Lady Diana starb, steht. Sein erster großer Einsatz fürs Fernsehen. Im Sommer 1997.

Tom blättert weiter und sieht, dass Helga alles von und über ihn verwahrt und chronologisch geordnet hat: Da sind ebenfalls vom Bildschirm abfotografierte Fotos aus dem Beitrag über einen badischen Unternehmer, der beim Anschlag auf das World Trade Center im September 2001 zu Tode kam; Polaroids seiner Reportage über die Folgen des Wirbelsturms Katrina, bei dem er die unfähige Gouverneurin von Louisiana, Kathleen Blanco, mit Bildern von herumliegenden Leichen, die von Ratten gefressen wurden, konfrontiert hatte. Berichte in der ›Süddeutschen‹, der ›Welt‹ und im ›Spiegel‹, als er 2005 für ebenjene Reportage den CNN Journalist Award überreicht bekam. Nach diesem Preis machte CNN ihm ein Angebot, und er schickte Helga eine Postkarte aus New York: *Ich hätte niemals gedacht, dass ich mich in eine andere Stadt als Kölle verlieben könnte. Aber, ich muss gestehen …* Tom interviewte Obama im Wahlkampf und begleitete ihn nach Berlin. Als der die Wahl gewonnen hatte, lag in Helgas Briefkasten ein Foto, um das sie ihre gesamte buckelige Verwandtschaft beneidete: ihr Jung neben dem lachenden amerikanischen Präsidenten. Dieses Bild hat sie eingerahmt.

»Ich hab mir extra wegen dir eine Satellitenschüssel gekauft.«

»Aber kannst du denn Englisch?«

»Nä!«, sagt Helga und steckt sich eine Zigarette an. »Ich kapiere trotzdem, um was es geht. Auch eine?«

Er zögert kurz, dann gibt er sich geschlagen. Mit der Kippe im Mundwinkel schlägt er den zweiten Ordner auf, der 2010 mit Bildern vom Erdbeben in Haiti beginnt. Er war live zugeschaltet, als es erneute seismologische Erschütterungen gab. Panisch schreiend rannten die Menschen durcheinander. Tom entdeckte einen blutüberströmten Jungen, der unfähig war, sich in Sicherheit zu bringen. Entschlossen legte er sein Mikrofon aus der Hand, nahm das Kind auf die Arme und trug es an einen sicheren Ort. Dieser Beitrag ging um die Welt. In der letzten Klarsichthülle steckt ein Ausschnitt aus der ›Frankfurter Allgemeinen‹ vom Oktober 2012 mit der Überschrift: *Kölner wird Chefsprecher bei FFD.*

»Und das ist mein Köln-Ordner«, sagt Helga und schlägt ihn auf.

Der kölsche Bradley Cooper liest unsere Abendnachrichten, stand ebenfalls im Herbst 2012 auf der Titelseite des ›Kölner Express‹.

Tom muss schmunzeln, denn auch wenn er es immer herunterspielt, gefallen ihm diese Anspielungen auf sein Äußeres.

»Gut, dass du wieder da bist«, sagt sie.

»Ich hatte Heimweh nach dem Dom.« Doch das ist nur die halbe Wahrheit. Ohne seine Mutter wäre er vermutlich in den USA geblieben. Er hat versucht, sie nachzuholen. Aber sie hat sich mit Händen und Füßen gewehrt: Niemals in ihrem Leben würde sie amerikanischen Boden betreten, hat sie ihm gesagt.

»Es geht mich ja nichts an. Aber hattest du wirklich ein Fistannöllschen mit dieser Zoiii Deschanel?«, fragt Helga und holt weitere Plätzchen aus der Keksdose.

»Wie? Du hast keinen Ordner über mein Liebesleben? Jetzt bin ich aber enttäuscht.«

»Na ja, unsereiner fragt sich schon, warum einer wie du keine Frau hat. Hast du dir denn noch nie Gedanken über eine Familie gemacht? Du wirst auch nicht jünger.«

»Auf Family hab ich keinen Bock, Helga.« Er steht auf und nimmt seine Jacke unter den Arm. »Ich glaube, ich nutze die Zeit, in der Mam abgelenkt ist, und räume mal ein wenig auf. Und wenn ich nur diese Kisten in mein altes Zimmer zurückstelle.«

»Lenk nicht ab, Jung. Das Thema ist nicht vom Tisch!«, sagt sie und schaut ihn streng an.

Als Tom langsam die Treppe hinuntergeht, schmunzelt er darüber, dass sie ihn immer noch Jung nennt. Und auch, dass sie ihn immer noch so behandelt, als wäre er einer. Helga hat nie ein Blatt vor den Mund genommen und ihm die Leviten gelesen, wenn er einmal Mist gebaut hat. Aber sie stand auch immer hinter ihm und hat ihn nach außen verteidigt, als wäre er ihr eigen Fleisch und Blut. Sogar in seiner Punker-Phase, als ihn seine Eltern ins Internat stecken wollten, nachdem die Polizei ihn beim Sprayen an Bonzenvillen erwischt hatte, hat sie wie eine Löwin für ihn gekämpft. Bis auf ein Mal. Als sein Vater 1997 nach einem schweren Herzinfarkt im Sterben lag und Tom nicht nach Köln kommen wollte, weil er es wichtiger fand, über die Trauerfeierlichkeiten von Lady Diana in London zu berichten, hat sie ihm angedroht, eigenständig nach England zu kommen und ihn an seinen Ohren über den Kanal zu ziehen.

Leise sperrt Tom die Wohnungstür auf, schleicht Richtung Wohnzimmer und schaut durch den Türspalt.

»Wenn das Schiff anlegt, werde ich mit dir von Bord gehen«, sagt Rose, und Greta schnäuzt in ihr Taschentuch.

»Das ist verrückt«, antwortet Jack.

»Deswegen will ich es ja auch.« Sie küsst ihn voller Leidenschaft.

Tom schließt die Tür und weiß, dass er jetzt mindestens eine halbe Stunde ungestört räumen kann. Er schiebt die Umzugskartons in sein ehemaliges Zimmer, holt große Müllsäcke aus der Küche und macht sich an die Arbeit. Während im Wohnzimmer Rose und Jack im Nordatlantik auf der untergehenden *Titanic* ums Überleben kämpfen, sortiert er alles, was nach seinem Auszug 1989 hier abgestellt wurde, anstatt entsorgt zu werden: Versicherungsunterlagen der letzten dreißig Jahre, die ungelesenen Vorschlagsbände des Deutschen Bücherbundes, eine Trompete, Einkaufstüten aus Papier und Plastik, Kleiderbügel aus der Reinigung, Hemden seines verstorbenen Vaters, Gebrauchsanweisungen für Geräte, die es schon lange nicht mehr gibt, und Kartons mit unsortierten Fotos. Er wirft Papier in einen, Kleider und Plastik in andere Säcke und schiebt die Fotoschachteln und die Trompete auf den Schrank. Die immer dramatischer werdende Filmmusik zeigt an, dass Jack gleich in der eisigen See erfrieren wird. Tom weiß, dass er sich beeilen muss. Er trägt die vollen Säcke durch den Flur und stellt sie vor der Wohnungstür im Treppenhaus ab.

Mit verheulten Augen öffnet Greta die Wohnzimmertür und sieht ihn mit dem letzten Müllsack. »Was machst du da?«

»Müll wegbringen«, gibt er ihr betont beiläufig zur Antwort.

»Was für Müll?« Sie sieht die aufgeklappten Umzugskisten, kommt zu ihm und reißt ihm einen Plastiksack aus der Hand.

»Das will ich noch sortieren.«

»Mam, ich bitte dich!«

Wie von der Tarantel gestochen holt Greta, begleitet von der ›Titanic‹-Abspannmusik, einen Müllsack nach dem anderen aus dem Treppenhaus und zieht ihn zurück in den Flur.

»Das Zeug kann alles weg, Mam. Glaub mir!«

»Das kannst du nicht beurteilen.« Greta kramt ein Jackett ihres verstorbenen Mannes hervor. »Das ist doch noch gut!«

Tom versucht ihr klarzumachen, dass er die Kleider nicht wegwerfen, sondern in eine Kleidersammlung bringen wollte, da macht sie sich über den Papiersack her und zieht einen Stapel heraus.

»Das sind Kontoauszüge von 1975. Und Anleitungen von Garagentoren, die längst ausgebaut sind.« Er nimmt ihr die Papiere aus der Hand und wirft sie zurück in den Müll.

»Du kannst doch nicht alles wegschmeißen!«, schreit sie und holt die uralten Unterlagen wieder heraus. »Du weißt nicht, wofür das noch gut ist.«

Tom überlegt, einfach abzuhauen. Soll sie in ihrem Ramsch verrotten. Was macht er sich diesen Stress? Er würde jetzt gerne eine rauchen. Doch bei Helga eine Zigarette zu holen, könnte bedeuten, dass sie hier auch noch mitmischt und die Situation endgültig eskaliert. Er setzt sich auf sein Jugendbett und sieht seiner Mutter zu, die verblichene Handtücher rettet und eine Tüte Lockenwickler entdeckt.

»Ach, die hab ich ja schon so lange gesucht«, sagt sie und schiebt den Beutel in den Kleiderschrank.

»Ich dachte, du gehst zum Friseur.«

»Wenn du wüsstest, was man sparen kann, wenn man das alles selber macht.«

Er verkneift sich eine Antwort, denn er weiß, dass sie durch die Immobilien, die ihr Konrad vererbt hat, so vermögend ist, dass sie sich eine private Friseurin leisten könnte.

Dann zieht sie grüne Pumps aus dem Müll. »Stöckelschuhe!«,

ruft sie verzückt. »Die habe ich mir in Brüssel gekauft, als ich mit deinem Vater bei der Weltausstellung war.«

»Sag nicht, du hast alle alten Schuhe aufbewahrt, Mam?«

»Schau sie dir an. Da ist nichts dran.«

Wie ein motziger Teenager verschränkt Tom seine Arme und schaut zu, wie Greta alles, was er mühsam sortiert hat, wieder auspackt. Zu jedem noch so unwichtigen Teil hat sie eine Geschichte parat. Sie redet ohne Punkt und Komma. Er versucht, nicht hinzuhören. Als jedoch Fernsehzeitschriften der letzten Jahrzehnte zusammenhanglose Erinnerungen an Wim Thoelke, die ›Schwarzwaldklinik‹ und die Einführung des Farbfernsehens hervorrufen, weiß er, dass er einen Ausweg suchen muss, weil auch er sonst durchdreht.

»Von wem ist eigentlich die Trompete?«, fragt er, holt das Instrument vom Schrank und drückt es ihr in die Hand. Die Zeitschriften nimmt er ihr ab.

Greta überlegt angestrengt. »Das ist von ihm, also ...« Der Name will ihr nicht einfallen. Sie steckt die Trompete wie eine Trophäe unter ihren Gürtel.

Sie muss raus aus diesem Zimmer, denkt Tom und nimmt nun auch die alte Sanellaschachtel vom Schrank. »Ich hab vorhin auch noch Fotos gefunden. Die kenne ich gar nicht.«

»Das ist meine Heidelbergschachtel. Die hab ich ja schon ewig gesucht.«

»Komm, wir gehen in die Küche und schauen sie zusammen an.« Er ist froh, dass er die Tür hinter diesem Chaos zuziehen kann.

Am Küchentisch sitzend hebt Greta den brüchigen Deckel ab, klatscht vor Freunde in die Hände und nimmt ein Foto nach dem anderen heraus. »Schau mal, hier: Fine und ich in unseren Sonntagskleidern. Und das ist Guste-Oma beim Teigkneten. Sie hat den besten Streuselkuchen der Welt gemacht. Mit guter Butter! Und hier, Opa Ludwig auf dem Bänkchen. So hat er abends immer gesessen, wenn das Schloss in der Abendsonne leuchtete. Da haben wir noch oben an der Hirschgasse in der Hütte gewohnt. Och, und das ist Mami an ihrer Nähmaschine.«

»Ist das die Maschine, die im Wohnzimmer steht?«

Sie nickt, wühlt weiter und schaut sich ein Foto an, auf dem ein burschikoses Mädchen unter einer Kappe hervorlugt und frech in die Kamera grinst.

»Bist du das, Mam?« Tom ist verdattert, denn so frei und unbeschwert hat er sie noch nie gesehen.

»Ja«, sagt sie leise. Durch ihr Gesicht huscht ein Hauch dieser vergangenen Heiterkeit.

»Du siehst klasse aus, so fröhlich. Warum hast du mir die denn noch nie gezeigt? Wer hat die Bilder gemacht? Die sind richtig gut.«

Greta fällt keine Antwort ein.

»Das von dir würde ich gerne mitnehmen und vergrößern lassen. Ist das okay?«

Sie sagt nichts und zieht ein fünfundzwanzig Zentimeter großes Strohpüppchen mit einer verblassten blaugrünen Gesichtsmarkierung und zerfleddertem Federschmuck auf dem Kopf heraus.

»Solche Voodoo-Puppen werden in New Orleans verkauft, Mam. Wie kommst du denn dazu?«

»Das hat mir der …« Sie unterbricht sich und wühlt weiter.

Tom hat kaum Zeit, die einzelnen Fotos auf sich wirken zu lassen, denn mit jedem Bild erzählt seine Mutter eine neue Geschichte: Opa auf einem Treffen der ostpreußischen Landsmannschaft, die Familie am Grab von Guste-Oma, Fine bei ihrer Hochzeit mit John. Plötzlich hält sie inne und starrt auf das nächste Bild.

»Wer ist denn das?«, fragt Tom und zeigt auf den schwarzen

GI, der zwischen den Urgroßeltern, Oma Emma, Tante Fine und seiner jugendlichen Mam vor dem Heidelberger Schloss steht.

»Das weißt du doch«, sagt sie nach einer gefühlten Ewigkeit. »Das sind wir.«

»Ja, aber wer ist der amerikanische Soldat?«

»Du kannst manchmal dumm fragen.«

Ein Afroamerikaner inmitten einer deutschen Familie so kurz nach dem Rassenwahn im Nationalsozialismus. Verrückt!, denkt Tom und stöbert weiter. Er findet einen Goldknopf mit einem Adler, den Greta sofort an sich reißt und krampfhaft festhält. Unter einer unterschriebenen Postkarte vom Heidelberger Schloss entdeckt er ein anderes Bild von dem GI. Mit einem Barett auf dem Kopf und einem Uniformhemd bekleidet sitzt er mit übergeschlagenen Beinen und gefalteten Händen auf einem gedrechselten Stuhl und blickt ernst in die Kamera. Greta entreißt ihm das Foto und starrt es mit offenem Mund an.

»Mam?«

Sie reagiert nicht.

»Wer ist das? Ist das ein Freund von Fine?«

»Quatsch«, sagt sie. »Die doch nicht!«

»Nun mach es nicht so spannend. Sag schon. Wer ist das?«

»Na, dein Vater!«

Tom lacht. »Jetzt wird's interessant. Ich dachte, mein Vater ist Konrad.«

»Du weißt auch nicht immer alles besser«, meint sie im Grundton der Überzeugung und mit verwirrtem Blick.

Tom bleibt das Lachen im Hals stecken. »Mam, red doch keinen Unsinn. Wie heißt der denn?«

»Na, Bobby! Das weißt du doch.«

»Hab ich wahrscheinlich vergessen.« Tom kann ihren Blick nicht länger ertragen. Kein Wunder, dass sie durcheinander ist, denkt er. Erst ist die *Titanic* untergegangen, und dann hat sie ihre geballte Vergangenheit aus Müllsäcken gezogen. »Komm, wir hören für heute auf«, sagt er und packt die Bilder zurück in die Schachtel. »Ich mach uns was zum Abendbrot.«

Greta hält das Porträt von Bobby samt dem Voodoo-Püppchen krampfhaft fest und legt es auch nicht aus der Hand, als Tom die Leberwurstschnittchen serviert. Er hört die tickende Küchenuhr, das leise Knacken von Gretas Kieferknochen, ihr Schlucken und Schlürfen des Tees. Es macht ihn wahnsinnig. Er bekommt keinen Bissen herunter. Seit einer halben Stunde hat sie nichts gesagt. Es ist, als wäre sie gar nicht richtig da.

Sein vibrierendes Handy ist die Erlösung.

»Ich könnte ein Bier vertragen«, sagt Manes.

»Super Idee. In einer Stunde bei *Kov.*«

»Na, Tömmes«, begrüßt ihn der bärtige Kurde Kovan, der in Köln aufgewachsen ist, und stellt ihm ungefragt eine Kölschstange hin, die Tom in einem Zug leert. Nirgendwo kann er besser abschalten als auf einem Barhocker in diesem Mikrokosmos direkt am Friesenplatz. Hier hängen die Kunden aus dem Viertel regelmäßig ab, wenn sie sich zum Zigarettenholen daheim kurz abmelden. Der Gas-Wasser-Scheiße-Unternehmer aus der Norbertstraße, der Psychologe vom Friesenwall genauso wie der Bestatter aus der Römergasse. In dieser Welt, in der jeder einfach drauflosredet, erfährt Tom immer, was in Köln wirklich wichtig ist: der jeweilige Zustand des 1. FC. Siege und noch mehr die Niederlagen des Fußballclubs bestimmen hier den Gesprächsstoff. Jetzt in der Winterpause gehen in dieser Männerdomäne die Themen aus.

Tom schaut vor sich hin, sieht nicht den Tresen, sondern den verwirrten Blick seiner Mutter.

»Alles klar bei dir?«, fragt Gas-Wasser-Scheiße-Hansi.

»Sicher«, antwortet Tom und lächelt. »Und selbst?«

Hansi nickt nichtssagend vor sich hin.

Nach Toms zweitem Kölsch klopft ihm Manes auf die Schulter und setzt sich neben ihn an den Tresen.

»Ich dachte schon, du hast dich verlaufen.«

»Frag nicht«, sagt der Freund und kühlt seine Kehle. Nach dem dritten Kölsch ist er gesprächsbereit. »Und?«

»Bestens«, meint Tom. »Weihnachten mit Mutti. Ein Traum.«

Der Kameramann nickt wissend und starrt vor sich auf den Bierdeckel.

»Und selber?«, will Tom wissen.

Manes kippt einen Wodka. »Ich bin nach Freiburg gefahren und nicht mal aus dem Auto ausgestiegen.«

»Wie?«

»Meine Ex wollte bei ihrem Neuen feiern. Und der hat gemeint, ich kann dazukommen. Wegen der Kinder. So einen auf Friede, Freude, Trallala machen. Nääă!«

Tom fragt nicht weiter, ist aber froh, dass er selber weder eine Ex noch Kinder hat. Lautes Tatü-Tata reißt ihn aus seinen Gedanken, das flackernde Blaulicht macht ihn neugierig, und er sieht durch das Fenster, wie erst Rettungssanitäter mit einer Trage und dann ein Notarzt in die Tabledance-Bar nebenan gehen.

»Was ist denn passiert?«, will Gas-Wasser-Scheiße-Hansi wissen.

»Wahrscheinlich ist eine Stange gebrochen«, meint Manes trocken. »Und hat einen der Gäste erschlagen.«

»Und zwar den, der seinen Weihnachtsgutschein direkt eingelöst hat«, vermutet Tom.

Die Neugierde treibt die beiden Kumpel vor die Tür, und sie nutzen die Gelegenheit, dabei eine zu rauchen.

Immer mehr Nachtschwärmer bleiben stehen und glotzen in die Richtung, wo es nichts zu sehen gibt und der Ort des Geschehens zu immer absurderen Unfalltheorien veranlasst. Die Gaffer ziehen enttäuscht weiter, als erst der Notarzt und dann die Rettungssanitäter ohne Opfer abziehen und auf dem Platz wieder die übliche Langeweile Einzug hält.

»Ist das da drüben Jenny?«, fragt Manes und zeigt Richtung Rufsäule der Taxizentrale, an der sich eine kleine Schlange gebildet hat.

»Sieht so aus«, sagt Tom gelangweilt.

»Hey, Jenny, fröhliche Weihnachten!«, ruft Manes über den Platz.

Jenny winkt zurück und kommt auf die beiden zu.

»Das wäre jetzt aber nicht unbedingt nötig gewesen«, raunt Tom und begrüßt die Kollegin mit einem gequälten Lächeln.

»Und? Habt ihr auch kein Zuhause?«, witzelt sie.

Manes gibt ihr ein Küsschen. »Willste einen mit uns trinken?«

»Ich muss ins Bett, Jungs.«

Tom wünscht ihr auch das Beste für das kommende Jahr und ist froh, dass sie sich wieder in die Taxischlange stellt und er mit Manes zurück in ihre Stammpkneipe trotten kann.

»Die hat ganz schön zugelegt«, sagt er und schaut zu, wie Kovan den siebzehnten Strich auf den Deckel zieht. »Ich weiß auch nicht, warum sich Frauen ab einem gewissen Alter so gehen lassen.«

»Kann nicht jeder so selbstdiszipliniert sein wie wir, ne?«, grinst Manes und prostet Tom zu.

Der trinkt sein Glas auf ex und genießt die leere Schwere in seinem Kopf.

»Ist sie schwanger?«, überlegt Manes laut.

»Von wem soll die denn schwanger sein? Ich dachte immer, die steht nicht auf Kerle.«

»Da hab ich aber schon ganz andere Sachen gehört.«

»Die könntest du mir nackt auf den Bauch binden!«, lallt Tom. Als ihm eine Hand auf den Rücken schlägt, dreht er sich um. Vor ihm steht sein früherer Kumpel Gerd Schlummers.

»Haste auch kein Zuhause, Schlummy?«, fragt Tom, bestellt ihm ein Bier und betrachtet Gerd im dreiteiligen, karierten englischen Anzug, dem Hemd mit Vatermörderkragen, der Fliege um den Hals. »Junge, Junge. Wo hast du nur diese geschmacklosen Klamotten her?«

»London«, sagt Gerd und streichelt seine glänzende Glatze. »Da lass ich mir auch die Haare ondulieren.«

»Hat der Friseur dir auch die Zähne gemacht?«, fragt Tom und kriegt sich nicht mehr ein.

»Nee, ich war beim Legofachmann von Stefan Raab«, kontert Gerd.

»Woher kennt ihr euch?«, will Manes wissen und prostet beiden zu.

»Oh, lange Geschichte«, sagt Tom.

»Wir waren früher mal die ganz Bösen. Porzer Punkerszene«, ergänzt Gerd.

»Schlummy macht heute in Immobilien. Er hat mir die Wohnung im Gerling-Quartier vertickt.«

Manes kippt sein Glas. »Ich hab über Gerling mal eine Doku gedreht. Fünftausend Versicherer haben dort gearbeitet, doch mit dem Anschlag auf das World Trade Center in New York wurde auch dieser Konzern in die Tiefe gerissen. Kann man wieder mal sehen: Alles hängt mit allem zusammen.«

Tom geht gar nicht darauf ein, sondern erzählt von der Nacht, in der Gerd ihn durch den Rohbau geführt hat. »Eigentlich wollte ich keine Wohnung kaufen, aber dann hab ich vom Badezimmer aus den Dom gesehen, da habe ich spontan zugeschlagen.«

Manes ist unbeeindruckt. »Geschmacklos! Wie kann man in den Fünfzigerjahren so eine Nazi-Monumentalarchitektur hinstellen. Der Bau wird nicht umsonst *Kleine Reichskanzlei* genannt. Wenn der alte Gerling gekonnt hätte, hätte er wahrscheinlich Albert Speer den Auftrag gegeben. Aber der war ja bekanntlich verhindert.«

»Ist aber eine gute Kapitalanlage«, hört Tom seinen Kumpel Schlummy kontern.

Ein schwarzer Taxifahrer steckt seinen Kopf durch die Tür und fragt, wer einen Wagen bestellt hat. Tom schaut ihm nach und denkt an das Foto des amerikanischen Soldaten, von dem seine Mutter behauptet hat, er sei sein Vater.

»Red doch nicht immer so«, sagt Greta achttausend Meter Luftlinie entfernt in ihrem Schlafzimmer. »Und schau mich nicht immer so an!« Sie kichert wie ein junges Mädchen und dreht das Bild von ihrem Bobby um, damit er ihr nicht länger beim Ausziehen zusehen kann.

»Du darfst mich so nicht sehen«, wiederholt sie grinsend, schlüpft in ihr Nachthemd und geht barfuß Richtung Badezimmer. Sie erschrickt, als ihr faltiges Konterfei sie aus dem Spiegel anblickt.

»Alte Kuh«, beschimpft sie sich und löscht das Licht.

Im Schimmer der Straßenlaterne, der durch die Vertikallamellen ins Badezimmer dringt, putzt sie sich die Zähne, kämmt ihr Haar und cremt das Gesicht ein.

»Quatschkopf«, sagt sie zu sich, tätschelt ihre Wangen, geht zurück ins Schlafzimmer und dreht Bobs Foto wieder um. »Du hast richtig gehört: QUATSCHKOPF.« Sie küsst schelmisch lächelnd das Bild.

Mit dem Foto und dem alten Voodoo-Püppchen in der Handtasche klopft sie am nächsten Morgen an die Tür des Friseursalons *Für Haarige Angelegenheiten* auf der Porzer Hauptstraße.

»Das Geschäft macht erst in einer Stunde auf«, sagt die Bäckereiverkäuferin aus dem Haus daneben.

»Die werden auch immer fauler, was?« Greta bestellt sich einen Kaffee, verdrückt zwei Croissants und wartet, bis Micha, der Chef des Salons, endlich die Tür aufschließt.

»Sie haben aber keinen Termin, Frau Monderath.«

»Macht nichts«, sagt Greta, übersieht, dass Micha den Kalender aufschlägt, um mit ihr ein anderes Date auszumachen, zieht den Mantel aus und setzt sich in den Wartebereich. »Ich hab Zeit.«

Greta blättert durch den Zeitungsstapel, liest in der ›Bunten‹ den exklusiven Weihnachtswunderartikel darüber, dass Michael Schumacher wieder gehen kann. Im ›Echo der Frau‹ steht die Überraschungsglücksnachricht über Helene und Florian, und schließlich findet sie in der ›Freundin‹ das Liebeshoroskop. Unter der Überschrift *Die Liebessterne 2016 für Fische* steht: *Das neue Jahr hält für Sie vielleicht eine ganz besondere Überraschung bereit. Womöglich erkennen Sie bis März, dass es schon lange eine Person in Ihrem Leben gibt, die für Sie viel mehr ist als nur ein Freund.*

Greta kichert und liest weiter, dass *bis Mitte Juni aus diesen neuen Gefühlen etwas wirklich Großes werden könnte.*

»Kommen sie, Frau Monderath«, sagt Micha zwischen einer Dauerwelle und Foliensträhnchen und legt ihr einen Frisiermantel um. »Was kann ich für Sie tun?«

»Schneiden, bitte.«

Mit raspelkurzen Haaren und einer Brötchentüte in der Hand holt sie die Post aus ihrem Briefkasten und macht sich ein zweites Frühstück. Bobby schaut ihr vom Foto aus dabei zu.

»Nichts als Werbung«, sagt sie zu ihm und wirft die Broschüre eines Hemdenschneiders, bei dem ihr Mann immer bestellt hat, in den Müll, öffnet dann den zweiten Umschlag eines Autohändlers und liest, dass dieser zum Tag der offenen Tür einlädt.

Greta schnappt sich ihr Telefon, drückt die Eins und wird mit Tom verbunden. Nach dem dritten Klingeln springt der Anrufbeantworter an. Der muss doch zu Hause sein, denkt sie und wählt erneut.

»Ja?«, meldet er sich schließlich am anderen Ende der Leitung.

»Ich wollte dir nur sagen, dass ich eine Einladung habe zum …«

»Mam, bitte, es ist mitten in der Nacht«, unterbricht sie Tom müde. »Lass uns später darüber reden.« Er liegt in voller Montur auf dem Bett und drückt Greta weg. Wenige Sekunden später klingelt es erneut.

Scheiße, denkt er, haut sich das Kopfkissen auf die Ohren, will weiterschlafen, doch jetzt hält ihn seine volle Blase davon ab. Er wälzt sich aus dem Bett, tapert mit halbgeschlossenen Augen ins Bad. Während der nicht enden wollende Strahl schäumend im Porzellanbecken verschwindet, versucht sich Tom daran zu erinnern, wann und vor allen Dingen wie er nach Hause gekommen ist. Es will ihm nicht einfallen.

Sein Mund ist trocken, ihm ist schwindelig, und sein Kopf brummt. Auf dem Weg zurück ins Schlafzimmer kickt er seine Schuhe von den Füßen, schält sich aus der Lederjacke, zieht den Telefonstecker aus der Wand und lässt sich wieder auf sein Bett fallen.

Er hört, wie sein Herz rhythmisch schlägt, und spürt, wie jeder Impuls in seinem Kopf dumpf explodiert. Mit geschlossenen

Augen richtet er sich auf, lehnt sich ans Rückenteil und hofft, dass die Kopfschmerzen weniger werden. Vergebens.

Im Badezimmerschrank kramt er nach Aspirin, denkt, die dreifache Menge kann nicht schaden, und wartet auf dem Boden sitzend auf die erleichternde Wirkung. Erinnerungsfetzen aus der letzten Nacht tauchen auf. Manes, Schlummy und er Arm in Arm wankend und grölend mitten auf dem Hohenzollernring. Seit Jahren hat er nicht mehr so eine lustige Nacht erlebt.

Im Halbschlaf sieht er vor sich, wie er sich am frühen Morgen im menschenleeren, zugigen Ehrenhof des Gerling-Quartiers auf den Brunnenrand setzte und eine letzte Zigarette rauchte. Eingehend wie noch nie betrachtete er dabei die vier auf Delfinen reitenden Putten. Kunst von Arno Breker, die nicht nur den Führer, sondern in den Fünfzigern auch den Versicherungsunternehmer Hans Gerling beeindruckt hat, weshalb er Hitlers Lieblingsbildhauer mit der Gestaltung des Brunnens beauftragte. Tom war betrunken und gleichzeitig total klar, stand auf, öffnete die Hose und gab seinen Kommentar zu dieser Nazikunst ab: Er pisste in den Brunnen.

Auf dem Badezimmerboden sitzend schmunzelt er müde und erinnert sich, wie er versucht hat, mit dem Urinstrahl die Putten zu treffen. Plötzlich reißt er die Augen auf. Der ganze Platz ist voller Überwachungskameras, schießt es ihm in den Kopf.

»Scheiße!« Mit eiskaltem Wasser versucht er, sich wachzuduschen. Was, wenn er beobachtet wurde? Was, wenn einer der Security-Leute ein Bild von ihm an die Presse durchsticht. Er erinnert sich an die Skandalwelle über Ernst-August von Hannover als »Pinkel-Prinzen« und sieht vor seinem inneren Auge, wie Helga den ›Kölner Express‹ mit der Schlagzeile *Pinkel-Moderator* in eine Klarsichtfolie steckt. Er braucht jetzt einen klaren Plan, und zwar schnell. Den ersten Gedanken, den Chef der Security zu bestechen, verwirft er sofort wieder. Stattdessen ruft er Gerd Schlummers an.

»Ich hab totalen Mist gebaut«, gesteht Tom.

»Ich kümmere mich«, sagt Schlummy und legt auf.

Hellwach und frei von Kopfschmerz heizt Tom seine Espressomaschine ein und denkt an den Grundsatz des Kölner Klüngels: »Man kennt sich, man hilft sich«, und ist froh, hier ein gewachsenes Netzwerk zu haben.

Nach dem zweiten Espresso stöpselt er das Telefon wieder ein und hört die vier Nachrichten auf dem Anrufbeantworter ab. Allesamt von seiner Mutter. Alle mit dem dringenden Wunsch, der Bitte, der Aufforderung, dem Befehl, dass er sie doch umgehend zurückrufen soll. Tom wählt ihre Nummer und lässt es lange klingeln. Dann versucht er es auf ihrem Handy. Aber auch darauf reagiert sie nicht.

»Sie fahren nicht schlecht!«, sagt Greta zu dem Taxifahrer aus Ghana, neben dem sie auf dem Beifahrersitz Platz genommen hat. »Ich hasse es, zu Fuß zu gehen!«

Am Ziel gibt sie ihm ein großzügiges Trinkgeld, lässt sich von dem jungen Mann aus dem Wagen helfen und betritt durch die sich automatisch öffnende Schiebetür das BMW-Autohaus im Porzer Gewerbegebiet.

»Ich wollte sagen, dass ich die Post bekommen habe«, sagt sie dem jungen Verkäufer mit dem geschulten Lächeln hinter dem Counter.

»Wenn Sie mir vielleicht Ihren werten Namen nennen, dann kann ich nachsehen, was …«

»Monderath«, sagt Greta und blickt sich um. Auf der Verkaufsfläche sieht sie SUVs in Schwarz und Grau, Limousinen in dunklem und noch dunklerem Blau neben Touring-Wagen in Weiß und Silber und einem Cabriolet in knalligem Rot.

Aus dem Büro hinter dem Counter streckt ein älterer, adipöser Herr neugierig den Kopf durch die Tür.

»Was für eine Freude, Sie wieder einmal zu sehen, Frau Monderath!« Filialleiter Hubert Sackmann stürmt schnappatmend auf Greta zu und greift ihre entgegengestreckte Hand zur Begrüßung mit beiden Händen. »Gerade neulich habe ich noch an Sie und Ihren lieben Gatten gedacht. Was waren das für schöne Zeiten früher! Darf ich Ihnen einen Kaffee anbieten.«

»Danke nein, aber vielleicht einen neuen Wagen«, meint Greta entschieden.

»Das ist ja schön«, sagt Sackmann. »An was für ein Modell haben sie denn gedacht?«

»An ein rotes!«, antwortet sie und marschiert zielstrebig über die Ausstellungsfläche.

Der beleibte Sackmann kommt kaum hinter ihr her, dabei kichert er wie ein alter Truthahn – er scheint nicht sicher zu sein, ob seine Kundin scherzt.

»Brauchen Sie den Wagen nur für den Stadtverkehr? Oder machen Sie auch noch längere Fahrten.«

»Ich möchte damit auch in den Urlaub fahren. Vor allen Dingen nach Heidelberg und natürlich in die Skiferien.«

»Das ist ja toll. Dass Sie in Ihrem Alter – wenn ich das so sagen darf – noch so fit sind«, sagt Sackmann kurzatmig und wischt sich den Schweiß von der Stirn. »Dass Sie noch Skifahren, ist doch der beste Beweis dafür, dass Sport einen jung hält.«

Greta bleibt vor dem roten Cabriolet stehen und streift fast zärtlich über den glänzenden Lack. »Ich will etwas Flottes haben. Nicht so eine Omakarre!«

»Wollen Sie vielleicht einmal probesitzen?«, fragt Sackmann und öffnet Greta die Tür.

Sie lässt sich auf den tiefen Ledersitz plumpsen.

»Der ist in 4,4 Sekunden von null auf hundert. Hat eine Höchstgeschwindigkeit von zweihundertfünfzig km/h.«

Greta atmet den Ledergeruch, umfasst das weich gepolsterte Lenkrad und stellt sich den Rückspiegel ein. Sackmann bückt sich, greift über sie und öffnet den Dachhimmel.

Greta fackelt nicht lange. »Den nehme ich«, sagt sie entschieden.

Der Kaufvertrag für das 6er-Coupé ist schnell unterschrieben – der Wagen soll mit allen Extras und abzüglich des Spezialrabattes für Stammkunden siebenundsiebzigtausend Euro kosten. Mit ihrer Kreditkarte macht Greta eine Anzahlung und nimmt Sackmanns Angebot, sämtliche Formalitäten bei ihrer Versicherung und dem Straßenverkehrsamt zu übernehmen, genauso gerne an wie den Vorschlag, sie nach Hause zu fahren.

Tom schließt die Tür auf und sieht als Erstes die Kartons wieder auf dem Flur stehen. Kurz hält er inne, aber dann entscheidet er sich, dass es ihm egal ist, wie es hier aussieht.

»Mam?«

Greta gibt ihm keine Antwort.

Er findet sie ihre Handtasche umklammernd schlafend auf dem Sofa liegen.

»Alles okay bei dir?«, fragt er, als sie nach wenigen Minuten die Augen aufschlägt.

»Wieso soll bei mir nicht alles okay sein?«, antwortet Greta und setzt sich auf.

»Weil du nicht zu erreichen warst, dachte ich …«

»Mein Gott, Tom, ich hatte Besorgungen zu machen.«

»Was ist denn mit deinen Haaren?«

»Wieso? Was soll schon sein?«

»Na, du siehst richtig flott aus. Steht dir gut, so kurz.«

»Ganz im Gegensatz zu dir«, antwortet Greta und mustert ihn von oben nach unten. »Du siehst unmöglich aus!«

»Ich hab ein wenig gefeiert gestern. Um es genauer zu sagen, ich bin abgestürzt.«

»Das meine ich nicht.«

»Komm, lass uns einen Kaffee kochen. Hast du noch Kekse?«

»Jetzt lenk nicht ab. Wie kann man mit so einer löchrigen Hose rumlaufen!«

»Mam, die ist modern«, sagt Tom und betrachtet seine ausgefranste Jeans.

»Zieh sie aus!«, befiehlt Greta, nimmt den Deckel der alten Singer-Nähmaschine ab und sucht in der Schublade nach hellblauem Nähgarn. »Die flicke ich dir. So kannst du unmöglich unter die Leute.«

»Mam, was meinst du, was diese Löcher gekostet haben?«

SECHS.
1948

»Ihr müsst euch ranhalten, Mädchen. Die Hosen werden in einer Stunde abgeholt. Schafft ihr das?« Emma Schönaich kippte den zweiten Weidenkorb mit gekürzten Militärhosen auf den Tisch, damit ihre beiden Töchter Fine und Greta diese von Fusseln und Fäden befreien und an den Säumen dämpfen konnten.

Emma hatte Ende des vergangenen Jahres ein Ladenlokal in der Heidelberger Altstadt zugewiesen bekommen, darin eine Änderungsschneiderei eingerichtet und nähte seither ausschließlich für die US-Armee. Greta arbeitete täglich mit, Fine sprang immer sonntags ein, falls das wöchentliche Arbeitspensum noch nicht erledigt war.

»Klar schaffen wird das. Geh nur«, sagte Greta und half ihrer Mutter in den Mantel.

Die Glocken der Heiliggeistkirche läuteten, Emma setzte ihr Kopftuch auf, nahm den Schirm aus dem Ständer und trat hinaus in den Aprilregen.

»Ich frage mich, warum sie neuerdings ständig in die Kirche rennt«, sagte Fine.

»Wegen Vati, denke ich.« Greta drückte den Stecker des Bügeleisens in die Steckdose.

»Der liebe Gott bringt ihn auch nicht zurück, aber egal«, sagte Fine und kickte die Wäschekörbe unter den Bügeltisch. »Hauptsache, sie ist weg, und wir können üben!« Sie wirbelte um ihre eigene Achse und klatschte in die Hände. »Komm, Schwesterherz, tanzen!«

»Ach, ich kann das nicht.«

Fine nahm Greta das Bügeleisen aus der Hand und zog sie auf die freie Fläche vor dem Tisch.

»Wichtig ist, dass du immer im Rhythmus bleibst. Los, zähl mit: eins, zwo, drei und vier, fünf, sechs, sieben und acht.«

Greta starrte auf die Füße ihrer älteren Schwester, die im vorgegebenen Takt auf den freien zwei Quadratmetern tänzelten.

»Jetzt du!« Fine klatschte und zählte laut mit, doch Greta verhaspelte sich bei dreiundvier.

»Du musst kleinere Schritte machen. Einen auf drei, einen auf und, den nächsten auf vier. Schau so: Rückschritt, Dreifachschritt, Schritt, Schritt, Dreifachschritt.«

»Im Leben krieg ich das nicht hin!«

»Quatsch mit Soße. Es reicht, wenn du den Rhythmus kannst. Den Rest macht sowieso der Mann. Komm!«

Fine klatschte den Takt erneut vor, und als sie wieder danebentrat, gab Greta auf und hopste wie ein übermütiges Fohlen durch den Raum. Lachend schnappte sie sich eine der Militärhosen, hielt sie mit ausgestreckten Armen vor sich, verneigte sich kokett und galoppierte mit dem imaginären Tänzer zwischen Bügeltisch und Nähmaschine hin und her. Dabei bekam sie Kokelgeruch in ihre Nase. »Scheiße!« Greta warf Fine die Hose zu, knallte das Plätteisen auf die Aufstellfläche und sah den tiefbraunen Abdruck, den die Bügelsohle in die Unterlage gebrannt hatte.

In Windeseile falteten die Schwestern das Bügeltuch so zusammen, dass die schadhafte Stelle nicht mehr zu sehen war. Greta stieg auf einen Stuhl und öffnete das Oberlicht zum Hof. Fine riss die Tür auf, damit Durchzug entstand und die frische Aprilluft den Gestank vertrieb. Wortlos arbeiteten sie weiter. Die

Ältere entfusselte im Akkord Hose für Hose, die Jüngere bügelte sie.

»Wenn du nicht tanzen kannst, dann kann ich dich auch nicht mit in den Club nehmen.«

»Wer sagt denn, dass ich da hinwill?«

»Ich! Wir sind jung. Wir müssen schließlich unsere Jugend genießen.«

Das Vaterunserläuten war das Zeichen, dass der Gottesdienst bald vorbei sein würde, deshalb legten sie einen Zahn zu und schlossen die Tür, als sie sahen, wie ihre Mutter in die Straße einbog.

Mit verheulten Augen kam Emma aus der Kirche zurück, hängte ihren Mantel an den Haken und setzte sich wortlos an ihre Nähmaschine.

»Alles klar, Mami?«, fragte Greta.

Emma nickte. »Ja, aber warum ist es denn hier drin so kalt?«

Greta und Fine vermieden es, einander anzusehen, und arbeiteten geflissentlich weiter.

Das Klackern eines Motors sorgte dafür, dass sich Gretas Puls beschleunigte. Ein Jeep hielt auf der Straße vor dem Laden. Bob stieg aus und warf Greta einen verstohlenen Blick zu. Sie lächelte kurz, dann drehte sie sich um, wrang ein Tuch aus und dämpfte eine Hose.

»Hello«, sagte Bob in seiner gewohnten Freundlichkeit, als er eintrat. »Keine gute Wädder heute.«

»Hallo«, antwortete Greta nebensächlich, ohne aufzublicken.

»Das ist typisches Aprilwetter.« Emma stand auf und reichte ihm die Hand, dann verschaffte sie sich einen Überblick. »Los, Mädchen, macht fertig. Mister Bob hat sicher nicht so viel Zeit.«

Gretas Herz schlug bis zum Hals. Sie spürte Bob neben sich. Sein warmer Duft aus Zigarettentabak und Old Spice legte sich über die Bügeldämpfe, und ein Kribbeln durchzog ihren gesamten Körper. Die beiden vermieden es, einander anzusehen, aus Angst, ein Blick könnte sie verraten. Keiner, nicht einmal Fine, durfte wissen, dass sie seit dem vergangenen Sommer miteinander gingen – Gretas Angst war groß, dass ihre Familie bei aller Sympathie für den Amerikaner gegen die Verbindung wäre.

»Komm, lass mich weitermachen«, sagte Emma nun zu ihr, schob sie zur Seite und legte das feuchte Tuch auf die Hosenkante. »Dann geht es schneller.«

Greta bückte sich nach dem ersten Waschkorb mit den fertigen Hosen. »Den können wir schon mal zum Auto bringen.«

Bob hielt ihr die Tür auf und ging hinter ihr her.

»Hello, meine Gretchendarling«, flüsterte er auf dem Weg zum Wagen.

Am Jeep übergab sie ihm den Korb, und als ihre Hand seine streifte, streichelte Bob sanft mit dem kleinen Finger ihre Handkante. Gretas Herz machte einen Hüpfer.

»Nachher?«, fragte er leise und schob den Wäschekorb in den Jeep.

»Ich versuch's«, murmelte sie, ohne ihre Lippen zu bewegen.

Die Tür wurde geöffnet, und Fine kam mit dem zweiten Waschkorb heraus. »Hast du eine Zigarette für mich, Bob?«

Gretas heimlicher Freund hielt ihr grinsend die Packung hin, winkte Emma zum Abschied und fuhr davon.

Greta stocherte im Gemüseeintopf, den Guste-Oma gekocht hatte, half das Geschirr zu spülen und verkündete, dass sie Grünzeug für die Hasen suchen würde.

»Bei dem Wetter?«, fragte Guste.

»Regnet doch kaum noch«, entgegnete Greta. »Die Häschen sollen schließlich auch merken, dass Sonntag ist.«

Im Nieselregen marschierte sie die Hirschgasse hinauf, voller Vorfreude auf Bob, der wie so oft an der Stelle wartete, an der der Philosophenweg abzweigte. Die letzten Meter rannte Greta, und dann fiel sie ihrem deutlich größeren Freund in die Arme.

»Are you allright, meine Gretchen?«, fragte Bob und wischte ihr liebevoll die Regentropfen aus dem Gesicht. Seine Augen funkelten.

»Ja, jetzt geht es mir gut!« Sie strahlte ihn an. »Ich hatte schon Angst, dass du nicht mehr in Heidelberg bist, weil immer andere mit deinem Auto unterwegs waren und die Uniformen angeliefert haben.«

»Ich hab gespielt in Officer-Clubs in Mannheim und Frankfort for the past two weeks.«

Greta war stolz darauf, dass Bob als Musiker so gefragt war. »Wirst du jetzt öfter weg sein?«

»Don't worry, Gretchen. In die nächste Future wir machen Musik nur in Heidelberg.« Er erzählte ihr begeistert von Gene Hammers, der ihn in sein Orchester geholt hatte, das im Heidelberger *Stardust-Club* auftreten sollte.

Greta hatte gehört, dass dieser Club in der früheren Heidelberger Stadthalle der größte Soldatenclub der Welt sein sollte. »Ich würde dich da so gerne einmal spielen sehen.«

»Sorry, der *Stardust-Club* is nur for US Army«, antwortete Bob und küsste sie auf die Nasenspitze. »Aber ich spielen manchmal auch in kleine Clubs.« Er nahm sie bei der Hand, und gemeinsam spazierten sie in Richtung Philosophengärtchen. Sie gingen immer dorthin, wenn sie sich hier trafen. Und stets setzten sie sich auf dieselbe Parkbank, die verborgen in einem gemauerten Rondell unter einer Buche stand. Hier waren sie ungestört, und das Blätterdach schützte auch vor Regen.

Wie gut er riecht, dachte Greta und schmiegte sich in seine Arme.

Er nahm ihre Kappe ab, streifte ihre kurzen Haare hinter die Ohren und küsste ihren Hals. »Didn't you notice anything? Hast du gesehen nichts?«

»Doch! Du hast heute keine Schokolade dabei«, ulkte sie und fing an, ihn zu kitzeln.

Er grinste und zog eine Tafel Hershey's aus seiner Innentasche. »No. It's was anderes.«

Greta riss die Packung auf, biss ab und schaute ihn kauend an. »Sag schon!«

Bob schüttelte den Kopf. »Du mussen das bei dichselber finden. Aber perhaps du solltest stehen auf, so du kannts besser es sehen.«

Greta setzte ihre Kappe wieder auf, erhob sich und sah sich suchend um.

»Der Flieder blüht schon.«

»Der WHAT?«, fragte er und zückte seinen Fotoapparat.

»Na das lila Zeugs da drüben«, sagte sie mit vollem Mund und zeigte auf den Fliederbusch.

Bob drückte ab und schüttelte den Kopf.

»Die Osterglocken blühen immer noch.«

»Die WHAT?«

»O Gott, was weißt du eigentlich?«, fragte Greta, lugte unter der Kappe hervor und grinste frech in die Kamera.

Wieder drückte Bob ab.

»Mann, jetzt sag schon!«

Bob legte den Fotoapparat beiseite, stellte sich hinter Greta und drehte sie um. Da entdeckte sie es: In die Rinde der Buche war ein Herz mit den Buchstaben *G&B* geschnitzt. Darunter stand *FOREVER*.

»Was heißt forever?«, wollte Greta wissen und leckte sich die geschmolzene Schokolade von den Fingern.

»Bis ans Ende von Zeit.«

»Du meinst Ewigkeit?«

Er nickte, nahm ihr Gesicht in beide Hände und küsste sie. Greta dachte daran, dass sie ihm in ihren Träumen immer wieder sagte, dass sie ihn liebte, aber sie brachte diese drei magischen Worte nie über die Lippen. Immer, wenn er ihr zu nahe kam, suchte sie eine Ausflucht.

»Bob, ich muss los! Nicht, dass der Regen noch stärker wird.«

»Okay. Sehen ich dich morgen?«

Greta nickte und eilte davon. Sie merkte gar nicht, dass der Regen aufgehört hatte, riss auf dem Rückweg Löwenzahn aus dem Boden, rannte den Berg hinab und dachte daran, dass die Ewigkeit vor zweihundertzweiundachtzig Tagen auf dem Bismarckturm begonnen hatte.

»Ich dachte, du kommst gar nicht mehr«, empfing sie Fine, als Greta das Gartentor öffnete.

»Hab mich untergestellt, bis der Regen aufhörte«, murmelte Greta, ohne sie anzuschauen, ging schnurstracks über die Wiese ans obere Ende des Grundstücks und verteilte das wenige Grünzeug im Hasenstall. Als sie das letzte Törchen schloss, hatte der Rammler in der ersten Box seine Portion schon weggemümmelt.

»Kannst du mir die Naht aufmalen?«, fragte Fine, die plötzlich hinter ihr stand.

»Klar«, sagte Greta und zog ihrer Schwester mit einem Augenbrauenstift eine kerzengerade Strumpfnaht auf's Bein.

»Ist dir das nicht zu kalt ohne Strümpfe?«

»Wer schön sein will, muss leiden. Wenn schon keine Nylons, dann soll es wenigstens so aussehen.« Fine zündete sich eine Zigarette an und zog energisch den Rauch ein.

»Halt still, verdammt. Wenn du wackelst, wird der Strich krumm.« Greta spuckte auf ihren Zeigefinger und rubbelte damit die schiefe Naht weg.

Fine stand stocksteif da und versuchte, ihre Schwester zu überzeugen, mit ihr in einen GI-Club zu gehen, der sonntagnachmittags offen war.

»Ich bin erst siebzehn. Die lassen mich nicht rein.«

»Ach, papperlapapp. Ich kenne die Boys an der Tür, das ist kein Problem.«

Eine Viertelstunde später liefen die beiden Schwestern in ihren roten Sonntagskleidern ausgelassen Hand in Hand die Hirschgasse hinunter und übten auf dem Weg über den Neckar die Tanzschritte.

»Eins, zwo, drei und vier. Fünf, sechs, sieben und acht«, schrie Fine gegen das Wasserrauschen an und legte den Arm um Gretas Hüfte. »Rückschritt, Dreifachschritt, Schritt, Schritt, Dreifachschritt.«

Greta stolperte und kam aus dem Rhythmus.

»Oh, Mädchen. Du lernst das nie.«

An der Neckarmünzgasse brachte Fine, die eine Schönheit mit langem blonden Haar, blauen Augen und toller Figur war, ihre minderjährige Schwester mit einem koketten Augenzwinkern an den Türstehern vorbei in den rauchigen Club.

Es war brechend voll. Überall standen GIs in Ausgehuniformen, denen der Appell der Army, *Stay away from Gretchen* – sich von deutschen Frauen fernzuhalten, weil diese sie mit Syphilis anstecken könnten –, völlig egal war. Sie waren jung und wollten nach Jahren im Krieg leben und Spaß haben. Genau wie die Frolleins in ihren besten Kleidern. Alle rauchten, tranken Bier oder Whiskey, lachten und redeten wild durcheinander. Eine Kapelle spielte Benny Goodmans ›Sing, Sing, Sing‹, und Fine zog Greta zielstrebig durch die Menschenmenge an die Bar, wo ihr amerikanischer Freund mit einem Kumpel auf sie wartete und sie zur Begrüßung leidenschaftlich küsste.

»Das ist Greta, my sister.«

Sie erntete anerkennende Blicke.

»Greta, das ist Jake«, stellte Fine ihren Freund, einen blassen Rothaarigen, vor.

»Hi, ich bin Harry«, sagte dessen pickeliger blonder Begleiter und legte direkt den Arm um Gretas Schultern. »Was tust du trinken?«

Sie bückte sich weg und huschte hinter ihre ältere Schwester.

»Apfelsaft«, antwortete Fine und drückte ermunternd ihre Hand. »Oder noch besser Coca-Cola, nicht wahr, Greta?«

Die wollte weder das eine noch das andere, sondern einfach nur hier raus, weil sie nicht ertragen konnte, wie unverblümt dieser Harry sie anschaute. Was hätte sie darum gegeben, wenn ihre Pluderhose die Beine verdeckt und ihre weite Jacke die Arme und vor allen Dingen ihre Brust verborgen hätte. Harry reichte ihr ein Glas mit brauner Brause. Greta roch vorsichtig daran, nippte und musste feststellen, dass das Zeug besser schmeckte, als es aussah.

Die Kapelle spielte Boogie-Woogie. Fine riss die Arme in die Höhe und kreischte begeistert: »Kommt! Wir tanzen.«

Greta schüttelte den Kopf und hielt sich krampfhaft an ihrem Cola-Glas fest, doch ihre Schwester stürmte mit Jake auf die Tanzfläche.

»Du hast schönes drress«, sagte Harry, sobald sie alleine waren.

Greta sah an dem Kleid hinab, das unter dem Führer als Fahne im Wind geflattert hatte. Ihr fiel nichts ein, was sie dazu sagen könnte, deshalb nahm sie einen Schluck.

»Heidelberrg is ein neis city«, versuchte er es weiter, dann leerte er sein Glas Bier, bestellte noch eines und wischte sich mit dem Handrücken den Schaum von der Oberlippe.

Greta musterte ihn und dachte über Fluchtwege nach, falls er ihr wieder zu nahe kommen würde.

»Das Schloss is so wunderrscheen und …«

Greta nickte automatisch, hörte nicht zu und sah nur die rissigen Lippen und den weißen Schleim, der sich in seinen Mundwinkeln sammelte.

»Meine Grrroßpapa warr gekommen von Deutschland.« Harry gab nicht auf.

Meiner auch, Idiot, dachte sie und hielt Ausschau nach Fine. Die wirbelte über die Tanzfläche, drehte sich so wild in den Armen ihres Jake, dass ihr Rock hochflog und den Blick auf die ins Leere laufende künstliche Strumpfnaht freigab.

Die Kapelle stimmte das langsame ›Smoke Gets in Your Eyes‹ an.

»Komm, sei kein Spielverderber«, rief Fine außer Atem und zog Greta an der einen und Harry an der anderen Hand auf die Tanzfläche.

Der GI nahm Tanzhaltung ein, legte den Arm um sie und bewegte sich mit ihr auf der Stelle wie ein tapsiger Bär. Seine Hand wanderte von der Taille auf ihren Hintern. Der Bandleader legte die Klarinette zur Seite, sang »All Who Love are Blind«, und Harry presste Greta an sich. Sie spürte etwas Hartes an ihrem Unterleib, drückte die Arme durch, um Abstand zwischen sich und den ungelenken Tanzpartner zu bringen. Doch der hatte sie fest im Griff und schob sie vor sich her quer über die Tanzfläche.

Die ein Meter sechzig große Greta sah Fine nicht mehr, nur den pickeligen Hals und breite Männerrücken. Als sie hinter sich die Wand und vor sich Harrys verhärtete Mitte spürte, die er im Rhythmus der Musik an ihr rieb, und er dann auch noch versuchte, sie zu küssen, hielt sie es nicht mehr aus und biss ihm mit aller Kraft in die Zunge. Harry schrie auf, ließ von ihr ab und berührte die schmerzende Stelle.

In dem Moment sah Greta über seiner Schulter einen Musiker am Bühnenrand, der die Trompete ansetzte, die Augen schloss und die Backen aufblies. Es war Bob.

Mach deine Augen auf, dachte Greta, doch Bob hielt sie geschlossen und spielte inbrünstig das Solo zu »All We Love are Blind«. Greta bündelte ihre Gedanken, hörte nichts als Bobs Trompete, drängte Harry zur Seite und schob sich mit aller Kraft an schwitzenden Körpern vorbei zur Bühne.

Wenn du mich liebst, dann schaust du mich jetzt an! LOS SCHAU HER!

Bob neigte seinen Kopf in ihre Richtung und öffnete die Augen. Dann trafen sich ihre Blicke. Für eine kurze Ewigkeit.

Von hinten legten sich Hände auf Gretas Schultern und drehten sie um.

»Hey, was is los, girl?«, fragte Harry und betatschte sie.

Das Trompetensolo verstummte.

»Lass mich!«, schrie Greta ihn an und schüttelte ihn ab. Im nächsten Moment stand schon Bob neben ihr und nahm sie schützend in den Arm.

»Keep your hands off my girl, nigger«, brüllte Harry und versetzte Bob einen Faustschlag in die Magengrube.

Bob schien den Schlag erwartet zu haben, denn er duckte sich blitzschnell weg.

Greta verstand nur »my girl« und »nigger«.

»Ich bin nicht dein Mädchen, Idiot!« Sie spuckte Harry in sein vor Anstrengung gerötetes Gesicht.

Aus dem Augenwinkel sah sie, wie sich zwei GIs von hinten auf Bob warfen und ihn festhielten, damit Harry auf ihn einschlagen konnte.

»Nein!« Greta ballte die Fäuste und trommelte Harry auf den Kopf. Sie achtete nicht auf Fine, die versuchte, sie wegzuziehen, und konnte nicht mehr erkennen, wem welche Faust gehörte, denn innerhalb von Sekunden warfen sich alle weißen GIs auf Bob, brachten ihn zu Boden, schlugen und traten auf ihn ein.

»Hört auf, Idioten!«, schrie Greta, stürzte sich dazwischen und hielt sich an Bobs Uniformjacke fest. Sie versetzte den Angreifern Tritte und stieß wütende Schreie aus.

Eine Hand packte sie am Kragen. Sie flog mehrere Meter nach hinten, schleuderte gegen die Wand, schlug mit dem Kopf auf, sah Sternchen, hörte das Klirren von Gläsern und dann nur noch das Pochen ihres Herzens.

»Greta!«, rief Fine verzweifelt und tätschelte ihre Wangen. »Alles in Ordnung mit dir?«

Langsam kam Greta wieder zu sich. Das Erste, was sie sah, waren lange Schlagstöcke und Bob, der blutend von Militärpolizisten über den Boden nach draußen geschleift wurde.

»Nein!« Sie rappelte sich auf, um den MPs zu folgen.

»Du bleibst hier«, befahl Fine.

»Du hast mir nichts zu sagen!«, schrie Greta sie an, rannte nach draußen und sah nur noch, wie der Polizeijeep davonfuhr. Ihre Hand umklammerte einen Knopf von Bobs Uniformjacke.

Am nächsten Tag wartete Greta vergeblich am Philosophenweg auf Bob. Und tags drauf lieferte ein fremder GI in der Änderungsschneiderei Uniformjacken an.

»Wo steckt eigentlich Mister Bob?«, wollte Emma von ihm wissen.

»Ick weiße nicht«, sagte der Fremde und brauste davon.

Greta bekam das Bild des schlaffen, blutenden Körpers, der aus dem Club gezogen wurde, nicht aus dem Kopf und machte sich größte Sorgen. Sie suchte Bob überall. An der Kaserne bei Rohrbach, in der alle amerikanischen GIs untergebracht waren, fragte sie die Wachsoldaten nach ihm. Sie erkundigte sich an der Pforte der Universitätsklinik, lungerte öfter als sonst in der

Hirschgasse bei Tante Elis herum und sprach alle Fahrer an, die dort Dienst taten. Aber keiner konnte ihr Auskunft über Robert Cooper geben. Er war wie vom Erdboden verschluckt. Sie dachte an nichts anderes als an ihn, schlief mit Gedanken an ihn ein und wachte damit auf.

»Mein Gott. Krieg dich wieder ein«, sagte Fine am nächsten Sonntag, als sie mit Greta allein in der Nähstube war. »Dem wird schon nichts passiert sein.«

»Du hast ja gesehen, was deine Arschloch-Freunde mit ihm gemacht haben.«

»Na ja. Wenn der sich in ihre Angelegenheiten einmischt, selber schuld.«

»Du bist das Dümmste, was in ganz Heidelberg herumrennt«, zischte Greta und drehte ihr den Rücken zu.

»Sag mal, bist du verliebt in diesen Nigger?«

Vor dem Ladenfenster schob eine Frau einen Kinderwagen vorbei.

»Pass bloß auf, dass du kein Negerbaby bekommst. Hast du gehört?«

»Ich weiß nicht, wovon du redest.« Greta traktierte die Nähmaschine und ratterte eine Hosennaht fest. Dabei übersah sie, dass sie den Stoff dreilagig zusammennähte.

»Für wie dumm hältst du mich? Ich weiß doch genau, was zwischen dir und Bob los ist.«

Greta schwieg und überlegte fieberhaft, was Fine wissen könnte. Nebenbei trennte sie die Naht wieder auf.

»Hat er dir schon erzählt, dass er dich liebt?«, fragte Fine und dämpfte eine Hose.

Greta presste die Lippen zusammen, schwieg eisern und knibbelte die Fäden ab.

»Es gibt keine Liebe, Greta! Das erzählen dir die Männer, um dich ins Bett zu bekommen. Und dann …«

»Was und dann?«

»Dann lassen sie dich fallen wie eine heiße Kartoffel, und du hast ein Kind am Hals.«

Greta steckte die vermaledeite Naht erneut mit Stecknadeln ab. »Ich glaube, ich kann gar keine Kinder bekommen«, sagte sie und sah in der Spiegelung der Fensterscheibe, wie Fine sie anstarrte.

»Wieso?«

»Na ja«, druckste sie herum. »Sonst wäre es ja schon längst passiert.« Greta zog ihre Nase hoch und wischte sich mit dem Handrücken eine Träne aus dem Auge.

Fine knallte das Bügeleisen auf die Abstellfläche. »Wie? Hat er es getan?« Sie packte Greta an den Schultern, drehte sie zu sich um und hob ihr Kinn an, um ihr in die Augen schauen zu können. »Los antworte mir. Hat er es getan?«

Greta nickte.

»Dieses Arschloch!«, entfuhr es Fine. »Tut so scheinheilig, und dann vergeht er sich an meiner kleinen Schwester. Wenn ich den erwische.«

»Niemand hat sich an mir vergangen, dumme Kuh!«

»Wie nennt man es denn dann, wenn so ein Lustmolch sein Ding in dich reinsteckt?«

»Was redest du für einen Dreck?« Greta warf die Hose zur Seite, sprang auf, zog Fine an den Haaren und nahm sie in den Schwitzkasten.

Fine wehrte sich, doch Greta zwang sie zu Boden, setzte sich auf ihren Bauch, drückte mit den Knien die Ellbogen nieder und hielt sie an den Handgelenken fest.

»War es denn wenigstens schön?«, fragte Fine mit teuflischem Grinsen.

»Das geht dich nichts an!« Greta erhöhte den Druck auf ihre Arme.

»Die Neger haben … hat er wirklich so einen großen Schwanz?«

»WAS?«

»Na ja. Sein Geschlechtsteil. Ist das wirklich so riesig?«

»Woher soll ich das denn wissen?« Greta lockerte den Griff und schaute ihre große Schwester entgeistert an.

»Aber du musst das doch gespürt haben, als er in dir drin war.«

Greta ließ Fine los und sprang auf. »Wo drin?«

»Na in deiner …« Sie zeigte auf Greta's Unterleib. »Deiner Höhle.«

»Du bist eklig. NEIN! Wovon redest du überhaupt?«

»Na ja, ich rede davon, dass man schwanger werden kann, wenn ein Mann sein Ding in die Schnecke steckt und …«

Greta ließ Fine los.

»Aber … was ist mit Küssen?«, stammelte sie.

»Wie, was soll mit Küssen sein?«, fragte Fine langsam. »Denkst du, man wird vom Küssen schwanger?«

»Etwa nicht?«

»Davon ganz sicher nicht!« Fine hatte Mühe, ein Grinsen zu unterdrücken. »Aber trotzdem, lass die Finger von diesem Nigger.«

»Halt deine Klappe, dumme Kuh!«

»Such dir einen anderen Freund.«

Greta setzte sich wieder an die Nähmaschine. Eine Stecknadel bohrte sich in ihre Hand, aber sie zeigte den Schmerz nicht. »Du bist für mich gestorben.«

Von diesem Tag an ließ Greta ihre Schwester links liegen, redete nur das Nötigste mit ihr, denn ohne es auszusprechen, machte sie diese für Bobs Verschwinden verantwortlich. Wenn Fine von der Arbeit kam, wartete Greta nicht mehr wie sonst unten am

Neckar auf sie, und sobald sie ihre Schritte hörte, verzog sie sich auf das Matratzenlager unter dem Tisch und stellte sich schlafend.

Nach ein paar Tagen fiel allen in der Familie auf, dass mit Greta etwas nicht stimmte. »Was ist denn los?«, fragte Emma mehrfach, und Greta antwortete immer: »Nichts!«

»Lass mal sehen, ob du Fieber hast, Mädele«, sagte Guste-Oma besorgt und fühlte Gretas Stirn.

»Du musst was essen, miene kleene Leeve«, forderte Opa sie auf. »Du kannst nicht noch magerer werden.«

Alle machten sich Sorgen um die Jüngste, die nicht nur ihren Appetit, die Sprache, sondern auch ihren Tatendrang verloren hatte. Nur eine fragte nichts mehr: Fine.

»Was für ein großes Glück wir haben«, rief Guste-Oma Mitte Mai, hielt ein amtliches Schreiben hoch und stürmte damit in die Nähstube. »Wir haben eine Wohnung!«

»Das gibt es nicht! Wie hast du das nur geschafft?« Emma sprang auf und umarmte ihre Stiefmutter laut jubelnd und las den Zuweisungsschein für eine Zweizimmerwohnung in der Plöck 20. »Das ist ja um die Ecke von hier. Gretchen, hast du das gehört?«

»Schön«, sagte Greta leidenschaftslos und markierte mit Schneiderkreide Linien auf den Stoff. Sie konnte sich nicht darüber freuen, dass ihrer Großmutter das Unmögliche gelungen war: in dieser Stadt, die vor lauter Flüchtlingen aus allen Fugen platzte, Wohnraum zu organisieren.

»Wieder ein Schritt in Richtung normales Leben«, sagte Opa, als sie ihre Habseligkeiten in der Altstadtwohnung auspackten.

Endlich ein festes Dach über dem Kopf zu haben, das Wasser nicht mehr im Brunnen schöpfen zu müssen, eine separate Küche und ganze fünfundvierzig Quadratmeter bewohnen zu können, das war der reinste Luxus.

Opa Ludwig nahm sich einen Stuhl, trug ihn ans Fenster des größeren Raumes, setzte sich und schaute vom ersten Stock auf die enge Straße, auf der es von Menschen nur so wimmelte.

»Das wird mein Stammplatz«, erklärte er.

Wegen seiner Gehbehinderung hatte Opa Ludwig die meiste Zeit oben in der Hütte am Berg bleiben müssen, nun reckte er glücklich den Kopf, damit ihm nichts entging.

Greta stand mit verschränkten Armen neben ihm. Als ein Militärjeep in die Straße einbog, erschrak sie. Dann sah sie die weißen Hände des Fahrers.

»Sieh zu, dass du auf dem Schwarzmarkt einen Rundfunkempfänger findest, jetzt, wo wir Stromanschluss haben«, sagte Opa.

Gretas Hals war wie zugeschnürt, sie konnte ihm nicht antworten und drehte sich weg.

»Greta?«

»Ja, mach ich«, murmelte sie an der Tür. Dann lief sie hinunter in den Hinterhof und schloss sich im Klo ein, das alle fünfzehn Bewohner des Hauses benutzten, und ließ ihren Tränen freien Lauf. Seit über vier Wochen hatte sie nichts mehr von Bob gehört, und langsam schwand ihre Hoffnung, ihn jemals wiederzusehen.

Es kursierten Gerüchte, dass die Reichsmark bald nichts mehr wert sein würde, und so versuchten alle, möglichst viel zu kaufen. Die Geschäfte horteten, weil sie hofften, bald solideres Geld für ihre Waren zu bekommen, und auf dem Schwarzmarkt explodierten die Preise. Doch Greta hatte Glück, dass sich niemand für einen alten Volksempfänger interessierte. So konnte Ludwig Sabronski in der karg möblierten Stube nicht nur das

Treiben auf der Heidelberger Altstadtstraße beobachten, sondern auch die tagesaktuellen Meldungen im Rundfunkprogramm der Amerikaner verfolgen.

Am Freitag, den 18. Juni, wurde abends verkündet, dass die West-Alliierten eine Währungsreform für den kommenden Sonntag vorbereitet hätten, damit die Deutschen die Chance bekämen, wieder mit harter Arbeit zu Wohlstand zu gelangen.

Am Tag danach hatten alle Geschäfte geschlossen. An den Türen hingen Schilder wie *Erkrankung*, *Umbau* oder *ausverkauft*.

In aller Herrgottsfrühe begleitete Greta am Sonntagmorgen ihren Großvater zur Kartenstelle des Ernährungsamtes, vor dem sich bereits eine mehrere hundert Meter lange Schlange gebildet hatte. Im Auftrag der Landeszentralbanken wurde hier jedem Haushaltsvorstand gegen die Vorlage von sechzig Reichsmark ein Kopfgeld für jedes erwachsene Haushaltsmitglied in Höhe von vierzig Deutsche Mark ausgezahlt. Die neue Währung sollte ab Montag das einzig gültige Zahlungsmittel sein.

Fine war außer sich vor Zorn, weil ihr drei Monate vor ihrem einundzwanzigsten Geburtstag keine müde Mark zustand. Und so freute sie sich als Einzige nicht an den blaugefärbten Scheinen, die Opa auf dem Küchentisch ausgebreitet hatte, damit die gesamte Familie das neue Geld begutachten konnte: drei Zwanzigmark-, sechs Fünfmark-, neun Zweimark-, sechs Einmark- und zwölf Einhalbmarkscheine.

Vom Fenster der Wohnstube aus sah Greta, wie immer mehr Menschen durch die Straße strömten und aufgeregt durcheinanderredeten. Vor lauter Neugierde hielt sie es in der Wohnung nicht aus, weil auch sie wissen wollte, womit sich die Schaufenster der geschlossenen Geschäfte füllten. Sie drückte ihre Nase an einem Gemüseladen platt, der Salate, Spargel und Blumenkohl in Körben ausstellte. In den Auslagen eines Spirituosengeschäftes entdeckte sie Schnaps, Moselwein und Eierlikör. Im Fenster einer Drogerie standen Flaschen mit 4711 Echt Kölnisch Wasser, Gesichtscreme und Haarshampoo. Ein Einrichtungshaus stellte Couchtische, Vorhänge und Goldrandtassen aus. In einem Spielwarengeschäft waren eine Märklin-Eisenbahn, Puppenwagen und ein Teddybär ausgestellt. In der Auslage der Konditorei am Karlsplatz lagen Buttercremetorten, Kurfürstenkugeln und Pralinen. Auf einmal gab es alles!

»Du bekommst eine halbe Deutsche Mark«, sagte Opa, als Greta von ihrer Erkundungstour zurückkam und allen erzählte, was sie gesehen hatte. »Davon darfst du dir morgen kaufen, was du willst.«

Mit dem Geldschein in der einen und Bobs Uniformknopf in der anderen Hand stellte Greta sich schlafend, als Fine sich neben sie auf das Matratzenlager am Boden in der hinteren Stube legte. Sie wusste genau, welchen Traum sie sich mit dem neuen Geld erfüllen würde.

Zielstrebig marschierte sie am nächsten Morgen Richtung Bismarckplatz. Sämtliche Geschäfte hatten geöffnet, überall standen Kauflustige in Schlangen oder wuselten aufgeregt durcheinander, sodass die Trambahn auf der Hauptstraße nur mit Dauerklingeln im Schritttempo vorwärtskam. Alle Menschen wollten das Gleiche: sich endlich etwas gönnen.

»Ich hätte gerne einen Herrenduft«, sagte Greta in der Drogerie, als sie nach über einer Stunde an der Reihe war.

»Welche Marke hätte das Fräulein denn gerne?«, fragte der Drogist im weißen Kittel.

»Ich weiß nicht, wie es heißt, aber …«, stotterte sie.

»Wie wäre es mit diesem Produkt, das ist unsere Eigenmarke. Ein antiseptisches Rasurtonikum mit Wacholder und Zitrone.« Der Drogist benetzte sein Handgelenk und hielt es Greta unter die Nase.

Sie schüttelte den Kopf und hörte, wie sich die Kunden hinter ihr ungeduldig räusperten. Wie sollte sie dem Verkäufer beschreiben, wonach sie suchte? Sie konnte ihm nicht sagen, dass es der Geruch von Sehnsucht und Liebe war. Der Duft von Bob.

»Pitralon, vielleicht? Das wird gerne genommen.«

»Ich weiß den Namen leider nicht. Aber wenn ich es rieche, dann …«

Der Verkäufer holte eine braune Flasche aus dem Regal, schraubte sie auf und ließ sie daran schnuppern. Das Gemisch aus Isopropanol, Borsäure und Kampfer traf Greta bis ins Mark. Sie fing an zu zittern und war nicht mehr in der Lage, auf die Nachfrage des Verkäufers zu antworten. Dies war nicht der Duft, den sie suchte. Es war der Geruch ihres Vaters.

Wie benommen stolperte sie aus dem Geschäft in das aufgeregte Treiben, in dem das Leben weiterging, als wäre nichts passiert. Greta konnte die Familien, die Hand in Hand oder untergehakt gingen, nicht ertragen. Das Lachen von Pärchen tat ihr körperlich weh.

Sie floh über die wiederaufgebaute Alte Brücke, war froh, dass sie unten auf den Neckarwiesen alleine war. Mechanisch pflückte sie Löwenzahn für die Hasen, die sie weiter im Garten an der oberen Hirschgasse hielten. Kurz vor der Staustufe warf sie das Grün in den Neckar, weil es ihr gleichgültig war, ob die Nager etwas zu fressen hatten oder nicht. Alles war ihr egal. Sie setzte sich auf das Mäuerchen, schaute den Blättern hinterher, die von der Bugwelle eines Kohleschiffes erfasst in die Tiefe gesogen wurden und nicht mehr auftauchten. Greta schloss die Augen und spürte die Wärme auf ihrer Haut, bewegte ihren Kopf Richtung Sonne und sah feuriges, leuchtendes Rot. Alles war still. Mit einem Mal hatte sie den Sehnsuchtsgeruch in der Nase.

»Gretchen!«

Sie hörte die vertraute Stimme, nach der sie sich seit vierundsechzig Tagen sehnte, und drückte die Augen fester zusammen, damit dieser Tagtraum nicht endete.

»Gretchendarling, ich habe dir gesucht everywhere!«

»Ich dich auch«, flüsterte sie kaum hörbar.

Ein Schatten schob sich vor die Sonne, und Greta spürte eine Hand auf ihrer Schulter. Sie riss die Augen auf. Im Gegenlicht stand Bob vor ihr. Leibhaftig.

»Hey«, sagte er.

Sie sprang von dem Mäuerchen, fiel ihm in die Arme und weinte. Bob küsste ihre Tränen weg.

»Wo warst du?«, schluchzte Greta. »Ich dachte schon, du bist tot.«

»Nein«, lachte er. »Ich bin wie Kraut!«

»Was?«

»Ich nicht gehen k. o. wie Kraut.«

»Du meinst: Unkraut vergeht nicht, Quatschkopf!«, sagte sie und zog die Nase hoch.

Die beiden stiegen die Treppe zum Uferweg hinab und schlenderten flussaufwärts.

»Ich habe viel Male gesucht oben an kleines Haus. Niemand war da. Not even Opa!«

»Wir wohnen jetzt in der Stadt. Eine richtige Wohnung.«

Bob wollte jedes Detail wissen. Aber Greta hatte keine Lust, ihm zu erzählen, dass sie die Hasen nicht mitgenommen hatten und den Garten selbstverständlich behielten. Sie quälte nur die eine Frage: »Wo warst du, Bob?«

»Ick bin back, das ist, what matters.«

Als keine Häuser mehr zu sehen waren, setzten sie sich auf der Wiese ans Ufer.

»Ich muss das wissen. Bitte!«

Er schaute auf den Neckar, in dem sich das Wasser kräuselte und die Spiegelung der Sonne brach.

»Gefängnis«, sagte er, ohne sie anzusehen.

»Im Gefängnis? Warum? Weil du mir geholfen hast?« Greta schaute ihn entgeistert an.

»Nein, weil ich bin black.«

»Es ist mir egal, ob du schwarz oder weiß oder grün bist. Ich mag dich, weil du du bist.« Greta berührte zärtlich die frische Narbe an seiner Schläfe.

Er sagte nichts und schaute sie lange an. Sein Blick war ernst. Traurig.

»Und du. Hast du mich denn nicht gerne?«, fragte Greta.

»It's not that. Vielleicht wir müssen sein reasonable.«

»Was?«

»Wir müssen denken mit Kopf, nicht mit Herz.«

»Was meinst du damit?«

»There is no future for us.«

»Keine Zukunft? Willst du mich denn nicht mehr?« Ihre Stimme überschlug sich, sie begann zu weinen.

»More than anything in the world, Gretchendarling. Mehr denn alles.«

»Also, warum sollen wir dann nicht zusammen sein? Wenn ich erst einmal volljährig bin …«

»In my America es ist forbidden, zu haben ein weiße Frau«, unterbrach er sie.

»Aber in meinem Deutschland nicht! Wo ein Wille ist, ist auch ein Weg.«

»Wo what?«

Sie verkniff sich, ein Spielchen aus diesem Spruch zu machen, weil sie Bob ansah, wie tieftraurig er war.

Wolkenschlieren schoben sich vor die Sonne. Die Wasseroberfläche wurde stumpf, und der Neckar floss wie Blei an ihnen vorbei.

Lange schwiegen sie, und Greta dachte, dass Bob sie zum

glücklichsten und unglücklichsten Menschen zugleich machte.

»Was ist, wenn das alle Liebe ist, die wir jemals bekommen?«, fragte sie in die Stille hinein. »Stell dir vor, du gehst jetzt und denkst dein ganzes Leben, dass du einen Fehler gemacht hast.«

Bob schaute sie lange an.

»Du bist quiet alt für deine age«, sagte er dann leise.

»Vielleicht«, antwortete sie. »Du aber auch.«

»Du wirst erwachsen schneller im Krieg.« Bob schlang seine Arme fest um Greta. »I love you«, flüsterte er in ihr blondes Haar.

»Und ich liebe dich!« Das hatte sie ihm noch nie gesagt, aber es fühlte sich richtig an.

Sie hielten einander fest, aus Angst, sie könnten sich wieder verlieren.

SIEBEN.
Februar und März 2016

Der tiefliegende, holländische Tanker *Carpe Diem* kämpft sich tuckernd gegen die Strömung flussaufwärts und ist langsamer als Greta und Tom, die an diesem Sonntagnachmittag einen kleinen Spaziergang am Porzer Rheinufer machen.

»Mir ist kalt. Lass uns umkehren.« Gretas Atem kondensiert, und sie zieht sich ihre rosa Kappe tiefer ins Gesicht.

»Klar«, sagt Tom, der sie zu dieser kleinen Runde überreden musste. »Aber du hast mir immer noch nicht geantwortet.«

»Worauf?«

»Ach, Mam.« Es nervt ihn, dass Greta die Ohren auf Durchzug stellt, wenn ihr etwas unangenehm ist. »Was willst du an deinem fünfundachtzigsten Geburtstag machen? Wir müssen uns das überlegen, schließlich ist der 7. März schon in fünf Wochen, und wenn du feiern willst, dann brauchen wir eine geeignete Location.«

»Da gibt es nichts zu feiern. Auf keinen Fall«, sagt sie entschieden und marschiert stramm über den Hochwasserdamm.

Tom weiß, dass halb Porz erscheinen wird, schließlich war sein Vater in jedem Verein, und üblicherweise gratuliert an einem runden Geburtstag sogar der Bürgermeister. Wenn er das nicht einigermaßen vorbereitet, gibt es das totale Chaos.

»Ich will lieber verreisen«, sagt Greta, als sie die Wohnungstür aufschließt.

»Und wohin?«

»Nach Heidelberg.«

Keine schlechte Idee, denkt Tom. Denn wenn er ehrlich ist, ist auch ihm die Bewirtung von Menschen, die sich nur zu einem solchen Ehrentag einfinden, eher lästig.

Er wärmt seine kalten Hände an der Kaffeetasse und betrachtet das Bild, das über der Kücheneckbank hängt, seitdem er denken kann: das Heidelberger Schloss, darunter der Neckar, der silbern im Schein des Vollmonds glänzt. Eine gerahmte Schwarz-Weiß-Postkarte im Passepartout. Das kann ich ihr als Geschenk vergrößern lassen, denkt er, nimmt es in einem unbeobachteten Moment von der Wand und steckt es in seine Tasche.

Auf der Rückfahrt in die Stadt wählt er Helgas Nummer.

»Was machst du vom 6. bis 8. März?«

»Keine Ahnung«, sagt sie.

»Nimm dir nichts vor.«

Noch am gleichen Tag bucht er eine geräumige Suite mit drei Schlafzimmern in einem Heidelberger Luxushotel mit Blick aufs Schloss.

»Können Sie das vergrößern?«, fragt Tom einige Tage später in der besten Reproanstalt der Stadt und legt das Heidelbergbild auf den Tresen.

»Sicher«, sagt die Inhaberin Frau Schmitz und löst die geklebten Papierstreifen auf der Rückseite. »Soll ich den Siegelstempel der Rahmenwerkstatt erhalten?«

Tom ist überfragt. Behutsam schneidet die Reprotechnikerin um den Stempel herum, hebt die Hinterseite an und holt das Bild samt Passepartout aus dem Rahmen. Dabei fällt ein verblichener Briefumschlag heraus. Adressiert an: *Miss Greta Schönaich, Plöck 20, Heidelberg WEST 6900.*

Mit offenem Mund nimmt Tom den Brief in die Hand und nickt stumm, als Frau Schmitz sagt, dass sie einen Druckvorlagenhersteller holen wird, um weitere Details zu besprechen.

Vorsichtig öffnet er das brüchige Kuvert und liest:

Heidelberg, 12–31–1947
Mein kleine, susse, liebe Gretchendarling,
ich kann mir nicht vorstellen zu sein ohne Dich.
Jede Minute mit dir war besser als alles in mein Leben davor.
Jeder Umweg war notig, weil er mich gefuhrt hat zu dich. Bei dir bin ich angekommen. Du bist alles für mich.
Meine Heimat ist in dein Herz!
Du bist mein Glück, mein Leben, mein Alles.
I love you.
Bobby (Gluckspilz)

Tom wickelt den Auftrag automatisch ab und lässt sich die letzte Bestellung zeigen: das vergrößerte Foto seiner Mutter als Mädchen, das burschikos unter einer Kappe hervorlugt.

»Sehr schön«, sagt er und hat den Gedanken, dass jener Bobby vielleicht dieses Bild geschossen hat. Dass er es war, den sie so unbeschwert angrinste.

An der Tür macht er kehrt.

»Sagen Sie, Frau Schmitz. Dieser Siegelstempel? Ist der datiert?«

»Ja.« Sie zieht das Papier aus der Auftragskladde. »Das Siegel ist vom 23. Mai 1957.«

Tom vergisst, dass er noch einen Termin bei seinem Schneider hat, und geht auch an dem Lampengeschäft vorbei, in dem er sich einen stylischen Leuchter für sein Ankleidezimmer anschauen wollte. Im Kopf überschlagen sich die Gedanken: 1957, das war ein Jahr nach der Hochzeit seiner Eltern, zehn Jahre, nachdem dieser Liebesbrief geschrieben wurde. Das Heidelbergbild hing immer hinter Gretas Stammplatz an der Wand. Dieser Bobby saß also in gewisser Weise immer mit am Esstisch der Familie.

»Mam, kann ich dich mal was Persönliches fragen?«, sagt Tom am nächsten Samstagnachmittag, als er mit einem Kuchenkarton bewaffnet in Porz aufschlägt. Die ganze Woche hat er hin- und herüberlegt, ob er seine Mutter mit dem Brief konfrontieren soll. Am Ende siegte die Neugierde.

»Du kannst mich alles fragen«, meint Greta und klatscht sich einen extragroßen Klecks Sahne auf den Pfirsichkuchen.

»Dieser Bobby. Hast du den geliebt?«

Greta lässt den Löffel in die Schüssel fallen, hebt langsam den Kopf und schaut Tom an. Er erkennt in ihren Augen ein Blitzen, sieht in ihrem alten Gesicht die unbeschwerte Jugendlichkeit.

»Ja«, sagt sie.

»Erzähl mir doch mal von ihm. Wo kommt er her?«

»Na, aus Amerika.«

»Weißt du, aus welcher Stadt?«

»Klar weiß ich das! Aus New Orleans.«

»Da war ich beruflich auch schon einmal. Es ist schön dort. Die haben tolle Musik.«

Greta öffnet ihre Handtasche, die sie immer bei sich trägt, und zieht das Foto von Bob heraus. »Bobby spielt auch Trompete.«

»Ist er gut?«

»Und wie!« Sie spricht mit einer mädchenhaften Stimme und schaut ihren Geliebten auf dem Foto verträumt an.

Es berührt Tom zu sehen, wie glücklich sie aussieht. Ob sie sich gerade in das Land der Vergangenheit träumt, in dem sie jung war und verliebt? Spürt sie diesen jungen Mann aus Übersee, der in ihrem Herzen seine Heimat fand?

Gretas Atem wird unruhig, sie verstaut das Bild wieder in ihrer Tasche und stopft sich ein Stück Pfirsichkuchen in den Mund.

»Weißt du, was aus ihm geworden ist?«

Sie schüttelt den Kopf. »Ich weiß nichts. Plötzlich war er verschwunden.« Tränen laufen über ihre Wange.

»Ach, Mam«, sagt Tom, setzt sich neben sie auf die Bank und nimmt sie in den Arm.

Gretas Körper wird von einem heftigen Schütteln erfasst, sie schluchzt und weint sich an seiner Schulter aus. Sie ist untröstlich. Noch nie hat er sie so erlebt.

Tom ist zum einen froh darüber, dass seine Mutter sich ihm offenbart, zum anderen kann er es kaum aushalten, sie so zu sehen. Die Angst übermannt ihn wieder, die er als Kind um sie hatte, wenn sie nach Wochen im abgedunkelten Schlafzimmer in irgendeinem Sanatorium verschwand und keiner mit ihm darüber sprach. Wie damals fühlt er sich schuldig an ihrem Zustand. Hätte er sie doch nur nicht gefragt!

»Komm, Mam«, sagt er, um sie abzulenken. »Lass uns ins Wohnzimmer gehen.«

Er zieht die abgegriffenste Schallplattenhülle aus der eichenen Schrankwand und hofft, dass Ella Fitzgerald seine Mutter beruhigen kann. »I'm making believe that you're in my arms, though I know you're so far away …« legt sich über die trübe Stimmung und zaubert ein Lächeln in Gretas Gesicht.

»Willst du dich ein wenig aufs Sofa legen?«

»Ja. Aber geh nicht weg.«

»Nein, Mama, ich bleibe bei dir«, sagt Tom und deckt sie mit ihrer Wolldecke zu. Er streichelt über ihr Haar wie bei einem Kind und denkt an den Satz aus Bobs Brief, der ihn seit Tagen begleitet: *Du bist mein Glück, mein Leben, mein Alles!*

Tom ist froh, als sich Gretas Gesichtszüge entspannen und er an ihrem Atem hört, dass sie eingeschlafen ist. Wie in Zeitlupe nimmt er ihr die Tasche aus der Hand, steht vorsichtig auf und setzt sich in den Lehnstuhl am Fenster. Er betrachtet die beiden Fotos, die Greta seit Wochen mit sich herumträgt, den schwarzen GI inmitten der Familie vor dem Heidelberger Schloss und das Porträt desselben Soldaten, der ernst in die Kamera blickt. Am Uniformhemd auf dem letzten Bild entdeckt er ein Namensschild. Mit der Lupe seines Smartphones kann er es entziffern: *R. COOPER*.

Auch noch ein Allerweltsname, denkt Tom und gibt Robert Bob Cooper, US Army und Heidelberg als Suchbegriffe in sein Smartphone ein.

Der oberste Treffer zeigt den ›Spiegel‹ von 41/1947. Tom klickt ihn an und liest, dass der junge Amerikaner Gene Hammers ein Orchester aus sechzehn Mann für den *Stardust-Club* in Heidelberg zusammengestellt hat. Einer der Musiker hieß Bob Cooper.

Wie verrückt ist das denn? Er sucht weiter und findet ein Zeitungsfoto dieser Jazztruppe. Die Gesichter sind klein und schwer zu erkennen. Aber einer überragt alle: ein schwarzer Trompeter. Tom vergleicht das Bild mit der Familienaufnahme aus Heidelberg und sieht die auffällige Übereinstimmung. Sowohl der Musiker als auch der Freund seiner Mutter sind überdurchschnittlich groß.

Harry Belafonte singt ›The First Time Ever I Saw Your Face‹, Greta schnarcht leise im Hintergrund, und Tom hat Feuer gefangen. Er will es wissen. Recherchieren war schon immer seine Leidenschaft, und je schwieriger eine Aufgabe war, desto mehr reizte sie ihn. Er findet keine weiteren Meldungen bezüglich eines Trompeters namens Robert oder Bob Cooper, dafür jede Menge Stimmen aus den Jahren 1945 und 1946, die sich mit den Beziehungen deutscher Frauen und amerikanischer GIs beschäftigen.

Es habe den Anschein, als ob die deutschen Mädchen organisierten Striptease praktizierten, um den alliierten Willen zur Aufrechterhaltung des Fraternisierungsverbots zu zerrütten, meint die ›New York Times‹. Und Walther von Hollander, Kolumnist und Rundfunkmoderator, schreibt: *Es ist nicht nur so, dass der deutsche Mann besiegt heimkommt. Mit ihm sind die Sieger eingezogen, und er muss feststellen, dass ein kleiner, nicht sehr wertvoller Teil der Frauen den Siegern anheimfällt.*

Bei einem Artikel der ›New York Sun‹ muss Tom schmunzeln. *Gekleidet in den kürzesten Kleidern, die ich je gesehen habe, gingen diese Mädchen vor den GIs auf und ab, um deren Aufmerksamkeit zu erwecken. Die Frauen sind stämmiger als Österreicherinnen, tragen kein Make-up, sind jedoch braungebrannt und gleichen insgesamt Amazonen.*

»Amazonen«, sagt Tom kopfschüttelnd vor sich hin, recherchiert weiter und findet einen Hirtenbrief des Bischofs von Passau zu diesem Thema: *Deutsche Mädchen, auch junge Kriegerfrauen, sogar Mütter schämen sich nicht, fremde Soldaten durch ihr aufreizendes Benehmen und ihre jedem Anstand hohnsprechenden Kleider herauszufordern, sich ihnen in dirnenhafter Weise förmlich aufzudrängen.*

Helga klingelt an der Tür, und Greta kommt wieder zu sich.

»Ich hab gesehen, dass dein Auto schon den halben Tag vor dem Haus steht. Feierst du keinen Karneval?«, will sie mit einem bunten Hütchen auf dem Kopf und zwei Fläschchen Piccolo in der Hand von Tom wissen.

»Mist! Das hab ich ganz vergessen.« Er schaut auf die Uhr, schnellt hoch und sucht seine Sachen zusammen.

»O mein Gott, jetzt ist es passiert«, entfährt es Helga kopfschüttelnd. »Du bist doch sonst äsu jeck.«

»Was ist passiert?«, will Greta wissen und wischt sich den Schlaf aus den Augen.

»Nichts, Frau Monderath. Sollen wir zusammen die Fernsehsitzung des Kölner Karnevals aus dem Gürzenich anzuschauen?«

»Ach, warum nicht.«

Tom ist erleichtert, dass seine Mutter offensichtlich vergessen hat, worüber sie vor weniger als zwei Stunden so bitterlich weinte.

Auf dem Bildschirm ziehen zu Marschmusik die blauen Funken ein, und Helga klatscht rhythmisch mit.

»Bleib doch«, sagt Greta.

Tom schüttelt den Kopf.

»So weit kommt es noch, dass ich mir eine Sitzung im Fernsehen anschaue. Wir haben heute Abend eine große Party im Sender. Ich muss schnell nach Hause, mich umziehen.«

»Als was gehst du?«, will Helga wissen.

»Als Metzger.«

»Spinner«, ruft Greta ihm schelmisch zu und zeigt ihm den erhobenen Drohfinger. »Bleib anständig.«

»Tschö, ihr beiden Amazonen«, sagt Tom grinsend und geht.

Wenig später drückt er das Gaspedal durch und rast Richtung Innenstadt. Der Regen trommelt gegen die Windschutzscheibe, die entgegenkommenden Lichter blenden ihn. Selbst als er in den USA lebte, ist er regelmäßig über die Karnevalstage nach Köln gereist. Vorgestern hat er an Weiberfastnacht vierzehn Stunden getanzt, gesungen, geküsst und unzählige Kölschgläser geleert – und jetzt, am Karnevalssamstag, überlegt er, ob er überhaupt feiern soll. Am liebsten würde er sich zu Hause verkriechen, doch das ist keine Option. Als Anchorman kann er die Karnevalssitzung des Senders nicht schwänzen, zumal er eine Büttenrede halten muss.

Tom weiß weder, wie er auf die Deutzer Brücke gekommen

ist, noch sieht er den Dom. Erst auf der linken Rheinseite, als verkleidete Jecken kreuz und quer untergehakt singend und johlend auf den Straßen tanzen, kommt er wieder zu sich und langsam in Stimmung. Er stellt das Autoradio an, singt alle Karnevalslieder mit und freut sich an als Huhn verkleideten Männern mit roten Leggins und gelben Gummischuhen, an tuckig gestikulierenden Mönchen, lasziven Kardinälen und Frauen in tief dekolletierten FBI-Uniformen. Tom liebt dieses bunte ausgelassene Volk mit EINEM gemeinsamen Nenner: Alle haben Kölsch dabei, und alle haben einen im Tee.

Carolin Kebekus singt ihre Adele-Coverversion von ›Hello‹.

Tom ist nicht mehr zu halten und grölt lauthals mit: »Helau sagt der an Karneval. Und trägt auch noch ein Gladbach-Schal. Er sagt mir das mitten ins Gesicht. Wie kann das sein? Nüchtern halt ich das nicht aus.«

In seiner Wohnung wirft er sich in sein Kostüm, schmiert Schminke auf seine Hände, Unterarme und ins Gesicht, hängt sich die Requisiten um und lässt sich von einem Taxi in den Sender fahren. Kurz vor dem Aussteigen fällt ihm auf, dass er das Wichtigste vergessen hat: die Büttenrede.

Für einen Augenblick überlegt er, sich zurückfahren zu lassen, aber dann entscheidet er sich, in seinem Büro alles noch einmal auszudrucken, die handschriftlichen Korrekturen werden ihm schon noch einfallen.

»Hallöchen Popöchen!«, empfängt ihn Aufnahmeleiter Lars, der seinen muskulösen Körper in ein hellblaues Prinzessinnenkostüm gepresst hat und zusammen mit dem als protzigen Luden verkleideten Chef vom Dienst vor dem Haupteingang des Senders raucht. »Super Kostüm, Tom!«

»Du musst dich auch nicht verstecken, Jens«, antwortet er und begutachtet dessen ausladende Brüste.

Die Prinzessin mit der blonden Perücke und dem roten Dreitagebart verdreht die Augen. »Lars! Ich bin doch der Lars«, lallt er.

»Sorry«, murmelt Tom, der nie weiß, welcher Vorname nun eigentlich der richtige ist, weil sich offensichlich jeder im Sender konsequent an diesem Running Gag, von dem niemand mehr weiß, wann und warum er eigentlich begonnen hat, beteiligt.

Lars versucht einen Prinzessinenknicks. »Aber für dich bin ich heute das Flaschenputtel!«, seine Fistelstimme überschlägt sich, und er setzt eine Bierflasche an den rot verschmierten Mund.

Die Veranstaltung ist bereits in vollem Gange. Hunderte von kostümierten Kollegen drängen sich durch die Eingangshalle Richtung Studio, in dem auf der Bühne eine Liveband spielt.

»Als hätte ich's geahnt, dass du jetzt gerade kommst«, begrüßt ihn in der Eingangshalle seine Assistentin Sabine, die als pinkfarbener Duschschwamm geht, und drückt ihm eine Stange Kölsch in die Hand. »Du siehst klasse aus!«

»Ich muss schnell nach oben«, sagt Tom und schiebt sich durch die Menschenmenge. »Ich hab meine Rede vergessen.«

Er genießt die anerkennenden Blicke und das Schulterklopfen und verschwindet in der Aufzugskabine, voller Stolz, dass ihm wieder einmal eine besondere Verkleidung gelungen ist. Doch anstatt nach oben in sein Büro bewegt sich der Lift erst abwärts in die Tiefgarage.

Die Tür fährt auf. Mit einer Reisetasche bepackt steht Jenny Walter davor. Unkostümiert!

»Metzger?!?«, entfährt es ihr beim Einsteigen, und sie kann ihr Angewidertsein nicht verbergen.

Verkniffene Veganerin, denkt Tom und drückt mit seiner blutig geschminkten Hand den obersten Knopf. Wer weiß, was für ein Kostüm sie unter ihrem weiten Mantel trägt. Zitrone würde passen, auch zum Gesichtsausdruck.

Jenny drückt den Knopf darunter, neben dem *Redaktionsetage* steht, und ruckelnd fährt der Aufzug nach oben. Tom blickt an ihr vorbei auf sein Spiegelbild und gefällt sich in seinem blutverschmierten Metzgerkittel, mit einem Hackebeil am Koppel, einer Kette von Plastikwürsten um den Hals und einem rosa Schweinchen aus Plüsch über der Schulter. Der Aufzug bremst und kommt im Erdgeschoss zum Stehen.

»Scheiße«, murmelt er und drückt genervt erneut auf den Knopf mit der Vier.

Jenny drückt auf drei.

»Ach, da bist du ja noch, Tom!«, ruft der pinkfarbene Duschschwamm ihm fröhlich zu und springt herein. »Ich dachte, ich kann dir vielleicht helfen.« Sabine gibt Jenny ein Küsschen. »Wolltest du nicht zu Hause bleiben?«

»Ich bin kurz vorm Durchdrehen. Ich wohne direkt am Severinstor. Darunter wird seit Weiberfastnacht ununterbrochen getrommelt, da kriegst du kein Auge zu. Ich stand vor der Wahl: fliehen oder töten. Aber ich will nicht, dass mein Kind im Knast aufwächst.« Sie öffnet ihren weiten Mantel und tätschelt ihren dicken Bauch.

Manes hatte recht, denkt Tom, die ist ja wirklich schwanger. Er kann Jungfrauengeburt sowie sämtliche Machosprüche über verkniffene Emanzen gedanklich nicht einfangen und starrt auf die Etagenanzeige.

»O Gott. Du Arme. Hast du dich denn schon entschieden?«

»Erzähl ich dir ein andermal«, antwortet Jenny mit einem kurzen Seitenblick auf Tom und steigt in der Redaktionsetage aus. »Feiert schön!«

»Was hat sie denn zu entscheiden?«, will Tom wissen, als sich die Tür hinter Jenny geschlossen hat und er allein mit Sabine weiter nach oben fährt.

»Sie hat ein super Angebot von ihrer früheren Firma. Für die könnte sie von zu Hause aus mit Kind arbeiten. Denn wenn sie hierbleibt, muss sie das Kleine in die Krippe geben. Ich denke, bei Place to Place Media ist sie eh besser aufgehoben als bei uns. Hier kann sie mit ihrem Know-how wenig anfangen.«

»Das ist doch die Firma, die diese Vermisstensendung produziert?«, fragt Tom auf dem Weg zum Büro.

Während Sabine den Computer hochfährt und die Büttenrede auf Moderationskarten ausdruckt, ruft er Jenny auf ihrem Handy an.

»Ich muss dich nach Karneval mal was fragen. Privat.«

»Und was?«, will sie am anderen Ende der Leitung wissen.

»Ich suche nach einem GI, der in der Nachkriegszeit in Deutschland war. Irgendwie komme ich nicht weiter. Sabine hat mir gesagt, dass du –«

»Schick mir gelegentlich, was du über ihn weißt«, schneidet sie ihn mitten im Satz ab und beendet das Gespräch grußlos.

»Jenny?«, fragt Tom in die tote Leitung und wehrt sich gegen die aufkeimende Wut.

Dann gibt er sich einen Ruck und schreibt ihr eine SMS: Ich suche einen Robert Cooper aus New Orleans, der Ende 1947 in Heidelberg stationiert war. Er ist Afroamerikaner, sehr groß, wird auch Bobby genannt und hat sich als Swing-Trompeter einen Namen gemacht.

»Meine Damen und Herren, sehr geehrte Vegetarier und Veganer!«, eröffnet Tom in breitestem Kölsch seine Büttenrede, in der er als Abgesandter der Kölner Metzgerinnung dafür sorgt, dass jeder in der Politik sein Fett wegbekommt. »Bei uns geht's blutig zu. Jeden Abend um zwanzig Uhr. Wir sind Spezialisten darin, die Ereignisse der Welt zu verhackstücken und zu verwursten. Manchmal müssen wir uns auch mit kleinen Würstchen abgeben.« Er knöpft sich Seehofer vor, der beim Parteitag der CSU

Angela Merkel eine peinliche Standpauke hielt, und kommt zu dem Schluss, den Bayern als Grützwurst in einen Darm zu pressen. Zwei, drei gezielte Gemeinheiten später denkt er laut darüber nach, wie viel Fett die Schmiergeldaffärenwurst der Fifa verträgt.

Unter tosendem Applaus verbeugt er sich, springt von der Bühne und prostet an der Bar dem Intendanten zu, der in Anspielung auf seine Zeit als Auslandskorrespondent das Kostüm eines Fremdenlegionärs trägt. Tom nimmt genüsslich die Lobhudeleien der Kollegen entgegen und kippt ein Glas Kölsch nach dem anderen.

»Astrein!«, sagt Manni, der Oberbeleuchter, der mit seinem hochgekrempelten karierten Hemd und der Latzhose, auf die ein Kettensägenemblem gedruckt ist, auch nicht viel anders aussieht als sonst, und prostet Tom zu.

»Toll, Tom«, ruft Lars schrill dazwischen und klatscht ihm – natürlich etwas zu fest – auf den Rücken, dass die Plastikwürste über der Schulter ins Hüpfen geraten. »Ich hab sooo gelacht!«

»Ach, du warst das, Jens«, meint Manni trocken und taxiert dessen Nashorn-Tatoo, das zwischen dem ellbogenlangen weißen Satinhandschuh und dem strammsitzenden Puffärmel herausquillt.

Das Flaschenputtel legt den muskulösen Arm um Tom, lallt, er müsse jetzt unbedingt und sofort mit dem tollsten Mann des Abends einen trinken, und drückt ihn an die inzwischen verrutschten Megabrüste. »Ich weiß, du willst es doch auch.«

Tom ist diese Schmeißfliegenattitüde selbst an Karneval unangenehm. Fachlich hat er nichts gegen den Kollegen einzuwenden, im Gegenteil, aber menschlich findet er ihn anstrengend, weil Lars gefallen will. Vor allem denen, die in der Hierarchie über ihm stehen. Und vor allen Dingen ihm. Er hat nur noch Fluchtgedanken.

In der Brusttasche unter den Plastikwürsten vibriert sein Handy. Tom löst sich aus der Umarmung, geht zwei Schritte zur Seite und liest, was Jenny ihm per SMS geschrieben hat: Hab schon mal angefangen. Weißt du, wie alt Cooper 1947 war?

Nicht wirklich. Vielleicht Anfang 20, schreibt Tom zurück.

Keine zwei Minuten später vibriert das Smartphone erneut.

Okay, ich habe 21 Robert Cooper gefunden, die im Zweiten Weltkrieg waren. Details besser mündlich.

Tom wird von einer als Wirbelwind verkleideten Kollegin aus der Studioregie auf die Tanzfläche gezogen, wo alle nach Songs abhotten, deren Rhythmen bei einem echten Kölschen direkt vom Stammhirn aus bedient werden wie das Atmen oder der Blutdruck. Lieder, in denen es um nichts anderes geht als darum, dass die Stadt mit K die geilste der Welt ist und man sich auf jedem Hotelbalkon nach dem Ausblick auf den Dom sehnt. Tom taucht ab, tanzt sich raus aus dem Studio und ruft vor der Tür Jenny an.

»Wie hast du das denn so schnell gemacht? Ist ja super«, sagt er beschwingt von Musik und Alkohol.

»Ich habe das Militärarchiv eines amerikanischen Ahnenforschungsportals durchforstet. Auf den Einzugsregistrierungskarten des Zweiten Weltkriegs fand ich einundzwanzig Schwarze, die in der Zeitspanne von 1920 bis 1930 in Louisiana geboren sind. Was ich auf dem Weg leider nicht rausbekommen kann, ist, wer von ihnen in Heidelberg stationiert war. Weißt du nicht mehr über diesen Robert Cooper?«

»Ich weiß nur, dass er meine Mutter liebte und dass sie ihn nie vergessen hat«, hört Tom sich sagen und bereut, dass der Alkohol seine Zunge gelockert hat, denn das geht niemanden etwas an. Schon gar nicht Jenny.

»Das heißt, du willst wissen, ob er noch lebt?«

»Ja«, antwortet er nach längerem Zögern.

Tom geht zurück ins Studio. Aber die Karnevalsstimmung prallt von ihm ab. Er sieht die lachenden Fratzen, hört das schrille Grölen und kann an nichts anderes denken als daran, wie Mam am Nachmittag in seinen Armen weinte.

In der Redaktionsetage folgt er dem einzigen Licht und findet Jenny alleine im Großraumbüro an ihrem Computer sitzen. Sie schaut kurz auf, scheint keineswegs überrascht, dass er da ist, und macht emsig Notizen.

»Kann ich irgendwas tun?«, fragt Tom und setzt sich rittlings auf einen Schreibtischstuhl.

Sie schüttelt den Kopf. »Ich kann den in keiner Volkszählungs- oder Wählerliste finden, jetzt bin ich beim Heirats-, Scheidungs- und Sterberegister. Es sind so viele Robert Cooper in Korea und Vietnam gefallen. Diese Sucherei ist wirklich ein Stochern im Nebel.«

»Und was schlägst du vor?«

»Wir müssen rausbekommen, welcher von den Jungs in Heidelberg war.«

Dass sie »wir« sagt, fällt Tom durchaus auf, und kurz hat er den Impuls, Jenny zu erzählen, was er am Nachmittag mit seiner Mutter erlebt hat.

Doch dann lässt er es.

»Ich rufe morgen einen Typen von GI-Trace an. Der hat mir bei der Suche nach Army-Angehörigen schon oft geholfen.«

»Wo sitzen die?«

»In St. Louis, Missouri«, sagt Jenny, fährt den Computer herunter und tackert die Papiere zusammen.

»Das ist ein Zeitunterschied von sieben Stunden, vielleicht …?«

»Tom, ich kann nicht mehr!« Sie schaut ihn entgeistert an, schiebt sich mit ihrem dicken Bauch an ihm vorbei und bewegt sich im Schwangeren-Watschelgang mit ihrer Reisetasche in der Hand durch den langen Flur Richtung Archiv.

»Brauchst du irgendwas?«, ruft er ihr hinterher.

»'ne große Mütze Schlaf!«, antwortet sie, ohne sich umzudrehen, und knallt die Tür hinter sich zu.

Im Parterre geben die Türen des Aufzugs wie ein Theatervorhang das Bild auf die Party frei. Tom bleibt angelehnt stehen. Die Tür schließt sich automatisch, er drückt auf den Knopf mit der vier und fährt wieder aufwärts.

»Ich hab doch gesagt, ich mach morgen weiter«, ruft Jenny genervt, als er an die Tür klopft, hinter der sie vor fünf Minuten verschwunden ist.

»Sag mal, schläfst du da drin?«

Er hört sie fluchen. Dann öffnet sie barfuß und im Jogginganzug die Tür. Hinter ihr liegt der Schlafsack auf dem Boden.

»Du kannst doch hier nicht schlafen!«

»Ich könnte sogar im Stehen schlafen, wenn du es genau wissen willst.«

»Du kannst mein Büro haben. Ich habe bis Dienstag frei, und das Sofa ist allemal bequemer als dieser harte Boden hier.«

Tom hebt den Schlafsack auf, drückt Jenny die Schuhe in die Hand und nimmt ihre Reisetasche.

»Los, komm!«

In der Chefetage schließt er seine Bürotür auf. Sie schlurft an ihm vorbei und lässt sich auf das weiße Designersofa fallen.

»Hinter dieser Tür ist die Dusche, da findest du zumindest Handtücher«, sagt er und sieht im spiegelnden Fensterglas sich selbst als Metzger. Dann erklärt er Jenny, dass er dem Wachdienst Bescheid sagen wird und wie sie es handhaben soll, wenn sie wieder geht. Doch sie gibt ihm keine Antwort; sie ist längst eingeschlafen.

Er schreibt ihr alle Informationen und Anweisungen auf ein Blatt Papier und legt es auf den Couchtisch. Im Hinausgehen sieht er den Schlafsack auf der Reisetasche. Er nimmt ihn und deckt Jenny damit zu.

Um 12:48 Uhr schaut Tom am nächsten Tag zum ersten Mal auf sein Handy. Er kann die Augen noch nicht recht öffnen, hat einen schweren Kopf und neben sich eine mit Karnevalsschminke verschmierte Unbekannte liegen. Blinzelnd checkt er seine SMS.

GI-Trace kümmert sich!, schreibt Jenny. Normalerweise dauert es sechs Monate, aber die Suche ist jetzt Chefsache! Bequemes Sofa!!!!! Danke!

»Dass Heidelberg so schön ist, hätte ich nie gedacht«, schwärmt Helga vier Wochen später auf dem Balkon des Hotels am Neckar. Tom weiß, dass sie in ihrem Leben nicht viel herumgekommen ist, und etwas derart Luxuriöses hat sie wahrscheinlich noch nie von innen gesehen.

»Da kann dein Köln einpacken, was?«, stichelt Greta, die neben ihr in die frühlingshafte Märzsonne blinzelt. Und dann erklärt sie, dass der Fluss Neckar heißt und das Schloss auf der anderen Uferseite nicht von den Amerikanern im Krieg zerstört wurde.

Tom hat sich nach der knapp dreistündigen Autofahrt auf dem Sofa lang gemacht und grinst kopfschüttelnd. Was für ein Biest seine Mutter doch manchmal sein kann.

»Kennst du Lieselotte von der Pfalz?«

»Nein, Frau Monderath. Kommt die morgen zu Ihrem Geburtstagskaffee?«

»Na, das wär ja noch schöner!«

»Wollt ihr euch nicht auch von der Reise ausruhen?«, ruft Tom zu den beiden hinaus.

»Quatsch«, antwortet seine Mutter. »Jetzt, wo wir schon mal hier sind.«

»Okay«, sagt Tom und rappelt sich auf.

Mit Elan marschiert Greta pfeifend über die Alte Brücke Richtung Altstadt, in einer Geschwindigkeit, dass Helga Mühe hat hinterherzukommen.

»Mach langsam, Mam«, ermahnt sie Tom mit Rücksicht auf die kurzatmige Kölnerin.

»Lass sie doch. Ist doch klasse, dass sie sich so freut«, wiegelt Helga ab, und Greta eilt ohne sich umzudrehen weiter.

An den beiden schlanken Rundtürmen am Brückentor holt Tom sie ein. »Freust du dich, dass du wieder hier bist?«

»Ja, sicher!«

»Bleib mal stehen, Mam. Ich will ein Foto von dir machen.«

»So schön bin ich auch nicht.«

»Stimmt«, scherzt Tom. »Aber die Türme hinter dir.«

Helga schließt auf, und Tom macht ein Selfie von sich und den beiden Damen.

»So, und jetzt suchen wir uns in der Altstadt ein schönes Restaurant«, schlägt er vor. »Ich hab Hunger. Ihr auch?«

»Sicher!« Greta macht auf dem Absatz kehrt und geht zügig weiter Richtung Hauptstraße. An jedem zweiten Haus stellen sich neue Erinnerungen ein, sie redet ohne Unterlass, wird immer überdrehter und ist kaum zu bremsen.

»Da war früher ein Milchgeschäft, und dort eine Drogerie, und hier in der Heiliggeistkirche haben meine Großeltern ihre Goldene Hochzeit gefeiert, und …«

»Entschuldigung«, fragt ein älterer Herr in gebrochenem Deutsch mit starker Südstaateneinfärbung auf dem Karlsplatz und hält Tom seine Spiegelreflexkamera hin. »Können Sie machen eine Foto von uns?«

»Sure, with pleasure«, antwortet Tom in akzentfreiem Amerikanisch, schaut durch den Sucher auf die maskenhaft grinsenden Fremden – zwei Pärchen, ein junges zwischen vierzig und fünfzig und ein älteres über siebzig – vor der historischen Schlosskulisse.

»Woher sind Sie?«, will Tom wissen.

»Montgomery, Alabama.«

»Oh, great!«, sagt er und drückt ab. »Ist das Ihr erstes Mal in Heidelberg?«

»No«, antwortet der ältere Amerikaner und versucht es auf Deutsch. »Ick war stationiert here vill Jahre. When I was young.«

»Wir haben unserem Dad diese Reise zum Geburtstag geschenkt, weil wir auch einmal sehen wollten, wo er die wildesten Jahre seines Lebens verbracht hat, wie er immer wieder sagt«, ergänzt seine dickliche Tochter in breitem Südstaatenslang und kichert. Tom schießt das letzte Bild.

Lächelnd gibt er die Kamera zurück und sieht aus den Augenwinkeln, wie Greta mit offenem Mund das Touristengrüppchen anstarrt.

»Meine Mutter hat in ihren jungen Jahren auch in Heidelberg gelebt«, sagt er, dreht sich um, um seine Mam heranzuwinken.

Doch Greta bleibt wie versteinert stehen. Ihre Pupillen flackern, sie atmet hektisch ein und aus.

Helga schaut Tom in die Augen und deutet ein Kopfschütteln an. Dann legt sie ihren Arm sanft auf Gretas und sagt: »Wir wollen mittagessen gehen, nicht wahr, Frau Monderath? Zeigen Sie mir doch mal, wo dieses schöne Lokal ist, von dem Sie mir erzählt haben.«

»Wie alt soll ich sein?«, fragt Greta am nächsten Morgen und studiert ungläubig das Geschenkpapier, auf das Tom in riesigen

Lettern *ALLES GUTE ZUM 85. GEBURTSTAG* geschrieben hat. »Ist doch Quatsch!«

»Was denkst du denn, wie alt du bist, Mam?«

Greta reißt das rechteckige Päckchen auf. »Sechzig«, sagt sie und zieht die Reproduktion der Schwarz-Weiß-Postkarte aus dem Papier.

»Gefällt es dir?«

»Ja«, sagt sie und liest die vergrößerte Inschrift vor: »*Heidelberg – das Schloss von der Hirschgasse aus gesehen.* Genau so hat es ausgesehen von oben, als wir noch im Bienenhaus gewohnt haben.«

»Was hältst du davon, wenn du uns einmal dort hinführst?«

»Wie? Du kennst das nicht?«

»Woher? Du hast es mir noch nie gezeigt.«

»Bin ich dir zu schnell, Helga?«, fragt Greta scheinheilig auf der Hirschgasse. Natürlich hat sie registriert, dass die fast zwanzig Jahre jüngere Kettenraucherin Schwierigkeiten hat, ihr zu folgen. Grinsend legt sie einen Zahn zu.

Helga bleibt stehen und schnappt nach Luft. »Bergsteigen ist nichts für mich!«

»Ach, das bisschen Steigung! Das ist doch gar nichts.«

Greta verschwindet um die erste Kurve, und Tom versucht, Helga zum Weitergehen zu überreden.

»Ohne mich. Mach du mal was allein mit deiner Mutter. Ich gehe zurück ins Hotel.«

Er eilt weiter den Hang hinauf und hat Mühe, Greta einzuholen. »Langsam, Mam.«

Plötzlich bleibt sie stehen und blickt sich suchend um. »Komisch.«

»Was ist?«

»Hier muss es doch sein. Was soll das denn?«

Sie starrt auf das Hanggrundstück und den Holzbungalow zu ihrer Rechten, auf dessen Terrasse weiß-rot-grün-gelb-blaue tibetanische Gebetsfähnchen wie Girlanden im Wind flattern, und liest das am Gartentor angebrachte Schild mit dem Doppelnamen einer schamanischen Heilerin.

»Mam, das ist über sechzig Jahre her, dass ihr hier gewohnt habt.«

Greta schaut Tom ungläubig an. »Aber …«

Die Vögel zwitschern, unten im Tal tutet ein Schiff.

»Komm«, sagt er, nimmt sie an der Hand und zieht sie weiter den Berg hinauf. Greta spricht kein Wort mehr.

»Weißt du, ob man hier auch zum Philosophenweg kommt?«, fragt er, obwohl er es weiß, denn er hat sich die Strecke vorher auf Google Maps angesehen.

»Ja, sicher«, sagt Greta abwesend.

Die Bebauung hat aufgehört. Rechts und links der Gasse breiten sich nun Wiesen aus, auf denen erstes Grün spießt, das eingerahmt ist von Sträuchern, deren Knospen sich von den Sonnenstrahlen ins Leben küssen lassen.

»Es ist wunderschön hier oben«, sagt Tom, als die Hirschgasse in den Philosophenweg mündet.

Doch Greta hat keine Augen für die Natur. »Komm, ich zeig dir was«, sagt sie und nimmt auf dem geschlängelten Weg wieder ihr Tempo auf. Zielstrebig steuert sie das Philosophengärtchen an, und Tom folgt ihr, bis sie an einer Parkbank stehen bleibt, die verborgen in einem gemauerten Rondell unter einer alten Buche steht.

»Wow!« Er ist erschlagen von dem Weitblick über das Neckartal bis hin zur Rheinebene. Als er sich umdreht, sieht er, dass seine Mutter vor der Buche steht und den Stamm begutachtet. »Ein schönes Plätzchen«, sagt Tom und lässt sich auf der Bank nieder.

Greta setzt sich neben ihn.

»Und? Gefällt es dir auch, Mam?«

»Hier haben wir uns immer getroffen«, sagt sie leise.

»Wer?«

Greta lächelt verlegen. Ihre Wangen sind rot.

»Du und Bobby?«

Sie nickt.

»Perfekt.« Tom legt den Arm um seine Mutter. »Was habt ihr denn sonst noch alles so gemacht?«, fragt er nach.

»Wir sind mit seinem Jeep herumgefahren.«

»Ging das denn so einfach?«

»Nein. Am Anfang bin ich immer in den Fußraum gekrochen und hab mich versteckt, wenn andere Militärfahrzeuge kamen. Und Bobby hat mich mit seiner Jacke abgedeckt. Wenn sie dann weg waren, hat er gesagt: ›Du kannst wieder hochkommen.‹«

»Verrückt!«

»Ich wollte nie wieder zu Fuß gehen, Tom. Es gab für mich nichts Schöneres als Autofahren.«

»Aber immer im Fußraum, das stelle ich mir nicht so bequem vor.«

»Eines Tages sagte er, dass er eine Überraschung für mich hätte. Wir sind Richtung Neckargemünd den Berg hinaufgerast, und er fuhr in ein Wäldchen.«

»Oha!«, feixt Tom und denkt: Wenn sie gleich ausplaudert, dass sie dort mit ihm Sex hatte, falle ich auf der Stelle in Ohnmacht. Noch nie hat sie mir so viel erzählt. Diese Heidelbergreise hat sich jetzt schon gelohnt!

»Er holte eine Tasche vom Rücksitz und hielt sie mir hin. Und weißt du, was da drin war?«

»Nein.«

»Eine Uniform! ›Zieh sie an‹, sagte er, ›dann musst du dich beim Fahren nicht dauernd verstecken.‹«

Tom klatscht vor Freude in die Hände. »Was für ein Typ, Mam! Und weiter?«

»Die Uniform war mir viel zu groß. Ich habe sie über meine Kleider angezogen, die Ärmel und Beine umgekrempelt, hab mir das Schiffchen auf den Kopf gesetzt. Bob hat militärische Haltung eingenommen, hat die Seitentür aufgerissen, ›Madam Captain!‹ gesagt und zackig salutiert. Und dann hat er Vollgas gegeben.«

»Wie abgefahren ist das denn, Mam. Du warst ja ein richtig verrückter Teenager.«

»Das nannte man damals Backfisch.«

Tom drückt ihr einen dicken Kuss auf die Wange und lacht. »Was hältst du davon, wenn wir zurückgehen und mit Helga ein wenig in der Gegend herumfahren?«

»Überredet«, sagt Greta.

Mit Helga auf dem Rücksitz und Greta neben sich fährt Tom auf der linken Neckarseite flussaufwärts, überquert in Ziegelhausen den Fluss und cruist auf der kurvigen Straße langsam Richtung Neckargemünd.

»Darf ich Helga erzählen, was du mir vorhin gesagt hast?«

»Ich habe keine Geheimnisse.«

»Mam hatte eine amerikanische Uniform. Aber sag du ihr, von wem.«

»Na, von Bobby, von wem sonst.«

Helga sitzt in der Mitte, hat den Sicherheitsgurt gelöst und lehnt sich weit nach vorne, um Greta und ihn besser zu verstehen.

»Ein Amerikaner? Hat Ihr Mann das gewusst?«

»An den hat damals noch keiner gedacht, was, Mam? Bob war ihre Jugendliebe.«

Greta kichert.

»An einem Tag sind Kinder neben dem Jeep hergerannt und haben ›Schuinggamm‹ gerufen. Bobby hat angehalten und mir eine Handvoll Kaugummi gegeben. Ich hab verteilt, und immer mehr Kinder kamen aus den Höfen gerannt. Die hatten ja alle nichts …«

»Und das ist keinem aufgefallen, dass Sie kein Amerikaner waren, Frau Monderath?«

»Nö.«

»Komm, Mam. Jetzt erzähl mal die wichtigen Sachen. Wir sind doch alle erwachsen und waren auch mal jung. Nicht wahr, Helga?«

»Rischtisch«, kommt es vom Rücksitz.

»Einmal haben wir uns gestritten«, sagt Greta.

»Oh! Weswegen, Mam?«

»Ich hab so geschwitzt in dieser Uniform und hab mich hingestellt im Jeep, um mehr kühlenden Fahrtwind abzubekommen. Und da hab ich mich plötzlich gefühlt wie der Führer. Ich habe das in einer Wochenschau gesehen, wie er im Auto stehend am Volk vorbeigefahren ist. Und alle haben ›Sieg Heil‹ geschrien.«

»Ach du Scheiße!«, entfährt es Tom. »Ich ahne Schreckliches! Sag nicht, du hast auch ›Sieg Heil‹ …«

»Ich hab gebrüllt: ›Deutsche Jugend! Was wir von euch wünschen, ist etwas anderes, als es die Vergangenheit gewünscht hat.‹«

»Und Bob?«

»Der hat gelacht. Aber dann habe ich weitergeredet: ›In unseren Augen, da muss der deutsche Junge der Zukunft schlank und rank sein, flink wie ein Windhund, zäh wie Leder und hart wie Kruppstahl‹«, ruft Greta und rollt das R, wie sie es seinerzeit in den Wochenschauen gehört haben muss. »›Wir müssen einen neuen Menschen erziehen, auf dass unser Volk nicht an den Degenerationserscheinungen der Zeit zugrunde geht. Wir reden nicht, sondern wir handeln. Sieg Heil!‹«

Entgeistert schaut Tom Greta an. »Was hat Bob gesagt?«

»Der hat eine Vollbremsung gemacht, und ich hab meine Kappe verloren.«

»Und weiter?«, fragt Helga.

»Er hat den Rückwärtsgang eingelegt, fuhr ein paar Meter zurück, stieg aus dem Wagen und fischte die Kappe aus dem modrigen Graben. ›Hier, meine kleine Nazi‹, hat er gesagt und hat mir das nasse Schiffchen voll schwarzem Schlick auf den Kopf gedrückt.«

Toms Handy klingelt.

»›Wenn du denkst, dass mir das was ausmacht‹, hab ich ihm gesagt, ›dann hast du dich geschnitten, Blödmann!‹«, echauffiert sich Greta.

»Moment mal, Mam.« Tom nimmt den Anruf über die Freisprechfunktion entgegen. »Ja?«

»Hey, hier ist Jenny. Sitzt du?«

»Ja, im Auto. Wieso?«

»Sie haben ihn gefunden!«

»Was?« Toms Gesichtszüge entgleisen, und sein Herz macht einen Sprung. »Ich melde mich gleich bei dir.« Er beendet das Telefonat und hält bei der nächsten Gelegenheit an einem Feldweg an.

»Wen haben sie gefunden?«, fragen Greta und Helga wie aus einem Mund.

»Ach, nichts«, sagt Tom. »Ist beruflich. Bin gleich wieder da.« Er springt aus dem Wagen und ruft Jenny zurück.

»Erzähl!«

»GI-Trace hat mir eine Mail geschickt. Ich habe sie an dich weitergeleitet. Der neunundachtzigjährige Robert Cooper lebt in einem Veteranenheim in New Orleans.«

»Und das ist er?«

»Ohne Zweifel.«

»Danke, Jenny!«

Tom liest die von ihr weitergeleitete E-Mail der Organisation, die Besatzungskindern bei der Suche nach ihren Vätern hilft. Dann schaut er auf die Uhr. In New Orleans ist es jetzt kurz vor acht Uhr morgens. Vielleicht noch ein wenig zu früh, um dort anzurufen.

Greta öffnet die Beifahrertür einen Spalt.

»Was ist denn jetzt? Fahren wir weiter oder nicht?«

»Ja«, sagt Tom und setzt sich wieder hinters Steuer. »Aber vorher musst du noch eine Kreuzworträtselfrage lösen. Bist du bereit?«

»Immer.«

»Gegenteil von PECHVOGEL mit elf Buchstaben.«

»GLUECKSPILZ.«

Tom sieht in ihren Augen ein Funkeln.

Er drückt den Startknopf, wendet, fährt langsam Richtung Heidelberg und denkt daran, wie verrückt es wäre, wenn Gretas Jugendliebe ihr zum funfundachtzigsten Geburtstag gratulieren könnte. Er parkt oberhalb des Philosophengärtchens, schickt Helga und seine Mutter auf die Bank unter der Buche und wählt die Nummer des Veteranenheimes in New Orleans.

»Da Sie kein Familienmitglied sind, darf ich Ihnen keine Auskunft geben. Aber ich kann Ihnen so viel sagen, dass es Corporal Cooper für sein hohes Alter sehr gut geht«, sagt Sergeant Jack Steward, der Heimleiter.

Tom weiß, wie man Nüsse knackt, und bringt Steward so weit, mit dem Telefon in der Hand nach dem alten Mann zu suchen.

Er hört am Ratschen, wie am anderen Ende der Leitung das Mikrofon abgedeckt wird, und vernimmt einen unverständlichen Dialog.

»Mr. Monderath, ich sitze jetzt hier bei Corporal Cooper. Er kennt Ihre Mutter nicht.«

»Sie hieß früher anders. Greta Schönaich.«

Tom hört, wie der Heimleiter über dem großen Teich den Namen seiner Mam wiederholt. Unverständliches Gemurmel folgt.

Greta zieht ihn am Ärmel. Er hatte sie gar nicht kommen hören. »Mit wem telefonierst du denn dauernd?«

Nun deckt Tom seinerseits das Mikro ab und flüstert: »Mit Bekannten.«

»Der Corporal lässt fragen, ob Ihre Mutter noch lebt.«

»Klar«, sagt Tom und strahlt Greta an. »Es geht ihr gut, und ich bin sicher, sie würde sich sehr über ein Lebenszeichen von Bob freuen«, redet er in schnellem Englisch in der Hoffnung, dass seine Mutter neben ihm so nichts versteht. »Und ich dachte mir, die beiden könnten vielleicht …«

»Ich muss Sie leider enttäuschen«, unterbricht ihn der Heimleiter so klar, als wäre er nicht achttausend Kilometer entfernt. »Corporal Cooper möchte heute nicht telefonieren.«

»Könnte ich ihn vielleicht kurz selber sprechen?«, versucht es Tom, für den es kein *Geht nicht – Gibt's nicht* gibt.

»Ich soll Ihnen ausrichten, der Corporal möchte keinen Kontakt.«

Tom ist wie vom Donner gerührt. »Haben Sie eine Idee, warum?«

»Es tut mir leid.«

»Was ist denn jetzt?«, will Greta wissen.

»Nichts«, sagt Tom und verflucht den alten, unbekannten Spielverderber auf der anderen Seite der Welt.

»Das war eine schöne Reise«, sagt Helga am nächsten Tag vom Rücksitz aus und betrachtet die vorbeiziehende Taunuslandschaft.

»Hat es dir auch gefallen, Mam?«

Greta gibt ihm keine Antwort. Sie ist eingeschlafen, erschöpft von der Welle der Erinnerungen, die über sie hinweggeschwappt ist.

Auch Tom fand die drei Tage in Heidelberg schön. Es war eine gute Idee, Helga mitzunehmen, denkt er. Nicht nur, um ihr etwas zurückzugeben, sondern weil er erleben konnte, wie sie seine Mutter im Blick hat und sich um sie kümmert. Trotzdem ist er erleichtert, als er die beiden Frauen in Porz absetzt und sich nicht mehr ständig einen Kopf machen muss, was Mam guttut und was er Helga bieten möchte. Jetzt kann er wieder in sein eigenes Leben zurückkehren.

Die Nachrichten sind geprägt von der Flüchtlingspolitik in den EU-Ländern, dem bevorstehenden britischen Referendum zum Austritt aus der EU und dem US-Vorwahlkampf, in dem Donald Trump gegen seine parteiinternen Kollegen austeilt.

Nach der morgendlichen Redaktionskonferenz bereitet Tom ein Interview mit dem amerikanischen Filmemacher Michael Moore vor, der trotz des großen Vorsprungs von Hillary Clinton in den Umfragen behauptet, dass der Immobilienmogul Präsident der USA wird. Das Gespräch soll am Nachmittag für die abendliche Sendung voraufgezeichnet werden.

Auf dem Weg in die Kantine ruft er seine Mutter an – bei seinem Routineanruf am Morgen hat er sie nicht erreicht. Als sie erneut nicht ans Festnetz geht, wählt er die Handynummer.

———

Greta sieht Toms Gesicht auf ihrem Display. Sie zögert kurz, denn anders als sonst kommt ihr dieser Anruf jetzt ungelegen. Ärgerlich drückt sie auf das grüne Symbol. »Ich kann jetzt nicht!«

»Alles okay bei dir, Mam?«

»Ja, ja, aber ich hab jetzt keine Zeit«, sagt sie, legt auf und begutachtet den schnittigen roten Sportwagen vor ihrem Haus. »Und der soll für mich sein?«

»Es tut mir leid, dass die Lieferung so lange gedauert hat, Frau Monderath. Aber ich hatte keinerlei Einfluss darauf«, sagt Herr Sackmann, der den bereits versicherten Neuwagen, von dem Greta gar nicht mehr wusste, dass sie ihn bestellt hat, heute Morgen persönlich abliefert.

Er öffnet die Fahrertür und hilft Greta beim Einsteigen. Dann beugt er sich über sie und zeigt ihr, wie sie den Sitz für sich einstellen kann, geht um den Wagen herum und setzt sich auf den Beifahrersitz.

»An die Neuerungen dieses Modells werden Sie sich schnell gewöhnen, Frau Monderath. So fit, wie sie noch sind, ist das alles überhaupt kein Problem.«

Greta drückt auf Geheiß des Autoverkäufers den Startknopf und tritt mit dem Fuß auf das Gaspedal. Der Motor brüllt auf. »Da ist aber Wumms dahinter«, sagt sie, schaltet in den Fahrmodus und fährt etwas zu schnell aus der Einfahrt.

»Langsam, langsam, langsam. Und weiter rechts. Da haben Sie noch sehr viel Platz.«

Greta krallt sich ans Lenkrad, schaut starr geradeaus und nimmt die erste Kurve. In diesem Moment kommt ihr Helga, die kaum über das Armaturenbrett blickt, in ihrem uralten Ford Fiesta entgegen und hupt vor Schreck.

»Langsamer! Runter vom Gas!« Sackmann greift Greta ins Lenkrad, zieht nach rechts und kann das Schlimmste verhindern.

»Was hupt die denn so blöde?«, fragt sie genervt und fährt weiter. Im Rückspiegel sieht sie, wie die kleine, dicke Helga aus dem Fiesta springt und wild mit den Armen fuchtelt.

»Sie hätten sie um ein Haar gestreift, Frau Monderath«, sagt Herr Sackmann.

»Quatsch!«, entgegnet Greta und lässt den Motor aufheulen.

Sackmann zieht die Handbremse und schaltet den Neuwagen ab.

»Was soll das denn jetzt?«, fragt Greta.

»Sie nehmen dieses verdammte Auto wieder zurück«, befiehlt Tom in den Hörer. Eine Maskenbildnerin pudert ihn ab.

»Aber Ihre Frau Mutter hat den Kaufvertrag unterschrieben, und der Wagen hat auf ihren Wunsch hin jede Menge Extras.«

»Meine Mutter ist die sparsamste Frau in der westlichen Hemisphäre!«, schreit Tom nun. »Ihr Leben lang hat sie sich kaum etwas gegönnt. Es kann gar nicht anders sein, als dass Sie sie in dieses Geschäft reingequatscht haben. Ich mach Sie fertig!« Tom springt auf und reißt sich die Papierserviette ab und stapft durch den Raum.

Der Aufnahmeleiter Lars versucht, mit ihm Schritt zu halten. »Die Leitung steht, Tom.«

Tom ignoriert ihn und brüllt weiter Herrn Sackmann an: »Das ist mir völlig egal. Wenn Sie den Wagen bei meiner Mutter lassen, mache ich Sie dafür verantwortlich, wenn etwas passiert.«

»Aber …«

Lars zupft Tom am Ärmel.

»Kein ›aber‹! Sie lassen die verfickte Karre nicht bei meiner Mutter!«, schreit Tom mit hochrotem Kopf, dreht sich um und sieht Michael Moore im Studiomonitor.

»Hi, Michael.«

»How are you, Tom?«

»Fine.«

Nach dem Interview ruft er Helga an.

»Und, hat der Idiot die Kiste wieder mitgenommen?«

»Was willst du hören?«

»Die Wahrheit!«

»Nein. Und ich kann deine Mutter nicht von der fixen Idee abbringen, wieder Auto zu fahren.«

»Scheiße. Du nimmst ihr auf jeden Fall den Schlüssel ab.«

»Hab ich schon«, flüstert Helga.

Tom wählt die Nummer seines Anwalts.

»Solange Ihre Mutter voll geschäftsfähig ist und es kein ärztliches Attest über ihren Geisteszustand gibt, wird sich die Sache schwierig gestalten.«

Knapp erklärt Tom seiner Assistentin die Situation. Innerhalb von Sekunden hat Sabine alles verstanden, wählt die Nummer des Kölner Straßenverkehrsamtes und lässt sich mit der zuständigen Sachbearbeiterin verbinden. Nachdem sie aber nur in der Warteschleife landet, zieht Tom die Promikarte, bekommt den Amtsleiter an die Strippe und fordert, seiner Mutter den Führerschein zu entziehen.

»Es tut mir leid, Herr Monderath, aber so einfach geht das nicht. Es gibt in Deutschland keine Gesetze, die Senioren das Fahren verbieten.«

»Kannst du beim Hausarzt meiner Mutter anrufen?«, bittet Tom Sabine auf dem Weg in die Redaktionskonferenz. »Dr. Heinrich Fischer in Porz. Frag, wann ich ihn sprechen kann.«

Keine zwanzig Minuten später kommt sie in den Konferenzraum und flüstert ihm ins Ohr: »Der Hausarzt deiner Mutter praktiziert seit Jahren nicht mehr. Und der Nachfolger kennt sie nicht.«

Tom kann sich nur mit Mühe auf die Themen des Tages konzentrieren. Die Gedanken überschlagen sich in seinem Kopf.

Mam hat ihm seit Monaten vorgegaukelt, alles sei in Ordnung. Und er Idiot hat ihr geglaubt.

Kaum ist die Abspannmusik der Abendsendung verklungen, reißt er sich seine Krawatte vom Hals, verzichtet auf das Feierabendkölsch und rast nach Porz. Der rote Stein des Anstoßes steht vor dem Haus.

Das Teil muss weg!, denkt er. Und vorher ihr Führerschein.

»Mam?«, ruft er in die Wohnung hinein.

»Dass du endlich kommst«, sagt Greta. »Helga hat mir den Autoschlüssel geklaut.«

»Ich weiß. Das war meine Idee.«

»Wie kannst du nur so frech sein!« Greta gibt ihm eine Ohrfeige.

Tom zuckt zusammen und bleibt wie festgefroren stehen. Jetzt ist sie übergeschnappt, denkt er und sieht, wie ihre Pupillen sich zu einem winzigen Punkt zusammenziehen. »Versteh es doch endlich«, sagt er lauter, als er will. »Du kannst nicht mehr Auto fahren, verdammt.«

Greta fängt an zu weinen, flieht ins Badezimmer und verriegelt die Tür.

Tom sucht ihre Handtasche, zieht den Führerschein aus dem Portemonnaie und steckt ihn ein.

»Ich gehe wieder, Mam. Gute Nacht«, ruft er und wirft die Wohnungstüre hinter sich zu.

Bei Helga holt er den Schlüssel des Neuwagens und fährt ihn vom Hof.

Tom hasst Cabriolets, diese lächerlichen Testosteronschleudern, die sich seiner Meinung nach in die Jahre gekommene Männer mit Erektionsproblemen, Rotzbremsen und Bauchansatz leisten, damit ihnen die jungen Bergheimerinnen an den Kölner Ringen auf den Beifahrersitz springen.

Er parkt das Auto in der Tiefgarage, stellt sich unter die Dusche und lässt minutenlang heißes Wasser über sich laufen. Aber er kann seine unbändige Wut nicht wegspülen.

Am Kiosk um die Ecke deckt er sich eine halbe Stunde später mit Zigaretten ein, geht in die Stammkneipe und bestellt sich ein Kölsch. Doch auch der Alkohol vertreibt die trübe Laune nicht. Tom legt Kovan einen Zwanziger auf die Theke und schiebt ihm wortlos den Bierdeckel zu.

Die Tür wird aufgerissen, und eine junge Frau in Joggingklamotten hechtet an den Tresen. »Ich bin soooo bescheuert«, sagt sie zu Kovan, nimmt keinerlei Notiz von Tom und erzählt anschließend allen, die es hören wollen oder auch nicht, ohne Punkt und Komma ihre Geschichte. Dass sie die Wohnungstür zugeschlagen hat, dann bemerkte, dass sie den falschen Schlüssel in der Hand hatte, und jetzt ihre Mitbewohnerin nicht erreichen kann, niemals einsehen wird, einen überteuerten Schlüsseldienst zu beauftragen, und überhaupt: »Ich brauch erst mal ein Kölsch, Kovan!«

»Klar, Mara«, sagt der, zwinkert Tom verschmitzt zu und gibt ihm sein Wechselgeld.

»Och, dann nehm ich auch noch eins.« Tom lässt den Fünfeuroschein liegen und hat binnen Sekunden eine Strategie, wie er der hübschen Mara aus der Patsche helfen und den Notstand beenden kann, seit über zwei Wochen keinen Sex mehr gehabt zu haben.

Seine volle Blase drückt. Er hat einen miesen Geschmack im Mund und schwört sich noch im Aufwachen, niemals wieder zu rauchen, um NIEMALS wieder diesen ekelhaften Nikotinbelag auf der Zunge schmecken zu müssen. Er blinzelt und sieht so etwas wie ein Piercing. Langsam öffnet er beide Augen. Ein

Intimpiercing – zweifelsfrei. Am unteren Ende eines Landing Strips.

Kenn ich nicht, denkt er zeitverzögert und hebt wie in Zeitlupe den dröhnenden Schädel zwischen den fremden Beinen an. Auf seinem Bauch, genauer: direkt auf der Blase! liegt der Kopf einer schlafenden Frau, an deren Namen er sich nicht erinnern kann. In ihrer Hand hält sie seinen schlaffen Schwanz.

Tom rollt sich zur Seite, schiebt sie von sich, sieht ihre kleinen Brüste, die verlaufene Mascara im Gesicht, verwuschelte, lange blonde Haare. Mit einem zufriedenen Stöhnen lässt sie von ihm ab, dreht sich um und schläft einfach weiter.

Als er sich von den drei Litern Kölsch befreit, den Nikotingeschmack aus dem Mund geschrubbt und drei Aspirin eingeschmissen hat, will er sich nicht mehr hinlegen, zumindest so lange nicht, bis die Tabletten wirken. Im Bademantel irrt er durch die dunkle Wohnung, stolpert über zerstreute Schuhe und Klamotten und blickt auf die Uhr.

Erst vier. Er ist so was von fertig! In seinem Sakko sucht er nach Pfefferminzdragees, findet Gretas Führerschein, und der ganze Scheiß mit dem roten Sportwagen fällt ihm wieder ein. Er wirft den grauen Lappen seiner Mutter auf den Esstisch, hängt das Jackett über die Stuhllehne und stellt die Kaffeemaschine an.

Mit dem ersten Schluck Espresso fährt sein Hirn wieder hoch. Tom klappt sein Tablet auf, wie jeden Morgen, um nachzusehen, was in der Nacht auf der Welt passiert ist. Er liest sich durch die wichtigsten Meldungen, nimmt noch einen Schluck, stellt die leere Tasse ab. Sein Blick fällt auf Gretas zusammengefalteten Führerschein, aus dem etwas Weißes herausragt. Neugierig klappt er das Dokument auf und entdeckt neben dem Passbild seiner vierundreißigjährigen Mutter die Rückseite einer gezackten Fotografie mit dem handschriftlichen Vermerk: *mein allerliebstes Mariele*. Er dreht das Foto um. Wie vom Donner gerührt blickt er in die Augen eines Mädchens mit krausen Löckchen und brauner Haut, das eine Art Puppe im Arm hält.

»Was ist das denn?«, entfährt es ihm. Tom ist hellwach, sein Herz rast.

Ich muss mit dir reden, schreibt er Jenny per WhatsApp auf dem Tablet. Hast du heute Zeit?

Von mir aus gleich, antwortet sie zu seiner Überraschung sofort. Ich kann eh nicht schlafen.

Er drückt auf das Telefonsymbol in der rechten Ecke, und plötzlich erscheint sie auf dem Bildschirm.

Tom flucht innerlich. Das wollte er nicht! Er hasst Bildtelefone, besonders, wenn er sich wie eine aufgerissene Sofaecke fühlt und alles andere als vorzeigbar ist. »Kannst du auch nicht schlafen?«, fragt er mit einer Reibeisenstimme und versucht, an seinem Konterfei vorbeizublicken.

»Ich weiß nicht mehr, wie ich liegen soll. Und bevor ich zum x-ten Mal die Babyklamotten neu sortiere …«

Tom unterbricht sie. »Ich hab was gefunden.«

Ein Aufschrei. Er reißt den Kopf herum und sieht eine nackte Frau, die sich ihren Zeh an der Kommode gestoßen hat.

»Aua! Scheiße!«, flucht sie, humpelt – mit dem vergeblichen Versuch, leise zu sein – durch die Wohnung und sammelt ihre zwischen Schlafzimmer und Eingangstür fallen gelassenen Kleider auf. Sie grinst Tom verschusselt an.

»Sorry, ich bin gleich weg«, flüstert sie dann, schlüpft in ihre Jogginghose und ihren weiten Sweater, knuddelt die Unterwäsche zusammen und verlässt die Wohnung.

»Wir können ja morgen weiterreden«, sagt Jenny und tut, als suche sie in ihren Unterlagen.

Tom überspielt, dass ihm diese Situation hochnotpeinlich ist. »Jenny, das ist nicht so, wie du jetzt denkst.«

Sie kann sich ein süffisantes Grinsen nicht verkneifen.

Tom hält das Foto des dunkelhäutigen Kindes in die Kamera. »Das hab ich in der Brieftasche meiner Mutter gefunden.«

»Ups!«

»Was denkst du?«

»Na ja, das wäre nicht das erste Kind, das ein schwarzer GI in Deutschland fabriziert hat.«

»Aber davon müsste ich doch wissen.«

»Was sagt deine Mutter?«

»Die weiß gar nicht, dass ich das Bild habe. Und ehrlich gesagt bin ich mir nicht sicher, ob sie mir die Wahrheit über ihre Vergangenheit sagen würde. Robert Cooper hat sie mir schließlich auch verheimlicht.«

»Versuch's doch mal. Ich melde mich später.«

»Danke.« Tom beendet das Gespräch und klappt das Tablet zu.

Auf dem Handy sieht er, dass seine Mutter zwölf Mal versucht hat, ihn anzurufen. Ihre Stimme überschlägt sich auf der Mailbox: »Du kannst mir das nicht verbieten. Ich will wieder Auto fahren!«

Er löscht sämtliche Nachrichten. An Schlaf ist nicht mehr zu denken. Tom weiß nicht, wohin mit sich, zieht das Bett ab, verheddert sich in der frischen Bettwäsche und lässt alles unfertig liegen. Wieder geht er zum Esstisch und schaut auf das Foto. Das vielleicht dreijährige Kind blickt ihn ernst an.

»Wer bist du?«, fragt Tom.

Bewegung tut dir gut, denkt er, schlüpft in seine Jeans und einen Hoodie und irrt ziellos durch die dunkle, noch schlafende Stadt. Es fröstelt ihn, aber er ist zu faul umzukehren, geht schneller und findet sich mitten über dem Rhein auf der Hohenzollernbrücke wieder. Hinter den Liebesschlössern durchbricht ein ICE die Stille.

Ohne zu überlegen, steigt er am Ende der Brücke die Treppen hinunter, läuft in Richtung Süden über die Deutzer Werft. Unter der Severinsbrücke hört er das metallische Quietschen einer Straßenbahn und sieht auf der gegenüberliegenden Rheinseite zwischen den Kranhäusern einen Konvoi von orangefarben flackernden Kehrmaschinen. Er beschließt, die restlichen sechs Kilometer zu Fuß nach Porz zu gehen, um seinen X5er abzuholen.

Es riecht nach Frühling, das nasse Gras auf den Poller Rheinwiesen benetzt seine Füße. Tom legt einen Zahn zu. Kurz hinter der Rodenkirchener Brücke rasen drei Fahrradfahrer in einem Affenzahn auf ihn zu. Ihr LED-Licht blendet ihn, und Tom muss zur Seite springen, um nicht mit ihnen zu kollidieren. Auch gedanklich sucht er nach einem Ausweg. Vielleicht, so überlegt er, hat es mit diesem Kind gar keine besondere Bewandtnis, und es war ein Mädchen aus der Nachbarschaft und Greta war ihr Babysitter. Langsam wird es hell, und er spürt, nein, er weiß, dass es anders ist.

Mit jedem Schritt, der ihn näher zu seinem Elternhaus bringt, steigen verdrängte Erinnerungen aus seinem Bewusstsein auf. Er sieht sich als kleiner Junge durch die Wohnung schleichen, wie er versucht, sich unsichtbar zu machen. Stets dachte er, es sei seine Schuld, wenn seine Mam wieder tagelang im abgedunkelten Schlafzimmer verschwand. Ihre Stimmungsschwankungen bestimmten sein Leben. Über Jahre fühlte er sich verunsichert und hilflos, weil sie in diesen Phasen nicht auf ihn reagierte. Als Jugendlicher wurde er wütend auf sie, wenn sie in dieser Melancholie verschwand, doch er hätte sich nie getraut, seine Wut zu zeigen, aus Angst, seine Mam könnte dann noch trauriger werden. Dieses Verhalten hat sich eingebrannt, und auch als Erwachsener ist er ihr meist mit einer Art angezogener Handbremse begegnet.

Tom zieht die Kapuze des Hoodies tiefer ins Gesicht, geht über den Rheindamm, schleicht am elterlichen Haus vorbei, steigt in den davor parkenden Wagen, legt den Rückwärtsgang ein, und dann sieht er sie: Greta steht am erleuchteten Küchenfenster und winkt ihm zu.

»Fuck«, murmelt Tom und grüßt zurück. Er gibt ihr Zeichen, das Fenster zu öffnen, und fährt das Beifahrerfenster runter, um mit ihr reden zu können. »Morgen, Mam. Ich wollte gerade Brötchenholen fahren. Hast du einen bestimmten Wunsch?«

»Butterhörnchen«, ruft sie.

Um Zeit zu gewinnen, trinkt Tom einen Cappuccino am Stehtisch der Bäckerei, dann einen zweiten, und beobachtet die Schulkinder, die mit übergroßen bunten Rucksäcken an der Bushaltestelle stehen und herumalbern. Er braucht eine Strategie, aber sein Kopf ist blockiert.

»Du kannst mir das Autofahren nicht verbieten«, empfängt ihn Greta.

Mist, warum vergisst sie jeden Dreck, nur das nicht, denkt er und sagt: »Wir finden für alles eine Lösung, Mam.«

Er deckt den Frühstückstisch, kramt sämtliche Zutaten aus dem Kühlschrank, nur damit es länger dauert und er noch einige Sekunden Zeit gewinnt. Er kann nichts anderes denken als: Wer ist dieses Kind?

Tom setzt sich auf den früheren Platz seines Vaters am Kopfende und sieht zu, wie Greta das Croissant dick mit Butter und Himbeermarmelade bestreicht. Er bekommt keinen Bissen herunter und gibt sich einen Ruck. »Wer ist Mariele, Mam?«, fragt er und blickt ihr in die Augen.

Greta stippt das angebissene Butterhörnchen in den Kaffee und tut so, als hätte sie nichts gehört.

Schlechte Performance, denkt Tom, steht auf, stellt sich neben sie und hält ihr das Foto des Mädchens vor die Nase.

»Wer ist das?«

Sie lässt das Croissant fallen und starrt mit offenem Mund auf das Bild. »Wo hast du das her?«

»Das ist nicht die Frage. Ich will wissen: Wer ist dieses Kind? Wer ist Mariele?«

Greta steht auf. Sie zittert am ganzen Körper.

»Wo willst du hin?« Tom versucht, sie aufzuhalten, und legt seine Hand auf ihren Arm, doch seine Mutter schüttelt ihn ab.

»Mir ist nicht gut«, sagt sie, geht in ihr Schlafzimmer und knallt die Tür hinter sich zu.

In Tom kriecht die alte Angst hoch. Wieder ist er übers Ziel hinausgeschossen. Und wieder ist es seine Schuld, dass es ihr nicht gutgeht. Doch dann merkt er, dass er keine Lust mehr auf Spielchen, auf Ausflüchte, auf Lügen hat.

»Mam! Rede mit mir. Bitte!«, sagt er durch die geschlossene Tür.

Sie gibt ihm keine Antwort.

»Mam, ich komm jetzt rein!«

Seit Ewigkeiten hat er Gretas allerheiligsten Rückzugsort nicht betreten. Er hat immer respektiert, wenn sie in ihrem Schlafzimmer verschwunden ist. Aber nun öffnet er die Tür.

»Red mit mir, bitte! Wer ist dieses Kind?«

Greta hat die Decke über den Kopf gezogen und regt sich nicht.

Tom überlegt, sich auf den Sessel zu setzen und auf eine Reaktion zu warten. Dafür müsste er jedoch fünf Porzellanpuppen, in Spitzenkleidern, entfernen, die ihn im Moment besetzen. Er geht darauf zu und schiebt den cremefarbenen Puppenwagen aus Korbgeflecht weg, der vor dem Sessel steht. Als er einen Blick in den Wagen wirft, gefriert ihm das Blut in den Adern. In ihm liegt ebenfalls eine Puppe. Sie ist schwarz, schaut ihn mit ihren hohlen Augen an. Tom erinnert sich, dass sie schon immer hier war. Auch in seiner Kindheit. Und ihm fällt ein, dass er nie mit ihr spielen durfte.

Am liebsten würde er alles nehmen und aus dem Fenster werfen, würde Mam die Bettdecke wegziehen, sie schütteln, bis sie ihr Schweigen bricht, bis sie endlich den Mund aufmacht. Aber dann verlässt ihn der Mut. »Okay, du willst es nicht anders«, sagt er, geht zur Schlafzimmertür, knallt sie hinter sich zu und verlässt die Wohnung.

In seinem Büro über dem Rhein stürzt Tom sich in Arbeit. Er ist froh, seine Mam und das Kind auf dem Foto für einige Zeit zu vergessen.

Sein Smartphone vibriert. Jenny hat ihm eine WhatsApp geschickt: Und? Was sagt sie?

Nichts. Alles andere wäre ein Wunder gewesen.

Um sicher zu sein, machen wir Folgendes: Schreib das Heidelberger Standesamt an und lass dir einen Personenstandsausdruck deiner Mutter schicken. Ich mail dir die Kontaktdaten.

Greta hört im Treppenhaus, wie oben ein Eimer abgestellt wird, und weiß, dass Helga die Treppen putzt. Normalerweise würde sie ihr einen kurzen Gruß zurufen, aber sie will Helga gar nicht auf sich aufmerksam machen. Die kann ich jetzt gar nicht brauchen, denkt sie, tritt aus der Haustür und geht über den Vorplatz.

»Wo wollen Sie denn hin, Frau Monderath?«

Greta dreht sich um und sieht Helga im dritten Stock aus dem offenen Flurfenster schauen. Neugierig bis zum Gehtnichtmehr, denkt sie und ruft: »Spazierengehen. Bin gleich wieder zurück.«

»Warten Sie, ich komme mit.«

Greta bleibt stehen, bis Helga das Fenster geschlossen hat, dann eilt sie Richtung Hauptstraße. »Mariele, ich muss mein Bobbele finden«, murmelt sie vor sich hin.

»Hallo, Frau Monderath«, ruft ihr die hagere Verkäuferin mit ihrer nikotinvergerbten Haut zu, die vor ihrem Kiosk raucht. »Wo wollen Sie denn hin?«

Neugierige Kuh, denkt Greta, sagt: »Besorgungen machen«, und geht an ihr vorbei.

Die Kioskverkäuferin drückt ihre Zigarette aus. »Wollen Sie Ihre Fernsehzeitung sofort mitnehmen oder auf dem Rückweg?«

»Später«, ruft Greta und biegt um die Ecke. Zielstrebig geht sie zu dem nahe gelegenen Kindergarten, in dem auch früher schon ihr kleiner Thomas war, und klingelt.

Eine fremde Erzieherin öffnet die Tür. »Was kann ich für Sie tun?«, fragt sie.

»Ich will Marie abholen?«

»Welche Marie?«

»Na, mein Mariele«, sagt Greta und schaut über die Schulter der Erzieherin, um einen Blick auf die Kinder zu erhaschen.

»Ich kenne Sie nicht. Haben Sie denn …?«

»Schönaich. Meine Güte. Ich will mein Kind«, sagt Greta ungeduldig.

»Es tut mir leid, aber wir haben hier keine Marie Schönaich. Vielleicht ist sie ja in einem anderen Kindergarten.«

Ich verstehe das nicht, denkt Greta. Ich will mein Kind und verstehe jetzt nicht Mariele ich will Marie abholen und verstehe das nicht

»Es tut mir wirklich leid«, sagt die Erzieherin. »Aber ich muss mich jetzt um die Kinder kümmern.« Sie schließt die Tür.

»Ich verstehe das nicht.«

Greta bleibt noch eine ganze Weile stehen und weiß nicht weiter.

»Hallo, Frau Monderath«, grüßt eine Nachbarin und überquert die Straße. »Auch unterwegs?«

»Ja«, antwortet Greta, begibt sich mit Frau Küppers auf den Nachhauseweg, hört sich an, was bei Aldi gerade im Angebot ist, und sinniert: Marie ich kaufe bei Aldi für Marie.

Sie gehen am Kiosk vorbei. »Ihre Zeitung, Frau Monderath«, ruft ihr die Verkäuferin hinterher.

Greta macht auf der Stelle kehrt und lässt Frau Küppers weiterziehen. Beim Bezahlen sieht sie Bonbons. Marie ist ein Schleckermäulchen, fällt ihr ein, und sie sagt: »Ach, geben Sie mir davon auch noch welche.«

»Wie viele?«

Greta zögert kurz und antwortet dann: »Alle.«

Mit einer Plastiktüte voller Bonbons eilt sie zurück zum Kindergarten. Schon von Weitem sieht sie, dass die Kleinen draußen spielen. Sie bleibt am Zaun stehen und beobachtet, wie sie in Matschhosen gepackt hintereinander herlaufen und versuchen, sich zu fangen. Greta hält Ausschau. Marie, wo ist mein Mariele? Wo ist sie? »Komm mal«, lockt sie ein Mädchen und reicht ihm ein Bonbon durch den Zaun. Innerhalb von Sekunden drängelt die gesamte Kinderschar am Gatter und fängt Kamelle.

»Was machen Sie da?«, fragt die Erzieherin, die Greta zuvor die Tür geöffnet hat, konfisziert die Süßigkeiten und schickt die Kinder in den Gruppenraum.

»Ich wollte doch nur …«, meint Greta enttäuscht und zieht wie ein vom Hof gejagter Hund weiter in Richtung Innenstadt.

Marie ich verstehe das nicht wo ist Mariele ich muss sie doch finden ich bin doch ihre Mama und wo ist Mariele ich verstehe das nicht

---

Sofort nach der Redaktionssitzung schreibt Tom das Heidelberger Standesamt an: *Meine am 7. 3. 1931 geborene Mutter Greta Monderath, geb. Schönaich, lebte ab 1946 oder 1947 in Heidelberg. Spätestens 1956 zog sie von dort nach Köln. Könnten Sie mir bitte einen Personenstandsausdruck zukommen lassen?*

Als sein Handy klingelt, stutzt er. Es ist Helga. Sie hat ihn noch nie angerufen.

»Es tut mir leid, dass ich dich störe, aber ich kann deine Mutter nicht finden. Ich habe sie schon überall gesucht, und jetzt ist es dunkel. Ich mache mir Sorgen, Tom.«

»Scheiße«, sagt er. »Ich kann jetzt nichts machen, ich hab in zwanzig Minuten Sendung. Ich melde mich gleich danach. Vielleicht kommt sie ja in der Zwischenzeit heim.«

»Als Faschisten hat der türkische Präsident Erdogan die Niederländer beschimpft, weil der Außenminister keine Landeerlaubnis für Rotterdam erhielt«, moderiert Tom die Sendung vom 11. März 2016 an und schielt während des darauffolgenden Einspielers aus Holland auf sein Handy. Keine Entwarnung von Helga.

Nach dem Wetterbericht, der ganz unter dem Frühlingseinbruch in Deutschland steht, beendet er die Sendung mit seinem Spruch zum Tag: »›Ich glaube an den gesunden Menschenverstand wie an ein Wunder; doch der gesunde Menschenverstand verbietet mir, an Wunder zu glauben‹, hat Erich Kästner gesagt. Ich wünsche Ihnen einen schönen Abend.«

Die Beamten der Polizeiwache Porz staunen nicht schlecht, als der Mann, der vor einer halben Stunde noch im Fernsehen war, vor ihnen steht, ein Foto seiner Mutter zeigt und eine Vermisstenanzeige aufgibt.

»Am besten, Sie gehen nach Hause, Herr Monderath, und warten dort auf sie. Wir kümmern uns.«

Von Gretas Terrasse aus sehen Tom und Helga Polizisten, die mit Taschenlampen den Rhein absuchen.

»Und ich sag noch, sie soll warten. Aber …«

»Hör auf. Das hat doch keinen Sinn.«

»Mensch, ich kann doch nicht rund um die Uhr auf sie aufpassen. Das geht so nicht weiter, Tom.«

»Ich hoffe, dass es überhaupt weitergeht«, sagt er und denkt gleichzeitig, dass seine Mutter nicht mehr alleine wohnen kann, als Wasserleiche im Rhein treibt, von einem Auto überfahren wurde, durch die Straßen von Köln irrt.

»Ich verstehe das nicht, gestern war sie doch völlig normal. Ist dir denn irgendwas aufgefallen, als du am Morgen bei ihr warst?«

Tom schüttelt den Kopf und hört sich auf seine Mutter einreden und sieht vor dem inneren Auge das Foto des Kindes. Er zündet eine Zigarette mit der anderen an, zieht den Rauch in den letzten Lungenzipfel, als würde ihm das beim Nachdenken helfen, und macht sich Vorwürfe. Er hätte es wissen müssen.

»Hast du schon mal etwas von Mariele gehört?«, fragt er in die dunkle Nacht.

»Du meinst die Millowitsch?«

»Nein. Hat Mam dir gegenüber einmal diesen Namen erwähnt? Dir von einem Kind erzählt, das so heißt?«

»Nee, wieso?«

»Ach, egal.«

Ein Helikopter mit Suchscheinwerfern fliegt tief und langsam flussaufwärts. Tom wirft die Zigarette über die Brüstung, geht hinein, schließt sich in der Gästetoilette ein und hält sich die Ohren zu. Wie früher, wenn er es nicht ertragen konnte, seine Mutter im Schlafzimmer weinen zu hören.

Es klopft an der Tür, und er senkt die Hände.

»Komm raus, Jung«, sagt Helga mit sanfter Stimme. »Ich hab dir einen Kakao gemacht.«

Wie früher. Und wie früher wärmt der Kakao seine Seele, braucht es keine Worte. Helga muss einfach nur da sein, um ihn zu beruhigen. Tom überlegt, ihr das Foto des Mädchens zu zeigen. Doch dann entscheidet er sich dagegen, denn sie wird nichts wissen, und alles Spekulieren ist sinnloses Stochern im Nebel.

Wortlos stellt sie ihm einen zweiten heißen Kakao hin und weicht ihm nicht von der Seite.

Kurz vor sechs Uhr klingelt sein Handy.

»Wir haben Ihre Mutter gefunden. Verwirrt und durchgefroren.«

»Wo?«

»Unter der Rodenkirchener Brücke. Die Rettungssanitäter haben sie in die Gerontopsychiatrie gebracht, damit sie dort erst einmal behandelt werden kann.«

»Danke«, sagt Tom und drückt Helga an seine Brust. »Sie lebt. Keine Wasserleiche!«

Es ist Samstag. Tom steht nicht auf dem Dienstplan und muss sich somit niemandem auf der Arbeit erklären.

Am Nachmittag fährt er in die Klinik, die mitten in einem Park auf der linken Rheinseite liegt. Er steigt aus dem Aufzug im dritten Stock und blickt auf einen achteckigen, großen Flur, von dem verschiedene Gänge abgehen. Gegenüber, hinter Glas, befindet sich das Stationszimmer.

Ein Herr im rot-gelb karierten Jackett, der mit seinem langen, dünnen Haar aussieht wie der altgewordene Jesus Christus, kommt mit ausgestreckter Hand auf ihn zu: »Ich kenn Sie.«

Tom nickt abweisend, schlägt den Kragen hoch und zieht den Kopf ein. Er will nicht überall erkannt werden.

Im Schwesternzimmer sitzt eine alte Dame mit einem Teddybären im Arm in einem Rollstuhl und blickt mit starrem Gesicht ins Leere. Tom fragt einen Pfleger nach seiner Mutter und hört, wie der karierte Jesus einen anderen Besucher anspricht: »Ich kenn Sie.«

Greta schläft. Sie bemerkt nicht, dass Tom ihre Hand hält.

»Wann kann ich mit einem Arzt sprechen?«, fragt er nach einer Stunde eine Krankenschwester, die nach ihr sieht.

»Ich denke, Sinn macht es erst, wenn wir Ihre Mutter untersuchen konnten. Sie muss sich ausschlafen und zu Kräften kommen. Sollen wir Sie anrufen?«

»Gerne«, sagt Tom, gibt Greta einen Kuss auf die Stirn und geht.

Im Agrippabad setzt er seine Chlorbrille schon in der Umkleidekabine auf, um ja nicht erkannt zu werden. Er wirft sein Handtuch auf eine Liege, springt vom Startblock und taucht die fünfzig Meter bis zum anderen Beckenende durch, macht eine Wende und krault, als ginge es darum, den Weltrekord zu brechen. Nach neunzig Minuten hat er sich die Gedanken aus dem Hirn gekämpft, schwimmt quer durch das Becken, drückt sich mit den Armen aus dem Wasser und legt sich am Kleinkinderbecken auf eine Liege. Er zieht sich das Handtuch übers Gesicht und schläft sofort ein.

In seinen traumlosen Schlaf mischen sich die Geräusche von Wasserplatschen, Kreischen und Kinderlachen. Langsam kommt er wieder zu sich, dreht den Kopf, um am Rand des Handtuches vorbeizuschielen. Er sieht im Planschbecken ein dunkelhäutiges Mädchen mit Afrozöpfen, das eine Gießkanne füllt, sich das Wasser über die Haare gießt und darüber fröhlich kichert. Dieses Lachen ist ansteckend und zaubert ein Lächeln in Toms Gesicht. Vorsichtig schiebt er sein Handtuch zur Seite, damit er die Kleine besser beobachten kann. Was für eine Lebensfreude, denkt er, und dann fällt ihm wieder das Mädchen auf dem Foto ein. Mariele.

»Wir haben verschiedene Tests mit Ihrer Frau Mutter gemacht, die den Verdacht bestätigen«, sagt Prof. Marvick, der leitende Gerontopsychiater am Montagmorgen. »Ihre Mutter hat Alzheimer-Demenz.«

»Sind Sie sicher?«, fragt Tom.

Der Professor legt ihm eine Zeichnung vor. »Das ist ein Uhrentest. Ich habe Ihrer Mutter das Blatt mit einem Kreis gegeben, ihr gesagt, sie soll sich vorstellen, das sei eine Uhr. Ihre Aufgabe war es, die Zahlen wie auf einem Ziffernblatt zu verteilen.«

Tom sieht, wie mit krakeliger Handschrift die Eins da steht, wo eigentlich die Drei hingehört. Die restlichen elf Ziffern sind dicht gedrängt dahinter.

Der Professor zeigt ihm weitere Untersuchungsergebnisse, und jetzt kann auch Tom es nicht mehr wegdrängen, auf Nebenwirkungen von Medikamenten oder auf zu wenig Flüssigkeit schieben.

Als er nach dem Gespräch zu Greta ins Zimmer geht, liegt sie in ihrem Bett und blickt durch ihn hindurch.

»Weißt du, wo du hier bist, Mam?«, fragt er vorsichtig.

»Ich bin hier, ohne da zu sein.«

Tom verschlägt es die Sprache.

Zwei Tage später hat er einen Termin in dem Pflegeheim, das Prof. Marvick ihm empfohlen hat. Das Heim ist in Köln-Porz, nicht weit von seinem Elternhaus entfernt, was für Greta den Vorteil hätte, dass sie sich nicht an eine völlig neue Umgebung gewöhnen müsste.

Vor dem klotzigen Siebzigerjahre-Bau sitzen an einer Bushaltestelle zwei alte Herren auf dem Bänkchen, einer hat ein Köfferchen auf dem Schoß, der andere einen Gamsbarthut auf dem Kopf.

»Wissen Sie, wann der Bus kommt?«, fragt der Gamsbartträger, als Tom auf ihrer Höhe ist.

»Nein, aber ich kann gerne für Sie nachschauen.« Er liest den Busfahrplan, dann das signalrote Blatt, das daneben an der Scheibe klebt:

ACHTUNG!!! DIESE HALTESTELLE DIENT AUSSCHLIESSLICH ALS THERAPEUTISCHE MASSNAHME

»Sie müssen noch ein wenig Geduld haben«, sagt Tom.

»Haben Sie ein Auto?«, fragt der Koffermann.

»Ja, warum?«

»Können Sie mich nach Hause fahren? Meine Eltern warten.«

»Leider geht das jetzt nicht«, sagt Tom und stiehlt sich davon.

Drinnen reicht er der Pflegedienstleiterin grinsend die Hand. »Ich bin mit dem Bus gekommen. Ziemlich miese Verbindung.«

Frau Sauer-Seidel, eine blondierte Endvierzigerin, kichert wie ein Mädchen, ihre Augen spielen Pingpong, und eine Hitzewallung treibt ihr die Röte ins Gesicht. Sie hat sich mit ihrer frischen Föhnfrisur für mich schick gemacht, denkt Tom. Sein Blick streift ihr um die Hüfte und am Bauch etwas zu knappes Businesskostüm.

»Unsere Phantom-Bushaltestelle wird in der Betreuung von Alzheimerkranken eingesetzt, Herr Monderath. Die Heimbewohner wollen in die alte, vertraute Umgebung zurückkehren und sind deswegen unruhig. Durch die Haltestelle ist die Gefahr geringer, dass sie sich außerhalb des Heimes verlaufen und von den Pflegekräften gesucht werden müssen.«

»Werden die Bewohner nicht eher nervös oder unruhig, wenn nie ein Bus kommt?«, fragt Tom.

»Nein, nein«, erwidert Frau Sauer-Seidel. »Wegen der Störungen im Kurzzeitgedächtnis vergessen sie, warum sie auf den Bus warten und wohin sie eigentlich wollten.«

Tom würde gerne kritisch nachfragen, kommt aber lieber auf den Zweck seines Besuches zu sprechen.

»Unsere Warteliste ist lang«, sagt Frau Sauer-Seidel. »Und es liegt in der Natur der Sache, dass Plätze erst frei werden, wenn ein Bewohner von uns geht.«

»Von uns geht« – was für ein Ausdruck für Sterben, denkt Tom und verkneift sich den dummen Spruch, dass das bei der Busverbindung ja lange dauern kann.

Die Pflegedienstleiterin führt Tom durchs Haus. Der Aufzug bringt sie eine Etage tiefer zu einer Tür, auf der Station *Sonnenschein* steht und die nur mit einem Code zu öffnen ist.

»In unserer Wohngemeinschaft für Alzheimerkranke leben zwölf Bewohner«, erklärt sie. »Wir haben hier einen höheren Personalschlüssel als in den herkömmlichen Gruppen, und die Pflegekräfte haben eine Zusatzausbildung in Validation.«

»Das ist was?«

»Das ist eine Umgangs- und Kommunikationstechnik, die für die Begleitung von Menschen mit Demenz entwickelt wurde. Sie soll das Wohlbefinden und die Autonomie des Dementen fördern, indem ihre subjektive Wirklichkeit so angenommen wird, wie sie für den Dementen ist.«

»Wie sieht das konkret aus?«, fragt Tom, der sich das nicht vorstellen kann.

»Wenn das Kurzzeitgedächtnis nachlässt, versuchen ältere Menschen, ihr Leben wieder in den Griff zu bekommen, indem sie auf frühere Erinnerungen zurückgreifen. Grundsätzlich gilt, dass ein verwirrter Mensch einen Grund hat für sein Verhalten. Man kann ihn nicht zwingen, dies zu verändern, wenn er es nicht will.«

Tom schaut sie fragend an.

»Schmerzliche Gefühle, die ausgedrückt, anerkannt und von einer vertrauten Person validiert werden, werden schwächer. Schmerzliche Gefühle, die man ignoriert und unterdrückt, werden stärker. Einfühlung und Mitgefühl führen zu Vertrauen und verringern Angstzustände.«

Tom denkt an seine Mutter und hört, wie Frau Sauer-Seidel sagt, dass es dank Validation möglich sei, die dementen Menschen beim Verarbeiten von schmerzlichen Gefühlen zu unterstützen.

»Kommen Sie, Herr Monderath«, sagt sie. »Ich zeige Ihnen die Station.«

Als Erstes führt sie ihn in den Therapiebereich, in dem gebastelt und gemalt werden kann.

An einer Milchglastür steht: *Snoozelenraum*.

»Und was ist das?«

»Snoozelen ist ein in Holland entwickeltes Verfahren, das entspannend und auch aktivierend wirkt. Bei dementen Personen wird damit angestrebt, dass sie sich ausdrücken können, was ansonsten oftmals nicht mehr möglich ist.«

Leise öffnet sie die Tür. Es riecht nach Lavendel. Sphärische Klänge und Lichteffekte sorgen für eine entspannte, stimmungsvolle Atmosphäre. Auf einem Wasserbett liegt eine alte Dame und blickt entrückt und selig zur Zimmerdecke, auf der Bilder von Bergen, Wolken, Wiesenblumen und Schnee ineinander übergehen. Eine Therapeutin massiert ihre Hände.

Anschließend führt Frau Sauer-Seidel Tom in den Außenbereich mit den Hochbeeten, die die Bewohner bepflanzen können, und zeigt ihm eines der Zimmer, die individuell möbliert werden dürfen.

Nicht schlecht, denkt Tom, sieht seine Mutter schon in einem dieser Räume und überlegt eine Strategie, wie er die Pflegedienstleiterin dazu kriegen könnte, Greta ganz oben auf die Warteliste zu setzen.

Auf dem Weg zum Zentrum der Station *Sonnenschein*, dem großen, wohnküchenartigen Gemeinschaftsraum, gehen sie durch einen langen Flur, auf dem eine alte Nähmaschine steht und ein Spinnrad. An den Wänden hängen Gemälde von Fachwerkhäusern, Wasserfällen und dem Siebengebirge. Tom schlägt ein süßliches Gemisch aus Pfefferminztee, Desinfektionsmittel, Veilchen und Urin entgegen. Eine Bewohnerin, die zwei Strickjacken übereinander trägt und deren schlohweißes Haar in alle vier Himmelsrichtungen zeigt, kommt mit starrem Blick auf sie zu.

»Ich muss dahin, wo man mich kennt! Ich muss dahin, wo man mich kennt!« Sie leiert diesen Satz herunter, als wäre er der Einzige, der ihr geblieben ist und an den sie sich klammern muss.

Frau Sauer-Seidel nimmt die Dame behutsam an der Hand. »Kommen sie, Frau Malinka. Wir gehen zu den anderen in den Gemeinschaftsraum. Da gibt es viele, die Sie kennen.«

Tom flüstert sie zu, dass Frau Malinka bereits fünfundneunzig Jahre alt sei. Dann führt sie die alte Dame, die ihren Satz wieder und wieder aufsagt und mit steifen Schritten neben ihr stakst, in den großen Raum.

An vier Tischen sitzen mehr Frauen als Männer auf Stühlen oder im Rollstuhl. Es ist Abendessenszeit. Die meisten Bewohner tragen Papierlätze um den Hals, manche stopfen sich ihre Leberwurst- und Käsebrote mit beiden Händen gleichzeitig in den Mund, andere werden mit Grießbrei gefüttert. Tom bleibt in der Tür stehen. Wenn er beruflich hier wäre, dann würde er sich ohne mit der Wimper zu zucken an einen dieser Tische setzen und mit den Menschen ins Gespräch kommen, denn er hat keinerlei Berührungsängste. Aber er ist nicht als Journalist hier, sondern als Sohn. Er nickt einem Pfleger zu, der Frau Malinka in Empfang nimmt, und gibt der Pflegedienstleiterin ein Zeichen, dass er verstanden hat, dass sie dringend telefonieren muss.

Im Radio singt Udo Jürgens ›Griechischer Wein‹.

Ein Mann, dessen Augen unter den buschigen Brauen nicht zu erkennen sind, haut im Rhythmus des Schlagers auf den Tisch.

Eine zahnlose Greisin voller Altersflecken im Gesicht gibt hysterische Laute von sich und bewegt den Oberkörper in ihrem eigenen Takt vor und zurück.

Hier sind alle Stufen der fortgeschrittenen Alzheimererkrankung versammelt, konstatiert Tom und hat Fluchtgedanken. Aber ohne den Türcode zu kennen, kommt auch er hier nicht heraus.

Dann entdeckt er neben einer mütterlichen Pflegerin eine kleine Frau, deren Knochen nur noch von der welken Haut zusammengehalten werden. Eine Handvoll Leben, zusammengekrümmt in Embryonalstellung, dämmert sie in einer mit Fell ausgeschlagenen Sitzschale vor sich hin. Toms Hals schnürt sich zusammen. Das ist dann wohl das Endstadium, schießt es ihm in den Kopf, und er wendet sich ab. Er erträgt es nicht länger, kann nicht länger anschauen, wie die Zukunft seiner Mutter aussehen wird.

Mit verschränkten Armen wandelt er über den endlosen Flur, von dem die Bewohnerzimmer abgehen. Er sieht die Fotocollagen von Ausflügen auf einen Bauernhof nicht, auch nicht die Bilder vom Tag der offenen Tür und dem Besuch von Kindergartenkindern. Er bleibt am Ende des Gangs vor einem Käfig stehen, in dem hellblaue Wellensittiche aufgeregt auf und ab flattern. Auch sie sind eine geschlossene Gesellschaft.

Zu Hause stellt Tom sich unter die heiße Dusche. Will den Altenheimgeruch loswerden. Er hält die Luft an, aber sein Hirn arbeitet weiter. Er kann die Horrorvorstellung, dass seine Mutter immer mehr ihr Gedächtnis und ihre Persönlichkeit verlieren wird, nicht wegspülen.

Als er angezogen auf seinem Sofa sitzt, wählt er Jennys Nummer. Es klingelt mindestens zehn Mal, bis sie endlich abnimmt.

»Hier ist Tom. Ich wollte dich nur fragen, wie lange es deiner Erfahrung nach dauert, bis das Heidelberger Standesamt sich …«

»Tom, ich kann jetzt nicht«, unterbricht sie ihn kurzatmig. »Ich bin auf dem Weg ins Krankenhaus.«

An den folgenden beiden Tagen schaut Tom vor seiner Arbeit in der Gerontopsychiatrie vorbei und wird jeweils vom karierten Jesusverschnitt mit: »Ich kenn Sie!«, empfangen.

»Wie geht es meiner Mutter?«, fragt er die Stationsleiterin an Tag eins.

»Sie schläft. Aber heute Nacht war sie wohl sehr unruhig«, erwidert sie.

Tom ist fast erleichtert, denn er wüsste nicht, was er Greta sagen sollte.

Am Tag danach schläft sie noch immer. Oder wieder. Er weiß es nicht. Tom setzt sich zu ihr ans Bett, betrachtet das vertraute Antlitz und weiß nichts. Das ist unerträglich. Und doch sehnt er sich gleichzeitig nach noch mehr Nichts, nach Leere im Kopf, nach einem Zustand, in dem er sich keine Sorgen um seine Mam und keine Gedanken um dieses Kind machen muss.

Wie in Trance öffnet Greta ihre Augen.

»Hallo, Mam, ich bin's.«

Sie starrt durch ihn hindurch.

Er streichelt ihre pergamentene Hand. Seine sorgenvollen Gedanken rattern unentwegt. Nichts ist mit Nichts. Georg Büchner fällt ihm ein, der in ›Dantons Tod‹ einen Protagonisten feststellen lässt: *Die Schöpfung hat sich so breitgemacht, da ist nichts leer, alles voll Gewimmels.*

Tom hofft, dass sie noch lange hierbleiben kann, denn er hat keine Ahnung, wie es weitergehen soll.

In der Redaktion wird Sekt ausgeschenkt.

»Hat wer Geburtstag?«, fragt Tom und schaut in die fröhliche Runde.

»Ja, der Sohn von Jenny kam heute Morgen im Klösterchen zur Welt«, sagt Sabine. »Ein Carl. Ein bischen zu früh. Aber gesund!«

Tom schnappt sich ein Glas, prostet mit den Kollegen auf den neuen Erdenbürger an, zieht fünfzig Euro aus dem Portemonnaie und unterschreibt auf einer Glückwunschkarte.

»Jetzt bist du der Einzige hier, der noch keinen Nachwuchs hat«, sagt Sabine und steckt das Geld zu den Scheinen, die ihr die anderen Kollegen gegeben haben.

»Daran wird sich auch nichts ändern«, entgegnet Tom und nimmt sich den Newsausdruck mit in sein Büro. Immer noch keine Nachricht aus Heidelberg.

»Ich kenn Sie«, wird er bei seinem nächsten Besuch vor Dienstbeginn in der Klinik empfangen.

»Ich kenne Sie auch«, begrüßt Tom den Langhaarigen, der kurz erschrickt, und geht zu seiner Mutter.

Sie schläft wieder.

»Kein Wunder, dass sie müde ist. Sie war die ganze Nacht unterwegs«, erzählt ihm Schwester Karin, die das Tablett mit dem unberührten Mittagessen seiner Mutter wegräumt. »Die Nachtwache hat berichtet, dass sie weglaufen wollte, um ein Kind zu suchen. Wer ist Mariele?«

»Wenn ich das wüsste.«

Tom sitzt an Gretas Bett. Sie wirkt verloren, sieht aus, als wäre sie geschrumpft.

»Hat Prof. Marvick Sie schon auf die Biografie Ihrer Mutter angesprochen?«

»Nein.«

»Es wäre ganz gut, wenn Sie aufschreiben würden, wie ihr Leben verlaufen ist, dann können wir gezielt auf sie reagieren.«

»Okay. Kann aber etwas dauern, ich habe viel zu tun.« Er sagt ihr nicht, dass er gar nicht so recht weiß, was er aufschreiben soll. Dann hört er wieder den Begriff, den er im Pflegeheim gehört hat. Validation. *Mit diesem Verfahren kann man das Verarbeiten von schmerzlichen Gefühlen unterstützen,* erinnert er sich. »Aber wie soll ich dir helfen, wenn ich nichts weiß, Mam?«

Nach Feierabend zieht Kovan den achten Strich auf den Bierdeckel. Tom trinkt auch dieses Glas in einem Zug.

»Und? Alles klar bei dir?«, fragt Gas-Wasser-Scheiße-Hansi und starrt vor sich hin.

»Sicher«, sagt Tom und bestellt ein weiteres Kölsch. Er nimmt sich vor, morgen bei den Arschlöchern aus Heidelberg anzurufen, das kann doch nicht sein, dass die für so eine läppische Auskunft derart lange brauchen.

Mit dickem Kopf und zwei Aspirin intus hat er um zehn Uhr erst die Vermittlung am Apparat, erfährt, dass die zuständige Sachbearbeiterin nicht am Platz ist, und bekommt deren Durchwahl. Als er sie endlich kurz vor zwölf erreicht, kann sie ihm nicht weiterhelfen, denn sie bearbeitet nur die Buchstaben L bis O. Tom fragt nach der Rufnummer der Bearbeiterin für den Buchstaben S, und als er diese anwählt, erfährt er, dass er leider außerhalb der Bürozeiten anruft.

Am Tag danach informiert ihn die kurpfälzische Frauenstimme vom Band, dass jetzt Osterferien sind. Er knallt den Hörer auf. Normalerweise würde er so eine Angelegenheit zur Chefsache machen. Aber seit Gretas nächtlicher Ausflug auf der Autobahn an die Presse durchgestochen wurde, hält er sich damit eher zurück.

In seiner perlgrauen Hochglanzküche macht er sich einen Espresso und ruft Jenny an. Sie wird ihm helfen können, das weiß er. »Jenny, wie isses?«

»Ich bin glücklich, Tom!«, meldet sie sich mit müder, aber nichtsdestotrotz rauchiger Stimme. Im Hintergrund hört er ein Baby quäken.

»Einen tollen Namen habt ihr euch ausgesucht für den Kleinen«, lobt er, um nicht gleich mit der Tür ins Haus zu fallen. »Sag mal, kann ich dich zu einem Kaffee einladen?«

»Du bist lustig, Tom«, sagt die Frau, die vor einer Woche Mutter geworden ist. »Komm vorbei. Wenn dich Chaos nicht abschreckt.«

»Mach dir keine Sorgen. Ich bin einiges gewöhnt!«

Er wusste nicht, was Jenny mit Chaos meinte, bis sie die Tür zu ihrem offensichtlich aus einem Zimmer bestehenden Appartement an dem erhalten gebliebenen Torbogen der mittelalterlichen Stadtmauer aufmachte. Mit seinem großen Blumenstrauß in der Hand muss er sich durch den Türspalt zwängen, weil dahinter, in dem kleinen Flur, ein Kinderwagen parkt, auf dem Berge von Pamperspackungen liegen und sich davor zugeknotete Mülltüten stapeln. Überall liegt und steht etwas herum. Kein Millimeter des Fußbodens ist frei.

Jenny, noch blasser als sonst, mit strähnigem Haar, in einen ausgewaschenen, fleckigen Jogginganzug gekleidet, der ihren After-Baby-Bauch nicht verbirgt, hält ihr Söhnchen im Arm und hat keine Ahnung, wo sie mit dem großen Blumenstrauß hinsoll.

»Ich hab gar keine Vase, Tom«, sagt sie und schiebt die herumstehenden Teller auf der Küchenkonsole zu Seite, damit er die Pracht dort ablegen kann.

Die Luft ist schlecht, denkt er und atmet flach. Wie kann man nur so leben?

»Ich will nicht stören, ich will nur kurz …«

»Quatsch, du störst nicht. Nicht wahr, Carlchen?« Sie drehte sich mit dem Kleinen, sodass Tom sein Gesicht sehen kann.

»Süß«, meint er, weil man das so sagt, aber eigentlich kann er an so einem Wurm nichts finden.

»Leg los!«

Tom fragt, ob sie eine Idee habe, wie man noch vor Ostern, also heute, weil morgen Karfreitag sei, vom Heidelberger Standesamt die gewünschte Information bekommen könne.

Der Kleine fängt an zu schreien. Jenny setzt sich auf das Sofa und zieht ihr T-Shirt hoch, um ihn an die Brust zu legen. Tom dreht sich weg, schaut aus dem Fenster, sieht das bunte Markttreiben auf dem Chlodwigplatz und hört, wie das Baby schmatzt und schluckt.

»Gib mir die Nummer, ich rufe den Abteilungsleiter an.«

»Ehrlich gesagt wäre es mir recht, wenn du meinen Namen raushalten könntest. Du verstehst?«

»Klar«, antwortet sie, und während sie weiter stillt, verhandelt sie geschickt mit dem Heidelberger Amtsleiter und kann ihm die Zusage abringen, sich persönlich dieser Angelegenheit anzunehmen. Sie lässt Carl ein Bäuerchen machen und legt ihr Handy auf den Tisch.

»Ich wusste, dass du das schaffst«, lobt er sie und schickt floskelmäßig hinterher: »Wenn ich irgendwas für dich tun kann.«

»Kannst du hierbleiben, damit ich endlich mal in Ruhe duschen kann?«

»Klar«, sagt Tom und denkt zum ersten Mal darüber nach, dass Jenny nicht nur alleine wohnt mit ihrem neugeborenen Baby, sondern auch, dass sie keine Unterstützung von dessen Vater hat.

Jenny legt Tom eine Stoffwindel über die Schulter und drückt ihm den kleinen Carl in die Hand. Tom weiß nicht, wie er ihn halten soll.

»Alles ganz easy«, sagt sie. »Du musst einfach nur ein wenig auf seinen Rücken klopfen, falls er noch einmal aufstoßen muss.«

Kaum ist Jenny im Bad verschwunden, reißt der Kleine den Mund auf, und in einem Schwall kommt die ganze Mahlzeit wieder heraus. Reflexartig und vergeblich versucht Tom, sein teures Jackett zu schützen, und hält den winzigen Carl von sich. Dabei nickt dessen Köpfchen nach hinten, er erschrickt und brüllt aus Leibeskräften.

Hilflos blickt Tom auf die Badezimmertür und hört nur Duschgeräusche. In dem Durcheinander von Kleidern, die über die Stühle, das Bett und das Sofa verstreut sind, sucht er eine neue Stoffwindel. Vergebens. Mit dem Schreikind auf dem Arm öffnet er die Küchenschränke. Aber was er da sieht, sind keine Geschirrtücher, sondern das nackte, unsystematisch übereinandergestellte Grauen.

Egal, redet er sich ein. Jetzt ist der Anzug eh hinüber. Er geht im Zimmer auf und ab – mehr als zwei Schritte lässt das Chaos nicht zu – und hofft, dass Jenny ihn bald erlöst.

Nach einer gefühlten Ewigkeit steckt sie den Kopf durch die Tür. »Bitte, kannst du noch eine halbe Stunde bleiben?«, fragt sie und scheint unbeeindruckt von ihrem schreienden Söhnchen. »Ich hab seit einer Woche kaum geschlafen.«

»Klar«, sagt Tom und tätschelt dem Baby den Rücken.

»Ich leg mich einfach kurz auf den Badezimmerboden. Bin gleich da.«

Aus diesem »gleich« wird nichts. Denn auch noch eine Stunde später geht Tom mit dem Schreihals auf und ab. Das ist doch nicht normal, denkt er und googelt, wie man das abstellen kann.

Ein Vater schwört auf *OM*.

»OM«, brummt Tom langgezogen in Carls Ohr.

Der Kleine stutzt kurz, entscheidet dann, dass er kein Buddhist ist, kneift wieder die Augen zusammen und brüllt aus Leibeskräften weiter.

»Ist ja gut, Chef!«

Auf YouTube findet er den Geheimtipp des amerikanischen Arztes Robert Hamilton von Pacific Ocean Pediatrics, der seine Beruhigungstechnik, die innerhalb von Sekunden funktionieren soll, mit einem echten Säugling vorführt. Um die Hände frei zu haben, legt Tom sein Smartphone auf die Küchenarbeitsfläche und startet das Video.

»Zuerst halten Sie das Baby hoch«, sagt Hamilton und macht vor, wie man ihm seine beiden Ärmchen über die Brust legt.

Unbeholfen imitiert Tom jede Bewegung. Das passt Carl überhaupt nicht.

»Anschließend sichern Sie die Arme des Babys mit Ihrer linken Hand und halten das Kleine mit der rechten Hand im Bereich der Windel fest.«

Jennys Handy klingelt.

Tom bricht den Feldversuch ab, sieht auf dem Display die Heidelberger Vorwahl und geht mit dem Telefon zum Badezimmer. »Jenny!«, ruft er durch die geschlossene Tür.

Sie reagiert nicht.

Tom nimmt den Anruf entgegen. »Hier ist der Apparat von Jenny Walter«, meldet er sich, gibt sich als ihr Mitarbeiter aus und wiegt dabei Jennys Baby, das mit dem Bauch auf seiner linken Hand liegt, auf und ab. »Selbstverständlich bin ich mit der Angelegenheit vertraut.«

»Dann richten Sie Frau Walter bitte Folgendes aus: Die fragliche Greta Schönaich hat am 23. Mai 1949 eine Tochter namens Marie zur Welt gebracht. Als Vater des Kindes wurde ein Robert Cooper angegeben.«

»Danke«, sagt Tom und beendet das Gespräch. Es fällt ihm nicht auf, dass Carl aufgehört hat zu schreien, denn endlich weiß er, was er die ganze Zeit gespürt hat: Marie ist seine Schwester.

ACHT.
1949–1953

Greta saß im Bett und hielt ihr schlafendes Mädchen im Arm, das vor einer Stunde das Licht der Welt erblickt hatte. Sie roch an der rosigen Haut und wäre am liebsten hineingekrochen. Dann berührte sie mit den Lippen die schwarzen Löckchen, küsste den breiten Nasenrücken und erkannte Bob in ihrem Kind.

»Ich liebe dich, meine Kleine«, flüsterte sie. »Und dein Daddy liebt dich auch, das weiß ich.«

Vier Monate hatte Greta Bob schon nicht mehr gesehen. Als sie ihren Zustand nicht länger hatte verbergen können, hatten Guste-Oma, Opa und vor allen Dingen ihre Mutter Emma getobt, und sie hatten ihn beschimpft, weil er ihr Vertrauen missbraucht hatte. Zuletzt hatten sie Bob zum Teufel gejagt und Greta jeglichen Umgang mit ihm verboten. Nur noch in Begleitung hatte sie vor die Tür gedurft, und weil die Erwachsenen auch Fine nicht getraut hatten, war sie als Aufpasserin ausgefallen.

Anfänglich hatte ihre Schwester ihr manchmal Briefchen und Schokolade von Bob überbracht, für die sie von ihm Zigaretten, Nylons und auch sonst alles, was sie verlangte, bekam. Doch vor zwei Monaten war sie mit der amerikanischen Offiziersfamilie, bei der sie als Hausmädchen arbeitete, nach Bad Nauheim gezogen, und seitdem gab es für Greta keine Möglichkeit, mit ihrem Geliebten in Kontakt zu kommen.

Hinter dem Vorhang, der das Wochenbett vom Rest der guten Stube abtrennte, schaltete Opa Ludwig den Radioapparat an, um die Nachrichten dieses 23. Mai 1949 zu hören: »Als Präsident des zusammengetretenen Parlamentarischen Rates verkündete Konrad Adenauer in Bonn das Grundgesetz. Damit ist die Bundesrepublik Deutschland gegründet.«

Im Anschluss sangen die Ratsmitglieder: »Ich hab mich ergeben mit Herz und mit Hand, dir Land voll Lieb' und Leben, mein deutsches Vaterland!«

»Dann ist meine Urenkelin eine der Ersten, die in der neu gegründeten Bundesrepublik geboren wurde«, hörte Greta Opa sagen, und sie lächelte.

»Hast du gehört, meine Kleine«, flüsterte sie ihrem schlafenden Baby zu.

»Wenn das kein Omen ist«, bemerkte hingegen Frau Teufel, die Hebamme, die seit sechsundzwanzig Stunden in der Wohnung war, bissig. »Bald gibt es in Deutschland nur noch Neger. Da bekommt man ja Angst.«

Die resolute Sechzigjährige zog den Vorhang zurück, kam mit Guste an das Wöchnerinnenbett, nahm Greta das Neugeborene ab, legte es in einen mit Stoff ausgeschlagenen Weidenkorb und sprach über Gretas Kopf hinweg: »Das Kind darf nicht verwöhnt werden. Ruhezeiten sind wichtig. Alle vier Stunden soll sie sie anlegen. Die Zeiten müssen genau eingehalten werden, dann gewöhnt sich das Kind daran.«

»Ich weiß«, erwiderte Guste und deckte Marie zu. »Ich bin ausgebildete Krankenschwester.«

»Dann ist ja gut.« Frau Teufel packte ihr Pinard-Rohr in die Tasche zu den Scheren und Klemmen, drehte sich noch einmal zu Greta um und ermahnte sie mit erhobenem Finger: »Wenn sie schreit, ist das gut für die Lungen.«

Greta fielen vor Erschöpfung die Augen zu.

Im Halbschlaf hörte sie ihre Mutter Emma sagen: »Wir können froh sein, dass das Mädchen nicht schwarz ist.«

Guste-Oma, die gerne Kinder gehabt hätte, dafür aber zu alt war, als sie Ludwig heiratete, genoss es, dass jetzt ein Baby im Haus war. Sie schloss das Neugeborene sofort ins Herz. Nach vier Stunden wickelte sie das Kindchen in frische Windeln und brachte es Greta zum Anlegen, damit es die hochkalorische Vormilch zu sich nahm und Gretas Milchproduktion angeregt würde.

»Hier, dein Bobbele«, flüsterte sie ihrer Enkelin zu und legte die Kleine an deren Brust.

Bobbele, der Ausdruck gefiel Greta. Erinnerte er sie doch an ihren sehnlichst vermissten Bob. »Bobbele«, hauchte sie.

»Du fühlst dich heiß an, Mädele«, sagte Guste, suchte das Fieberthermometer und schob es Greta unter die Achsel.

»38,5, das gefällt mir nicht«, murmelte sie, legte das Baby zurück in seinen Korb, füllte kaltes Wasser in eine Schüssel, wusch ihre Enkelin ab und machte ihr Wadenwickel.

Am frühen Morgen war die Körpertemperatur auf vierzig Grad gestiegen. Greta hatte Schüttelfrost, war lethargisch und reagierte nicht mehr auf die Fragen, die Guste-Oma ihr stellte.

Wie aus weiter Ferne nahm sie wahr, dass Guste ihre Mutter weckte und diese bat, die Hebamme zu holen.

Frau Teufel bestätigte den Verdacht der Großmutter: Kindbettfieber.

»Sie braucht dringend Penicillin«, sagte sie. »Das haben nur die Amerikaner.«

Emma und Guste schauten einander an.

»Was? Willst du etwa, dass ich den suche? Nach allem, was er uns angetan hat?«, murrte Gretas Mutter in der Küche, nachdem Frau Teufel sich verabschiedet hatte, und verschränkte trotzig ihre Arme. »Der kommt mir nicht mehr ins Haus!«

»Wenn sie kein Penicillin bekommt, kann es sein, dass sie stirbt«, sagte Guste.

Ludwig Sabronski saß am Küchentisch und starrte zitternd vor sich hin. Er kannte diese Krankheit. Seine erste Frau, Emmas Mutter, war daran gestorben.

»Jetzt sag doch was, Lud!«

»Such ihn, Emma!«, befahl er.

Bob war todmüde. Er hatte die ganze Nacht im *Stardust-Club* gespielt und heute trotzdem Fahrdienst. Vor einer Stunde hatte er Sergeant Major Chabot in die Villa gefahren, in der Gretas Tante Elis unter dem Dach wohnte. Zum ersten Mal seit Monaten war er wieder hier und döste auf ein paar alten Reifen in der Garage, vor der sein Jeep stand.

»Robert Cooper. Wissen Sie, wo der ist?«, hörte er eine weibliche Stimme.

Bob zuckte zusammen und war schlagartig hellwach. Es war Gretas Mutter. Was wollte sie von ihm? Ihm wieder einmal sagen, dass er ein Schwein sei, weil er ihre siebzehnjährige Tochter geschwängert hatte? Ihn wieder beschimpfen, wie damals, als er für Greta etwas abgeben wollte? Wieder mit einem Eimer Wasser nach ihm zielen, wie an dem Tag, als sie ihn auf der Straße sah und er versuchte, einen Blick von seinem geliebten Gretchen zu erhaschen?

Seit zwei Monaten hatte er all das aufgegeben, weil er befürchtete, dass Gretas Mutter ihr das Leben noch mehr zur Hölle machen würde. Und seit einigen Wochen hatte sie ihn endlich in Ruhe gelassen. Bob hob den Kopf und beobachtete heimlich, wie sie am Hoftor stand, nicht vom Wachhabenden beachtet wurde und fluchte: »Verdammt! Cooper, bist du hier irgendwo?«

Die Flügeltür der Villa wurde geöffnet, zwei Corporals schlugen die Hacken zusammen und salutierten, als der Sergeant Major erschien und zum Jeep schritt.

Bob rannte aus der Garage, riss die Beifahrertür auf und grüßte den Vorgesetzten militärisch. Aus den Augenwinkeln sah er Emma, die wild mit den Armen fuchtelte.

»Bob!«

Er tat so, als habe er nichts gehört, setzte sich ans Steuer, startete den Motor und fuhr aus der Ausfahrt.

»Bob!« Im Rückspiegel sah er, wie sie schreiend dem Jeep hinterherrannte. »Greta ist in Lebensgefahr! Wir brauchen dringend Penicillin!«

Bob bog rechts ab und brauste parallel zum Neckar Richtung Innenstadt. Sein Herz drohte zu zerspringen. Lebensgefahr? Penicillin? Was war mit Gretchen? Seit Tagen hatte er überlegt, wie er es erfahren würde, wenn sein Kind auf der Welt ist. Er kannte Greta und ihre Durchsetzungskraft nur zu gut und wusste, dass sie dann einen Weg finden würde, zu ihm zu kommen.

»Problems?«, fragte Sergeant Major Chabot.

»No, Sir!«, log Bob und fuhr ihn wie gewünscht ins Hauptquartier nach Rohrbach. Penicillin, ratterte es in seinem Kopf. Er wusste, dass dieses neuartige Antibiotikum, das bis kurz vor Kriegsende nur amerikanischen Soldaten vorbehalten war, kriegsentscheidend gewesen war, weil es Blutvergiftungen nach Wundinfektionen verhinderte. Wie konnte er jetzt an Penicillin kommen?

Er setzte den Sergeant Major vor dem Hauptgebäude ab und fuhr nicht wie üblich zur Garage der Fahrdienste, sondern drei Ecken weiter ins Military-Hospital.

Fats Florey, ein Pianist, mit dem er regelmäßig auftrat, lag dort, weil er sich mit Syphilis infiziert hatte. Und Syphilis, das wusste Bob, wurde auch mit Penicillin behandelt.

Es war bereits dunkel, als er in der Plöck die Treppe hinaufstürmte. Er hatte Himmel und Hölle in Bewegung gesetzt, einen Sanitäter bestochen, und jetzt pochte er energisch an der Wohnungstür. Emma öffnete einen Spalt.

»Hier!« Bob, verschwitzt und außer Atem, reichte ihr ein mit weißem Pulver gefülltes Glasröhrchen. Er wartete nicht, bis er hineingebeten wurde, sondern drückte die Tür auf. »Wo is Gretchen?«

Emma zeigte Richtung Stube. »Da kannst du aber nicht rein.«

Bob dachte gar nicht daran, auf sie zu hören, schob sie zur Seite, ging durch den Flur und begrüßte auch Opa Ludwig nicht, der stumm in der Küche betete. »Where is she?«, fragte er.

»Bob!«, rief Gretas Großmutter aus der Stube und öffnete die angelehnte Tür. »Gott sei Dank«, sagte sie und nahm Emma das Glasröhrchen ab.

Bob ging hinein und sah Greta hinter dem aufgeschobenen Vorhang mit hohlen Wangen und tiefen schwarzen Ringen unter den geschlossenen Augen im Bett liegen. Er beugte sich über sie und berührte ihre heiße Stirn mit den Lippen. »Ich bin hier, Darling. Everything will be fine!«

Greta reagierte nicht.

Guste-Oma kam mit dem in Wasser aufgelösten Pulver zurück. »Wir machen das am besten zu zweit«, sagte sie zu ihm. »Setz dich zu ihr aufs Bett und richte sie auf.«

Bob stützte den schlaffen Körper seiner Freundin.

Die Großmutter öffnete Gretas Mund, flößte ihr die Medizin ein und massierte ihren Kehlkopf, um den Schluckreflex auszulösen. »Trink, Mädele, dann wirst du wieder gesund.«

Das Wasser rann Greta aus den Mundwinkeln, aber sie schluckte. Guste verabreichte ihr mehr Penicillin.

Greta verschluckte sich, musste husten und öffnete die Augen einen Spalt, sah erst auf seine Hände, dann in sein Gesicht. »Bobby«, hauchte sie und lehnte sich an ihn.

»Don't worry, meine Gretchendarling. Ich bleiben bei dir!«

»Sie braucht jetzt Ruhe«, sagte Guste.

»Ja«, antwortete Bob. »Aber ich bleiben bei ihr.«

Keiner wagte es, ihm zu widersprechen.

Behutsam bettete er Greta wieder auf ihr Kissen, kniete sich neben das Bett und hielt ihre Hand.

Ein zarter Schrei. Bob schnellte herum. Das Kind! Vor lauter Angst um Greta hatte er es ganz vergessen. Er erhob sich und folgte dem Geräusch hinter dem Vorhang.

Guste-Oma schob den Korb so, dass er das Baby besser sehen konnte. »Es ist ein Mädchen.«

Seine Augen füllten sich mit Freudentränen. Er schlug die Decke zurück und nahm die Kleine heraus.

»Nicht«, schnaubte Emma. »Wir sollen sie nicht verwöhnen.«

Bob sah, wie Opa sich mit dem Handrücken über die Augen wischte, und er hörte ihn flüstern: »Lass ihn.«

»Welcome to this beautiful world, my baby«, sagte Bob seinem Mädchen und hatte das Gefühl, mit diesem kleinen Wesen eins zu sein.

Bob wusste, dass er Schwierigkeiten bekommen würde, wenn er nicht pünktlich in der Campbell-Kaserne auftauchte, aber das spielte jetzt keine Rolle. Er wich nicht vom Bett seiner Greta, wusch ihr das Gesicht, machte zusammen mit Guste Wadenwickel und dachte nicht eine Sekunde daran, diesen Platz zu verlassen, bevor sie wieder gesund war.

Gretas Fieber blieb auch zwölf Stunden nach der ersten Einnahme von Penicillin unverändert hoch. Die kalten Kompressen, die sie ihr auf die Stirn legten, waren innerhalb von wenigen Sekunden warm.

Als Guste-Oma sich für ein Stündchen zum Schlafen niederlegte, kramte Bob aus seiner Tasche ein fünfundzwanzig Zentimeter großes Strohpüppchen, das er liebevoll Dolly getauft hatte. Es hatte eine blaugrüne Gesichtsmarkierung, bunten Federschmuck auf dem Kopf und einen Beutel um den Leib, in dem Heilkräuter waren. Diese Voodoo-Puppe hatte ihm seine Mutter mit in den Krieg gegeben, damit sie ihn vor bösen Mächten, Krankheiten und vor dem Tod bewahrte.

Dolly war dabei, als er sich dem 761. Panzerbataillon anschloss, das nach dem Abzeichen der Einheit The Black Panthers genannt wurde und fast ausschließlich aus afroamerikanischen Soldaten bestand. Er spürte sie unter seiner Uniform, als er am 10. Oktober 1944 an dem Strand in der Normandie landete, an dem vier Monate zuvor die Leichen der Kameraden meterhoch am Omaha-Beach gelegen hatten. Dolly gab ihm Kraft, als General George S. Patton die Black Panthers, die bis dahin nicht kämpfen durften, weil es keine schwarzen Helden geben sollte, Ende Oktober 1944 an die Front führte.

»Männer, ihr seid die ersten schwarzen Panzersoldaten in der US Army«, sagte der General, der nach monatelangen katastrophalen Verlusten der US Army jede Unterstützung brauchte. »Es ist mir egal, welche Farbe ihr habt, solange ihr rausgeht und die Kraut-Hurensöhne tötet.«

Als die Wehrmacht im Zuge der Ardennenoffensive ein letztes Mal versuchte, das Blatt zu wenden, und es auf Seiten der Amerikaner zu hohen Verlusten kam und ganze Kompanien ausradiert wurden, blieb Bob unverletzt.

Um ein Haar hätte er Dolly verschenkt, als er mit den Black Panthers ein Außenlager des Konzentrationslagers Mauthausen befreite und sich eine siebzehnjährige Gefangene an ihn klammerte und sagte, er sei der schwarze Messias.

Der Talismann beschützte ihn auch nach dem Kriegsende, als er einer von zweihunderttausend GIs in Europa war und zum ersten Mal in seinem Leben mit weißen Frauen ausgehen konnte, ohne gelyncht zu werden. Trotz der Antifraternisierungskampagnen, in denen vor den deutschen Mädchen gewarnt wurde, die stämmig wie Amazonen und von Syphilis verseucht seien, blieb er gesund. Als er sich in Greta verliebte und sowieso nur noch Augen für sie hatte, beschützte die Puppe ihre Liebe gegen alle Gefahr. Jetzt sollten die übernatürlichen Kräfte sein Gretchen vor dem Tod bewahren.

Wie Bob es schon in seiner Kindheit bei den Voodoo-Queens von New Orleans gesehen hatte, markierte er mit Dolly in der Hand im Uhrzeigersinn die vier Himmelsrichtungen. Er rief den guten Gott und die Geister herbei, um seine geliebte Greta zu heilen. Zuletzt platzierte er die Voodoo-Puppe an ihrem Kopfende.

Er wachte zwei Tage und zwei Nächte an ihrem Bett, legte ihr feuchte Tücher auf die Stirn, erzählte von ihrer gemeinsamen Zukunft und beschwor regelmäßig alle guten Geister. Er wusste, dass ihm ein Disziplinarverfahren und sicher auch Gefängnis drohte, denn der Kaserne ohne Genehmigung für mehrere Tage, und vor allem Nächte, fernzubleiben war verboten. Aber das war ihm egal.

Mit seinem Töchterchen im Arm sang Bob ›Mary Don't You Weep‹, dieses Negroe-Spiritual, das ihn seit seiner Kindheit begleitet hatte. Er studierte die Gesichtszüge seines Babys und überlegte, dass Mary ein guter Name für die Kleine sein könnte.

Um drei Uhr nachts öffnete Greta ihre Augen. Sie sah Bob im Kerzenschein auf einem Stuhl an ihrem Bett sitzen. Er schlief. Sie wunderte sich nicht, wieso er da war. Es war das Selbstverständlichste der Welt.

»Wo ist unser Mädchen?«, fragte sie mit kraftvoller Stimme.

Bob schlug die Augen auf und strahlte sie an. Er hob das schlafende Kind aus dem Korb und legte es Greta in den Arm. »Wir haben das schonste Baby von der ganzen Welt!«

»Was mich nur wundert«, meinte Greta. »Warum ist sie nicht wenigstens braun?«

»Ich war weiß auch einmal. Das dauert ein paar Monate, bis wir endlich haben unsere Farbe. Don't worry. Keine Sorgen.« Er streichelte das Köpfchen der Kleinen. »Mary«, sagte er und schaute Greta fragend an.

»Mary? Marie?«, wiederholte sie und überprüfte den Klang. »Marie Cooper. Das klingt schön!«

Bob strahlte übers ganze Gesicht. Er blieb, bis Greta ihr Baby gestillt hatte, dann bereitete er sie darauf vor, dass sie sich in der nächsten Zeit wahrscheinlich kaum sehen würden, weil er so viele Auftritte hätte.

»Auch wenn ich nicht bin bei dir, ich werden immer denken an dich, Gretchen«, sagte er und sang ihr, bevor er ging, den Song von Ella Fitzgerald ins Ohr: »I'm making believe that you're in my arms, though I know you're so far away …«

»Wollen Sie das Mädchen bei sich behalten oder es lieber in ein Kinderheim geben?«, fragte Amtmann Karl-August Ebert im Jugendamt. Er hatte Greta einbestellt, denn er war der gesetzliche Vormund der unehelich geborenen Marie.

»Was für eine Frage?«, sagte Guste-Oma, die Greta begleitete. »Behalten natürlich.«

Greta drückte ihr Baby, das in ein Dreieckstuch gewickelt war und auf ihrem Arm schlief, fester an ihre Brust. Ebert, ein Heidelberger jenseits der sechzig, in einem abgewetzten Anzug mit Ärmelschonern, einer dicken Hornbrille und einem grauen, zum Rechteck gestutzten Bärtchen zwischen Nase und Oberlippe, schaute weder die ledige Mutter noch deren Großmutter an und stopfte seine Pfeife.

»Sie sind erst achtzehn Jahre alt. Wovon leben sie?«

»Der Vater des Kindes unterstützt mich.«

Ohne aufzublicken, machte er sich eine Notiz.

»Und meine Mutter hat eine Näherei, in der ich arbeite«, fügte Greta hinzu.

»Wenn sie keine Zeit hat, dann kümmere ich mich um die Kleine«, ergänzte Guste-Oma.

Auf dem Rückweg schaute die Großmutter mit Greta und dem neugeborenen Urenkelkind im Pfarrhaus der Heiliggeistkirche vorbei, um einen Zeitpunkt für die Taufe zu vereinbaren. Die Pfarreisekretärin druckste herum und gab vor, dass es keine freien Termine im Rahmen des Sonntagsgottesdienstes gäbe.

»Das ist doch nicht möglich!« Unwirsch bestand Guste darauf, mit dem Pfarrer sprechen zu dürfen.

Der sei auf einer Synode, erzählte man ihr und holte schließlich wenigstens den Vikar.

»Außerhalb des Gottesdienstes können wir Ihnen einen schnellen Termin anbieten«, sagte der blasse Priesteranwärter und vermied es, der alten Heidelbergerin in die Augen zu sehen.

Aus dem Hochzeitsschleier ihrer verstorbenen Mutter nähte Guste-Oma ein Taufkleidchen. Wenn das Kind mit den Makeln der unehelichen Geburt und dem schwarzen Vater schon heimlich und an der Gemeinde vorbei in die evangelische Christengemeinschaft aufgenommen wurde, sollte es wenigstens aussehen wir ein Königskind, erklärte sie mit fester Stimme.

Wenn Vati dich doch nur sehen könnte, dachte Greta traurig und bettete ihr Baby auf das Taufkissen.

»Marie, ich taufe dich im Namen des Vaters und des Sohnes und des Heiligen Geistes«, sagte der Vikar an einem Montagvormittag mitten im Juni und goss mit knochigen Händen dreimal Wasser über den Kopf des Täuflings. »Der allmächtige Gott, der dir alle deine Sünden vergibt, der stärke dich mit seiner Gnade zum ewigen Leben. Friede sei mit dir.«

Marie schrie. Greta drückte mit ihrer rechten Hand das Voodoo-Püppchen, das sie heimlich ins Taufkissen gesteckt hatte, damit auch Bob anwesend war.

Zu Hause band sie die Puppe wieder an den Himmel des Stubenwagens.

NEGERHURE – DEUTSCHE FRAUEN SCHÄMT EUCH! war mit großen Lettern auf die Scheibe der Nähstube geschrieben.

»Mir laufen die Kunden weg«, schimpfte Emma am Mittagstisch. »Jeden Tag eine neue Schmiererei. Es ist besser, wenn du mit Marie nicht mehr in der Näherei aufkreuzt.«

Es klopfte an der Tür.

Greta hielt die Luft an. »Bob?«, entfuhr es ihr, und dann rannte sie in den Flur, wo ihre Mutter die Tür aufmachte.

Im Treppenhaus stand Bob in seiner Ausgehuniform.

»Hello, Misses Schönaich«, sagte er.

Emma ließ ihn grußlos stehen und machte auf dem Absatz kehrt.

»Wo warst du so lange?«, flüsterte Greta und zog ihn in die Wohnung. »Ich dachte schon, du kommst gar nicht mehr.«

Bob erzählte etwas von vielen Auftritten, überreichte Opa mehrere Zigarren und Guste ein Päckchen Bohnenkaffee, der sofort gemahlen und aufgebrüht wurde. Erst viel später erfuhr Greta, dass Bob im Gefängnis gewesen war und auch um ein Haar in eine andere Stadt strafversetzt worden wäre, wenn sich der Bandleader Gene Hammers nicht für ihn eingesetzt hätte.

»Das gefällt mir nicht, dass er hier verkehrt«, schimpfte Emma, als Bob wieder gegangen war.

»Aber er …«, versuchte Greta ihn zu verteidigen.

»Sei still«, herrschte ihre Mutter sie an. »Erst hat er dir ein Kind angedreht, und jetzt macht er einen auf Schönwetter. Bis zum nächsten Bankert, oder was?«

Greta begann zu weinen. Marie schrie.

»Emma, überleg dir, was du sagst«, beschwichtigte Guste-Oma ihre Stieftochter.

»Ist doch wahr! Ich habe doch Augen im Kopf. Ich sehe doch, wie er sie anschaut.«

Greta ging mit der schreienden Marie auf und ab und klopfte auf ihren Po. Sie wollte nicht nur das Kind besänftigten, sondern auch sich selbst.

»Du sollst sie nicht so verwöhnen.« Emma riss ihr die Kleine aus dem Arm.

»Lass mich, Mutter!« Greta weinte wieder. Auch Marie schrie erneut aus Leibeskräften.

Guste ging dazwischen und nahm Emma das Baby aus dem Arm. »Schluss jetzt. Reiß dich zusammen! Hast du vergessen, wie alt du gewesen bist, als du mit Fine in Umständen warst?«

»Das ist doch etwas völlig anderes.«

»Was? Was ist anders? Dass er schwarz ist? Du warst dir nicht zu schade, von einem Schwarzen Essen und Briketts entgegenzunehmen. Hast du vergessen, dass er dir Arbeit besorgt hat?«

»Wenn ich gewusst hätte, dass er dafür Schande über unsere Familie bringt …«

Mit der fünf Wochen alten Mariele auf und Greta im Arm posierte Bob bei einem Fotografen auf der Heidelberger Hauptstraße. Er bestellte sechs Abzüge, von denen er einen nach New Orleans zu seiner Mutter schicken wollte. In einem Brief hatte er ihr angekündigt, dass sie Großmutter werden würde. Nun sollte sie das Enkelkind und auch Greta per Foto kennenlernen.

Im Anschluss gingen die beiden mit Marie in ein Kinderausstattungsgeschäft und kauften einen Kinderwagen aus elfenbeinfarbenem Korbgeflecht.

»Des isch ä Bobbeschees«, sagte Greta in breitestem Dialekt, klappte das Verdeck nach hinten, damit Mariele besser sehen konnte, und schob die Säuglingskutsche stolz durch die Innenstadt.

»Bob, Bobbele, Bobbeschees«, wiederholte sie im Rhythmus und lachte sich schlapp, als Bob einstimmte und sich dabei fast die Zunge brach.

»Bobbele«, sagte der stolze Vater in den Kinderwagen hinein und verzog seinen großen Mund zu einem Lächeln.

Mariele lachte zurück. Zum ersten Mal.

Und Greta konnte sehen, dass Bob der glücklichste Daddy der ganzen Welt war.

In jeder freien Minute durchkämmte Greta mit ihrem langsam immer brauner werdenden Baby die Stadt. Einmal klingelte an der Rohrbacher Strasse eine Straßenbahn und zwang sie zum Stehenbleiben. Greta wackelte leicht am Griff und grinste, weil Marie das tanzende Strohpüppchen namens Dolly, das im Verdeck über ihr hin und her wippte, nicht aus den Augen ließ und juchzte. Plötzlich hielt neben ihr eine ältere Frau, taxierte sie von der Seite, betrachtete Marie und spuckte dann in den Kinderwagen.

»Was soll das?«, schrie Greta und beugte sich schützend über ihr Kind.

»Amiliebchen!«, sagte die Frau verächtlich und ging weiter.

Am 4. Juli, dem amerikanischen Nationalfeiertag, schmückte Greta den Kinderwagen mit US-Fähnchen und schob ihn trotzig durch die Innenstadt in Richtung Schloss, wo Bob wieder Teil der Militärparade war. Jeder sollte sehen, wie stolz sie auf ihr dunkelhäutiges Mädchen war. Wehe!, dachte sie und taxierte die anderen Passanten.

Emmas Einnahmen schrumpften. Erst blieben die deutschen Kunden weg, für die sie in den letzten Jahren mehr und mehr gearbeitet hatte, dann auch die Amerikaner, als in der Kaserne eine eigene Nähstube aufgebaut wurde und es keinen Bedarf mehr gab, die Aufträge nach draußen zu geben.

Zum Leben brauchte die Familie dreihundertzwanzig Mark. Für Putzstellen wurden 1,05 Mark pro Stunde angeboten.

Fine überraschte die Familie im Herbst mit Staff Sergeant John A. O'Sullivan aus Berlin/Wisconsin. Sie hatte den fünfundzwanzigjährigen GI in Bad Nauheim kennengelernt, und da sie inzwischen volljährig war und niemanden mehr um Erlaubnis fragen musste, gab sie bekannt, dass sie ihn heiraten würde. Für Fine war diese Vermählung die Möglichkeit, endlich aus der Familie herauszukommen.

Der Sohn irischer Einwanderer war trinkfest wie seine Vorfahren und sorgte beim Antrittsbesuch dafür, dass die Flasche Kirschwasser, die Guste zum Geburtstag von ihrer Schwägerin bekommen hatte, innerhalb einer Stunde Geschichte war.

»Du bringst Marie aber nicht mit zur Hochzeit«, sagte Fine zum Abschied.

»Ich kann niemanden mitbringen, wenn ich selbst nicht komme!«

Damit war das Thema Fine für Greta endgültig erledigt.

Ihre »Jetzt erst recht«-Haltung machte Greta immer wütender und entschlossener.

»Ich will, dass du mich heiratest, Bob.«

»Die Army won't approve.«

»Was heißt das?«

»Die Army sagen nein.«

»Aber bei Fine und John geht das doch auch.«

»Ja, weiß GIs bekommen license fur heiraten. Aber wir Schwarzen nicht.«

»Wir haben doch ein Kind zusammen. Und wir sind in Deutschland.«

»Aber Gesetz von Army is meine Gesetz.«

Am Weihnachtsabend nahm Guste-Oma Marie auf den Schoß und gab ihr ein in grünes Papier eingeschlagenes Geschenk. Sie führte die Ärmchen, öffnete die weiße Schleife und zog mit der Kleinen eine Puppe heraus, die sie selbst genäht hatte.

»Oh«, sagte Bob entzückt und betrachtete das Spielzeug, das Guste angelehnt an die Voodoo-Puppe gebastelt hatte: Es hatte eine blaugrüne Gesichtsmarkierung, eine an Federschmuck erinnernde, aus buntem Stoff gefertigte Kopfbedeckung und um den Leib einen Beutel gebunden. Im Gegensatz zu der amerikanischen Vorlage ragte jedoch aus den Extremitäten kein Stroh heraus, sodass die Puppe sich als Kinderspielzeug eignete.

»Wie soll sie denn heißen?«, fragte Greta.

»Bobelle«, bestimmte Bob lachend und verteilte seine Geschenke. Emma bekam blauen Wollstoff für einen Mantel.

Guste-Oma einen elektrischen Standmixer der Firma Kitchen Aid und Ludwig eine Flasche Whiskey.

»So viel? Das wäre doch nicht nötig, Bob.« Die Großmutter konnte ihr Glück nicht fassen.

Greta war irritiert. Bekam sie etwa nichts? Sie wollte Bob gerade das Päckchen geben, das den Pullover enthielt, den sie ihm gestrickt hatte, da ging er auf die Knie. Vor ihr. Vor dem Weihnachtsbaum. Und vor den Augen der Familie.

»Willst du heiraten mich, Greta, äh, Gretchen?«

Sie schaute unsicher ihre Mutter, Guste-Oma und schließlich den Großvater an. Der lächelte milde und nickte stumm.

»JAAAAAAAAA!«, rief sie da, ließ sich auf die Knie fallen, umarmte ihren Bob und zitterte, als er ihr den Ring mit dem roten Rubin ansteckte.

Die sieben Monate alte Marie jauchzte, und ihre Eltern gaben sich zum ersten Mal vor den Augen der Familie einen Kuss.

Nach dem Fest begleitete Greta ihren Verlobten noch bis zur Haustür.

»Wie hast du das hinbekommen, dass meine Familie dir erlaubt hat, mich zu heiraten?«, fragte Greta, die sich trotz der großen Freude den ganzen Abend den Kopf darüber zerbrochen hatte.

»Ich haben gesprochen mit Ludwig, because deine Vater …«

»Ja, und?«

Bob erzählte, dass Ludwig hatte wissen wollen, wovon er die Familie ernähren wollte, und Guste Angst hatte, dass er sie und Marie mit nach Amerika nehmen würde. »Ich bleiben in Germany und kann arbeiten als Musiker.« Das hatte sie überzeugt.

Jetzt konnte Greta sich einen Reim auf das Streitgespräch zwischen Opa und ihrer Mutter machen, das sie unlängst und nur zum Teil mitbekommen hatte.

»Nur über meine Leiche«, hatte ihre Mutter gesagt. Danach hatte sie nur noch Satzfetzen von ihr und Opa verstanden: »... mit einem Mischlingskind keine Chance, einen Mann zu finden« – »Die Familie finanziell unterstützen ...«

Greta würde sich nicht wundern, wenn Bob Geld geboten hätte, denn für ihren vermissten Vati bekam ihre Mutter keinerlei staatliche Hilfe. Und obwohl sie so viel putzte und nähte, wie sie konnte, war das Geld immer knapp.

»I love you, Baby«, sagte Bob und riss sie aus ihren Gedanken.

»Ich würde jetzt so gerne mit dir gehen«, flüsterte sie.

Bob nahm ihr Gesicht in die Hände. »Soon, Baby, wir werden haben jede Nacht von unsere Leben together. Zusammen.«

»Ja«, hauchte Greta, stellte sich auf die Zehenspitzen und berührte mit ihrer Zungenspitze seine Lippen.

Sie schlich sich in die Wohnung zurück, schloss leise die Tür und hörte die Stimme ihrer Mutter:

»Das ist jetzt das neunte Weihnachten ohne ihn. Ich glaube nicht, dass er noch lebt.«

Greta blieb wie angewurzelt stehen und lauschte.

»Wenn ich Otto für tot erklären lasse, dann bekomme ich wenigstens eine kleine Witwenrente.«

Sie riss die Türe auf.

»Vati für tot erklären? Das darfst du nicht!«

»Aber wir brauchen das Geld. Es reicht vorne und hinten nicht«, verteidigte sich Emma.

»Wie viel Rente würdest du denn bekommen?«, fragte Opa Ludwig.

»Fünfzig Mark ungefähr.«

»Dann putze ich eben mehr«, sagte Greta.

»Wie willst du das denn schaffen, bei dem Lohn?«

»Egal! Aber bitte lass Vati am Leben.«

»Beruhig dich, wir finden eine Weg, Darling«, sagte Bob am Silvesterabend, küsste ihre Tränen weg und gab ihr die Gage vom Vortag, damit sie mit den fünfzehn Mark ihre Mutter umstimmen konnte. »Only funf Stunden bis 1950. I look forward to the future with you. Ich freuen mich auf Zukunft mit dir!«

»Ich mich auch!« Greta hakte sich bei ihm unter und fühlte sich bereits wie Mrs. Greta Cooper.

WHITES ONLY stand über einem Clubschild auf dem Gelände der Campbell-Baracks. Sie zogen weiter in den Club für *Negroes*, denn die US-Soldaten feierten nicht gemeinsam, sondern nach Hautfarbe getrennt.

Greta saß an der Bar und betrachtete Bob, der auf der Bühne spielte. Seine feingliedrigen Hände mit den schlanken Fingern hielten die Trompete fast zärtlich. Sie stellte sich vor, wie diese Hände ihre Hüfte umfassten. Wie sie ihren Hintern streichelten. Ihre Brüste. Greta sah, wie Bobs Zungenspitze die dunkelbraunen Lippen benetzte, und spürte diese Zunge auf ihrem Mund, an ihrem Hals hinabwandern. Das war ihr Mann.

Zusammen mit den schwarzen GIs und ihren weißen Frolleins zählten Greta und Bob kurz vor Mitternacht die Sekunden herab: »Ten, nine, eight, seven, six, five, four, three, two, one … Happy New Year!!!«

Bob wirbelte Greta durch die Luft und rief: »1950, this will be our year! Wir werden haben eine wunderschöne Leben, Gretchendarling.« Er sprang zurück auf die Bühne und spielte mit der Kapelle als erstes Lied des neuen Jahres ›Blueberry Hill‹.

Greta setzte sich wieder an die Bar und schaute den tanzenden Paaren zu.

»Was wollen Sie trinken?«, fragte die Blondine hinter dem Tresen.

»Eine Cola.«

»Sind Sie alleine hier?«

»Nein. Mein Verlobter ist einer der Musiker.«

»Ihr Verlobter? Soso«, sagte sie und stellte Greta das Glas vor die Nase. »Seien Sie nicht naiv.«

»Wie meinen Sie das?«

»Die verloben sich alle. Und plötzlich sind sie wie vom Erdboden verschwunden.«

Drei Tage nach ihrem neunzehnten Geburtstag, am 10. März 1950, kam Bob mit seiner Trompete unter dem Arm durchgefroren in der Plöck an, um sich zu verabschieden.

»Ich will nicht lassen sie in der Kaserne, wenn ich weg bin. Kannst du sie keep safe fur mich?«

»Natürlich«, sagte Opa Ludwig.

Die zehn Monate alte Marie krabbelte auf dem Küchenboden, Bob nahm sein Töchterchen hoch, setzte es auf seinen Schoß und erklärte ihr auf Englisch, dass der Daddy jetzt verreisen müsse, aber bald wiederkommen würde.

»Daddad«, plapperte Mariele und klatschte in die Hände.

Bob strahlte. »Yes, I'm your Daddad.«

Er verabschiedete sich von Opa und Guste, bat sie, Emma Grüße auszurichten, und ging dann mit seinem Töchterchen an der Hand in Richtung Flur.

»Willst du nicht deinen Talisman mitnehmen?«, fragte Guste-Oma.

»No, ist besser, er schutzt meine princess.« Er nahm die Kleine hoch und gab ihr einen Kuss. »Wenn ich komme zurück, sie kann bestimmt schon alleine laufen.«

»Daddad«, plapperte Marie.

Greta zog ihren Wintermantel an und setzte eine dicke Wollmütze auf. Das Mädchen streckte die Ärmchen nach ihr aus und wollte mit.

»Du bleibst bei Guste-Oma. Draußen ist es viel zu kalt, mein Bobbele.«

Bob küsste sein Kind auf das krause Haar und verließ mit Greta an der Hand die Wohnung. Im Treppenhaus hörten sie, wie die Kleine weinte, und als sie vor dem Haus waren, sahen sie sie am Fenster auf dem Arm der winkenden Urgroßmutter. Marie schrie sich die Seele aus dem Leib.

Auf der Straße lag eine feste Schneedecke, es war bitterkalt, und der Atem kondensierte, als Greta mit Bob in die Straßenbahn stieg, die sie nach Rohrbach brachte.

In der Bahn legte er den Arm um sie. Greta schmiegte den Kopf an seine Schulter.

»Ich bin zurück in ein Monat. As a free man. Frei. Dann ich werde sein deine Mann«, flüsterte Bob ihr in der Bahn zu.

»Und ich deine Frau.« Greta küsste seine Hand.

Am Kasernentor blickte er ihr tief in die Augen: »I love you. Forever!«

»Ich dich auch.«

Für alle Fälle gab er ihr seine Heimatadresse in New Orleans, hauchte: »Bis bald«, und ging. An der Tür einer Baracke drehte er sich noch einmal um und winkte.

Greta hob ihre Hand. Am liebsten wäre sie ihm hinterhergerannt. Aber sie blieb stehen. Und sah ihn in der Tür verschwinden. Sie blieb. Wie versteinert. Lange und frierend. Bis sie verstand, dass die Tür verschlossen blieb.

Dann ging sie durch die Kälte die zwei Kilometer nach Hause in die kleine Altstadtwohnung.

Der Schnee schmolz. Greta drückte sich am Schaufenster des Möbelhauses in der Hauptstraße die Nase platt und sah sich als Mrs. Cooper neben Bob auf dem Ausstellungssofa sitzen. Aus einem Modeheft rädelte sie den Schnitt für ihr Brautkleid aus und machte im Stoffladen eine Anzahlung für sieben Meter weißen Satin.

Die Bäume schlugen aus, und Greta ließ sich in einem Wäschegeschäft Bettbezüge zeigen. Ihre Fingerkuppen berührten den Stoff, und sie stellte sich vor, wie der Damast sie und ihren zukünftigen Ehemann bedeckte.

Ende April war Bob immer noch nicht zurück. Greta schrieb ihm nach New Orleans und sagte im Stoffgeschäft Bescheid, dass sich die Abholung ein wenig verzögern würde.

Am 23. Mai wurde Marie ein Jahr alt. Die Feier fand nicht nur ohne ihren Daddy statt, sondern auch ohne einen Gruß von ihm. In der Nacht schrie das zahnende Kind, hatte Fieber und Greta machte kein Auge zu.

Überfordert und mit strapazierten Nerven irrte sie am darauffolgenden Tag mit dem schreienden Mädchen auf dem Arm zum Hauptquartier der US-Streitkräfte, den Campbell-Baracks. Blitze zuckten am Himmel, der Donner grollte, und kurz bevor sie am Kasernentor war, setzte Platzregen ein. Sie war auch nicht die einzige junge Frau, die dort mit einem Kind auf dem Arm stand.

»Ich suche Bob Cooper«, schrie sie dem Wachmann gegen den platschenden Regen zu. »Er ist in die Staaten gereist, und ich habe nichts mehr von ihm gehört.«

»Sorry«, sagte der Soldat mit versteinerter Miene und wandte sich ab.

Greta klopfte an die Scheibe des Kontrollhäuschens.

»Bitte, Private Clark, wo kann ich denn nach ihm fragen?«

»Vergessen sie ihn.«

»Ich hab's euch ja gesagt«, moserte Emma beim Abendessen. »Nicht eine Sekunde hab ich dem getraut. Und was ist jetzt? Er hat dich sitzenlassen ohne einen Pfennig, und wahrscheinlich ist seine Adresse auch noch falsch. Und ich muss mir den Buckel krumm schuften, um sein Kind zu ernähren.«

»Ich bitte dich«, ermahnte sie Guste-Oma.

»Ich sage nur die Wahrheit.«

»Vielleicht ist ihm ja was passiert«, erwiderte Greta ängstlich.

»Was soll so einem denn schon passieren? Ein neues Liebesabenteuer wahrscheinlich! Etwas anderes haben die Schwarzen ja nicht im Sinn.«

»Du bist gemein«, schrie Greta, nahm ihre Marie auf den Arm und verließ heulend die Wohnung.

Sie suchte Hilfe bei der Kirche, denn ohne Bobs Geld, das er ihr bis zu seiner Abreise regelmäßig gegeben hatte, und mit den Vorwürfen ihrer Mutter wusste sie nicht mehr, wie sie mit ihrem Mädchen über die Runden kommen könnte.

»Tut mir leid, aber wir sind nicht zuständig«, sagte der Pfarrer, blickte mitleidsvoll auf das Kind der Sünde und machte ihr die Tür vor der Nase zu.

Im Jugendamt zog Maries Vormund Herr Ebert seine Stirn in noch größere Falten. »Der deutsche Staat ist für diese Kinder nicht verantwortlich. Wir haben keine Möglichkeit, Geld von der US Army einzuziehen. Das geltende Recht, wonach Väter auch für ein nicht ehelich geborenes Kind bis zu dessen sechzehntem Lebensjahr Unterhalt zahlen müssen, gilt für die Soldaten und Zivilpersonen der Besatzungsmächte nicht.«

Zu Gretas Glück nahm ihr die dreiundsechzigjährige Guste-Oma die Kleine nur allzu gerne ab. Während Marie auf dem Schoß ihrer Urgroßmutter mit den Händchen spielte und lernte, welcher Daumen derjenige war, der die Pflaumen schüttelte, schuftete ihre jugendliche Mutter ab dem Morgengrauen fünfzehn Stunden täglich. Morgens reinigte sie bei der Bahn Zugabteile und Toiletten, dann putzte sie in amerikanischen Haushalten und immer samstags bei Tante Elis. Auf Knien rieb Greta Bohnerwachs in lange Dielen und polierte sie mit dem Blocker nach. Am Waschbrett schrubbte sie sich die aufgeweichten Finger wund und blieb beim Bügeln mit ihren schrundigen Händen an den Seidenblusen ihrer Auftraggeberinnen hängen.

Jeden Abend auf dem Heimweg hatte sie Hoffnung. Jeden Abend erwartete sie, dass ein Brief aus Amerika angekommen war, in dem Bob erklärte, warum sich seine Rückkehr verzögerte. Denn in ihrem Herzen wusste Greta, dass ihm etwas passiert sein musste, sonst wäre er längst wieder zurück.

Der Sommer kam und ging. So auch der Herbst, der Winter und das Jahr 1951. Und immer noch gab es keinerlei Lebenszeichen von Bob.

In einer Kinowochenschau erfuhr Greta von einem Krieg in Korea. Sie sah strategische Bomber, die weite Teile der Infrastruktur des fernen Landes zerstörten, US-Truppen auf dem Vormarsch und Kinder, die um ihre tote Mutter weinten.

Vielleicht ist er ja in Korea, schoss es ihr durch den Kopf. Aber wenn er dort wäre, dann hätte er es mich doch wissen lassen. Ein Schauer lief ihr den Rücken hinab bei dem Gedanken, dass Bob in diesem Krieg getötet worden sein könnte.

In ihrer Not suchte sie eine Hellseherin in Handschuhsheim auf. Sie hatte die Adresse von ihrer älteren Kollegin Ursel bekommen, mit der sie die Toiletten in den Zügen putzte.

Ursel schwor auf Frau Graziella. »Sie hat auch Kontakte ins Jenseits. Und sie kann Flüche entfernen. Auf jeden Fall wird sie dir sagen können, was mit ihm ist.«

Wochenlang hatte Greta etwas von ihrem Lohn abgezweigt, ohne dass es ihrer Mutter auffiel. Nun stand sie in einem düsteren Treppenhaus in einer Schlange wartender Frauen. Keine sprach ein Wort. Greta beobachtete diejenigen, die ihr auf den ausgetretenen Holzstufen entgegenkamen. Langsam, mit rot verheulten Augen. Leichtfüßig, mit einem hoffnungsvollen Lächeln im Gesicht.

Endlich wurde auch sie eingelassen.

»Zwölf Mark«, sagte eine Frau in ihren Dreißigern und hielt die Hand auf.

Greta klaubte die hart verdienten Geldstücke aus ihrer Hosentasche und zählte vor. Nach sieben zähen Minuten wurde sie hinter den schweren Brokatvorhang in die höhlenartige Stube zu Frau Graziella gebeten, die in einem Meer aus Kerzen saß und mit triefenden Augen die junge Klientin taxierte.

»Guten Tag«, sagte Greta und streckte der dicklichen Dame mit dem wallenden pechschwarzen Haar ihre zitternde Hand entgegen.

Die Wahrsagerin, jenseits der siebzig, machte eine herrschaftliche Handbewegung, nach der Greta sich setzen sollte.

»Was ist Ihr Anliegen?«

»Ich komme wegen Bob. Er ist mein Verlobter und aus Amerika und hat sich seit Monaten nicht mehr gemeldet. Und –«

»Das reicht«, unterbrach sie Frau Graziella und fing an, ihre Tarotkarten zu mischen. »Sie geben mir das Stoppzeichen.«

Greta konzentrierte sich auf die qualligen Hände, in denen die Karten ihre Reihenfolge änderten, und wartete auf den Impuls für den richtigen Augenblick. »Halt!«

Die Hand mit den vielen Goldringen blätterte die abgegriffenen Karten auf den Tisch. »Er lebt«, sagte die Wahrsagerin entschieden.

Gretas Herz tobte in ihrer Brust.

»Er hat Sie nicht vergessen.« Frau Graziella drehte eine Karte um und zeigte mit dem Finger auf die Figur des Narren. »Sie sehen ihn wieder. Sie müssen nur Geduld haben.«

»Das Wichtigste ist, dass er lebt«, stammelte Greta und hätte der fremden Frau am liebsten die Hände geküsst.

Aber da wurde schon der Vorhang gelüftet, die Hellseherin senkte ihren Kopf, und Greta huschte nach draußen.

»Er lebt, er lebt, er lebt. Und er hat mich nicht vergessen«, flüsterte sie auf dem Heimweg in ständigen Wiederholungen vor sich hin und ließ ihren Tränen freien Lauf.

»Du bist jetzt zwei Jahre alt«, sagte Greta am 23. Mai 1951 zu ihrem Kind auf dem Hochstühlchen und hauchte ihm in die schwarzen Locken, dass ihr Daddy sie liebte und sie nicht vergessen hätte. Sie zeigte auf das Foto, auf dem Bob in einem Uniformhemd bekleidet ernst in die Kamera blickte. »Wer ist das, Mariele?«

»Daddad«, sagte die Kleine, die sich nicht mehr an ihren amerikanischen Vater erinnern konnte und auch nicht daran, dass er es war, der ihre geliebte Puppe »Bobbele« getauft hatte.

»Wann kommst du endlich zur Vernunft und hörst auf, dem Kind Flausen in den Kopf zu setzen?«, fragte Emma. Als wäre Bob schuld an allem Elend, konnte sie es nicht ertragen, wenn der Name des Kindsvaters auch nur erwähnt wurde.

Greta gab ihr keine Antwort. Zu widersprechen hatte sie schon lange aufgegeben, denn sie hatte nur noch einen Plan: volljährig und unabhängig von der Familie werden. Monatelang nahm sie jede Arbeit an, die sie kriegen konnte, legte Mark für Mark zu Seite und hörte sich nach einer Wohnmöglichkeit für sich und ihre Kleine um.

Am 10. März 1952 bat sie im Jugendamt um einen Termin mit dem Vormund ihrer Tochter.

»Ich bin jetzt volljährig und möchte gerne das alleinige Sorgerecht für mein Kind haben, Herr Ebert.«

»Das hat doch mit Erwachsensein nichts zu tun«, meinte der fast empört. »Solange Sie ledig sind, gilt Ihre Tochter als unehelich. Und es steht nun einmal in unserem Gesetz, dass wir für diese Mündel verantwortlich sind.« Bei der Gelegenheit fragte er Greta nach den familiären und finanziellen Verhältnissen aus.

»Es geht uns nicht rosig. Aber wir halten zusammen und kommen über die Runden. Und meinem Kind geht es gut. Es ist ein Segen, dass meine Großmutter noch so rüstig ist.«

Auf der Straße vor dem Haus spielte Marie mit den größeren Nachbarskindern.

»Sei schön brav«, rief Greta von oben und putzte zusammen mit Guste die Fenster in der Stube.

»Still«, sagte Opa, der im Radio die Sitzung im Deutschen Bundestag verfolgte. »Es geht um Mischlingskinder.«

Luise Rehling, eine Pfarrersfrau und Abgeordnete der CDU, hielt eine Rede: »Eine besondere Gruppe unter den Besatzungskindern bilden die dreitausenddreiundneunzig Negermischlinge, die ein menschliches und rassisches Problem besonderer Art darstellen.«

Die Kinderschar vor dem Haus stand im Kreis, hielt sich an den Händen und sang: »Ist die schwarze Köchin da? – Nein, nein, nein!«

Greta vergaß, die Scheibe mit Zeitungspapier trocken zu reiben, und lauschte wie hypnotisiert der Radioübertragung.

»Die verantwortlichen Stellen der freien und behördlichen Jugendpflege haben sich schon seit Jahren Gedanken über das Schicksal dieser Mischlingskinder gemacht, denen schon allein die klimatischen Bedingungen in unserem Land nicht gemäß sind. Man hat erwogen, ob es nicht besser für sie sei, wenn man sie in das Heimatland ihrer Väter verbrächte. Die in Nordafrika tätigen katholischen Missionare, die auch Waisenhäuser unterhalten, raten von einer Abgabe von Mischlingskindern dorthin ab. Diese Mischlingsfrage wird also ein innerdeutsches Problem bleiben, das nicht einfach zu lösen sein wird.«

Auf der Straße scharten sich alle Kinder um Marie und sangen: »Ist die schwarze Köchin da? – Ja, ja, ja!«

Marie musste die Hände vor das Gesicht halten, wurde von den anderen umhüpft. Dann zeigten sie mit dem Finger auf sie und sangen: »Da steht sie ja! Da steht sie ja! Die Köchin aus Amerika! – Pfui, pfui, pfui!«

»Du kommst sofort nach oben, Marie!«, rief Greta und knallte den Fensterflügel zu.

»Bei ihrer Einschulung beginnt für die Mischlingskinder nicht nur ein neuer Lebensabschnitt, sondern sie treten auch in einen neuen Lebensraum ein aus ihrer bisherigen Abgeschlossenheit«, setzte die CDU-Abgeordnete in Bonn ihren Vortrag fort. »Sie fallen auf durch ihre Farbigkeit. Bemühen wir uns daher, in Deutschland den Mischlingen nicht nur die gesetzliche, sondern auch die menschliche Gleichberechtigung zu gewähren! Ich meine, wir hätten hier die Gelegenheit, einen Teil der Schuld abzutragen, die der Nationalsozialismus durch seinen Rassendünkel auf das deutsche Volk geladen hat.«

Opa schüttelte den Kopf und schaltete das Radio ab, und Greta nahm an der Tür ihre Tochter in Empfang.

»Ich will nicht immer die schwarze Köchin sein«, sagte Marie.

»Das musst du auch nicht.« Greta nahm sie auf den Arm. Dich bringt niemand in das Heimatland deines Vaters, dachte sie und spürte ein Ziehen in der Magengegend.

Guste-Oma strich ihr über den Rücken. »Musst keine Angst haben, Mädele. Wir stehen das zusammen durch.«

»Du bist jetzt drei Jahre alt«, sagte Greta zwei Monate später zu ihrem Kind und hauchte ihm diesmal nicht in die schwarzen

Löckchen, dass ihr Daddad sie noch liebte und sie nicht vergessen hätte.

»Net truri sinn, Mama«, tröstete die Kleine sie in breitestem kurpfälzischen Dialekt.

»Ich bin nicht traurig«, log Greta.

Guste-Oma lag blass auf dem Kanapee und hatte zum ersten Mal keine ihrer berühmten Schwarzwälder Kirschtorten als Geburtstagskuchen gebacken. Seit Wochen ging es ihr schlecht, sie hatte Schwierigkeiten, den Haushalt zu versorgen, und die quirlige Marie wurde ihr immer öfter zu anstrengend.

»Ich hab heute mein Kind mitgebracht, Tante Elis«, sagte Greta am darauffolgenden Samstag.

Elise Holloch begutachtete das dunkelhäutige Mädchen. Marie versteckte sich mit ihrer Puppe, deren bunter Federschmuck inzwischen zerfleddert war, hinter ihrer Mutter.

»Gib der Tante die schöne Hand«, forderte Greta sie auf.

Widerwillig folgte die Kleine.

»Isst sie denn gerne Schokolade?«, fragte Elise Holloch Greta.

Maria antwortete mit: »Ja!«

Greta bezog das Bett frisch, putzte die Böden und die Fenster und beobachtete aus den Augenwinkeln, wie es ihrem Mädchen gelang, dieser alten Kratzbürste ein Lächeln ins Gesicht zu zaubern.

»Komm, Mariele, wir gehen für die Tante einkaufen«, sagte sie, als sie mit der Küche fertig war.

»Lass des Kindl doch spielen«, meinte Elise Holloch, und Marie freute sich über ein weiteres Stückchen Schokolade.

Als Greta zurückkam, hatte die Tante die Kleine auf dem Arm und zeigte ihr die gerahmten Fotos ihrer Söhne. Albert, der ältere, in der Uniform der Waffen-SS mit einem Eisernen Kreuz um den Hals, und Armin, der jüngere, der mit zwanzig Jahren über den Ardennen abgeschossen worden war, in Fliegeruniform.

»Ich bin auch eine Mutter, Mariele«, hörte Greta sie sagen.

»Wo sind die Onkels jetzt?«

»Im Himmel.« Die Unterlippe von Tante Elis zitterte.

Marie legte die Ärmchen um ihren Hals.

»Net truri sinn!« sagte sie.

Guste-Oma rang nach Luft. Greta richtete sie auf und klopfte ihr auf den Rücken.

»Was ist mit dir? Ich mache mir Sorgen.«

Die Großmutter gab ihr keine Antwort. Opa Ludwig verließ die Wohnung, um im Hof auf die Toilette zu gehen.

Kaum war er aus der Tür, sagte Guste mit schwacher Stimme: »Ich werde nicht mehr gesund. Der Doktor hat es mir gesagt.«

»Aber …«

»Du musst jetzt stark sein, Mädele. Dein Großvater braucht dich. Bitte, Gretchen. Ich weiß, wie viel Kraft du hast.«

»Was hast du denn?«

»Krebs.«

Greta schlug beide Hände vor den Mund, um ihr Schreien zu ersticken.

»Guck emol, Guschte-Oma«, sagte Marie und hielt ihr die Puppe hin.

»Lass die Oma«, bat Greta. »Sie hat Aua.«

Die Kleine streichelte den Arm ihrer Urgroßmutter. »Heile, heile Gänssche, wird bald wieder gut.«

Greta nahm Marie die Puppe ab und drückte den mit Heu gefüllten Bauch, als fände sie dabei Trost. Das staksige Klack, Klack des Holzbeines auf der Treppe kam näher.

»Bitte! Sei stark, Mädle. Mir zuliebe. Sei für ihn da«, flehte Guste und schaute sie aus hohlen Augen an.

Greta gab ihrem Kind die Puppe zurück, putzte sich die Nase, strich ihre Schürze glatt, drückte ihren Rücken durch und holte tief Luft. Sie nickte ihrer Großmutter zu, und als Opa in die Stube kam, gab sie Marie einen Schubs. »So, wir zwei gehen jetzt in die Küche und kochen was Anständiges.«

»Bobbele will auch kochen«, quiekte die Kleine und hüpfte Greta hinterher.

Den Sommer über nahm Tante Elis Greta Mariele tagsüber ab, damit sie und auch Emma weiter zur Arbeit gehen konnten, und Opa pflegte, so gut es ging, seine immer schwächer werdende Frau.

Am späten Nachmittag des 4. Juli ging Greta mit Marie an der Hand an der Staustufe über den Neckar. Sie war seit vierzehn Stunden auf den Beinen, war müde und erschöpft. Je näher sie dem Altstadtufer kamen, umso mehr wurde das Geräusch des herabfallenden Wassers unter ihnen von Militärmusik verdrängt. Marie übernahm den Rhythmus und marschierte immer schneller.

Der Marktplatz stand voller Busse der US Army, die Häuser waren mit amerikanischen Fahnen geschmückt und vom Schloss her tönte die Musik.

Mit offenem Mund versuchte Marie, die vielen Eindrücke in sich aufzunehmen, und blieb stehen, weil sie zuschauen wollte, wie sich GIs in Gala-Uniform formierten, um in Richtung Schloss zu marschieren.

»Komm jetzt«, sagte Greta ungeduldig.

»Wo gehen die Männer hin?«, fragte Marie.

»Ich weiß es nicht, mein Schatz«, log sie.

»Warum?«, fragte die Kleine.

»Darum«, sagte Greta genervt, zog sie hinter der Heiliggeistkirche in die Floringasse, denn sie hatte keine Lust, ihrem Kind zu erklären, dass die Amerikaner ihren Unabhängigkeitstag feiern. Sie wollte nur noch nach Hause.

Gretas Mutter und Opa saßen vor dem Radio, das neuerdings in der Küche stand, um Guste-Oma nicht zu stören. Sie hörten die Suchsendung des Deutschen Roten Kreuzes. Greta musste nicht fragen, ob es etwas Neues gab, die Antwort war in ihren Augen zu lesen.

Sie stellte Milch auf den Herd, um für Marie zum Abendessen einen Schokoladenpudding zu kochen.

»Draußen ist ganz viel Musik«, erzählte Marie ihrem Urgroßvater.

»Nach Schätzungen des Nordatlantikrates sind seit Mai 1945 zwischen 1,3 und 1,6 Millionen deutsche Soldaten in sowjetischer Gefangenschaft gestorben«, sagte der Nachrichtensprecher im Radio.

»Still, Marie!«, befahl Gretas Mutter und schaltete den Ton lauter.

»Insgesamt gelten 3,5 Mio. Wehrmachtsangehörige, die in sowjetische Gefangenschaft gerieten, als tot oder vermisst.«

Greta starrte auf den Kochtopf, in dem der Pudding Blasen schlug.

Heute vor genau zehn Jahren und einem Monat hat Vati zum letzten Mal per Brief ein Lebenszeichen von sich gegeben, überlegte sie und roch nicht, dass der Pudding angebrannt war.

Ihre Mutter schob sie zur Seite, zog den Topf vom Herd und füllte den Pudding in einen Teller. Schweigend, mit einem verhärmten Gesichtsausdruck.

»Was überlegst du?«, fragte Greta.

»Nichts«, antwortete Emma, und Greta wusste, dass sie log.

Nachts lag sie neben Marie im Bett und hörte die Donnerschläge des Feuerwerks. Sie hielt sich die Ohren zu und dachte daran, dass achthundertsiebenundvierzig Tage vergangen waren, seitdem Bob abgereist war.

Im September wurde Gustes Bruder, Prof. Dr. Hermann Holloch, nach siebenjähriger Haft aus dem amerikanischen Internierungslager in Garmisch-Partenkirchen entlassen. Dagegen, dass die Amerikaner seine Villa beschlagnahmt hatten, konnte er nichts machen. Dass aber ein Mischlingskind an seinem Tisch saß, das verbat er sich. Deshalb durfte Marie nicht mehr zu Tante Elise, was beiden das Herz brach.

Obwohl dem Gynäkologen bei den Nürnberger Prozessen nachgewiesen worden war, dass er an Menschenversuchen in Konzentrationslagern beteiligt gewesen war, bekam er sofort eine Anstellung. Wenn auch nur in einer Privatklinik, denn die Universitätsklinik beschäftigte keine belasteten Personen. Das war für den stadtbekannten Frauenarzt eine weitere Demütigung. Hermann Holloch holte seine krebskranke Schwester in die Klinik, konnte jedoch nichts weiter für sie tun, als ihre Schmerzen zu lindern.

»Bring mich wieder nach Hause«, bat sie ihn, als sie spürte, dass ihr Ende nahte.

Opa Ludwig wachte Tag und Nacht am Bett seiner Frau, mit der er vierunddreißig Jahre lang eine glückliche Ehe geführt hatte. Greta wusste, dass sie sich 1916 mitten im Ersten Weltkrieg kennengelernt hatten, nachdem er in der Gegend von Verdun mehr tot als lebendig aus einem Schützengraben gezogen, über den Rhein geschafft und in einem Heidelberger Lazarett wieder zusammengeflickt worden war. Dort hielt sie ihn, als er bei der Amputation des rechten Unterschenkels vor Schmerzen schrie.

Als sein Bein schwarz wurde und nicht sicher war, ob er eine weitere Resektion überleben würde, krallte er sich am Arm der jungen Krankenschwester Auguste, die alle nur Guste nannten, fest. Er weinte vor Sorgen um seine achtjährige Tochter Emma, die ihre Mutter kurz nach der Geburt verloren hatte. Zwischen Fieberschüben und Schüttelfrostattacken verfluchte der damals noch junge Ostpreuße Gott und verhandelte mit ihm. Dann gab er auf und hauchte Abschiedsworte an sein Kind.

»Kämpfen Sie für Ihre Tochter«, hatte Guste ihm damals ins Ohr geflüstert und war über Nacht geblieben, um mit kalten Wickeln sein Fieber zu senken.

Dem vierundsiebzigjährigen Ludwig kamen Tränen, als er Greta, die, sooft es ihre Arbeit zuließ, mit ihm an Gustes Bett saß, erzählte, wie er damals nach Tagen die Augen wieder aufschlug. »Ich sah, dass sie an meinem Bett saß und eingenickt war«, sagte Opa Ludwig.

Greta hielt die Hand von Guste-Oma und streichelte sie. »Und dann?«, fragte sie ihren Großvater.

Opa lächelte. »Ich habe sie mir genau angesehen. Ihre blasse Haut, das rote Haar, das aus ihrer Haube gerutscht war, ihren schönen Mund.«

Greta betrachtete das schüttere graue Haar ihrer Großmutter, über das Opa zärtlich strich.

»Lud, ich habe dich immer geliebt«, hauchte sie.

»Ich dich auch, mien Leevste.«

Guste-Oma verdrehte die Augen, und an der Spannung, die aus ihrer Hand wich, spürte Greta, dass sie erneut das Bewusstsein verlor. Ihr Atem ging schwer.

Ohne den Blick von ihr abzuwenden, erzählte Opa Ludwig Greta leise davon, wie Guste ihm als junge Krankenschwester nicht von seiner Seite gewichen war und ihn gestützt hatte, als er lernte, mit der Prothese zu gehen. Sie hatte mit ihm einen Ausflug in die Heidelberger Altstadt gemacht, damit er nach Monaten etwas anderes sah als das Lazarett. Er humpelte mit ihr über die Alte Brücke und bekam neuen Lebensmut. Ludwig hatte nicht vor, sich zu verlieben, schon gar nicht als Krüppel. Gedanken an Heirat schienen absurd, denn sie kam aus einer angesehenen Heidelberger Medizinerfamilie, und er, der kriegsverstümmelte Witwer, war nur ein Kupferschmied.

»Als ich entlassen werden sollte, weinten wir beide«, sagte Opa. »Am nächsten Tag, als ich schweren Herzens zum Bahnhof ging, stand sie plötzlich vor mir. Mit einem Koffer in der Hand.«

Greta kannte die Geschichte, weil Guste-Oma sie ihr immer wieder erzählt hatte. Sie spürte an Gustes Händedruck, dass sie offensichtlich wieder bei Bewusstsein war und zuhörte. »Und?«, fragte Greta, damit Opa weitererzählte.

»Sie ist einfach mitgefahren. Kannst du dir das vorstellen? Gegen den ausdrücklichen Willen ihrer Familie. 1918 haben wir dann in Preußisch Eylau geheiratet.«

Die Abstände zwischen Gustes Atemzügen wurden größer. Ludwig schlug ihre Bettdecke zurück, legte sich neben sie und hielt sie fest im Arm.

Greta zog sich mit Tränen in den Augen zurück, um ihre Großeltern alleine zu lassen. Hinter dem Vorhang setzte sie sich auf den Boden und dachte daran, wie Guste-Oma erst Emma als ihre Tochter angenommen hatte und später, als sie und Ludwig keine eigenen Kinder bekommen konnten, sich um sie und Fine gekümmert hatte. Greta lächelte bei dem Gedanken daran, wie zuletzt die kleine Marie Gustes Leben bereichert hatte.

In der Stille des frühen Morgens hörte Greta, wie Ludwig ihr ins Ohr hauchte: »Du darfst gehen, meine Guste. Du warst eine gute Frau. Wir sehen uns wieder, mien Leevste.«

Guste atmete lange aus. Greta blieb am Vorhang stehen und wartete darauf, dass sie wieder einatmete. Nichts. Sie schlich sich an das Bett heran und berührte den Rücken ihres Großvaters.

»Es ist vollbracht«, sagte er und bat Greta, die Bibel, die auf dem Nachttisch lag, aufzuschlagen. »Bitte lies mir unseren Trauspruch vor.«

Mit zitternden Händen öffnete sie die Bibel und las: »Wenn ich mit Menschen- und mit Engelszungen redete und hätte der Liebe nicht, so wäre ich ein tönendes Erz …«

Greta konnte nicht weiterlesen. Die Trauer schnürte ihre Kehle zu. Opa setzte sich auf und nahm sie in den Arm. Als sie sich ein wenig beruhigt hatte, bat er sie, das Fenster zu öffnen, damit Gustes Seele den Weg nach draußen fand. Dann weckte er seine Tochter.

Emma verließ die Wohnung, um den Leichenbeschauer Reismann aus der Ziegelgasse zu holen. Als die beiden zurückkamen, bat er Greta, ihm ein Glas Wasser zu bringen, stellte es auf die Brust der Verstorbenen und wartete ab, ob der Wasserspiegel plan blieb.

Ihre Mutter suchte das Totenhemd aus dem Schrank, das Guste-Oma für sich vorbereitet hatte, und ging zu Opa in die Küche.

»Wollen Sie mir helfen?«, fragte Herr Reismann Greta.

Sie nickte.

»Ich brauche eine Schüssel mit Wasser«, sagte er.

Greta ging Richtung Küche und hörte auf dem Flur, wie ihr Großvater fragte: »Wovon sollen wir nur die Beerdigung bezahlen?«

»Mach dir keine Sorgen, Vater«, sagte Emma. »Ich erwarte eine größere Rückerstattung von der Rentenkasse.«

Greta öffnete die Tür. Das Gespräch verstummte schlagartig.

»Ich will auch zu Guste-Oma«, sagte Marie.

»Du bleibst schön bei mir«, bestimmte Emma und nahm die Kleine auf ihren Schoß, während Greta eine Schüssel mit lauwarmem Wasser füllte.

Zurück an Gustes Totenbett hämmerten die Worte *Rückerstattung von der Rentenkasse* in ihrem Kopf und schoben sich vor die Bilder, die sich vor ihr abspielten: wie Gustes schlaffer, blasser Körper gewaschen wurde, Herr Reismann ihr das Totenhemd überzog, den dürren Leichnam bettete und die Finger zur Gebetsstellung verzahnte.

Opa kam dazu, nahm den amtlichen Totenschein entgegen, und Greta brachte den Leichenbeschauer zur Tür. Dann ging sie in die Küche, wo ihre Mutter am Tisch saß und Kartoffeln schälte. Marie saß auf dem Boden und spielte. Als Greta eintrat, legte Emma das Messer zur Seite, nahm Marie erneut auf den Schoß und wich Gretas Blick aus.

»Du hast Vati für tot erklären lassen?«

»Was hätte ich denn tun sollen, Kind?«, verteidigte sich ihre Mutter und nestelte in den Kartoffelschalen. »Mir steht Rente ab dem 8. Mai 1945 zu. Das sind sieben Jahre, Greta. Weißt du, wie viel Geld das ist?«

»Du hast es mir versprochen«, sagte sie enttäuscht.

»Das sind über viertausend Mark! Damit kann ich ein Gardinengeschäft aufbauen.«

Greta wusste nicht, was schlimmer war. Der Verlust ihrer geliebten Großmutter oder dass ihre Mutter ihren Vater verraten hatte.

»Ist Guste-Oma jetzt im Himmel?« Marie schaute ihre Mutter mit großen Augen an.

Greta konnte nicht antworten. Sie hielt es nicht mehr aus, rannte aus der Wohnung, wollte nur noch in den Hof, ins Toilettenhäuschen, um endlich ihre Trauer und Wut herausschreien zu können.

Im Treppenhaus begegnete ihr der Briefträger.

»Ich habe einen Amtsbrief für Ihre Mutter«, sagte er. »Ist sie da?«

Greta wollte gerade nicken, da sah sie den Absenderstempel auf dem blauen Kuvert. Amtsgericht Heidelberg und las: *An die Nachkommen von Otto Schönaich.*

»Nein, meine Mutter ist kurzfristig verreist«, log sie und unterschrieb den Bestätigungsschein.

Sie schaute sich argwöhnisch um, steckte das Schreiben ein, ging in den Innenhof und schloss sich auf der Toilette ein. Sie konnte es kaum erwarten und riss das Kuvert auf.

Sehr geehrte Frau Schönaich,
laut §44.4 des Bundesversorgungsgesetzes beginnt Ihre Witwenversorgung mit dem Monat, in dem Sie den Tod Ihres Mannes beantragt haben. Die Höhe Ihrer Rente beträgt 49,35 DM, zahlbar ab dem 4. Juli 1952.

Kopfschüttelnd starrte Greta auf die Zahlen. Für 197,43 Mark hatte ihre Mutter ihren Vati verraten.

Sie ging zurück in die Wohnung und warf ihrer Mutter den Brief vor die Nase. »Aus der Traum von einer würdigen Beerdigung«, sagte Greta. »Von deinem Gardinengeschäft ganz zu schweigen.«

Dann nahm sie Marie auf den Arm und verließ grußlos die Wohnung. Erst wusste sie nicht, wohin. Dann fiel ihr Tante Elis ein, und weil sie annahm, dass deren Mann auf der Arbeit war, ging sie über den Neckar.

Hätte Gustes Bruder Hermann sich nicht bereit erklärt, die Beerdigungskosten zu übernehmen, wäre die Verstorbene in ein Armengrab gekommen.

*Auguste Sabronski geb. Holloch *22.2.1887 †25.11.1952,* stand auf dem Holzkreuz, das am 28. November im Schneeregen auf dem Heidelberger Bergfriedhof vor dem Eichensarg hergetragen wurde. Der Weg zur Familiengruft, in der bereits Gustes Eltern ruhten, war hügelig, und somit war der schwere Gang für den kriegsversehrten Ludwig noch beschwerlicher. Gestützt von seiner Tochter Emma und Greta, mit der kleinen Marie an der Hand, führte er aufrecht den kurzen Trauerzug an. Hinter ihnen schritten Fine und ihr amerikanischer Ehemann John A. O'Sullivan in Militäruniform. Die beiden waren extra aus Bad Nauheim angereist. Zuletzt und mit etwas Abstand folgten Hermann Holloch und seine Gattin Elise.

Als der Sarg in die Erde gelassen und Greta von Weinkrämpfen geschüttelt wurde, konnte Marie den Druck nicht länger aushalten. Mit ihrer hellen Stimme sang sie laut: »Der Mai ist gekommen …«

»Pst«, ermahnte sie Greta und hielt ihre Hand vor den Mund der Kleinen.

»Lass sie!« Opa Ludwig streichelte seiner Urenkelin übers Haar. »Das hätte Guste gefallen.«

Greta sah, wie Professor Holloch Tante Elis einen hastigen Blick zuwarf und sich räusperte. Er versuchte Haltung zu bewahren. Wahrscheinlich ist er froh, dass weit und breit niemand ist, der ihn mit seiner armen Verwandtschaft aus dem Osten sieht, überlegte sie.

Langsam entfernte sich die Trauerfamilie von Gustes Grab. Tante Elis nahm Opa am Arm und geleitete ihn. Mit einem Mal blieb er stehen. »Ist das das Grab von Friedrich Ebert?«, hörte Greta ihn fragen.

»Ja«, antwortete Tante Elise.

Opa Ludwig nahm den Hut ab, verbeugte sich und betete. Onkel Hermann lief rot an.

Der erste Reichspräsident der Weimarer Republik, las Greta auf dem Grabstein und sah den Kranz der Sozialdemokratischen Partei Deutschlands davor liegen.

»Elis!«, sagte Hermann Holloch im Befehlston.

Nickend ging sie zu ihm und hakte sich bei ihm unter. Sie entfernten sich grußlos.

Marie rannte schreiend hinter ihnen her und wollte von der Tante auf den Arm genommen werden.

»Du musst jetzt zu deiner Mama gehen, mein Schatz.« Elise Holloch streichelte der Kleinen über die Wangen und folgte zögerlich ihrem Mann.

Keiner außer Marie vermisste die beiden danach, als in der Wohnung in der Plöck der Tisch gedeckt, Kaffee aufgebrüht und trockener Hefekuchen serviert wurde. Niemand verschwendete einen Gedanken an Gustes Verwandtschaft, weil alle damit beschäftigt waren zu verarbeiten, wie sich der neue Verwandte, Fines Ehemann John, breitmachte und sich auf den Stammplatz der verstorbenen Großmutter setzte.

»Sie war eine gute Frau«, sagte der Amerikaner zu Opa.

Woher willst du Schwachkopf das wissen?, dachte Greta. Du kanntest sie doch gar nicht.

Fine holte ungefragt den Whiskey aus dem Schrank und schenkte Ludwig und ihrem Gatten ein Gläschen ein. Die beiden Männer prosteten einander zu. Greta blickte auf die Flasche, die Bob ihrem Großvater vor fast drei Jahren zu Weihnachten geschenkt hatte, kurz bevor er für immer verschwand. Sie nahm den Hochprozentigen und stellte ihn aus dem Sichtfeld des trinkfesten Iren.

Mariele legte im Flur ihr Bobbele in einen Karton, machte den Deckel zu und segnete ihn, wie sie es vor zwei Stunden beim Pfarrer gesehen hatte. Als es klopfte, rannte sie zur Wohnungstür, ging auf die Zehenspitzen, um die Türklinke zu greifen, und zog sie nach unten.

»Jetzt kommen Hermann und Tante Elis doch noch«, sagte

Emma und stand auf, um zwei Gedecke aus dem Buffet zu holen. »Greta, mach du ihnen auf.«

Greta ging in den Flur und sah einen Fremden, der das dreieinhalbjährige Kind mit offenem Mund anstarrte.

»Do esch ä Mann, Mama«, rief Mariele und flüchtete auf ihren Arm. Langsam machte Greta einen Schritt auf den Unbekannten zu. Der Hüne, dessen Gesichtszüge hinter dem grauen Vollbart kaum zu erkennen waren, stand mit gebeugter Körperhaltung vor der Tür, er hatte eine blaue Steppjacke an und trug einen Rucksack auf dem Rücken.

»Suchen Sie jemanden?«

»Ja. Meine Familie.«

Da sah Greta die grünen Augen und erschrak. »Vati?«

In der Stube zerdepperte Porzellan auf dem Boden.

Emma kam auf den Flur gerannt. »Otto?« Sie fiel ihrem Mann, den sie seit fast zwölf Jahren nicht mehr gesehen hatte, um den Hals.

»Wer isch des?«, fragte Mariele flüsternd in Gretas Ohr.

»Das ist Vati«, antwortete Greta mit tränennassen Augen und legte, als ihre Mutter einen Schritt zurücktrat, den Arm um ihren Vater.

»Vati!«, schrie Fine, kam aus der Stube gerannt, schob Greta zur Seite und schloss den Heimgekehrten ebenfalls in die Arme.

John folgte ihr und klopfte dem Schwiegervater, den er bislang nur auf einem alten Foto gesehen hatte, auf die Schulter. »Willkommen, Dad«, sagte er mit starkem amerikanischen Akzent, strahlte den Fremden an und hielt ihm seine ausgestreckte Hand entgegen. »Nice to meet you. Deine Tochter hat mich so viel Gutes erzählt von dir.«

Otto stutzte. Sein Blick blieb an der amerikanischen Uniform hängen.

»Das ist John, Vati«, sagte Fine. »Mein Mann, John A. O'Sullivan.«

»Komm!« Emma nahm ihrem Gatten den Rucksack ab. »Du hast bestimmt Hunger.«

Otto nickte und folgte ihr in die Stube. Er brachte kein Wort heraus, als Opa ihn mit Tränen in den Augen begrüßte. Schließlich ließ er sich auf einem Stuhl nieder und stopfte den Hefekuchen, den Emma ihm abgeschnitten hatte, in sich hinein und starrte vor sich hin.

»Ich wusste es immer! Ich war mir sicher, dass du lebst und …« Greta konnte nicht weitersprechen, ihre Stimme kippte.

Mit Kaffee spülte Otto die Kuchenkrümel hinunter, brach ein weiteres Stück Hefezopf ab und schob es in seinen zahnlosen Mund. Marie saß ihm gegenüber auf dem Schoß ihrer Mutter und gaffte ihn mit großen Augen an.

»Und wer ist das?«, fragte er.

»Marie, mein Töchterchen, Vati«, sagte Greta und drückte die Kleine an ihre Brust.

»Macht doch langsam, das ist alles zu viel für euren Vater. Nicht wahr, Ottoche?«, meinte Emma und sorgte mit ihrem wilden Gestikulieren für die eigentliche Unruhe.

»Wo ist Vati?«, wollte ihre Mutter am darauffolgenden Tag wissen, als sie von ihrer Putzstelle zurückkam.

»Er ist aufs Meldeamt«, sagte Greta langsam und schaute sie provozierend an.

Emma wich sämtliche Farbe aus dem Gesicht. »Ogottogott«, murmelte sie, ging aufgeregt in der Stube auf und ab und schaute alle zehn Sekunden aus dem Fenster.

Nach über einer Stunde rannte sie aus der Wohnung. Greta sah von oben, wie ihr Vater mit staksendem Schritt über die Straße ging und in der Haustür verschwand. Sie eilte durch den

Flur, öffnete die Wohnungstür einen Spalt und hörte ihre Mutter im Treppenhaus: »Otto. Ich … ich wollte es dir erklären, aber … Ich wusste ja nicht, dass du gleich am ersten Tag … Du musst verstehen, in was für einer Situation ich war. Nach all den Jahren, und …«

Emmas Stimme und die Schritte auf der Treppe wurden lauter, Greta huschte in die Küche. Durch den Türspalt konnte sie erkennen, dass ihr Vater, der inzwischen seinen Vollbart bis auf ein haariges Viereck über der Oberlippe abrasiert hatte, ihre Mutter nicht beachtete.

»Bitte, Otto, rede mit mir«, flehte sie.

Er riss die Stubentür auf und schlug sie hinter sich zu.

»Vati braucht jetzt Ruhe«, ermahnte Emma Greta und ihr Kind, die sich mit Großvater in der Küche aufhielten, damit Otto in der Stube schlafen konnte. Auch Fine und ihr Gatte, die gekommen waren, um sich zu verabschieden, ließ sie nicht zu ihm, versprach aber, die guten Wünsche auszurichten.

Zur Abendbrotzeit schlich Greta zu ihrem Vater. Er lag auf dem Rücken und schnarchte. Sie erschrak, als sie seine Füße sah, die unter der Decke hervorragten. Sie waren bläulich verfärbt, zwei zehenlose Stümpfe.

»Vati«, flüsterte sie. »Du musst was essen. Du kannst danach ja gleich wieder weiterschlafen.«

Emma hatte Ottos Lieblingsgericht Wrukensuppe gekocht und hoffte, ihn mit diesem ostpreußischen Steckrübeneintopf zu versöhnen. Den Schweinebauch hatte sie extra in kleinste Stücke geschnitten, damit der Zahnlose keine Probleme hatte, ihn zu essen.

Schweigend setzte sich Otto zu Tisch, starrte in seinen Teller, und nicht einmal Marie wagte, etwas zu sagen. Nichts war zu hören als das Geklapper der Löffel und Schmatzen.

Emma stellte das Geschirr zusammen und trug es zur Spüle.

»Ich könnte ein Schnäpschen vertragen«, sagte Opa Ludwig.

Er holte die Whiskeyflasche aus dem Stuben-Buffet, schenkte zwei Gläser ein und schien zu hoffen, damit das Schweigen seines Schwiegersohnes brechen zu können.

»Darauf, dass du wieder da bist.«

Otto leerte das Glas in einem Zug.

Greta machte Marie bettfertig und ging mit ihr zurück in die Küche. »Hier möchte noch jemand gute Nacht sagen.«

Im Schlafanzug kuschelte sich die Kleine an ihren Urgroßvater und schaute mit großen Augen den Mann an, der ihm gegenübersaß.

»Wie sollst du sagen?«, fragte Greta ihre Tochter.

»Guäd Nacht, Opi«, sagte das Mädchen in breitem kurpfälzischen Dialekt und hielt Otto die Hand hin.

Er beachtete sie nicht, füllte sein Glas mit einem weiteren Whiskey und kippte ihn hinunter.

»Es wird Zeit, Mariele«, sagte Greta, nahm sie auf den Arm, trug sie in die Stube und legte sie auf die Matratze, die sie mit ihrem Kind teilte.

»Opi ist böse«, flüsterte Marie.

»Nein, das darfst du nicht sagen«, antwortete sie leise und deckte die Kleine zu. »Der Opi ist ein guter Mann. Er braucht Zeit. Wir müssen Geduld haben.«

»Was finde ich hier für eine Scheiße vor«, brüllte ihr Vater plötzlich in der Küche. »Wo bin ich hier gelandet? Das ist ja nicht auszuhalten! Ich hab gekämpft und meine Haut hingehalten. Und meine Töchter haben sich wie Huren dem Feind angeboten!«

»Ich bitte dich«, sagte Opa beschwichtigend.

Greta zitterte.

»Wo ist Guste-Oma?«, fragte Marie.

»Im Himmel. Dort passt sie auf dich auf.«

»Und auf dich auch!« Die Kleine streichelte die Hand ihrer Mutter.

Gretas Augen schwammen in Tränen. Sie hörte, wie ihr Vater in der Küche weiterbrüllte: »Ich habe im Krieg gekämpft und meine Gesundheit geopfert, damit diese Schlampen mit jedem Dahergelaufenen ficken. Sie haben jegliche natürliche nationale Scham, jeden Stolz und jede Würde vermissen lassen!«

»Otto!«, ermahnte ihn sein Schwiegervater.

»Was?«, blaffte der zurück. »Was soll diese Negerscheiße hier?«

Greta schaute in die aufgerissenen braunen Augen von Marie, die nicht verstand, worüber sich der Fremde, den sie Opi nennen sollte, echauffierte.

»Schlaf jetzt, meine Kleine«, flüsterte sie.

»Ist Guste-Oma bei den Sternen?«, fragte Marie.

Greta konnte nicht antworten. Weinend nickte sie und dachte daran, wie Vati ihr den Abendstern gezeigt hatte. Dieser zärtliche Vater, nach dem sie sich so sehnte, hatte nichts mit dem Mann zu tun, der jetzt in der Küche herumbrüllte.

»Wie, ich soll weniger trinken? Nüchtern halte ich die Scheiße hier keine Sekunde länger aus. Und du, Emma, bist die Oberfotze!«

»Bitte, Otto«, flehte Emma ihn an.

»Du hast mich um gar nichts zu bitten. Du nicht! Für dich war ich ja schon lange abgemeldet. Von wem lässt du dich denn flachlegen?«

»Otto!«

»Wie Otto? Was Otto? Den Otto gibt es gar nicht mehr! Der Otto ist mausetot. Das konnte dir doch alles gar nicht schnell genug gehen mit dem Ende von diesem Otto.«

Greta legte sich zu Marie, zog sie fest an sich und hielt ihr die Ohren zu. Sie hörte ihre Mutter weinen.

Dann versuchte Opa erneut, seinen aufgebrachten Schwiegersohn zur Raison zu rufen: »Otto, jetzt reiß dich zusammen!«

Greta begann leise das Abendlied zu singen, um etwas gegen den Streit zu setzen. »Weißt du wie viel Sternlein stehen, an dem blauen Himmelszelt …«

Aber ihr tobender Vater übertönte alles: »Du hast mich für tot erklären lassen! Es tut mir leid, dass ich nicht in einem sibirischen Steinbruch verreckt bin.«

Dieser Satz bohrte sich wie ein scharfes Messer in Gretas Leib. Sie konnte so gut verstehen, wie sehr Mutti mit dieser idiotischen Tat Vati verletzt hatte. Dann legten sich seine Worte »Schlampe« und »Negerscheiße« über ihr Mitleid, und sie dachte zum ersten Mal, dass er auch ohne diese Tatsache nicht netter gewesen wäre. Ein Knall riss sie aus ihren Überlegungen. Es hörte sich an, als hätte jemand auf den Tisch gehauen.

»Schweig!« Ihr Opa war laut und bestimmt wie noch nie. »Hör auf zu saufen, und hör auf, dich zu bedauern.«

Etwas prallte gegen die Wand, Glas zerbarst auf dem Boden. Greta vergaß zu atmen.

»Wo warst du, als deine Frau vergewaltigt wurde? Wo warst du, als die ganze Familie nichts zu fressen hatte?«, brüllte Opa weiter.

»Wo ich war? Du willst allen Ernstes wissen, wo ich war?«

»Ohne deinen Hitler hätte es diesen verdammten Krieg nie gegeben und –«

Greta hörte Gerumpel, dann einen lauten Schlag.

»Lass die Finger von meinem Vater!«, flehte Emma.

»Wo ist dieser Negerbastard?«, brüllte Otto aus der Küche.

Greta zitterte wie Espenlaub. Marie fing an zu schreien.

Mit tiefen Schatten um die Augen saß Greta am nächsten Tag mit ihrem Kind neben ihrer Mutter beim Jugendamt.

»Mein Mann ist aus der Kriegsgefangenschaft zurückgekehrt, deshalb ist unsere Wohnung zu klein«, sagte Emma und versuchte, mit der rechten Hand ihr blaues Auge zu verbergen.

Der Himmel war grau, der Neckar vom Nebel verschluckt. Greta hatte ihr Kind auf dem Schoß und saß neben Maries Amtsvormund in dessen dunkelgrauem VW-Käfer. Karl-August Ebert sprach kein Wort, lenkte den Wagen die fünf Kilometer neckaraufwärts und parkte in Ziegelhausen vor dem evangelischen Kinderheim direkt neben der Kirche in der Brahmsstraße.

Es gab keine andere Lösung, denn wohin hätte Greta mit Marie gehen können? Sie hatte kein Geld für eine eigene Wohnung, hatte niemanden, der auf das Kind aufpassen konnte, wenn sie arbeitete. Doch nun, als sie vor dem dreigeschossigen Haus mit den rot umrandeten Sprossenfenstern stand, kam es ihr wie eine Festung vor. Marie schaute ihre Mutter mit großen Augen an. Und als würde sie begreifen, dass sie sich von ihr trennen musste, klammerte sie sich an ihr fest.

»Die Mami kommt bald wieder und holt dich ab«, sagte Greta ihrer Kleinen und strengte sich an, dabei überzeugend zu klingen.

»Kommen Sie!« Ebert schritt die Sandsteintreppe hinauf und klingelte.

Das Portal wurde geöffnet, und eine Ordensfrau im wadenlangen grauen Habit und einer Haube, die mit einer Schleife unter dem Doppelkinn zusammengehalten wurde, streckte ihren Kopf heraus.

»Wir bringen hier Marie Schönaich, Schwester Erdmuthe«, sagte Ebert.

Die Diakonisse warf Greta einen geringschätzigen Blick zu, packte das Kind unter den Achseln und sagte: »Na, dann komm mal!«

Marie schrie aus Leibeskräften und krallte sich mit aller Gewalt an ihrer Mutter fest.

»Sei brav, Mariele!« Greta blinzelte ihre Tränen weg.

»MAMI!«

Schwester Erdmuthe löste mit ihrer Linken die eine Hand der Kleinen, während Ebert die Finger der anderen geradebog. Greta gab sich einen Ruck und überreichte ihr das um sich schlagende und tretende Kind.

»Am besten, Sie gehen jetzt«, zischte der Vormund kurzatmig Greta zu, als Schwester Erdmuthe das Mädchen endlich in den Händen hielt.

Marie verfing sich in der Kinnschleife der fremden Frau, die Schwesternhaube verrutschte. »Nein!«

»Sei brav, Mariele! Die Mami kommt ja bald wieder.«

»Gehen Sie endlich!«, befahl Ebert und verschwand mit der Diakonisse samt dem tobenden Mädchen hinter der Tür.

»MAMI!«

Greta blieb wie angewurzelt auf der Treppe stehen und hörte, wie das Schreien ihres Töchterchens sich entfernte. Es war, als hätte man ihr das Herz aus dem Leib gerissen.

Mit einem Tränenschleier vor den Augen schleppte sie sich am Neckar entlang zurück in Richtung Heidelberg. Maries »Mami« dröhnte in ihrem Kopf und wurde nur übertönt vom Brüllen ihres Vaters: »Es tut mir leid, dass ich nicht in einem sibirischen Steinbruch verreckt bin!«

Ein Kohleschiff kämpfte sich im Nebel flussaufwärts.

Es begann zu nieseln. Unkontrolliert zitternd trottete Greta weiter. Die Regentropfen vermischten sich mit ihren Tränen und rannen über ihre Wangen. Sie hatte alles verloren. Ihre Heimat, Bob, Guste-Oma und nun auch noch ihr Kind.

Sie kam an der Flussbiegung vorbei, an der sie und Bob sich zum ersten Mal ihre Liebe gestanden hatten.

»Stell dir vor, du gehst jetzt und denkst dein ganzes Leben, dass du einen Fehler gemacht hast«, hatte sie ihm damals gesagt. Dieser Satz kam ihr wie Hohn vor. Sie spuckte aus. »Scheiße, Bob, wo bist du?«, schrie sie, nahm einen grauen Kieselstein und warf ihn ins Wasser. »Du verfluchtes Arschloch!«

Sie packte alle Steine, die sie kriegen konnte, und schleuderte sie mit Flüchen über den Mann, der sie im Stich gelassen hatte, in die Fluten. Mit jedem Ausspruch wurde sie lauter und wütender. Und ihre Wut entfachte ihren Kampfeswillen. »Ich hol dich so schnell wie möglich da raus, Mariele!«

Am nächsten Morgen betrat sie außer Atem und mit roten Wangen das Jugendamt und verlangte, mit dem amtlichen Vormund ihrer Tochter, Karl-August Ebert, sprechen zu dürfen. Seine Sekretärin richtete aus, dass er keinen Termin für sie frei hätte. Greta ließ sich nicht abwimmeln und setzte sich auf die Holzbank vor seiner Bürotür und wartete. Sie wusste, dass sie zur Arbeit gehen sollte, aber das war ihr egal. Nach fast vier Stunden hörte sie von draußen das Mittagsläuten der Heiliggeistkirche, dann endlich öffnete der Amtmann die Tür.

»Wie geht es meiner Marie?«

»Sie muss sich eingewöhnen«, meinte Ebert und steckte den Schlüssel ins Schloss.

»Wann darf ich zu ihr?«

»Sie kennen die Regeln?«

»Aber …«

»Machen Sie es Ihrer Tochter nicht unnötig schwer, Fräulein Schönaich.«

»Aber …«

»Ich habe jetzt Mittagspause.« Ebert machte auf dem Absatz kehrt.

»Herr Ebert …« Greta ging hinter ihm her.

»Machen Sie keine Schwierigkeiten. Nach der Eingewöhnungszeit können Sie Ihre Tochter sehen.«

»Und wie lange dauert diese Eingewöhnungszeit?«

»Das hängt ganz von Ihrem Verhalten ab«, sagte er und verschwand auf der Herrentoilette.

Greta ließ sich nicht abwimmeln und wartete, bis sich die Tür mit dem Null-Null-Schild wieder öffnete.

»Aber in drei Wochen ist Weihnachten.« Sie lief auf dem langen Amtsflur neben ihm her. »Da will ich sie nach Hause holen.«

Ebert blieb stehen und blickte sie scharf an. »Ich denke, dass ich das nicht befürworten kann, Fräulein Schönaich. Ihr Kind ist zu Hause nicht sicher. Und jetzt entschuldigen Sie mich bitte.«

Im Schaufenster eines Kleiderwarengeschäftes auf der Hauptstraße sah Greta mit Fell gefütterte Kindermützen, das Stück für 1,99 Mark.

Eigentlich konnte sie sich das nicht leisten, doch dann hatte sie schon den Türgriff in der Hand. Sie entschied sich für eine rosafarbene mit einem Bommel, kramte die Pfennige zusammen und bezahlte. Im Hinausgehen sah sie ein Miniaturmodell in derselben Farbe.

Völlig unvernünftig, dafür auch noch Geld auszugeben, ermahnte sie sich und machte kehrt.

»Ich wollte eine warme Wintermütze für mein Mariele abgeben«, sagte sie der jungen Diakonisse, die im Kinderheim die Tür öffnete und sich als Schwester Rosa vorstellte. »Und ich wollte fragen, ob ich sie kurz sehen kann, weil ich mir nicht sicher bin, ob sie passt, und …«

»Warten Sie!« Schwester Rosa ließ Greta auf der Treppe stehen.

Nach endlosen Minuten wurde die Tür wieder geöffnet.

»Sie können Ihr Kind jetzt nicht sehen«, meinte Schwester Rosa. »Sie muss sich eingewöhnen.«

»Aber … kann ich denn kurz mit Schwester Erdmuthe sprechen?«

»Sie lässt Ihnen ausrichten, dass Sie alles mit dem Vormund des Kindes abklären sollen.«

Greta biss die Zähne zusammen und überreichte die Papiertüte. »Da ist auch noch eine Mütze für Bobbele drin, für die Puppe meiner Tochter.«

Als sie ging, drehte sie sich um und suchte die Fenster ab. Aber hinter keinem sah sie ihr Kind.

Sie hielt es ohne Marie kaum aus. Um den Schmerz zu betäuben, arbeitete Greta wie ein Berserker, nahm noch mehr Putzstellen an, wusch und wienerte und legte jeden Pfennig für die Zukunft mit ihrer Tochter zur Seite. Mehrfach pro Woche ging sie zu Fuß zum Kinderheim, schlich über das Gelände und spinkste heimlich durch die Fenster, um einen Blick auf Mariele zu erhaschen. Vergeblich.

Nach außen verbreitete sie Kraft und Zuversicht, doch nachts, wenn sie in der Küche auf der Matratze lag, drückte sie ihr Gesicht ins Kopfkissen, damit niemand ihr Weinen hörte.

»Als Jesus geboren war in Bethlehem in Judäa zur Zeit des Königs Herodes, siehe, da kamen Weise aus dem Morgenland nach Jerusalem und sprachen«, sagte der Pfarrer der Heiliggeistkirche am 24. Dezember in kurpfälzischem Singsang.

Die drei Weisen leierten im Chor: »Wo ist der neugeborene König der Juden? Wir haben seinen Stern gesehen im Morgenland und sind gekommen, ihn anzubeten.«

Greta begutachtete den lächerlich wirkenden Balthasar, einen

Jugendlichen, dem man mit zu viel schwarzer Schuhcreme den richtigen Hautton verpasst hatte. Sie saß neben ihrem Großvater in der Kirchenbank, ihre Eltern waren zu Hause geblieben. Auch ihr war nicht nach einem Weihnachtsgottesdienst zumute, aber sie konnte Opa nicht alleine gehen lassen. Nicht am ersten Weihnachten ohne Guste-Oma.

»Frohes Fest!«, wünschten sich die Familien mit ihren herausgeputzten Kindern am Ausgang, bevor sie in ihre heile Welt zu den geschmückten Weihnachtsbäumen zurückkehrten.

Greta stützte ihren Großvater auf dem Nachhauseweg und schaute einem kleinen Mädchen in einem roten Mäntelchen hinterher, das an der Hand seiner Mutter über den Marktplatz ging.

»Es tut mir leid, dass du nicht bei deinem Kindchen sein kannst, miene kleene Leeve«, sagte Opa und drückte ihre Hand.

Greta konnte ihm nicht antworten. Ihr Hals schnürte sich zu, und die Tränen, die sie seit Stunden zurückgehalten hatte, schossen aus ihren Augen. Opa Ludwig reichte ihr sein frisch gebügeltes Taschentuch, und bevor sie in der Plöck ins Haus gingen, putzte Greta sich die Nase und atmete tief durch.

»O du fröhliche«, empfing sie Otto Schönaich lallend. »Was für sauertöpfische Gesichter.«

Opa hängte die Jacke über den Stuhl, schaute seinen Schwiegersohn streng an, nahm die Flasche Schnaps vom Tisch und packte sie in den Schrank. »Es ist Weihnachten, Otto.«

Greta stellte sich neben ihre Mutter, die zitterig das Suppenfleisch in kleine Stückchen schnitt.

»Ach«, sagte Otto erstaunt, erhob sich mit Schwung, sodass sein Stuhl nach hinten kippte. Er holte die Flasche zurück und schenkte auch seinem Schwiegervater ein Glas ein. »Darauf trinken wir einen, was?«

Greta verteilte die Suppenteller und vermied es, ihren Vater anzusehen.

»Genau so habe ich mir das vorgestellt, als ich all die Jahre im Dreck saß. Halleluja!« Er kippte das Glas.

Mit gesenktem Kopf verteilte Greta das Besteck und stellte einen Brotkorb auf den Tisch. Ihr Vater hielt sie am Unterarm fest. »Tu doch wenigstens so, als wenn du dich freuen würdest, dass ich wieder da bin.«

»Vati, bitte!« Sie versuchte, sich loszureißen, aber er hatte mehr Kraft und zog sie zu sich herunter.

»Oder ist das wegen deinem Negerbastard?«

»Red nicht so, Vati, bitte.« Greta konnte vor lauter Tränen kaum etwas sehen.

»Ich rede mit dir, wie ich will, solange du deine Füße unter meinem Tisch hast!«

»Otto, ich bitte dich«, ermahnte ihn Opa.

Greta befreite sich aus seinem Griff, rannte aus der Wohnung, stolperte die Treppe hinab und schloss sich im Hof in der Außentoilette ein. Durch das geschlossene Küchenfenster hörte sie ihren Vater brüllen. Sie hielt sich die Ohren zu und hätte nicht sagen können, weshalb sie mehr zitterte: vor Kälte oder vor Wut.

Vor ihrem inneren Auge sah sie Marie, die von einer Fremden ins Bett gebracht wurde. Diese Person konnte nicht wissen, dass die Kleine immer eine Gutenachtgeschichte vom Schweinchen namens Truman erzählt bekam und dass man ihr danach ›Weißt du, wie viel Sternlein stehen‹ vorsingen musste.

Nach über einer Stunde rappelte es an der Tür.

»Er schläft«, sagte Opa Ludwig. »Du kannst wieder hochkommen.«

Am ersten Weihnachtsfeiertag stand Greta schlotternd vor Kälte auf dem Wehrsteg und schaute zu, wie das Treibeis über die

Staustufe fiel, in kleine Stücke zerbrach und in Richtung Rhein trieb. Sie rieb ihre weißen Hände gegeneinander, hauchte warmen Atem auf die Fingerspitzen und spielte mit dem Gedanken, erneut nach Ziegelhausen zu gehen. Doch dann entschied sie sich, dass es besser war, sich an die Regeln zu halten, damit sie ihr Kind bald offiziell sehen konnte.

»Greta? Was machst du denn hier?«

Die Einundzwanzigjährige hatte Tante Elis nicht kommen hören und erschrak. »Fröhliche Weihnachten«, sagte sie und gab ihr die Hand.

»Es gibt kein frohes Fest für unsereins. Wenn man beide Söhne im Krieg verloren hat, dann kann man kein Weihnachten mehr feiern.« Elise Holloch starrte ins Leere.

»Ich halte es nicht mehr aus ohne Mariele«, platzte Greta heraus.

»Warum bist du denn nicht zu mir gekommen?«, fragte die Ältere vorwurfsvoll. »Ich hätte dir doch helfen können. Man gibt doch kein Kind ins Heim!«

»Aber ich dachte, dein Mann …« Sie brachte kein weiteres Wort hervor, ihr unendlicher Schmerz stürzte von innen nach außen.

»Du kommst jetzt mit zu uns, Kind«, entschied Elise Holloch und reichte ihr ein Taschentuch.

»Merry Christmas«, grüßte der Wachsoldat vor der Villa an der Hirschgasse. Elise Holloch würdigte ihn keines Blickes, aber Greta erwiderte seinen Gruß murmelnd.

Muffige Wärme schlug ihr entgegen, als Tante Elis außer Atem die Tür zur früheren Gesindekammer aufschloss.

»Wir haben einen Gast, Hermann. Jetzt mach ich uns erst mal einen heißen Kaffee.«

»Guten Tag, Herr Professor.« Greta schälte sich aus ihrem

Wintermantel und sah Hermann Holloch hinter der ›Rhein-Neckar-Zeitung‹. Die Schlagzeile lautete: *Viele alliierte Soldaten begehen das Fest in deutschen Familien.*

»Nix, Herr Professor. Das ist dein Onkel Hermann, nicht wahr, Männel?«

Der Angesprochene nickte, räumte das Blatt vom Tisch, seine Gattin band sich eine Cocktailschürze um, setzte Wasser auf, holte das gute Kaffeeservice aus dem Schrank und reichte es Greta.

Als es an der Tür klopfte, schauten sich die beiden Hollochs fragend an. Tante Elise öffnete, und über den Kopf von Onkel Hermann hinweg sah Greta einen groß gewachsenen, jungen Mann mit einem Hut und einer in Geschenkpapier eingewickelten Flasche in der Hand.

»Konrad, das ist ja eine Überraschung«, sagte der Hausherr und fügte hinzu, dass es doch nicht nötig sei, ein Geschenk mitzubringen.

Tante Elise hingegen klatschte vor Freude und nahm dem Gast den Hut ab. »Darf ich Ihnen Greta vorstellen?«

Der Fremde reichte ihr die Hand und verneigte sich. »Angenehm. Monderath, mein Name.«

»Schönaich«, sagte Greta, und weil sie nicht wusste, was sie weiter sagen sollte, drehte sie sich um und schnitt die Linzertorte an.

»Wer ist das?«, fragte Greta flüsternd, als die beiden Männer nur wenige Meter entfernt am Tisch eine erste Zigarre rauchten.

»Das ist der Neffe eines vermissten Studienkollegen von Hermann«, raunte Tante Elis und brühte den Kaffee auf. »Er ist aus Köln. Die Amerikaner haben seine ganze Familie bei einem Bombenangriff ausgelöscht. Er hat niemanden mehr.«

Greta stellte die Kuchenplatte auf den Tisch. »Wollen Sie auch, Herr Monderath?«, fragte sie und legte ihm ein Stück Linzertorte auf den Teller.

»Danke.« Konrad schaute sie schüchtern an, und ihr fiel auf, wie ungewöhnlich hellblau seine Augen waren.

»Elis, sei so gut«, bat Onkel Hermann.

Die Gattin verstand, holte vier Weinbrandgläser aus dem Schrank, entkorkte eine Flasche Dujardin und reichte sie in die Runde. »Die wärmsten Jäckchen sind die Konjäckchen. Auf unsere Überraschungsgäste!«

Konrad stieß formvollendet erst mit der Gastgeberin an, dann mit Hermann Holloch und schließlich mit Greta.

Sie nippte. In ihrem Mund zog sich alles zusammen. Ganz nach dem Motto »Augen zu und durch!« leerte sie das Glas in einem Zug. Ein wohliger Wärmeschwall schoss durch ihren Körper, und sie spürte, wie ihre Wangen sich röteten. Greta hatte die Wirkung von Alkohol noch nie am eigenen Leib erlebt und war irritiert von dem plötzlich einsetzenden Schwindelgefühl.

»War es immer Ihr Wunsch, Arzt zu werden?«, fragte Tante Elise den jungen Mann und füllte die Gläschen nach.

»Ja, sischer«, sagte er. »Isch hätte mir nischt vorstellen können, Arschitektur zu studieren wie mein Vater.«

Greta verkniff sich ein Schmunzeln, denn ihr fiel auf, dass er ein Problem mit den Ch und den Sch hatte, wie damals Konrad Adenauer. Erst dachte sie, er könnte kein Ch aussprechen, weil er »isch« und »misch« sagte, aber dann hörte sie »Tich« und »Fleich«. Sie fing an zu zählen, der Gesprächsverlauf interessierte sie nicht. Als die Kaminuhr auf dem Buffet vier Mal schlug und sich die Welt um sie herum drehte, war sie bei achtundfünfzig Sch, die ein Ch hätten sein sollen, und zweiunddreißig falsch gesetzten Ch angelangt.

»Nein, Kinderarzt wollen Sie werden? Das finde ich aber schön«, jubelte Tante Elis.

Konrad Monderath und Onkel Hermann zündeten sich eine weitere Zigarre an.

»Ich denke, Sie sollten sich das noch einmal überlegen, lieber Konrad«, sagte Onkel Hermann und schlug dem Kölner vor, er solle besser Gynäkologe werden wie sein Onkel.

Ihre Worte verschwanden im Qualm.

Greta fiel ein, wie sie einmal mit Marie bei einem Kinderarzt war, weil sie vereiterte Mandeln hatte und das Fieber nicht in den Griff zu kriegen war. Als die Kleine den fremden Mann im weißen Kittel gesehen hatte, hatte sie erbärmlich geschrien.

»Ich muss jetzt los«, sagte sie abrupt, stand auf und griff nach ihrem Mantel. »Ich habe meinen Eltern und dem Großvater versprochen, dass ich …«

»Aber, du kannst doch so nicht gehen«, sagte Tante Elis, der nicht entgangen war, dass Greta zu viel getrunken hatte. »Konrad, würden Sie unsere Nichte nach Hause begleiten?«

»Selbstverständlich«, meinte der.

Doch da war Greta auch schon grußlos aus der Tür.

Auf der Wendeltreppe schlüpfte sie in ihren Mantel, wankte über den verschneiten Hof und fragte den Wachsoldaten auf Englisch, ob er sie nach Ziegelhausen fahren könnte.

»Because it's Christmas!«, meinte dieser und fuhr sie im Schneegestöber die sechs Kilometer den Neckar entlang in Richtung Osten.

»Bitte«, flehte Greta eine Viertelstunde später Schwester Rosa am Empfang des Kinderheims an. »Ich muss zu meinem Mädchen.«

Von drinnen hörte sie Kinder singen: »O du fröhliche, o du selige, gnadenbringende Weihnachtszeit.«

»Geht es ihr gut?«, fragte Greta und zitterte nicht nur vor Kälte. »Ich habe sie seit drei Wochen nicht mehr gesehen. Bitte. Es ist doch Weihnachten.«

»Es geht ihr gut«, sagte Schwester Rosa und schaute sie unnachgiebig an. »Sie müssen sich an die Besuchsregeln halten. Das Kind muss sich eingewöhnen.«

»Aber …«

»Es tut mir leid. Bitte gehen Sie!« Schwester Rosa schloss die Tür vor Gretas Nase.

Noch immer hörte sie die Kinderstimmen, nun leiser. Sie schlich durch den Garten, zog sich so lange an Simsen hoch, bis sie durch das Sprossenfenster einen Blick auf den großen Aufenthaltsraum hatte, in dem unzählige Kinder der Größe nach in Reih und Glied hintereinanderstanden.

»Christ ist erschienen, uns zu versühnen, freue, freue dich, o Christenheit!«, sang die geschniegelte und gescheitelte Kinderschar. Schwester Erdmuthe dirigierte.

Greta streckte ihren Hals, konnte jedoch Marie nicht entdecken.

»Haben Sie eine Zigarette?«

Vor Schreck ließ Greta den Sandsteinsims los und sah hinter sich ein Mädchen stehen, das nicht älter als dreizehn sein konnte. »Äh, nein. Und überhaupt, bist du nicht noch zu jung dafür?«

Die Göre schaute sie ausdruckslos an. »Sie sind die Mutter von Marie, oder?«

»Ja. Woher weißt du das?«

»Ich hab Augen im Kopf!«

»Und wer bist du?«

»Renate. Ich wohne auch hier. Für Zigaretten kann ich Ihnen zeigen, wo sie Ihr Kind besser sehen.«

»Himmlische Heere, jauchzen dir Ehre, freue, freue dich, o Christenheit!«, hörte Greta von drinnen. Ihr Herz schlug bis zum Hals. »Ich hab keine dabei, aber ich kann dir mehrere Packungen besorgen, wenn …«

Renate machte eine verschwörerische Kopfbewegung, und Greta folgte ihr zum Hintereingang. Sie schlichen durch den

Flur, und dann öffnete Renate die Tür zum Speisesaal einen Spalt.

»Und weil ihr alle so brav wart, bekommt jetzt noch jeder als Betthupferl ein Stückchen Lebkuchen«, erklärte in diesem Moment Schwester Erdmuthe.

Um größer zu sein, stellte sich Greta auf die Zehenspitzen, reckte den Hals und schaute hinein. Aber sie konnte Marie noch immer nicht entdecken.

»Sie sitzt dort am Tisch bei den Mulattenkindern«, flüsterte Renate, die dicht hinter ihr stand.

Da erst fiel Greta auf, dass die Kinder der Hautfarbe nach getrennt saßen. Die weißen rechts, die dunkelhäutigen links. Und ganz verloren saß unter den Zweiten ihre Kleine.

»Sie sieht so schmal aus«, flüsterte Greta.

Ein älteres Mädchen kam mit einem Teller voll Lebkuchen zum Tisch, an dem Marie saß, und legte jedem Kind ein Stückchen hin.

»Nein!«, rief Schwester Erdmuthe laut durch den Saal. »Marie bekommt nichts. Sie hat heute Mittag nicht brav ihren Teller leergegessen. Böse Mädchen bekommen keinen Lebkuchen.«

Greta sah die angstvoll aufgerissenen Augen ihrer Tochter. Um zu verhindern, dass sie zu ihr hineinstürmte, krallte Greta sich am Türrahmen fest. Sie zitterte am ganzen Körper.

Das Mädchen, das neben Marie saß, erhob sich und rief: »Das Mariele hat die Hose nass gemacht! Und auf dem Boden ist auch Pipi.«

Schwester Erdmuthe drehte wutschnaubend den Kopf, dann rief sie durch den Raum: »Dann geht die Marie jetzt und holt den Putzlumpen und macht alles sauber. Und zwar sofort!«

Mit gesenktem Haupt schlurfte die Kleine zum Ausgang und drückte die Tür, hinter der Greta stand, auf.

»Mami!«, schrie Marie und warf sich heulend in Gretas Arme.

»Hab keine Angst, jetzt kann dir nichts mehr passieren«, sagte Greta und drückte ihr Kind fest an sich.

Innerhalb von Sekunden stand Schwester Erdmuthe vor ihnen. »Fräulein Schönaich, was machen Sie hier?« Ohne eine Antwort abzuwarten, zerrte sie an Marie und versuchte, Greta das Kind zu entreißen.

Greta trat um sich und drückte Marie noch fester an ihre Brust. »Lassen Sie mir mein Kind!«

»Mami!«

Greta spürte, wie starke Hände sie von hinten umfassten, ihre Finger aufbogen. Es war Schwester Rosa. Von allen Seiten kamen weitere Diakonissen hinzu, rangen mit ihr und rissen ihr das schreiende und zappelnde Kind aus dem Arm.

»Ihr verfluchten Schweine, gebt mir meine Marie zurück!«, schrie Greta, befreite sich und lief den Schwestern hinterher, die Marie zurück in den Aufenthaltsraum bringen wollten. Als Schwester Erdmuthe sich erneut vor ihr aufbaute, spuckte sie ihr mitten ins Gesicht.

»Gehen Sie, bevor ich die Polizei rufe!«, fuhr diese sie an.

Greta packte einen Stuhl, schlug ihn gegen die Wand und ging mit dem Stuhlbein auf die Schwester los.

NEUN.
März 2016

Der karierte Jesusverschnitt eilt auf Tom, der die Station der Gerontopsychiatrie betritt, zu. »Ich kenn Sie!«

Tom ist nicht zu einem Späßchen aufgelegt, er lächelt müde, geht durch den langen Flur und öffnet die vorletzte Tür auf der rechten Seite.

»Oh, hoher Besuch. Ich dachte schon, du hast mich vergessen.« Greta sitzt am Tisch und stochert angewidert in ihrem gratinierten Kabeljau, der in einer Bechamelsauce ertrunken ist.

»Ich war vorgestern hier, Mam. Guten Appetit.«

»Willst du den Fraß?«, sagt sie, lässt das Besteck fallen und schiebt den Teller von sich.

»Danke. Nein. Ich hab eben erst gefrühstückt.«

Tom stellt das Fenster auf Kipp, wirft die Lederjacke auf das leere Nachbarbett, schnappt sich einen Stuhl und setzt sich zu seiner Mutter.

»Warum hast du mir nichts von Marie erzählt?«

»Tom, ich bitte dich. Du behauptest immer Sachen.«

Greta schaut ihn nicht an, greift nach der ›Freizeitwoche‹, die neben einem Arsenal von Wasser- und Saftflaschen liegt, und blättert darin.

»Mam, ich wusste bis gestern nicht, dass ich eine Schwester habe. Rede mit mir.«

Greta reagiert nicht und bleibt an einem Artikel hängen, in

dem das Volksmusikduo Marianne und Michael in einer Erotikbeichte sein prickelndes Bettgeflüster verrät.

Tom nimmt ihr die Zeitung aus der Hand. »Wo ist Marie, Mam? Was ist mit ihr passiert?«

»Stell dich nicht so an, und gib mir sofort meine Zeitschrift zurück!«, faucht Greta.

Sein Handy klingelt. Er sieht, dass es Jenny ist, nimmt das Gespräch entgegen und geht telefonierend auf und ab.

»Sie war WO?« Tom bleibt vor Schreck stehen, reißt den Kopf herum und schaut Greta entsetzt an.

»Oberer Fauler Pelz 1«, sagt Jenny am anderen Ende der Leitung. »Das ist die Adresse des alten Heidelberger Gefängnisses. Ich habe hier die gesammelten Meldedaten deiner Mutter. Sie war ab Ende 1952 für fünf Monate dort, danach war sie kurz in der Heidelberger Hirschgasse und später in Wiesloch gemeldet.«

»Danke.« Ohne Greta aus den Augen zu lassen, schiebt Tom das Handy in seine Hosentasche zurück.

»Was ist denn jetzt schon wieder?«, will sie wissen.

»Oberer Fauler Pelz 1 in Heidelberg. Was ist das für eine Adresse, Mam?«

Gretas unruhige Augen verfangen sich in der Zeitschrift, die Tom noch immer in der Hand hält. »Gib sie mir! Bitte!«

Er wirft ihr das Schmierblatt mit Michael Schumacher auf der Titelseite hin und schaut zu, wie sie angestrengt nach den Rätselseiten sucht. In seinem Kopf wirbeln die Gedanken durcheinander. Weiß sie es wirklich nicht? Oder macht sie es wie schon immer und stellt auf Durchzug, wenn ihr etwas unangenehm ist.

Schwester Karin öffnet die Tür. »Hallo, Herr Monderath. Ich hab Sie kommen sehen und wollte wenigstens schnell grüßen.«

Tom gibt ihr die Hand.

»Es geht Ihrer Mutter schon wesentlich besser. Nicht wahr, Frau Monderath.«

Greta reagiert nicht, und als Tom sich vorbeugt und einen Blick auf das Rätsel wirft, sieht er, dass sie mit der Frage nach einem US-Staat mit neun Buchstaben beschäftigt ist. Weil A am Ende des gesuchten Wortes steht, schreibt sie MONTANA in die Felder und lässt die Felder in der Mitte einfach frei.

Schwester Karin nimmt das Tablett mit dem Mittagessen in die Hand. »Sie haben ja gar nichts gegessen, Frau Monderath.«

Greta hat den Stift auf das erste Kästchen der Frage nach einem Filmhund mit sechs Buchstaben gesetzt und antwortet nebenbei: »Ich hab heute so spät gefrühstückt.«

Tom schüttelt den Kopf.

»Wenn Sie nach Ostern Zeit haben für einen Termin, Herr Monderath, dann können wir die nächsten Schritte besprechen.« Schwester Karin schaut Greta über die Schulter. »Der Filmhund muss Lassie heißen.«

»Aber …«

»Dann fängt der US-Staat mit L an.«

Greta legt die Stirn in Falten.

»Ihr Sohn hat doch lange in den USA gelebt. Fragen Sie ihn mal«, meint sie, grinst Tom an und geht mit dem Tablett aus dem Raum.

Greta kramt einen schwarzen Kugelschreiber aus ihrer Handtasche und schaut verwirrt auf das Rätsel.

»Louisiana«, sagt Tom und zieht seine Jacke an.

»Wie? Du gehst schon?«

»Ich wüsste nicht, warum ich bleiben sollte.« Grußlos verlässt er das Krankenzimmer.

Auf dem Krankenhausflur holt er Schwester Karin ein.

»Was meinen Sie mit nächste Schritte?«

»Wir denken, dass Ihre Mutter entlassen werden kann. Sie ist gut eingestellt, und es gibt keinen Grund, sie länger hierzubehalten.«

»Ich melde mich«, sagt Tom, wünscht Frohe Ostern, obwohl er angesichts der Nachricht von Gretas baldiger Entlassung in keinster Weise froh gestimmt ist.

Er springt die Treppe hinab, nimmt drei Stufen auf einmal und beschließt, Greta direkt nach den Feiertagen in dem Heim anzumelden, das er vor Kurzem besichtigt hat. Er hat keinen Bock mehr. Schließlich hat er auch ein Leben!

Auf dem Weg zum Parkplatz tritt er mit Schmackes eine Bierdose aus dem Weg. Er weiß nicht, worüber er wütender ist. Über die Aussicht, dass seine Mutter ihm mit zunehmender Krankheit immer größere Probleme bereitet, oder darüber, dass er sich um die Vergangenheit betrogen fühlt.

Was für eine Scheiße, denkt er. Was weiß ich denn noch alles nicht?

Anstatt wie geplant auf die Autobahn Richtung Westen zu fahren, um in Domburg das Osterwochenende zu verbringen, rast Tom nach Porz und durchsucht Gretas Wohnung. Er nimmt jedes Bild von der Wand, löst die Rückseiten und überprüft, ob sich dahinter Spuren seiner Schwester befinden. Den ersten Rahmen friemelt er wieder zusammen und hängt ihn an die ursprüngliche Stelle. Nach dem fünften verliert er die Geduld und lässt die aufgerissenen Bilder liegen. Er starrt auf die eichene Bücherwand im Wohnzimmer, versucht, sich in Greta hineinzuversetzen, und überlegt.

Wo um alles in der Welt könnte sie etwas versteckt haben? Er hat keine zündende Idee. Deshalb nimmt er ein Buch nach dem anderen am Buchrücken, schüttelt es, damit herausfallen kann, was eventuell zwischen den Seiten abgelegt worden war. Nichts.

»Herr, schmeiß Hirn vom Himmel!«, flucht Tom laut und wirft nacheinander einen Atlas, drei Bildbände aus Heidelberg, einen aus Ostpreußen, einen über die holländische Küste und die Hauptvorschlagsbücher der Deutschen Buch-Gemeinschaft hinter sich. ›Alle Menschen werden Brüder‹. ›Der Arzt der Königin‹. ›Don Camillo und seine Herde‹. ›Schiff ohne Hafen‹. ›Eine Welt zu Füßen‹. Allesamt ungelesen! Schließlich schüttelt er die dreißig Bände der ›Brockhaus Enzyklopädie‹ von 1971 – und ist danach auch nicht schlauer.

Als sämtliche Bücher hinter ihm auf dem Boden und dem Sofa verstreut liegen, entdeckt Tom im obersten Regal einen aufgeplatzten Schuber, in dem ›Die Heilige Schrift‹ steckt. Er zieht die Bibel heraus und blättert sie auf.

Zum gesegneten Gebrauch und zum Andenken an den Tag ihrer Trauung am 24.12.1918 erhielten Ludwig Sabronski und Auguste Holloch dieses Bibelbuch, liest er und überfliegt den Trautext, 1. Korinther 13: *Wüßte ich alle Geheimnisse und alle Erkenntnis und hätte allen Glauben, also daß ich Berge versetzte, und hätte der Liebe nicht, so wäre ich nichts.*

Irre, denkt Tom, dass sie die Bibel mit auf die Flucht genommen haben und dass die alles überstanden hat. Er lässt die Seiten des fast hundert Jahre alten Buches über seine Daumenkuppe gleiten. Beim Einschieben in den Pappschuber spürt er einen Widerstand. Er schaut nach und sieht einen zusammengefalteten Zettel.

Toms Blut friert ein. Er hat eine seltsame Vorahnung.

Amtsgericht Heidelberg. IM NAMEN DES VOLKES. Urteil in der Strafsache gegen Greta Schönaich, geboren 7.3.1931 in Preußisch Eylau, wegen Körperverletzung zu einer Gesamtfreiheitsstrafe von 5 Monaten verurteilt. Die Untersuchungshaft wird angerechnet.

»WAS?« Er lässt sich nach hinten fallen, liegt inmitten des Bücher- und Bilderchaos und starrt gegen die Decke. »Körperverletzung! Was um Himmels willen hast du gemacht, Mam?«

Auf der A4 rast er am Kraftwerk Weisweiler vorbei in Richtung Belgien. Genauer, er versucht zu rasen, denn der Rest der Nordrhein-Westfalen, die nicht bereits gestern Abend losgefahren sind, sind ebenfalls unterwegs zum Osterurlaub am Meer. Tom durchsucht die Musikdatei. Nichts passt zu seiner Stimmung. Nichts kann seine trüben Gedanken vertreiben. Dreizehn Uhr. Er versucht es mit Nachrichten.

In den USA feiern bei den Vorwahlen die beiden Globalisierungsgegner Donald Trump und Bernie Sanders Triumphe. Im Saarland lobt der NPD-Vorsitzende die AfD, und zwischen Kassel und Göttingen sitzen siebenhundert Bahnreisende in einem ICE fest. In Thüringen wurde eine Achtzehnjährige festgenommen, die kurz nach der Geburt ihr Baby tötete. Tom stellt den Ton lauter. Der Verkehr steht.

»Nach Angaben der Polizei wurde die junge, im siebten Monat schwangere Frau von den Wehen überrascht«, meldet die Nachrichtensprecherin. »Sie erkundigte sich im Internet, wie eine Geburt abläuft, und brachte dann in der Badewanne ihrer ahnungslosen Eltern das Kind zur Welt.«

Von hinten nähert sich ein durchdringendes Tatütata, die zweispurige Schlange teilt sich langsam und macht eine Rettungsgasse frei.

»Unter dem Vorwand, sich im Keller um ihre Wäsche zu kümmern, trug die junge Frau das unter ihren Anziehsachen versteckte Baby aus der Wohnung.«

Ein Löschfahrzeug der Feuerwehr rast an Tom vorbei und übertönt mit seinem lauten Signal für einen Augenblick den Radioton.

»... wickelte den zuvor eigenhändig getöteten Säugling in ein T-Shirt und stopfte ihn in einen großen, mit einem Reißverschluss verschließbaren Teddybären. Dieser wurde von einem Müllmann aus der Tonne gezogen.«

Der schwarze SUV vor ihm, mit den Aufklebern *Cheyenne und Lennox*, will nicht mehr weiter im Stau stehen, schert aus und fährt in der Rettungsgasse unter lautem Hupen der anderen davon.

Tom erlebt alles wie durch eine dicke Glasscheibe, hört weder, dass Namika auch auf der Playlist von WDR 2 ganz oben steht, noch sieht er den ausgebrannten Kleinwagen, an dem der Verkehr einspurig vorbeischleicht. Ein Gedanke erstickt alle anderen. Hat seine Mam ihrem Kind etwas angetan? Ist das der Grund, warum sie so ein großes Geheimnis um Marie machte? WAS IST MIT SEINER SCHWESTER PASSIERT?

Das Klingeln des Handys holt ihn zurück auf die Autobahn, zurück zu dem Stop and Go.

»Tom, du musst so schnell wie möglich nach Hause kommen!« Helgas Stimme klingt schrill. »Hier ist eingebrochen worden. Also in der Wohnung deiner Mutter. Ich wollte die Blumen gießen, und dann, also die haben alles durchstöbert. Du kannst es dir nicht vorstellen.«

Hinter dem Grenzübergang Vetschau fährt Tom auf die Tankstelle und kämpft sich über die Dorfstraßen zurück in Richtung Deutschland. Es hat eh keinen Sinn, sich in Domburg erholen zu wollen.

»'tschuldigung«, sagt er zu Helga und geht mit einem Pizzakarton und einer Plastiktüte voll Kölschflaschen an ihr vorbei in Gretas Küche.

»Man könnte meinen, du haste se nicht mehr alle. Mensch, Jung!«

»Ich weiß«, sagt Tom und reißt den Karton auf.

»Was ist bloß in dich gefahren?« Helga lässt sich auf die Eckbank plumpsen und zieht eine Zigarette aus der Packung.

Tom drückt ihr eine Bierflasche in die Hand und stößt mit

ihr an. »Ich hab was gesucht.« Er trinkt die Flasche in einem Zug aus. »Wie alt bist du, Helga?«

»Siebenundsechzig. Wieso?«

So alt wie Marie, denkt er.

Nachdem er ein Viertel der Pizza Tonno verdrückt und sich die zweite Flasche Kölsch aufgemacht hat, nimmt er sich ein Herz.

»Wusstest du, dass meine Mutter im Gefängnis war?«

Helga wischt sich mit dem Handrücken das Fett von den Lippen und spült den Mund mit Bier aus. »War sie? Wirklich?«

»Ja.«

»Also, sie hat mal so was erzählt. Aber sie hat ja auch gesagt, dass sie in Kamtschatka Skifahren war. Du weißt ja selber, was sie so alles rumphantasiert.«

»Was hat sie dir vom Gefängnis erzählt?«

»Dass sie in einem Kinderheim jemanden zusammengeschlagen hat. Eine Schwester, mein ich. Ich hab sie reden lassen, man weiß ja nie bei ihr.«

Kinderheim? War Marie in einem Kinderheim?

Auf der Fahrt in die Stadt wählt Tom Jennys Nummer. Nach dem achten Klingeln springt ihr Anrufbeantworter an.

Da es nach zehn Uhr abends ist, geht Tom erst davon aus, dass sie schon schläft. Doch dann entschließt er sich, bereits auf der Severinsbrücke den Rhein zu überqueren, am Chlodwigplatz vorbeizufahren und jenseits der Severinstorburg nachzuschauen, ob im Eckhaus, in dem Jenny wohnt, noch Licht brennt.

Er hatte den richtigen Riecher. Ihre Wohnung ist hell erleuchtet, hinter dem verhangenen Sprossenfenster bewegt sich ihr Schatten.

Er wählt erneut ihre Nummer. Wieder springt der Anrufbeantworter an. »Geh dran, Jenny. Ich weiß, dass du noch wach bist. Bitte. Ich hab nur eine kurze Frage.«

Der Schatten bleibt stehen.

»Was?«, blafft Jenny in den Hörer und übertönt ihr brüllendes Kind.

»Hast du auch die Meldedaten von meiner Schwester?«

»Ja. Aber ich hatte noch keine Zeit …«

»Gib sie mir«, unterbricht sie Tom und muss den Hörer weghalten, weil er befürchtet, dass das Schreien von Carl sein Trommelfell zum Platzen bringt.

»Ich schick sie dir.«

Die Leitung ist tot.

»Jenny?«

Zu Hause schaut Tom alle zwei Minuten auf sein Display. Zunehmend gereizt. Kurz vor Mitternacht hält er es nicht mehr aus und schickt Jenny eine Textnachricht:

Kleiner Reminder: Meldedaten Marie. Danke!

Er starrt auf das Handy, als könne er so die Antwort beschleunigen. Nichts.

Tom tigert in seiner Wohnung auf und ab, findet keine Ruhe. Er entkorkt eine Rotweinflasche, fläzt sich auf sein Sofa, versucht, sich mit der fünften Staffel von ›House of Cards‹ abzulenken. Aber Frank Underwood langweilt. Er wechselt zu ›Homeland‹. Carrie Mathison in Berlin. Langweilig! Seit sie Nicholas Brody erhängt haben, ist sowieso die Luft aus der Serie, denkt er und weiß, dass selbst wenn Brody noch leben würde, ihm das jetzt auch egal wäre. Denn seine Gedanken kreisen nur um eine Person: Marie Schönaich.

Die Vibration des Handys holt ihn aus seinem leichten Schlaf.

1949–1952 Plöck 20, Heidelberg. Wie deine Mutter.

Ab Nov. 1952 Ziegelhausen, Brahmsstraße 41.

Melde mich! Carl dreht durch :-(… und ich bald auch!!!!!

Es ist kurz nach drei. Tom ist hellwach. Er googelt die zweite Adresse und findet heraus, dass dort zur fraglichen Zeit ein Kinderheim war. Fieberhaft sucht er weiter und stößt im Archiv der ›Rhein-Neckar-Zeitung‹ auf eine kurze Polizeimeldung vom 27.12.1952:

In Ziegelhausen soll eine 21-jährige Heidelbergerin die Oberin des evangelischen Kinderheimes tätlich angegriffen und mit einem Stuhlbein zusammengeschlagen haben. Das Opfer wurde mit Schädelverletzungen in die Universitätsklinik eingeliefert. Die mutmaßliche Täterin wurde auf der Flucht von der Polizei gestellt und festgenommen.

Tom bekommt den Mund nicht mehr zu und reibt sich die Augen. Er hebt den Kopf und blickt auf das gerahmte Schwarz-Weiß-Foto von Greta als burschikosem Mädchen, das unter einer Kappe hervorlugt. »Was um Himmels willen ist passiert, Mam?«

Die junge Greta grinst ihn frech an.

»Wo ist Marie abgeblieben?«.

Greta bleibt ihm die Antwort schuldig, aber Tom bekommt eine Ahnung von dem Schmerz, der sich hinter ihrem Schweigen verbirgt.

Aufgekratzt recherchiert er weiter, findet jede Menge Marie Schönaichs: eine Charitylady mit Doppelnamen, eine Mathematikerin mit oe geschrieben, eine prämierte Blutspenderin in der Schweiz. Er kann sie schnell aussortieren, denn alle sind weiß. Im ganzen World Wide Web gibt es keine Spur von seiner Schwester Marie.

Als Suchbegriff gibt er »Nachkriegsdeutschland, deutsche Mütter, afroamerikanische GIs, Kinder« ein und bekommt als obersten den Wikipedia-Eintrag:

Als Brown Babies (englisch »braune Babys«, dänisch: brune børn, deutsch auch Mischlingskinder) werden nach dem Ende des Zweiten Weltkriegs die von deutschen Müttern geborenen Besatzungskinder mit afroamerikanischen Vätern bezeichnet.

»Brown Babies. Wie lieblich das klingt«, sagt Tom vor sich hin und liest weiter:

Die zwischen 1945 und 1955 aus den afroamerikanisch-deutschen Beziehungen entstandenen etwa 4800 Kinder waren in den Besatzungszonen und später in der jungen Bundesrepublik versteckten und offenen Diskriminierungen ausgesetzt – wie auch ihre unverheirateten Mütter, die häufig als »Negerhure«, »Ami-Flittchen« oder »Gefallenes Mädchen« beschimpft wurden.

Und das nach den zwölf Jahren Naziherrschaft, denkt Tom und findet ein Zitat von Reichspropagandaminister Joseph Goebbels, der unaufhörlich das nationalsozialistische Weiblichkeitsideal propagierte, das besagte, dass die deutsche Frau der »Fruchtschoß des Dritten Reiches« sei, mit der »Mission, die Entrassung zu hemmen«. Allein beim Lesen dieser Worte wird ihm schlecht.

Draußen verdrängt der Tag die Nacht, das dunkle Grau wird heller. Tom stellt sich unter die heiße Dusche und schließt die Augen. Er denkt an Mara Smith, seine Dozentin an der Uni. Sie war schwarz und wesentlich älter als er, was man ihr wirklich nicht ansah. Verrückt, dass sie ihm jetzt einfällt, und verrückt, dass bei dem Gedanken an sie immer noch seine Eier wandern. Erst seit er älter wird, interessiert er sich nur noch für jüngere Frauen. Aber früher …

Er legt den Kopf in den Nacken, die Wassertropfen rieseln auf sein Gesicht. Wer weiß, vielleicht habe ich mich ja in meine eigene Schwester verliebt. Oder vielleicht bin ihr ihr schon einmal begegnet, habe im Flieger neben ihr gesessen, stand an der gleichen Hotelbar wie sie. Vielleicht haben wir dieselbe U-Bahn genommen in Berlin. In Paris. In New York. Sie könnte überall sein, und ich würde sie nie erkennen.

Er legt sich bäuchlings in seine Einschlafposition und zieht die Bettdecke über den Kopf. Keine Minute später schlägt er die Decke zurück, sucht auf dem Handy das Foto der kleinen Marie und versucht sich vorzustellen, wie sie heute aussieht. Wahrscheinlich hat sie graue Haare oder trägt eine Perücke wie Tina Turner. Er setzt sich im Bett auf und recherchiert auf dem Laptop weiter und findet Filmausschnitte einer SWR-Produktion.

»Als Kind hab ich öfter den Ausdruck ›dreckiger Neger‹ gehört. Dann hab ich versucht, diese dreckige Farbe abzubürsten, mit Ata und einer Wurzelbürste. Aber die Farbe ist geblieben«, erinnert sich ein alt gewordenes Brown Baby.

»Das Schimpfwort, an das ich mich am meisten erinnere, ist das Wort: ›Bimbo‹. Schlimm fand ich auch ›Koksbrocken‹.«

Tom gibt den Plan, schlafen zu wollen, auf, zieht sich an, druckt Maries Foto aus, ebenso eines seiner jugendlichen Mutter und legt sie nebeneinander mitten auf die schwarze Arbeitsplatte in der Küche.

Sämtliche bisherigen Recherchen jagt er durch den Drucker und ordnet sie rund um die beiden an.

UNTERHALT: Die Brown Babies hatten im Nachkriegsdeutschland einen schweren Stand, wurden häufig gehänselt und ausgegrenzt. Noch schwerer hatten es die Mütter. Sie wurden als »Negerliebchen« geächtet und isoliert.

1946 schickten Bürgermeister Frauen mit schwarzen Kindern weg. Es gab keine Lebensmittelkarten für »Negerkinder«. Die kom-

plizierte Rechtslage verschlimmerte ihre Situation noch. Die Amerikaner hatten sich Sonderrechte für ihre Zeit in Deutschland geben lassen. Das geltende Recht, wonach Väter auch für ihre nicht ehelich geborenen Kinder bis zu deren 16. Lebensjahr Unterhalt zahlen müssen, galt für die Soldaten und die Besatzungsmächte nicht.

GRETCHEN: Der Zorn der deutschen Männer über die »Gretchen« machte sich in anonymen Anschlägen Luft: Den Frauen wurden die Haare geschoren, sie wurden nackt über Sportplätze getrieben. In der Nähe der Henry-Barracks im Schleißheimer Wald wurden Mädchen tot aufgefunden, denen der Hals durchgeschnitten worden war. Vor allem Mädchen, die mit afroamerikanischen Soldaten zusammen waren, wurden regelrecht hingerichtet.

FEINDSELIGKEIT: Häufiger als grausame Misshandlungen mussten Partnerinnen dunkelhäutiger US-Soldaten Skepsis, Ablehnung und offene Feindseligkeit durch Familie und Umgebung erfahren.

SCHULE: Zum Schuljahresbeginn 1952 wurden die ersten afrodeutschen Kinder eingeschult, und Eltern wollten nicht, dass ihre Kinder »mit Negern zusammen« auf der Schulbank sitzen müssen. Die AG Bremer Schule hat deshalb die Broschüre Maxi unser Negerbub *herausgegeben.*

Tom betrachtet die Ausdrucke auf der Arbeitsplatte. Er ist nun zwar nicht klüger, was das Schicksal seiner Schwester betrifft, stellt jedoch fest, dass die große Ablagefläche zum ersten Mal seit dem Einzug überhaupt zu etwas nutze ist.

Er legt das Foto des früheren Kinderheims in Heidelberg-Ziegelhausen, das Mitte der Sechzigerjahre geschlossen wurde, über das Bild von Marie.

»Wo sind die alten Akten?«, fragt er in die Stille seiner Wohnung hinein.

Es ist kurz vor neun. Er ist übernächtigt und aufgekratzt, wählt Jennys Nummer, dann fällt ihm ein, wie sie gestern Abend klang, und legt sofort wieder auf.

Er muss mit ihr reden.

Auf dem linken Rheinufer joggt er in Richtung Süden, sprintet unter den Kranhäusern schneller, überquert die Rheinuferstraße und steuert am Chlodwigplatz eine Bäckerei an.

»Acht Croissants bitte«, sagt er außer Atem, lässt sieben einpacken und beißt vom letzten ab.

Am Eckhaus, in dem Jenny wohnt, kommt ein Nachbar aus der Tür und erkennt Tom.

»Oh, prominenter Besuch! Darf ich ein Selfie mit Ihnen machen?«

Widerwillig verzieht Tom seinen Mund zu einem Lächeln und ist froh, dass er danach schnell im Treppenhaus verschwinden kann. Vor Jennys Tür liegen Mülltüten voller Pampers. Er lauscht. Von drinnen ist nichts zu hören. Tom bereut, dass er sich keine Plastiktüte mit Henkel hatte geben lassen, dann hätte er die Croissants an die Klinke hängen können. Aber so? Beherzt schnappt er sich die Mülltüten, stellt die Bäckertüte vor die Tür und schreibt Jenny am Müllcontainer im Innenhof eine Nachricht:

Wenn du wach bist, schau vor deine Tür.

Keine Minute später, als er unter dem Severinstorbogen hindurchgeht, ruft sie ihn an.

»Wer soll das alles essen?«

»Na ja, ich hab mal gehört, dass Schlafmangel viel Energie kostet.«

»Wo steckst du?«

»Vor deiner Tür. Auf dem Weg zum Taxistand.«

»Komm hoch. Ich muss dir was sagen.«

»Super. Ich muss dich auch was fragen.«

Im dritten Stock drückt er die angelehnte Eingangstür auf.

»Hi«, flüstert Jenny und zeigt auf Carl, der im Kinderwagen liegt und schläft. »Gut, dass du da bist.«

Wahrscheinlich soll ich gleich wieder babysitten, damit sie duschen und schlafen kann, denkt Tom. Er überlegt sich eine Strategie, wie er heute drumrumkommt, denn eins ist klar: ER schiebt keine Babykarre durch die Kölner Südstadt und lässt sich dabei von jedem Zweiten fotografieren.

»Ich wollte es dir nicht am Telefon sagen.«

»Was?«, will Tom wissen.

Jenny reicht ihm den Melderegisterauszug des Heidelberger Einwohnermeldeamtes. »Hier, lies selbst.«

Marie Schönaich, geboren am 23. Mai 1949.

Tom überfliegt die Wohnungsadresse in der Heidelberger Altstadt und bleibt unter der Adresse des Ziegelhausener Kinderheimes am letzten Eintrag hängen: *06/1953 Wegzug »nach unbekannt«.*

»Wie unbekannt? Ich dachte, dass nach dem deutschen Melderecht alle Anschriften im Standesamt des Geburtsortes aufgelistet sein müssen.«

»Im Prinzip ja.«

»Heißt das, sie ist verschollen oder vermisst?«

»Es gibt noch eine andere Möglichkeit«, sagt Jenny, schaut ihn ernst an und räumt einen Stuhl für ihn frei.

»WAS?« Tom hört das Blut in seinen Ohren rauschen und nimmt langsam Platz.

ZEHN.
Mai – Juli 1953

Am Nachmittag des 29. Mai fiel hinter Greta die Eisentür zum Stadtgefängnis in der Heidelberger Altstadt zu. Ihr Gesicht war eingefallen, die viel zu weiten Kleider schlotterten um ihren Leib, aber sie war wieder frei. Nach fünf unendlichen Monaten, in denen die Sehnsucht nach ihrem Kind an ihr genagt hatte. Sie schloss die Augen, sog die warme Frühlingsluft tief ein und tat, was sie sich minutiös vorgenommen hatte: Erst gab sie ihre Siebensachen bei Tante Elis ab, dann marschierte sie zielstrebig Richtung Ziegelhausen. Ihre Lunge brannte. Sie hatte Seitenstiche. Und doch gönnte sie sich keine Pause. Auf dem Neckarufer riss sie Margeriten aus der Erde, entfernte im Gehen die Wurzeln und band sie zu einem ausladenden Strauß. Damit klopfte sie am Portal des Kinderheimes in der Brahmsstraße.

»Ich muss, äh, möchte gerne mit Schwester Erdmuthe sprechen.«

Obwohl Greta im Gefängnis deutlich abgenommen hatte, ihre blonden Haare länger waren und ins Gesicht hingen, erkannte sie Empfangsschwester Rosa sofort.

»Oh.« Mehr fiel der Diakonisse nicht ein.

Greta musste vor der verschlossenen Tür warten. Nach unendlichen fünf Minuten kam die Schwester zurück und deutete der Zweiundzwanzigjährigen mit einer Kopfbewegung an, ihr zu folgen. An neugierigen Kinderaugen vorbei wurde Greta zum Büro der Oberin geführt, die vertieft in Akten hinter ihrem Schreibtisch saß.

»Ich wollte mich bei Ihnen entschuldigen, Schwester Erdmuthe«, sagte sie in die Stille hinein.

Die Angesprochene machte sich Notizen und blickte nicht auf. »Wir haben für Sie gebetet, Fräulein Schönaich.«

»Danke«, sagte Greta und bemühte sich um einen freundlichen Gesichtsausdruck. »Es tut mir leid!« Sie trat einen Schritt nach vorn und hielt der Oberin den Margeritenstrauß hin. »Bitte.«

Schwester Erdmuthe schaute sie mit wässrigen Augen an. »Gott, sei mir gnädig nach deiner Güte und tilge meine Sünden nach deiner großen Barmherzigkeit. Wasche mich rein von meiner Missetat und reinige mich von meiner Sünde.«

Greta wusste nicht, ob sie den Blumenstrauß auf dem Schreibtisch ablegen durfte, der selbstgefällige Tonfall schmerzte in ihren Ohren. »Amen«, sagte sie, weil ihr nichts anderes einfiel. »Wie geht es meiner Tochter?«

»Sicherlich gut.« Die Heimleiterin nahm sich eine neue Akte und blätterte sie auf.

»Was heißt sicherlich?«

»Nun, Marie ist ja nicht mehr bei uns, das wissen Sie gewiss.«

»NEIN, ich weiß nichts! Wo ist sie?« Greta wankte.

»Ich darf Ihnen keine Auskunft geben, Fräulein Schönaich.«

»Aber wieso denn nicht? Ich bin doch ihre Mutter!«

»Soweit ich weiß, hat man Ihnen das Sorgerecht entzogen. So jedenfalls wurde es uns nach dem Gerichtsverfahren mitgeteilt.«

»Aber jetzt bin ich doch wieder da! Ich muss doch wissen, wo mein Kind ist. Ich habe meine Kleine seit fünf Monaten nicht mehr gesehen.«

»Dafür kann ich nun wirklich nichts, Fräulein Schönaich.« Schwester Erdmuthe erhob sich, nahm Greta die Blumen ab und begleitete sie zur Tür. »Fragen Sie Herrn Ebert, ich kann in dieser Angelegenheit wirklich nichts für Sie tun.«

»Das hätten sie mir doch auch sagen können, diese bigotten Weiber«, schimpfte Elise Holloch, als Greta wie benommen zu ihr zurückgekehrt war. »Schließlich bin ich jede Woche hingefahren und habe etwas für Marie abgegeben.«

Dass sie das Mädchen nie sehen durfte, hatte Tante Elis Greta bei ihren Besuchen im Gefängnis berichtet. Sie und Opa Ludwig waren die Einzigen, die sich regelmäßig um Greta gekümmert hatten. Ein Mal nur war ihre Mutter in den an den Klassizismus angelehnten Klinkerbau unweit des Schlosses gekommen. Und das, obwohl die Wohnung keine tausend Meter entfernt war. Emma hatte ihre Tochter einzig und allein besucht, um ihr zu sagen, dass sie nun endgültig Schande über die Familie gebracht hätte. Greta hatte sie angefleht, sie solle sich um Marie kümmern, aber ihre Mutter hatte zu verstehen gegeben, dass Otto dies niemals billigen würde.

»Aber sie ist doch deine Enkelin!«, hatte Greta sie angefleht.

»Und er ist mein Mann!«, hatte Emma geantwortet und sich nie mehr blicken lassen.

»Sorgerechtsentzug? Das ist ein Skandal, Greta.« Elise Holloch rang nach Luft. »Ich gehe mit dir zum Jugendamt. Die Sache wird rechtliche Schritte nach sich ziehen. Das verspreche ich dir.«

Greta stopfte einen dicke Scheibe Brot mit guter Butter in sich hinein und fluchte, weil es Freitag und zu spät für Amtsbesuche war. »Diese ewige Warterei. Das raubt mir noch den Verstand.«

»Greta bleibt heute Nacht bei uns«, sagte Tante Elis ihrem Gatten, als der zu später Stunde aus der Klinik kam. Hermann Holloch nickte, beachtete die Besucherin nicht weiter und löffelte die Markklößchensuppe.

Er muss wissen, wie ich mich fühle, dachte sie, traute sich jedoch nicht, ihn auf das Internierungslager anzusprechen, und wagte es auch nicht, sich zu ihm an den Tisch zu setzen.

»Gleich kommt die Sendung.« Mit schriller Stimme nahm Tante Elis die geklöppelte Zierdecke vom Schränkchen, in dem ein Flimmerkasten eingelassen war, schaltete ihn an und setzte sich auf das Sofa.

»Ihr habt einen Fernsehempfänger?«, fragte Greta ungläubig und blieb wie angewurzelt stehen.

»Ja«, antwortete Tante Elis und wurde von einer männlichen Stimme unterbrochen.

»Ihr lieben, goldigen Menschen …«, sagte ein Mann mit einer weißen Schürze um den Bauch auf dem Bildschirm.

»Wer ist das?«

»Clemens Wilmenrod, der Fernsehkoch«, antwortete Onkel Hermann.

»Pst!«, ermahnte Tante Elis, sprang auf und drehte den Ton lauter.

»… Ich schlenderte an einem Frühlingstag, es war vor dem Krieg, in Rom über einen Markt«, fuhr der Fernsehkoch mit dem Schnurrbärtchen fort. »Da bekam ich den Geruch von frischem Oregano in die Nase. Und wenn man nun Koch aus Passion ist, meine Damen und Herren, dann fängt man an nachzudenken, zu träumen. Also, ich ging wochenlang mit diesem Gedanken sozusagen schwanger, was ich mit diesem frischen Oregano machen könnte …«

Greta vergaß, sich hinzusetzen. Sie vergaß sogar, dass sie nicht wusste, wo ihr Kind war, und starrte mit offenem Mund auf das Fernsehgerät.

Wilmenrod erzählte von dem Dichter Hölderlin, der geschrieben hatte, dass der Mensch ein Gott sei, wenn er träumte, und ein Bettler, wenn er nachdachte. Und davon, dass es ihm, also nicht Hölderlin oder Gott, sondern ihm, dem Fernsehmann, eines Tages einfiel, und zwar morgens, als er noch im Bett lag.

Auch Tante Elis und Onkel Hermann hingen an seinen Lippen und warteten gespannt auf die Lösung.

»... Da wusste ich, was ich mit dem Oregano machen werde. Schauen Sie mal her ...« Der Fernsehkoch schlug zwei Eier auf und verquirlte sie mit einer Gabel, er rührte erst Mehl unter, dann ein wenig Wasser, nahm schließlich einen Zweig mit den Oreganoblättern und zeigte ihn seinen Zuschauern.

»Ich reble dieses Kraut in den Teig und mache so ein italienisches Omelette.«

Tante Elise klatschte in die Hände, zückte ihren Stift und machte sich Notizen. Sie schrieb sich im Laufe der Fernsehsendung auch das Rezept von Kalbsnierchen mit Konserven-Mischgemüse auf, und Greta bekam langsam eine Idee, was sie morgen alles einkaufen musste.

Herr Wilmenrod verabschiedete sich von seiner »lieben Feinschmeckergemeinde« und kündigte an, sie in zwei Wochen wieder in die Welt der internationalen kulinarischen Genüsse zu entführen.

Nach der Sendung schaltete der Professor das Gerät aus, und seine Frau deckte es fast zärtlich mit der Zierdecke ab.

Nachts lag Greta schlaflos auf der Couch und hörte Onkel Hermann hinter dem Vorhang schnarchen. Wie in jeder der einhundertvierundfünfzig Nächte im Gefängnis stellte sie sich vor, wie Marie, die bereits vier Jahre alt war, ihrem Bobbele Geschichten erzählte – in breitestem Kurpfälzisch natürlich. Stets handelten diese davon, dass ihre Mama sie bald abholen und dass sie dann mit ihr ein schönes Leben haben würde.

Die Erzählungen variierten. Einmal berichtete das Kind seiner Puppe, dass sie nach dem Abzug der Amerikaner aus der Villa an der Hirschgasse mit ihrer Mama in einer ganzen Etage über Onkel Hermann und Tante Elis wohnte. Dann flüsterte Marie ihrem Bobbele zu, dass ihre Mutter sie entführte, mit ihr aus Deutschland flöhe und schließlich in Amerika ihr Glück fände. Diese Geschichten hatten Greta aufrechtgehalten und sie alle Demütigungen im Gefängnis ertragen lassen.

Wo immer du jetzt auch bist, schwor sie ihrer Kleinen in Gedanken. Ich hole dich da raus, und dann wird uns keiner mehr trennen.

Mit ihrem leeren Einkaufskorb trottete Greta am nächsten Morgen über den Marktplatz und hörte, zum ersten Mal wieder in Freiheit, die Turmuhr der Heiliggeistkirche schlagen. Neun Mal.

»Oregano? Ich kann Ihnen getrocknetes Bohnenkraut geben, Fräulein.«

Auch beim Metzger in der Hauptstraße bekam Greta nur ein Achselzucken. »Kalbsnierchen sind ausverkauft.«

»Ich möchte mal wissen, warum heute alle Dosengemüse haben wollen«, sagte die Verkäuferin im Lebensmittelgeschäft, und auch im Gemischtwarenladen eine Straße weiter erntete Greta nur ein Kopfschütteln.

Ratlos und mit nichts von dem, was Tante Elis auf den Einkaufszettel geschrieben hatte, schlenderte Greta über die Heiliggeiststraße. Am Gasthof *Zum Roten Ochsen* spähte sie durch das angelehnte Fenster und sah am Stammtisch die alten SPDler sitzen. Auch Opa Ludwig war dort regelmäßig. Sie reckte den Hals, und obwohl sie ihn nicht sehen konnte, ging sie hinein. »Guten Morgen«, sagte sie.

Alle Gespräche verstummten.

»Ich wollte fragen, ob Ludwig Sabronski noch kommt.«

Die Männer hinter den Rauchschwaden blickten einander an.

»Der war schon länger nicht mehr hier«, sagte schließlich der jüngste am Tisch und taxierte Greta von oben bis unten.

»Und wissen Sie, wieso?«

»Nein«, meinte ein anderer und zündete sich eine Zigarette an.

Als Greta wieder auf der Straße stand und überlegte, wie sie es anstellen könnte, nach ihrem Opa zu sehen, drangen durch den Fensterspalt Satzfetzen an ihr Ohr:

»Dem bleibt auch nichts erspart.«

»Amihure.«

»Gefängnis.«

Eine Mischung aus Wut und Scham schoss ihr ins Gesicht. Sie drehte sich um, entschlossen, zu dem Ort zu gehen, den sie früher als ihr Zuhause bezeichnet hatte, um ihren Großvater zu sehen. Doch schon der Gang über den Marktplatz glich einem Spießrutenlauf, und bald schirmte Greta mit den Händen die Blicke der Menschen ab, die ihr entgegenkamen. Sie ertrug sie nicht. In ihren Ohren hallten die Rufe der Stammtischbrüder und vermischten sich mit den Vorwürfen ihrer Mutter: *vorbestrafte Amihure … Schande der Familie.*

Durch ihre Finger entdeckte Greta in der Schlange vor dem Kartoffelstand ihre Mutter. Sie huschte zur Seite, versteckte sich erst hinter Passanten und suchte schließlich Schutz im Schatten einer Litfaßsäule.

Eigentlich ist die Situation günstig, schoss es ihr durch den Kopf. Wenn sie schnell genug wäre, würde es ihr vielleicht gelingen, den Großvater zu sehen, bevor ihre Mutter wieder zu Hause war. Doch dann fiel ihr der Vater ein. Seine Beschimpfungen könnte sie heute nicht auch noch ertragen. Als Greta sah, dass Emma durch das Gespräch mit der Marktfrau abgelenkt war, floh sie in eine Seitengasse und rannte zum Neckar.

Erst auf dem Wehrsteg, in der Mitte des Flusses, hielt sie an und starrte außer Atem in das aufgewühlte Wasser. *Vorbestrafte Amihure*, dröhnte es in ihrem Kopf. Doch dann wurde das Wort von einem anderen verdrängt: *Sorgerechtsentzug*. In ihr krampfte sich alles zusammen und wurde zu nackter Angst.

Was, wenn ich Marie für immer verloren habe? Kraftlos ließ sie den Einkaufskorb fallen.

»Guten Tag, Fräulein Greta«, rief eine männliche Stimme gegen die herabstürzenden Wassermassen an.

Sie wirbelte herum. Vor ihr stand der junge Mann, den sie an Weihnachten bei ihrer Tante und ihrem Onkel gesehen hatte: Konrad Monderath.

»Sie sind wieder zurück?«

Greta wusste nicht, was sie sagen sollte, starrte an ihm vorbei und griff nach ihrem leeren Korb.

»Wie war es denn in Bad Nauheim?« Aus seinen blauen Augen blickte er zu ihr hinab, sein Gesicht wirkte weich.

Greta putzte sich die Nase, um Zeit zu gewinnen.

»Ich hoffe, Ihre Schwester ist wieder gesund? Ihre Tante hat mir erzählt, dass Sie bei ihr sind.«

Greta nickte. »Ich muss jetzt los. Ich habe eingekauft, meine Tante wartet.«

Konrads Blick fiel in den Korb. Er verkniff sich ein Grinsen.

»Ich muss auch in die Richtung«, sagte er, und als das Wasserrauschen am Ende des Stegs leiser wurde, kramte er Zigaretten aus seiner Tasche. »Ich habe heute Nachtdienst in der Klinik. Darf ich Ihnen eine anbieten?«

Greta schüttelte den Kopf, worauf auch er auf das Rauchen verzichtete.

»Die längeren Haare stehen Ihnen gut, wenn ich das sagen darf.«

Sie strich sich die Strähnen aus dem Gesicht. »Eigentlich muss ich jetzt gehen.«

»Haben Sie morgen vielleicht Zeit? Isch würd Sie gerne zu einer Tasse Kaffee und einem Stückchen Schwarzwälder Kirchtorte einladen«, sagte Konrad verlegen.

Nicht einmal Kirschtorte kannst du richtig aussprechen, dachte sie, wich seinem Blick aus und sagte fast nebenbei: »Sonntags geht es bei mir nie.«

»Dann vielleicht an einem anderen Tag nach Feierabend? Wir könnten auch ins Kino gehen.«

»Vielleicht.« Greta fegte über die Straße, öffnete das Hoftor zu Villa, grüßte den fremden Wachsoldaten und spürte Konrads Blick in ihrem Nacken.

Mit selbstgeschnittenen, wieder kurzen Haaren und in Begleitung ihrer Tante klopfte sie am darauffolgenden Montag zu Beginn der Bürozeiten an der Tür von Maries Amtsvormund.

»Herr Ebert ist heute im Außendienst«, meinte seine Sekretärin in kurpfälzischem Singsang. »Kommen Sie übermorgen wieder.«

»Ich kann nicht bis übermorgen warten.« Greta wurde rot vor Zorn.

»Wer bitte ist denn die Vertretung dieses Herrn Ebert?«, mischte sich Tante Elis ein.

»Niemand«, meinte die Schreibkraft schnippisch und tippte weiter.

Tante Elis holte tief Luft. »Was meinen Sie, wen Sie vor sich haben? Ich bin die Frau Professor Holloch und bestehe darauf, sofort mit dem Amtsleiter zu sprechen.«

Die Sekretärin presste ihren Mund zusammen, dann zischte sie: »Folgen Sie mir!«

Tante Elis drückte ihr Kreuz durch, nickte Greta triumphierend zu und verließ die Schreibstube.

Im Hinausgehen fiel Gretas Blick auf den Aktenschrank. Sie

ließ sich zurückfallen, und kaum waren die Frauen im Treppenhaus verschwunden, schlich sie wieder ins Büro, riss eine Schublade nach der nächsten auf und fand schließlich unter dem Buchstaben SCH, was sie suchte: Maries Akte. Sie überflog die Seiten und blieb an einem Vermerk hängen:

1.12.1952: Frl. Schönaich ist nach ihren eigenen Aussagen nicht in der Lage, das Kind zu versorgen, noch wird sie es jemals bei ihren Eltern unterbringen können.

Gretas Blut sackte aus dem Kopf in die Beine, ihre Hände zitterten, sie las weiter, doch die Daten und Sätze verschwammen vor ihren Augen: *Kindsmutter einschlägig vorbestraft … Marie ist lieb und anhänglich … still und verschlossen … spricht nicht mit Fremden … unvorteilhaft wirkendes Kind … anlehnungsbedürftig … schnell ablenkbar … lügt … Bettnässer.*

Gretas Herz drohte zu zerspringen. Aus dem Treppenhaus hört sie Schritte.

1. März 1953: Unterbringung Kinderheim St. Hermann-Josef. Mannheim-Käfertal.

Sie stopfte die Akte zurück, warf die Schublade zu, ließ sich auf einen Besucherstuhl fallen und knibbelte an ihren Fingernägeln.

»Hier sind Sie?« Die Sekretärin versuchte, mit einem Blick zu erkennen, ob sich in ihrer Abwesenheit etwas verändert hatte.

»Wo soll ich sonst sein?«, sagte Greta und konnte nichts anderes denken als: Käfertal, St. Hermann-Josef.

Tante Elise streckte ihren Kopf in die Amtsstube und würdigte die Sekretärin keines Blickes. »Komm, wir haben hier nichts mehr verloren!«

»Was hast du herausgefunden?«, fragte Greta beim Hinausgehen.

»Dass der Amtsleiter völlig unqualifiziert ist!«

Ohne die Professorengattin, aber mit dem Geld, das sie ihr zugesteckt hatte, nahm Greta den nächsten Zug nach Mannheim und fragte sich vom Hauptbahnhof ins fünf Kilometer entfernte Käfertal durch.

»Wo ist hier das Kinderheim St. Hermann-Josef?«

»Da vorne, wo das blaue amerikanische Auto steht«, rief ihr eine teppichklopfende Hausfrau knapp zwei Stunden später zu.

Greta stürmte los, übersah einen alten Mann auf dem Fahrrad, der ihr ausweichen musste und ins Trudeln kam. Sie rannte weiter, auch als sie hörte, dass er hinter ihr stürzte, und stoppte erst in Höhe eines hellblauen 52er Oldsmobile mit weißem Dach.

Der Name des Kinderheims stand über dem Portal des langgezogenen zweigeschossigen Fachwerkbaus hinter dem Wagen.

Greta atmete tief durch, lief die zehn Stufen der ausgetretenen Sandsteintreppe hinauf und klopfte an der Eichentür. Eine alte Nonne öffnete.

»Ich würde gerne mit der Heimleitung sprechen.«

»In welcher Angelegenheit, wenn ich fragen darf?«

»Es geht um Marie Schönaich.«

»Und wer sind Sie?«

»Ihre Mutter. Greta Schönaich.«

»Ja, äh. Also …«

Die Ordensschwester bat Greta, vor der Tür zu warten, doch die dachte gar nicht daran und folgte der Nonne unaufgefordert in die Eingangshalle.

»Bleiben Sie hier stehen!«, sagte diese im Befehlston und verschwand hinter der ersten Tür, die von der Halle abging.

Kinderstimmen lockten Greta weiter ins Haus hinein. Sie schlich zu einer angelehnten Tür und reckte den Hals.

»Fräulein Schönaich, was machen Sie denn hier?«, rief zu Gretas Überraschung Karl-August Ebert.

Als sie sich umdrehte, stand er in der Tür, hinter der die Empfangsnonne eben verschwunden war. Sie rannte zu ihm. »Ich suche meine Tochter.«

»Kommen Sie«, sagte der Amtsvormund, nahm sie am Arm und schleuste sie eine breite Treppe hinauf in einen Schlafsaal.

»Ist Marie hier?« Greta schaute sich aufgeregt um.

Ebert sprach erst, als er die Tür hinter sich geschlossen hatte. »Nein.«

»Wo ist sie?«

»Ich bin nicht auskunftsbefugt.« Ebert hatte einen hochroten Kopf.

»Aber Sie sind doch ihr Vormund!«

»Ja, aber Sie sind nicht mehr sorgeberechtigt. Daher …«

»Aber ich bin doch aus dem Gefängnis entlassen«, fiel Greta ihm ins Wort.

»Das spielt keine Rolle. Das Gericht hat entschieden, dass –«

»Ich werde heiraten«, unterbrach ihn Greta und überzog ihn mit einem Wortschwall, der wie ferngesteuert aus ihr herausbrach. »Mein zukünftiger Mann wird Marie adoptieren. Er ist Arzt, Kölner, aus den besten Kreisen.«

Ebert rang schwitzend nach Argumenten.

Eine jüngere Nonne betrat den Raum und half ihm aus seiner Not. Sie nickte Greta zum Gruße zu und flüsterte dem Amtsvormund so laut ins Ohr, dass es Greta verstehen konnte: »Mrs. Grammer braucht von Ihnen noch eine Unterschrift.«

»Ich komme gleich zurück, dann reden wir weiter. Warten Sie hier, Fräulein Schönaich.«

Die Nonne blieb bei Greta, deren Blick über die zehn Stockbetten wanderte, um vielleicht eine Spur ihrer Tochter zu entdecken. Sie fand nichts. Nichts von Marie und auch nichts, was auf irgendein anderes Kind schließen ließ. Nur ein Bild vom Namensheiligen des Heims schmückte die Wand. Und über der

Tür erinnerte ein Kruzifix daran, dass hier keine Soldaten untergebracht waren.

»Wo ist meine Tochter Marie?«

»Marie?«

»Schönaich ist der Nachname. Sie ist vier.« Greta baute sich vor der Ordensschwester auf.

»Ich arbeite in der Hauswirtschaft, da kennt man die Namen der Kinder nicht so.« Die Nonne lächelte, wich Gretas Blick aus und zuppelte an den akkurat eingeschlagenen Wolldecken herum.

Sie kann schlecht lügen, dachte Greta und hatte immer mehr das Gefühl, bewacht zu werden. Aus dem Treppenhaus hörte sie Geräusche, doch als sie Anstalten machte, Richtung Tür zu gehen, stellte sich ihr die Nonne in den Weg.

»Was ist das hier, was Sie mit mir veranstalten?«

»Wieso?«

Greta konzentrierte sich darauf, nicht die Fassung zu verlieren, denn ein weiterer Polizeieinsatz würde sie noch mehr von ihrem Ziel entfernen. Sie tigerte zwischen den Betten hin und her. Als sie dabei dem Fenster nahe kam, lief ihre Aufpasserin durch den Raum und hielt sie auf.

»Sie dürfen nicht ...«, fing die Nonne an.

»Was?« Greta schob sie unsanft zur Seite und schaute hinaus auf den Vorplatz des Kinderheims.

Die Beifahrertür des Oldsmobile stand offen. Eine hochgewachsene Nonne bewegte sich auf den Wagen zu. Ihr Habit flatterte im Wind und gab den Blick auf zwei Kinder frei, die sie vor sich herschob und dazu brachte einzusteigen. Erst einen vielleicht sechsjährigen braunhäutigen Knaben in einem Trachtenjanker. Danach ein jüngeres Mädchen, in einem roten Mantel und einem ebensolchen Hütchen mit einer ungewöhnlichen Puppe in der Hand.

»Bobbele«, flüsterte Greta. Es war, als wäre ein Blitz durch sie hindurchgefahren. Sie ließ sich von ihrer Aufpasserin nicht aufhalten, riss das verzogene Gaubenfenster auf und schrie hinaus: »MARIE!!«

Die Ordensschwester am Wagen schnellte herum und blickte entsetzt zu Greta hinauf.

»HALT! Was machen Sie mit meinem Kind?«

Hastig schob die Frau das Mädchen in den Wagen und schmetterte die Beifahrertür zu.

Greta versetzte der jungen Nonne hinter ihr einen Schlag, damit sie von ihr abließ, stürmte durch den Schlafsaal, aus der Tür hinaus, die knarzende Holztreppe hinunter und schob Herrn Ebert, der sich ihr auf dem Treppenabsatz in den Weg stellte, unsanft zur Seite.

Als sie aus dem Haus rannte, sah sie den amerikanischen Straßenkreuzer um die Ecke biegen, kickte ihre Schuhe von den Füßen, nahm sie in die Hand, um schneller zu sein, und sprintete barfuß hinterher. Doch der Abstand zwischen ihr und dem Wagen wurde immer größer.

Hinter ihr hupte es. Sie drehte sich um und sah Karl-August Ebert am Steuer seines dunkelgrauen VW Käfers.

»Steigen Sie ein!«, brüllte er aus dem Seitenfenster.

»Sie müssen dem nachfahren!«, schrie Greta und riss die Beifahrertür auf. »LOS!«

Ebert legte den ersten Gang ein und gab Gas.

»Können Sie nicht schneller fahren?«, fragte sie, während sie sich das Kennzeichen des Wagens, in dem ihre Marie saß, einprägte. MA 0955. MA 0955. MA 0955.

Er gab ihr keine Antwort, sondern starrte durch seine dicke Hornbrille geradeaus.

»Links«, befahl Greta, als das Oldsmobile abbog, doch Ebert fuhr einfach weiter geradeaus.

Sie griff ihm ins Lenkrad.

Der Amtmann drückte das Bremspedal durch. Ruckelnd kam der VW Käfer zum Stehen.

Greta riss die Wagentür auf, sprang auf die Straße und kniff die Augen zusammen, aber der blaue Wagen war nirgendwo zu sehen. Sie bebte. »Sie sind weg. Verflucht, Sie haben alles versaut!«

»Steigen Sie ein«, sagte der Amtmann ruhig. Er wartete, bis Greta wieder neben ihm saß, legte den Gang ein und fuhr weiter.

»Das war Marie, oder?«

Sie bekam keine Antwort.

»Wo wird sie hingebracht? Reden Sie mit mir!«

Ebert schwieg eisern und lenkte den Wagen in Richtung Mannheimer Innenstadt. Greta fluchte und beschimpfte ihn.

Nach etwa vier Kilometern hielt er vor einem großen Gebäude an. »Ich sage Ihnen jetzt einmal was, Fräulein Schönaich. Hier ist das Polizeipräsidium. Und wenn Sie geradeaus weitergehen und an der nächsten Ecke links abbiegen, dann kommen Sie zum Hauptbahnhof. Sie können es sich aussuchen.«

»Aber ich muss doch wissen, wo mein Kind hingebracht wird.«

»Reißen Sie sich zusammen, und kommen Sie morgen früh in mein Büro. Dann besprechen wir alles.«

Greta hätte dem feisten Heidelberger am liebsten die Brille von der Nase geschlagen. Aber sie hatte im Gefängnis gelernt, wie man die Zähne zusammenbeißt und Kreide frisst. Sie schlüpfte in ihre Schuhe, stieg grußlos aus und ging in Richtung Polizei.

»Der Hauptbahnhof ist geradeaus«, rief Ebert ihr irritiert hinterher.

»Arschloch«, murmelte Greta und drehte sich nicht um.

»Wie kann ich einen Fahrzeughalter herausbekommen?«

Der etwa vierzigjährige Polizeibeamte lancierte Greta in sein Büro, spannte einen Papierbogen in die Schreibmaschine und nahm ihre Daten auf.

»So, und jetzt erzählen Sie mal, um was geht es?«

»Also, dieses Auto hat ein anderes demoliert und ist dann einfach weitergefahren.«

Greta berichtete von einem Verkehrsunfall an einer Kreuzung in Käfertal, in den ein alter Mann mit einem Fahrrad verwickelt sei, dem eine Hausfrau Erste Hilfe leistete. Automatisch wanderte ihre Hand zum Mund, und sie knibbelte an ihrer Nagelhaut.

»Haben Sie vielleicht das Kennzeichen des Kraftfahrzeugs?«

»MA 0955.«

Der Polizist runzelte die Stirn.

»Ich kenne mich nicht so gut aus mit Automarken, aber ich glaube, es war ein Oldsmobile«, platzte Greta heraus, bevor er etwas sagen konnte.

»Junge Frau, das war ein Amerikaner!«

Der Polizist zog das Blatt aus der Schreibmaschine.

»Die Besatzungsmacht hat hoheitliche Rechte gegenüber den Angehörigen des US-Militärs und ihren Familien. Da sind uns leider die Hände gebunden.«

Nachts auf der Couch in der Hirschgasse machte Greta kein Auge zu, und als sie am nächsten Morgen mit ihrer Tante Elis das Jugendamt betrat, hatte sie sich vor Kummer sämtliche Finger blutig gebissen.

»Ich bestehe darauf, dass Sie uns sagen, wo Marie ist!«, schmetterte Elise Holloch wenig später Herrn Ebert entgegen.

»Frau Professor, alles, was geschieht, ist im Sinne des Kindes.« Der Amtsvormund stopfte sich Tabak in seine Pfeife. »Wir sind daran interessiert, dass Kinder wie das Ihrer Nichte eine bessere Zukunft haben.«

Greta sprang auf. »Was soll das heißen?«

Mit kreisenden Bewegungen hielt er ein brennendes Streichholz an den Tabak und zog dabei durchgängig an der Pfeife.

»Wo ist mein Kind?«

»In weiten Kreisen der deutschen Gesellschaft wird die Ansicht vertreten, dass …«, begann Ebert, drückte mit dem Stopfer den Tabak glatt und zündete die Pfeife erneut an, »… dass die Mischlingskinder bei Negerfamilien besser aufgehoben wären als in einer weißen Umgebung.«

»Was wollen Sie damit sagen?«, fuhr Tante Elise ihn an. »Ist das Kind etwa bei den Besatzern?«

Eberts feistes Gesicht verschwand hinter einer Rauchschwade. Er nickte.

»Aber das geht nicht! Sie müssen das rückgängig machen. Meine Tochter gehört zu mir!«

»Seien Sie nicht egoistisch. Denken Sie doch an die Zukunft Ihres Kindes. Sie sind noch jung, gerade zweiundzwanzig Jahre alt, und –«

»Wir wissen selber, was für das Kind gut ist«, schnitt Elise Holloch ihm das Wort ab. »Jetzt holen Sie Marie zurück, und ich persönlich werde mich um sie kümmern. Sie ist schließlich ein deutsches Mädchen!«

»Genau!«, schrie Greta.

»Mir sind da leider die Hände gebunden«, erwiderte Ebert, legte seine Pfeife zur Seite und stand auf, um zu zeigen, dass das Gespräch für ihn beendet war.

Greta baute sich bedrohlich vor ihm auf. »Wem sind denn noch alles die Hände gebunden? Ich kann es nicht mehr hören. Ich will mein Kind!«

»Sie haben kein Sorgerecht mehr, Fräulein Schönaich. Sie

sind vorbestraft und haben somit keine Chance, das Sorgerecht zurückzuerlangen.«

»Das werden wir sehen«, herrschte ihn Tante Elise an. »Was meinen Sie, mit wem Sie es hier zu tun haben? Ich werde rechtliche Schritte gegen Sie einleiten.«

»Das können Sie gerne tun. Und jetzt möchte ich Sie bitten zu gehen!«

»Komm, Kind, wir suchen uns einen Anwalt.«

An der Tür drehte Greta sich noch einmal um, machte einen Schritt auf den Schreibtisch zu und spuckte ihm ins Gesicht. »Verbrecher!«

Ebert nahm die Hornbrille ab und wischte sich mit der Hand den Seiber von seinem Hitlerbärtchen. »Nehmen Sie Ihre Nichte und gehen Sie, bevor ich die Polizei rufe.«

Elise Holloch zog Greta auf den nach Bohnerwachs riechenden Amtsflur und eilte mit ihr davon.

»Der Herr Rechtsanwalt ist bei Gericht«, meinte die Anwaltsgehilfin und bot den ersten freien Termin am Nachmittag an.

Greta hatte nicht die Geduld, so lange zu warten. Gegen die Bedenken ihrer Tante, dass es keinen Sinn hätte, ohne Anhaltspunkt in der Dreihunderttausend-Einwohner-Stadt nach Marie zu suchen, fuhr sie mit dem nächsten Zug Richtung Mannheim. Im Gepäck hatte sie nichts als den Überlebenswillen, den sie auf der Flucht entwickelt, und den Elan, mit dem sie sich auf dem Schwarzmarkt durchgesetzt hatte. Sie musste dieses blaue Auto mit dem weißen Dach finden! MA 0955.

Am Hauptbahnhof fragte sie sich durch, bis sie jemanden fand, der wusste, wo das Arbeitsamt war. Dort konnte sie zwar keinen Termin vorweisen, es gelang ihr aber, eine Schreibkraft auf dem Weg in die Mittagspause in ein kurzes Gespräch zu verwickeln.

»Wo wohnen hier die meisten amerikanischen Familien?«

»Warum wollen Sie das denn wissen?«

»Ich suche eine Stelle als Haushaltshilfe oder Kindermädchen.«

Die Blondine mit der Hochfrisur war ratlos. »Die sind über die ganze Stadt verstreut. In Neuostheim, in Seckenheim und in Käfertal. Aber in Feudenheim leben die meisten. Rund dreitausend. Dort haben sie ein ganzes Wohngebiet beschlagnahmt. *Little America* nennen sie das.«

Greta hetzte durch das Straßennetz der Innenstadt. M3A. N4. Sie verstand dieses Prinzip nicht. Neben einem Trümmergrundstück, vor dem Schaufenster eines Elektrofachgeschäftes, stand eine Menschentraube. Sie stellte sich auf die Zehenspitzen und reckte ihren Hals, konnte jedoch nichts erkennen. Dafür hörte sie den Lautsprecherton.

»›God Save the Queen‹, hallte es durch die Westminster Abbey in London. Großbritannien hat ein neues Staatsoberhaupt: die siebenundzwanzigjährige Elisabeth die Zweite.«

»Wo geht es hier nach Feudenheim?«, fragte sie, aber keiner der Zuschauer hielt es für nötig, sich umzudrehen und zu antworten.

B4, C2. Auf dem Paradeplatz fütterte ein schwarz gekleidetes zahnloses Mütterchen die Tauben und faselte Unverständliches. Ein Straßenkehrer auf Q2 schickte Greta geradeaus Richtung Neckar. Sie hatte Hunger und Durst, wollte aber weder Geld noch Zeit verlieren, marschierte über die Brücke, dann immer rechts am Ufer entlang und war am Nachmittag endlich in Feudenheim.

»Wo wohnen hier die Amerikaner?«, fragte sie in einer Bäckerei.

»Nördlich der Hauptstraße«, sagte die Verkäuferin.

»Unsereiner kann froh sein, dass er von denen noch nicht vertrieben wurde«, jammerte eine Kundin und nahm ihr Wechselgeld entgegen.

Schon von Weitem erkannte Greta das Hinweisschild: *US Army Residential Area Feudenheim.* Als sie näher kam, stellte sie zu ihrem Schrecken fest, dass das Wohngebiet mit einem drei Meter hohen Stabmattenzaun abgesichert war. Sie begutachtete die Absperrung und musste erkennen, dass sie zu hoch war, um darüberzuklettern, und zu stabil, um darunter durchzukriechen. Im Garten auf der anderen Seite des Zaunes spielten kleine Mädchen mit einer Katze, eine blonde Frau mit Lockenwicklern hängte Wäsche auf und warf Greta einen misstrauischen Blick zu.

Greta ging am Zaun entlang, versuchte, auf den Straßen zwischen den zweigeschossigen Siedlungshäusern aus den Dreißigerjahren ein hellblaues Auto mit weißem Dach zu erhaschen. Einmal sah sie hinter der Einzäunung einen Buben mit blondem Meckischnitt, der einen zweiten, kleineren Jungen mit seinem Seifenkistenwagen über die Schotterstraße schob. Unter einem Birnbaum saßen drei jüngere schwarze Frauen auf Gartenstühlen, tranken Kaffee, redeten kichernd durcheinander und rauchten. Eine von ihnen entdeckte Greta, zeigte auf sie, und das Lachen verstummte.

Greta ging rasch weiter, bis sie zum Eingang des Compounds kam. Vor dem Wachhäuschen stand ein GI, der gerade den Schlagbaum öffnete und einen roten Buik passieren ließ. Aus sicherer Entfernung beobachtete sie, wie zwei blonde Mütter in blumigen Sommerkleidern ihre neuen Kinderwägen grüßend am Wachmann vorbeischoben.

So mache ich es auch, entschied Greta. Ich tue so, als wäre ich Amerikanerin, und marschiere selbstsicher an ihm vorbei.

Die beiden blonden Mütter, deren Lippen rot geschminkt waren, kamen näher, und Greta roch ihr zartes Parfum. Im Vorbeigehen warfen sie ihr einen kurzen abfälligen Blick zu. Greta sah sich in den Augen der zwei Amerikanerinnen, sah ihre ausgetretenen Halbschuhe, von denen sich die Sohle löste, sah ihr ausgeblichenes Kleid, ihre ungekämmten Haare. Sie erkannte, wie deutsch sie war – und blieb auf ihrem Beobachtungsposten. Automatisch wanderten ihre Fingernägel zum Mund. Sie merkte nicht, dass sie bluteten.

Es durfte nicht schiefgehen! Es musste ihr gelingen, Zutritt zu diesem Gelände zu bekommen. Sie musste diesen Wagen finden. MA 0955. MA 0955.

Weitere Autos wurden durchgewunken. Rosafarben. Gelb. Chrysler. GM. Ford. Cadillacs. Militärjeeps. Auch ein Oldsmobile war dabei, doch das war hellgrün.

Ein zivil gekleideter Herr mit Krückstock und Hut wurde angehalten. Er war deutsch, das sah Greta von Weitem. Der Wachmann kontrollierte seine Papiere und erlaubte ihm schließlich, das Gelände zu betreten.

»Darf ich Sie einmal etwas fragen?« Greta stellte sich einer älteren Dame mit einem grauen Dutt in den Weg, die eben aus dem abgesperrten Wohngebiet gekommen war. »Wie kommt man als Deutsche auf das Gelände?«

»Mit einem Passierschein«, antwortete sie knapp und ging weiter.

»Und warum haben Sie einen?«, fragte Greta und lief neben ihr her.

»Weil ich im Keller meines eigenen Hauses wohnen darf«, sagte sie mit einem bitteren Zug um den Mund.

»In welcher Straße wohnen Sie?«

»Ich habe meinen Passierschein vergessen, Sergeant MacCain«, sagte Greta auf Englisch knapp fünf Minuten später und grinste den blonden Wachmann an. »Ich putze bei Familie Blacksmith, wissen Sie, die in der Gneisenaustraße.«

Der GI verzog keine Miene und gab ihr mit einer Kopfbewegung zu verstehen, dass sie durchgehen sollte.

»Thank you, Sergeant.«

Ohne sich ihre Erleichterung anmerken zu lassen und mit einem zielstrebigen Gang, damit der Wachmann – sollte er ihr nachschauen – nicht doch noch misstrauisch werden würde, lief Greta los. *Coca-Cola* stand groß über einer Bretterbude, und sie hätte viel darum gegeben, wenn sie sich in dem Laden etwas zu essen oder zu trinken kaufen könnte. Aber ohne die spezielle Währung, die die Army ihren Soldaten auszahlte, hatte sie keine Chance. Als Deutsche sowieso nicht.

Rückertstraße, Ziethenstraße, Am Bogen stand auf den Straßenschildern. Wo sollte sie beginnen? Jetzt hätte Greta sich ein Quadratsystem wie in der Innenstadt gewünscht, um ja keine Straße zu verpassen. MA 0955.

Jahnstraße, Lützowstraße, Wingertsau. Die Junisonne blendete sie, ihre Füße brannten, Hunger und Durst hatte sie sowieso. Trotzdem suchte sie weiter.

In der Gneisenaustraße schoben zwei braunhäutige Mädchen ihre Puppenwagen nebeneinanderher. Greta zückte die Fotografie von Marie, die sie immer bei sich trug, und zeigte sie den beiden.

»Have you seen this girl?«

Die Gefragten schüttelten stumm ihre Köpfe, auch als Greta den hellblauen Wagen mit dem weißen Dach beschrieb. Bevor die Fremde ihnen eine dritte Frage stellen konnte, liefen die Mädchen davon.

Kreuzten Erwachsene ihren Weg, ging Greta zielstrebig weiter. Doch wenn sie sich unbeobachtet fühlte, fragte sie Kinder.

Am Schelmenbuckel war die amerikanische Welt zu Ende. Greta machte kehrt, zog durch die Andreas-Hofer-Straße, die Schwanenstraße und landete schließlich in der Arndtstraße. Im

Vorgarten der Nummer 7 erkannte sie eine der beiden kleinen Puppenmütter aus der Gneisenaustraße neben einer Schwarzen, die unter ihrem bunten Kopftuch Lockenwickler trug. Greta ging vorbei, doch weil sie sich beobachtet fühlte, drehte sie sich kurz um. Das Mädchen und die Frau schauten hinter ihr her.

»May I help you?«, fragte die Amerikanerin.

Greta gab sich einen Ruck und ging zurück. Schließlich konnte sie nur gewinnen.

»Haben Sie dieses Kind gesehen?«, fragte sie auf Englisch.

Nach einem langen Blick auf das Bild von Marie antwortete die Frau: »Warum wollen Sie das wissen?«

»Es ist meine Tochter.«

Die Amerikanerin musterte Greta skeptisch, dann gab sie ihr das Bild zurück, sagte »Sorry« und verschwand mit dem Mädchen im Haus.

Langsam wurde es dunkel. Die Leuchten, die zwischen Holzpfählen über die Straße gespannt waren, gingen an, und immer mehr Autos, aus denen uniformierte Männer stiegen, parkten vor den Häusern.

Hinter beleuchteten Fenstern begrüßten sich Paare, saßen Eltern mit ihren Kindern an Tischen und speisten. Greta sah blonde, rothaarige, schwarze und weiße Kinder. Doch an keinem der Tische saß Marie, und vor keinem Haus stand ein hellblauer Oldsmobile mit weißem Dach und der Nummer MA 0955.

In der Schillerstraße wurde die Haustür geöffnet, eine Frau warf etwas in die Aschentonne und ging wieder hinein. Greta schlich sich zu dem Abfalleimer, nahm vorsichtig den Deckel ab und war froh, dass sie richtig gesehen hatte. Obenauf lag ein halbes Toastbrot. Sie brach das verschimmelte Ende ab und stopfte sich den Rest gierig in den Mund.

Rückertstraße. War sie hier nicht schon zweimal gewesen? Sie hatte den Überblick verloren und bekam erste Zweifel am Sinn ihrer Suchaktion.

Es war warm, durch die Fenster drangen Stimmen nach draußen. Lachende Männer, kichernde Frauen. Das Jauchzen der Kinder tat Greta körperlich weh. Im Gefängnis hatte sie jede Nacht durch die Gitterstäbe auf Heidelberg geschaut. Die Hoffnung, dass ihr Leben dort draußen auf sie wartete, hatte sie alles aushalten lassen. Jetzt blickte sie in unvergitterte Fenster. Und wieder nahm sie nicht am Leben teil.

In der Lützowstraße sah sie, wie ein Paar in einem Wohnzimmer bei offenem Fenster eng umschlungen tanzte. Die Musik raubte ihr den Atem. ›Blueberry Hill‹ von Louis Armstrong. Greta setzte sich außerhalb des Lichtkegels der Straßenleuchte auf den unbefestigten Gehweg und dachte an Silvester 1950, als sie von einer Zukunft als Mrs. Robert Cooper geträumt hatte. In ihr ballte sich Sehnsucht. Verlangen nach Zusammensein, nach Dazugehören, nach Zärtlichkeit, nach Bobby. Seit Ewigkeiten hat sie nicht mehr ohne Wut an ihn gedacht. Der Schmerz überwältigte sie. Tränenblind sehnte sie sich hinter diese Fenster, in ein Leben, das sie gerne mit Bob geteilt hätte. Mit ihm und Marie.

In den umliegenden Häusern gingen nach und nach die Lichter aus. Greta stellte sich vor, wie die Mütter ihre Kinder zudeckten, sie küssten und ihnen zuflüsterten, wie sehr sie sie liebten, und wie …

Sie schob die Gedanken weg und den Schmerz, stand auf und fluchte: »Arschloch!«

Lass dich jetzt bloß nicht hängen, sagte ihre innere Stimme. Greta klatschte sich ins Gesicht, um zu sich zu kommen. Sie dachte an Tante Elis und deren Anwalt und daran, dass es nur eine Frage der Zeit sein konnte, bis sie und Marie wieder vereint waren. Sie musste raus aus diesem kleinen Amerika. Raus in ihr Deutschland. In ihre Zukunft.

Am Kontrollpunkt blendete sie der Scheinwerfer eines entgegenkommenden Taxis. Der Wagen hielt, die Passagiere auf der Rückbank kurbelten die Scheiben herunter.

»Officer! Mrs. Grammer!« Der Wachhabende salutierte und öffnete die Schranke.

Greta schlief auf einer Bank am Mannheimer Hauptbahnhof, nahm den ersten Zug und kam übermüdet, hungrig, durstig und verdreckt am nächsten Morgen in Heidelberg an. Über dem Königstuhl zogen sich schwarze Wolken zusammen und schoben sich vor die Sonne. Aus der Ferne war Donnergrollen zu hören.

Sie grüßte den Wachmann vor dem Haus in der Hirschgasse nicht. Greta hatte genug von den Amerikanern. Sie stapfte die Wendeltreppe nach oben und fiel regelrecht mit der Tür in die Mansardenwohnung: »Was hast du denn rausgebracht bei dem Anwalt?«

Elise Holloch saß mit ihrem Schwager Ludwig am Tisch und erschrak.

»Opa?« Greta blieb im Türrahmen stehen und schaute ihn ungläubig an. Sie spürte, dass etwas Schlimmes passiert sein musste. »Was? Warum bist du hier?«

Tante Elis begutachtete Greta von oben bis unten, zog sie ins Zimmer und machte die Tür hinter ihr zu. »O Gott, Kind. Wie siehst du denn aus?«

»Was sagt der Anwalt?«, stammelte Greta.

Tante Elis und Opa Ludwig warfen sich einen kurzen Blick zu.

»Was ist? Ist etwas passiert?«

»Setz dich her zu mir, mien kleene Leeve.«

»Was?«

Elise Holloch bot Greta schweigend einen Stuhl an. Doch sie blieb wie angewurzelt stehen und schaute zwischen ihrem Großvater und der Tante hin und her. Sie vergaß einzuatmen, denn die Blicke der beiden ließen nichts Gutes ahnen.

»Du musst jetzt stark sein, Greta«, sagte Elis.

»Warum? Verflucht, was ist los?«

Opa schob ihr die aktuelle Ausgabe der ›Rhein-Neckar-Zeitung‹ hin. Aufgeschlagen war die Regionalseite mit der Überschrift: *Start in ein neues Leben. Acht Mischlingskinder auf dem Weg in eine glückliche Zukunft.*

Mitten im Text war eine Schwarz-Weiß-Fotografie, die Personen vor der Gangway eines Flugzeuges mit der Aufschrift *Scandinavian Airlines* zeigte: Eine lächelnde farbige Frau trug ein Kleinkind auf dem Arm. Neben ihr standen vor einer Nonne sieben weitere Kinder, ernst dreinblickend, und hielten einander an den Händen.

Greta kniff ihre Augen zusammen, um besser zu sehen. War das Marie, das Mädchen ganz rechts mit der Puppe im Arm?

Mit offenem Mund überflog sie den Text:

Vom Frankfurter Flughafen aus flogen gestern weitere Negerkinder zu ihren Adoptivfamilien nach Amerika. Dank des von der amerikanischen Journalistin Mabel A. Grammer ins Leben gerufenen Brown Baby Planes können vaterlose Besatzungskinder deutsche Kinderheime verlassen und im Land ihrer Väter einer Zukunft in angemessener Umgebung entgegenseh…

Greta konnte nicht weiterlesen. Die Worte verschwammen vor ihren Augen. »Was heißt das?«, fragte sie ungläubig und starrte ihr Kind auf dem Foto an.

»Du kannst aufhören zu suchen. Marie ist in Amerika.« Tante Elise putzte sich die Nase.

»Aber das geht doch nicht! Wir müssen was tun! Opa, bitte, sag du doch, dass das nicht geht!«

Ludwig Sabronski rang nach Worten. »Wir haben keine Chance.«

»Aber dein Anwalt, Tante Elis … du hast doch gesagt, dass er –«

»Er sagte, dass es keine Möglichkeit gibt«, unterbrach Elise Holloch ihre Nichte. »Dadurch, dass man dir das Sorgerecht entzogen hat, und …«

Greta starrte erneut auf die Zeitung, verlor allen Halt und stürzte in einen tiefen schwarzen Abgrund. Ihr Schrei klang nicht wie der eines Menschen. Es war der Schrei eines verwundeten Tieres.

»Greta?«

Worte wie durch eine dumpfe Mauer.

»Das Beste für Marie.«

»Greta?«

»Besseres Leben.«

»Amerika.«

»Greta?«

Sie reagierte nicht. Sie konnte die Wand nicht durchdringen. Es war, als wäre sie im Nichts verschwunden. Gefühle gab es nicht mehr – alles war GRAU.

»Greta?«

Sie lag auf der Couch, sah das Gesicht von Onkel Hermann über sich. Ihre Lider wurden schwer.

»Du bist noch jung, du kannst noch …«

»Greta?«

»GRETA?«

Eine Backpfeife holte sie aus dem Nebel.

»Reiß dich zusammen!«, hörte sie ihre Mutter in einer düsteren Wolke drohen. »Steh auf!« Emma zerrte an ihr, und Greta ließ es geschehen. Jede Bewegung kostete sie Überwindung.

Es war, als wäre sie mit einem dicken schwarzen Kleber überzogen.

»Ich bin froh, dass du wieder etwas isst«, sagte Tante Elis und stellte ihr warmen Grießbrei hin.

Greta nickte automatisch. Froh kannte sie nicht. Sie aß, weil man aß. Ihr Körper und ihr Herz waren taub.

»Das wird wieder«, hörte sie die Tante sagen. »Du musst immer daran denken, dass es dem Kind jetzt gut geht.«

Marie! Greta suchte nach Erinnerungen, doch die kehrten nicht in ihre dunkel verhüllte Seele zurück.

»Geh raus in die Sommerluft. Bewegung tut dir gut.«

Die Stimmen drückten.

Greta zitterte vor Kälte trotz Julisonne. Die war grau, wie die Blumen und das Wasser des Neckars, das sie magisch anzog, weil sie nur noch eines wollte: sich von dem schwarzen, klebrigen Teer befreien und in Ruhe gelassen werden. Auf den Neckarwiesen setzte sie einen Schritt vor den anderen. Jede Bewegung verlangte all ihre Kraft. Ihre Schuhe füllten sich mit Wasser.

»Halt!«, rief eine männliche Stimme panisch vom Ufer.

Gretas Gesicht war ausdruckslos, die Augen starr auf den Neckar gerichtet. In ihrem Kopf war ein Vakuum.

»Bleiben Sie stehen!«

Sie tat einen Schritt nach vorn. Der Untergrund war glitschig. Sie verlor den Halt, rutschte ab, wurde von der Strömung erfasst und in die Tiefe gezogen. Sie machte unkoordinierte Kraulbewegungen, wurde an die Oberfläche geschwemmt, versuchte zu atmen, schluckte Wasser und trieb wieder ab. Ein übermächtiger Sog wirbelte ihren Körper in dem undurchdringlichen Nass umher. Es gab kein Oben, kein Unten.

Dann wurde es strahlend hell. Und still.

Endlich.

Aus der Vogelperspektive sah sie, wie ein Mann eine Frau an die Wasseroberfläche drückte. Sie wusste, dass sie diese Frau war. Der Mann packte sie unter den Achseln, schwamm in Rückenlage mit ihr ans rettende Ufer und zog den schlaffen Körper an Land. Ihr Gesicht war schneeweiß, die Lippen dunkelblau. Sie sah, wie der Mann sie schüttelte. Er beugte sich über sie und presste rhythmisch mit beiden Händen übereinander auf ihre Brust.

Das gleißende Licht verschwand.

Greta spürte Druck auf ihren Rippen.

»Los! Kommen Sie zurück!«, hörte sie eine männliche Stimme.

Alles in ihr drehte sich. Sie rülpste.

»Ja, gut so«, hörte Greta den Mann sagen, spürte, wie sie auf die Beine gestellt, von hinten umschlungen wurde und wie Unterarme rhythmisch gegen ihren Magen pressten. Sie öffnete den Mund, rülpste literweise Luft, und dann kotzte sie in einem Schwall das Neckarwasser wieder aus.

»Gut so«, ermunterte sie der Retter, und Greta würgte weiter.

Als nichts mehr zu kommen schien, ging er mit ihr in die Knie und drückte sie fest an seine Brust. Sie schlotterten beide.

»Warum haben Sie das denn gemacht?«, fragte er sie mit tränenerstickter Stimme, legte die Arme um sie und schützte sie mit seinem ganzen Körper.

»Mein Kind«, hauchte Greta mit geschlossenen Augen.

»Welches Kind?«

»Marie.«

»Ist es denn auch im Wasser?«, fragte der Mann entsetzt.

»Nein, sie haben es mir weggenommen.«

Alles wurde schwarz.

Als Greta wieder zu sich kam, lag sie auf der Krankenwagentrage und hörte Männerstimmen.

»Wo bringen Sie sie hin?«
»Sind Sie ein Angehöriger?«
»Nein. Ich habe sie gerettet. Ich bin Arzt.«
»Und wie ist Ihr Name?«
»Monderath. Konrad Monderath.«
Greta wurde in den Krankenwagen geschoben.
»Wohin bringen Sie sie?«, fragte Konrad erneut.
»Nach Wiesloch. In die Psychiatrie.«

ELF.
April 2016

»Das ist fast dreiundsechzig Jahre her, Herr Monderath! Adoptionsunterlagen mussten bis 2015 nur sechzig Jahre lang aufbewahrt werden. Das sollten Sie als Journalist doch wissen«, sagt Ingelore Frackhauser-Mann, die stellvertretende Leiterin des Heidelberger Jugendamtes. »Den Weg hätten Sie sich wirklich sparen können. Das habe ich Ihrer Mitarbeiterin doch bereits am Telefon gesagt!«

Tom ist selbst nach Heidelberg gereist, nachdem Jenny die Vermutung hatte, dass der Standesamteintrag *Wegzug »nach unbekannt«* ein Hinweis auf eine Adoption sein könnte, ihre diesbezüglichen Recherchen aber unbeantwortet blieben. Für Tom war Aufgeben noch nie eine Option gewesen, doch bei diesem »Golden Girl« im XXL-Format beißt er mit seinem professionellen Charme auf Granit. »Das weiß ich, Frau, ähm … Mann«, versucht er es mit betonter Gelassenheit. »Und ich bin Ihnen wirklich auch sehr dankbar, dass Sie sich persönlich Zeit für mich nehmen. Aber hat denn wirklich jemand überprüft, ob es nicht irgendwo noch Akten gibt? Die Ablauffrist ist gerade mal sechs Monate her.«

»Selbst wenn wir noch etwas finden würden«, kontert sie, und Tom weiß nicht, was ihm mehr Angst bereitet: Frau Frackhauser-Manns ausladende Oberweite oder der strassverzierte Leopard auf ihrer Lagenbluse, der bei jeder Bewegung bedrohlich nachwabert. »Die Unterlagen dürfte ich Ihnen oder der abgebenden Mutter gar nicht aushändigen. So sind nun einmal die Gesetze.«

Er weiß, dass sie ihn loswerden will. Und er weiß auch, dass sie angefressen ist, weil sie vom Leiter des Jugendamtes einen Rüffel bekommen hat, als er sich über den Amtsschimmel beschwert hatte. Tom bleibt einfach ruhig sitzen, lächelt sie höflich an und lässt sie reden. Sein Instinkt sagt ihm, dass sie etwas weiß.

»Was meinen Sie, was wir hier zu tun hätten, wenn wir all die Adoptionsfälle aus den Vierziger- und Fünfzigerjahren noch bearbeiten müssten.«

»Ja, das glaube ich, Frau Frackhauser-Mann«, meint er voller Verständnis und bietet ihr ein Pfefferminzdragee – selbstverständlich zuckerfrei – an. »Man kann sich kaum vorstellen, was alles über Ihren Tisch geht.«

Sie holt tief Luft und schließt kurz die Augen. Dann atmet sie entschlossen aus. »Die meisten Kinder deutscher Frauen und schwarzer GIs wurden von Amerikanern und Dänen adoptiert.«

Tom hört auf, sein Dragee zu kauen.

»Ich sage Ihnen jetzt etwas, was ich eigentlich gar nicht sagen darf«, fährt sie fort. »Auch Marie Schönaich, ihre Halbschwester, ist nach Amerika adoptiert worden.«

»Nach Amerika?«

»Ja, damals wollte kein adoptionswilliges Paar ein sogenanntes Mischlingskind. So kurz nach dem Dritten Reich waren blonde, blauäugige Kinder gefragt. Selbst rothaarige waren unerwünscht.«

Tom ist sprachlos.

»Lebt Ihre Mutter noch?«

»Warum fragen Sie das?«

»Ich habe sie persönlich kennengelernt.«

»Wie bitte? Wieso? Wie ist das möglich?«

»Sie ist einmal pro Jahr, immer zum Geburtstag ihrer Schwester, hier im Jugendamt erschienen und hat einen Brief für sie abgegeben. Seit 1954. Immer in der Hoffnung, dass ihre Tochter diese bekommt, wenn sie eines Tages nach ihrer Herkunft sucht.«

»Jedes Jahr?«

»Ja, meine Vorgängerin hat mich darüber informiert, weil das ein absoluter Sonderfall war. Natürlich hatten wir es immer mal mit suchenden Müttern zu tun. Aber es gab keine Frau, die so beharrlich war und niemals aufgab wie Ihre Mutter. Ich selbst habe sie mehrfach erlebt und hätte ihr wirklich gerne geholfen. 2010 war sie das letzte Mal hier.«

»Und?«, fragt er leise. »Sind die Briefe abgeholt worden?«

Frau Frackhauser-Mann schüttelt den Kopf.

Marie ist jetzt siebenundsechzig Jahre alt. Wenn sie sich bis heute nicht dafür interessiert hat, dann wird sie das vielleicht nie tun, überlegt Tom und fragt: »Darf ich diese Briefe vielleicht lesen?«

»Eigentlich geht das nicht wegen des Briefgeheimnisses.«

Tom beugt sich vor und schaut ihr tief in die Augen. »Bitte.«

Die stellvertretende Amtsleiterin stößt sich mit den Beinen ab, schiebt ihren Schreibtischstuhl zurück und bückt sich nach einem grauen Schuber. Dann räumt sie den Tisch vor Tom frei, öffnet den Karton und legt ihm die siebenundfünfzig Kuverts vor.

Eigentlich müsste Tom längst auf der Autobahn sein, denn abends hat er Sendung. »Kann ich sie vielleicht mitnehmen? Ich schicke sie garantiert wieder zurück.«

»Auf keinen Fall!« Sie reicht ihm einen Brieföffner. Er schlitzt den untersten Brief auf.

23. Mai 1954
Mein liebstes Mariele,
heute wirst Du 5 Jahre alt. Du bist schon ein großes Mädchen, und ich bin unheimlich stolz auf Dich.
Mir geht es wieder besser. Ich war längere Zeit im Krankenhaus, aber mach Dir keine Sorgen. Hauptsache, Dir geht es gut. Wenn ich meine Augen schließe, dann sehe ich Dich kleinen Wirbelwind. Was macht denn Dein Bobbele? Ich hoffe, es passt immer gut auf Dich auf.
Du fehlst mir mehr als alles in der Welt. Ich habe Dich sehr lieb. Wo immer Du jetzt auch bist, uns beide kann niemand trennen.
Deine Mama

Tom spürt ein Brennen in seiner Brust. Er wendet sich ab, will der Beobachtung der gegenübersitzenden Beamtin entfliehen. Die Uhr zeigt ihm, dass er in einer Stunde in Köln auf der Arbeit sein sollte. Er klemmt sein Handy zwischen Schulter und Wange, ruft seine Assistentin an und öffnet den zweiten Brief. »Schick mir die Themen durch, Sabine. Ich verspäte mich.«

Frau Frackhauser-Mann blättert in Akten. Ihr entgeht nichts.

23. Mai 1955
Mein allerliebstes Mariele,
heute wirst Du schon 6 Jahre alt. Bald bist Du ein Schulkind. Du fehlst mir so sehr …

Er überfliegt den Brief und öffnet sofort den nächsten. Zwischendurch schielt Tom auf sein Handy, das neben den Kuverts auf dem Schreibtisch liegt, und liest die Schlagzeilen, die Sabine ihm aus Köln zuschickt: *Sozialdemokraten im Sinkflug: Knapp vier Wochen nach den drei jüngsten Landtagswahlen rutscht die SPD im bundesweiten Deutschlandtrend auf 21 Prozent ab.*

23. Mai 1956
Mein geliebtes Mariele,
heute wirst Du 7 Jahre alt. Unglaublich! Macht Dir die Schule Spaß? Sicherlich bist Du fleißig ... Ich bin umgezogen. Ich wohne jetzt nicht mehr in Heidelberg, sondern in Köln ...

Datenleck enthüllt Offshoredeals reicher Putin-Freunde

23. Mai 1957
Mein geliebtes Mariele,
heute wirst Du 8 ...

Millionen Dokumente einer Anwaltskanzlei in Panama bieten Einblick in die Geschäfte internationaler Superreicher – darunter Freunde des russischen Präsidenten Putin. Spuren führen auch direkt zu ihm.

Sein Handy klingelt. Sabine fragt, wann er spätestens in Köln sein kann, weil eine Schalte nach Moskau vorbereitet werden soll.

Tom schaut auf die Uhr und erschrickt. »Scheiße«, entfährt es ihm. »Ich fahr in einer Viertelstunde los.«

Schnaubend erhebt sich Frau Frackhauser-Mann von ihrem Schreibtischstuhl und schnappt sich die Briefe. »Ich kopiere sie Ihnen, Herr Monderath. Schließlich hab ich heute auch noch was anderes zu tun.«

Charly Koslowski, der Fahrer des Senders, steht im Halteverbot auf der Heidelberger Friedrich-Ebert-Anlage, schmeißt den Motor an, als er Tom im Laufschritt auf sich zukommen sieht, und fährt ihm mit Lichthupe entgegen.

»Und jetzt festhalten«, sagt er, noch bevor Tom sich auf dem Rücksitz angeschnallt hat, macht einen unerlaubten U-Turn, weicht geschickt einem Fahrradfahrer aus, überholt links und rechts, um bei dunkelorange alle Ampeln zu passieren, und rast in Richtung Neckar.

Tom ist froh, dass er entschieden hat, nicht mit dem eigenen Wagen zu fahren, denn seit Wochen leidet er unter Schlafstörungen, außerdem hat er so die Möglichkeit, im Auto zu arbeiten.

Er denkt an Putin und die Panamapapiere, an den deutschen Botschafter in Moskau, mit dem er sich darüber unterhalten wird, an seine Mutter, die siebenundfünfzig Jahre lang immer im Mai ins Heidelberger Jugendamt ging.

Und er denkt an Marie, SEINE Schwester.

Charly fädelt auf die Autobahn ein, ist binnen Sekunden auf der Überholspur und fährt mit zweihundert km/h Richtung Norden. Er ist hochkonzentriert und lässt sich von niemandem ausbremsen. Es gibt keinen schnelleren und sichereren Fahrer als den ehemaligen Polizeibeamten, der nach einer Schießerei unehrenhaft entlassen worden war. Bei jedem anderen wäre Tom sofort ausgestiegen, aber er weiß, dass Charly die Sache im Griff hat, und so kann er sich selbst bei zweihundertvierzehn entspannen.

»Ich hab dir einen Kaffee besorgt und was zu essen.« Charly zeigt auf den Becher und die Tüte auf der Mittelkonsole.

»Danke«, sagt Tom. Er nippt an dem lauwarmen Café au Lait und zieht eine Butterbrezel aus einer Tüte mit der Aufschrift *Göbes*. Er runzelt die Stirn, und mit einem Mal erinnert er sich: Er kennt diese Bäckerei in der Altstadt. Das war der Ort, an dem seine Mutter ihm immer Marmorkuchen bestellte und Kakao. Als Kind hat er mit ihr regelmäßig im Frühjahr Heidelberg besucht und musste dort auf sie warten, weil sie um die Ecke etwas zu erledigen hatte. Wenn sie zurückkam, sah sie immer traurig aus. Tom ist nie gerne mit ihr nach Heidelberg gefahren. Doch alleine fahren lassen, das wollte er sie auch nicht, denn er hatte das Gefühl, sie beschützen zu müssen.

Er beugt sich nach vorne und deutet auf die Tüte. »Wie weit war der Bäcker vom Jugendamt entfernt?«

»Keine hundert Meter«, sagt Charly und rast an der Ausfahrt Darmstadt vorbei.

Tom lehnt sich wieder zurück.

Nach einer Weile blickt er auf den Briefstapel in seiner Laptoptasche. In der Hektik des Kopierens ging die chronologische Reihenfolge verloren.

Köln, 23. Mai 1971
Meine liebste 22-jährige Marie,
… ich bin so verliebt in Deinen kleinen Bruder. Er heißt Thomas und ist ein hübscher Kerl. Ich weiß, er würde Dir sehr gefallen.

Tom muss schlucken, wischt sich verschämt eine Träne aus dem Auge und setzt seine Sonnenbrille auf.

Köln, 23. Mai 1980
Liebste Marie,
nun ist wieder ein Jahr vergangen. Du bist jetzt 31 Jahre alt. Ich versuche so oft, mir vorzustellen, wie Dein Leben verläuft. Ob Du glücklich bist? Nichts wünsche ich mir mehr als das. Vielleicht hast Du ja inzwischen selber Kinder und ich bin Oma.
Dein Bruder ist jetzt fast 10. Ein toller Junge. Er hat seinen eigenen Kopf. Ich denke, den hat er von mir. Ich liebe ihn sehr und habe große Freude daran, ihn aufwachsen zu sehen …

WAS? *Ich liebe ihn sehr.* Das hat seine Mutter für ihn empfunden? Tom kann sich nicht erinnern, dass sie das auch nur ein Mal zu ihm gesagt hat. Im Gegenteil. Er hat sie oft als hart erlebt. Nie hat sie ihm gegenüber Gefühle gezeigt oder gar darüber gesprochen.

23. Mai 1985
Du bist 36 Jahre alt … Dein Bruder ist jetzt mitten in der Pubertät. Und ich in den Wechseljahren. Wir haben es nicht immer leicht miteinander. Aber ich liebe ihn, weil er stark ist, klar und kompromisslos. Ich bin mir sicher, er wird seinen Weg gehen. Du könntest stolz sein auf ihn.
Ich frage mich oft, was Du wohl von mir geerbt hast? Oder von Deinem Vater? Als Kind hattest Du seinen schönen Mund …
Manchmal denke ich, ich müsste Tom von Dir erzählen. Aber was soll er dann von mir denken? Von einer Rabenmutter, die ihr Kind weggegeben hat. Ach, Marie, irgendwann wird die Zeit kommen, dass ich stark genug bin, mit ihm zu reden. Vielleicht muss er erst einmal älter werden …

Was hatten wir für Kämpfe, denkt Tom und ist traurig über die verpassten Chancen. Viele Jahre hat er seine Mutter total abgelehnt, ist keinem Konflikt aus dem Weg gegangen. Kein Wunder, dass sie ihm nichts über die Adoption erzählt hat.

»In zehn Minuten sind wir da«, sagt Charly und verlässt am Kreuz Gremberg die A4.

Köln, 23. Mai 1970
Mein lieber Schatz,
heute wirst Du 21 und bist eine erwachsene Frau. Ich muss Dir etwas Wichtiges sagen: Ich bin in Umständen. Du bekommst also ein Geschwisterchen.

Du bist nun alt genug, um alles zu erfahren. Du musst wissen, mein Liebling, ich wollte Dich niemals weggeben. Dein Papa und ich, wir haben Dich beide sehr, sehr geliebt und wollten für immer mit Dir zusammenbleiben. Du warst unser Sonnenschein. Damit er mich heiraten konnte, musste Dein Dad, Bob Cooper, in seine Heimat nach New Orleans, um einige Formalitäten zu klären. Aber er kam nie wieder nach Deutschland, und ich habe auch nie mehr etwas von ihm gehört. Ich war noch so jung, und alles war schwierig, deshalb musste ich dich vorübergehend in ein Kinderheim geben.
Es gab Probleme, und man hat mir das Sorgerecht für Dich entzogen. Niemand hat mir gesagt, wohin Du gekommen bist, wie es Dir geht. Ich bin fast verrückt geworden …

Toms Handy klingelt.

»Und, hast du was rausbekommen?«, will Jenny wissen.

»Allerdings. Marie ist in Amerika. Kannst du dir das vorstellen? Und ganz offensichtlich war meine Mutter damit nicht einverstanden.«

»Aber das ist ja schrecklich. Erzähl, was ist passiert?«

»Ich kann jetzt nicht«, sagt Tom mit belegter Stimme. Er drückt sie weg.

Wie ferngesteuert steigt er aus der Limousine, geht grußlos am Pförtner vorbei, fährt mit dem Aufzug nach oben und kann nichts anderes denken als: Sie haben ihr Marie weggenommen!

Auf der Redaktionskonferenz stellt er routiniert Fragen, macht sich Notizen zum bevorstehenden Interview mit dem deutschen Botschafter in Moskau, doch es ist, als stünde er neben sich. Die Worte, die seine Mutter an ihr verlorenes Kind geschrieben hat, schieben sich vor alles andere:

Eigentlich suche ich Dich überall. Wenn ich ein Mädchen in Deinem Alter sehe, dann stelle ich mir vor, wie Du wohl heute aussiehst.

»Alles gut bei dir, Tom?«, fragt Lisa, die Maskenbildnerin, und kippt seine Stuhllehne nach hinten.

»Hm«, brummelt er und hört Gretas Stimme: *Du warst unser ganzer Sonnenschein.*

Lisa trägt den Concealer auf, plappert etwas von Dreitagebart und dass der ihm ausgezeichnet stünde.

Toms Augenhöhlen füllen sich mit Tränen. Er sieht Lisas Pupillen unruhig flackern, sie unterbricht kurz ihren Redefluss, fängt scheinbar nebenbei mit einem Wattepad die Tränen auf und plaudert weiter.

»Ich hab mir irgendeine Erkältung eingefangen«, meint er, als sie kurz schweigt, und er spürt, dass sie ihm nicht glaubt. Tom versucht, die Sätze seiner Mutter aus seinem Hirn zu schieben. Doch sie bleiben und werden immer lauter.

Niemand hat mir gesagt, wohin Du gekommen bist.

Niemand hat mir gesagt, wie es Dir geht.

Ich bin fast verrückt geworden.

Seine Tränen fließen weiter. Er zittert.

Auf der Herrentoilette starrt er in den Spiegel, ist sich fremd und erinnert sich nicht, worüber er eben mit dem deutschen Botschafter in Moskau im Rahmen der Aufzeichnung gesprochen hat.

Niemand hat mir gesagt, wohin Du gekommen bist.

Tom fühlt den galoppierenden Puls an seinem Hals. Er schwitzt, krempelt die Hemdsärmel hoch und lässt Wasser über seine Handgelenke laufen.

Niemand hat mir gesagt, wie es Dir geht.

Lars, der Aufnahmeleiter, streckt den Kopf durch die Tür. »Noch sieben Minuten, Tom. Alles okay?«

»Ja, Jens. Ich komme.«

Er steckt seine Hände in den Händetrockner und hofft, dass der Luftstrom sein Zittern wegbläst.

Ich bin fast verrückt geworden.

Die Maskenbildnerin wartet vor der Tür auf ihn, reicht ihm wortlos ein Glas Wasser und tupft ihm auf dem Weg zum Moderationspult den Schweiß von Stirn und Oberlippe.

Die Kameramänner stehen bereits auf ihrer Position.

Ich bin fast verrückt geworden.

Tom liest die ersten Zeilen des Moderationstextes und ballt seine Hände, will das Zittern wegdrücken. Der Tonmann korrigiert den Sitz des In-Ear-Kopfhörers. Die Erkennungsmelodie ertönt.

»Guten Abend, meine sehr verehrten Damen und Herren. Hier sind die wichtigsten Meldungen vom 7. April 2016«, liest Tom vom Teleprompter ab und begrüßt die Fernsehzuschauer des FFD. »Der russische Präsident Putin weist Vorwürfe zurück, es gäbe ein Netzwerk von Briefkastenfirmen in seiner Umgebung. Dass er mit korrupten Strukturen zu tun habe, nennt der Kremlchef *dummes Zeug*.«

In einem Einspielfilm wird das Verlagsgebäude der ›Süddeutschen Zeitung‹ von außen gezeigt. Darüber läuft der Kommentar über die Unterlagen der Kanzlei Mossack Fonseca, die von einem Konsortium für investigative Journalisten ausgewertet wurden und aus denen hervorgeht, dass offenbar mehr als zwei Milliarden Dollar durch Briefkastenfirmen geschleust worden sind.

Ein Kribbeln durchzieht Toms Körper. Sein Herz rast. Die Atmung beschleunigt sich. Er nimmt einen Schluck Wasser aus dem Glas. Lisa tupft ihm den Schweiß von der Stirn.

»Alles okay bei dir?«, fragt der Studioregisseur im Kopfhörer.

Tom nickt und moderiert das aufgezeichnete Gespräch mit dem russischen Botschafter an.

Alles gut, alles gut, alles gut, beruhigt er sich in Gedanken und hört nichts als die Ansage der Regie, dass er in fünf Sekunden wieder auf Sendung ist.

»Die Zahl der Kämpfer des IS in Libyen ist nach Einschätzung der USA im vergangenen Jahr deutlich gewachsen.« Tom hält sich krampfhaft an seinen Moderationskarten fest. Hektisch zieht er die Luft tief in die Lungen. »Die Terr…, die Terrormiliz habe zw…, zw… zwischen viertausend und …« Er hat keine Kontrolle über die Worte. »Sechstausend IS-Kä…, Is-Kä… in dem Bürgerkriegs…land.«

Der Einspieler wird gestartet. Verfrüht. Toms letzte Worte laufen ins Leere. Wie durch eine dicke Wand hört er den Redaktonsleiter rufen: »Hol Jan Rickels.«

»Aber ich …«, stammelt Tom und zieht die Krawatte am Knoten herunter, öffnet zitternd den obersten Hemdknopf, um besser atmen zu können. Er sieht aus den Augenwinkeln, wie der Rettungssanitäter der Berufsfeuerwehr, der immer im Hintergrund sitzt, aus der Kulisse stürmt und wie Lars mit Jan Rickels, dem jungen Nachrichtensprecher, im Schlepptau angerannt kommt. Dann spürt Tom, wie Lars ihn unter den Armen packt und vom Stuhl hebt. Er kann sich nicht wehren.

»Komm, Tom«, sagt Lars und schleift ihn gemeinsam mit dem Saniäter aus dem Studio.

»Haben Sie Schmerzen in der Brust?«, fragt der Feuerwehrmann.

Die Welt um Tom dreht sich, er hat Angst zu ersticken.

»Ein Krankenwagen! Ein Krankenwagen!«, hört er den Aufnahmeleiter. Und an der Art, wie Lars schreit, bekommt Tom eine Ahnung von dem elendigen Zustand, in dem er sich offensichtlich befindet.

Im Maskenraum wird er auf den Boden gelegt.

»Kein Krankenwagen«, presst Tom heraus und blickt in die ängstlich aufgerissenen Augen des Aufnahmeleiters.

»Alles wird gut, Tom«, sagt Lars, und obwohl es Tom so schlecht geht, denkt er: Idiot, dass dir nichts Dämlicheres einfällt. Auf dem Monitor in der Ecke sieht er, wie Jan Rickels am Moderationspult abgepudert und verkabelt wird.

»Atmen Sie ganz ruhig.« Der Sanitäter legt die Hände auf seinen Unterbauch und atmet laut vor. »Eiiiiin und aaaaauuuuus. Eiiiiin und aaaaauuuuus.«

Tom konzentriert sich, sein Atem wird langsamer. Immer mehr hektische Augenpaare starren auf ihn herab.

»Was ist mit dir, Tom?«, ruft Sabine.

Die Gesichter verschwimmen, und Tom hört, wie die Fistelstimme von Lars erklärt, was passiert ist. Dann werden die Geräusche undefinierbar und verhallen weit entfernt.

»Herr Monderath«, hört Tom eine klare Stimme und spürt etwas Kaltes auf seiner Brust. Er öffnet die Augen, sieht ein bärtiges Gesicht. »Ich bin Dr. Kluth. Gibt es in Ihrer Familie Herzerkrankungen?«, fragt der herbeigerufene Notarzt und hört Toms Herz und die Lunge ab.

»Nein.« Tom denkt, dass sein Vater einen Herzinfarkt hatte, und will einfach nur in Ruhe gelassen werden. »Ich muss schlafen. Sonst nichts.«

Gisbert Wehrle, der Intendant, steckt seinen Kopf durch die Tür. »Ist es etwas Ernstes?«

»Alles gut«, meint Tom und lächelt gequält. Er will aufstehen und gehen. Will raus aus dieser aufgeladenen Hektik, in der ihn alle anstarren. Will raus aus dieser Angst.

»Bring mir meine Tasche, Sabine«, bittet er seine Assistentin und weigert sich, sich auf eine Trage zu legen. »Ich bin nicht krank!«

»Wir müssen Sie eingehend untersuchen, Herr Monderath«, sagt der Notarzt und nimmt ihn am Arm.

»Es ist nichts. Ich bin nur müde.« Tom spürt sein rasendes Herz in der Brust und will fliehen.

Er kann sich nicht wehren, als Lars ihn am rechten Arm greift und ihn zusammen mit Dr. Kluth zum Krankenwagen führt. Durch eine Gasse von entsetzt dreinschauenden Kolleginnen und Kollegen.

»Alles wird gut, Tom«, wiederholt Lars und schaut ihn an, als wäre er sein wichtigster Vertrauter.

»Meine Tasche … Sabine …«, stammelt Tom.

»Später«, sagt Lars und will Tom auch nicht loslassen, als der Fahrer des Rettungswagens ihm ins Innere hilft. »Ich muss aber mitfahren«, sagt er fistelig.

»Das geht nicht«, widerspricht der Fahrer, schiebt den Aufnahmeleiter sanft zur Seite und schließt von außen die Tür. Tom wird von einem Sanitäter auf die Trage geschnallt, hört energisches Klopfen, Sabines Stimme, die Tür, die noch einmal aufgeschoben wird.

»Hier deine Laptoptasche. Ruf mich an, wenn du etwas brauchst, Tom.«

Bevor er antworten kann, fällt die Tür wieder zu. Dann fahren sie ihn durch die Nacht. Mit Blaulicht. In seiner Hosentasche vibriert unentwegt das Handy.

»Es gibt keine eindeutigen Infarktzeichen«, attestiert der extra für den prominenten Moderator herbeigerufene Chefarzt in der Kardiologie, nachdem er Toms EKG ausgewertet hat.

»Das war mir klar«, meint Tom betont cool und zeigt seine Erleichterung nicht.

»Wir machen zur Sicherheit noch eine Echokardiographie.«

Er wird in den Untersuchungsraum begleitet, und während

ein Pfleger das Ultraschallgerät vorbereitet, nimmt Tom sein Mobiltelefon in die Hand. Kein Anruf von seiner Mutter. Es schießt ihm in den Kopf, dass sie noch im Krankenhaus ist und dort seine Sendung wahrscheinlich verschlafen hat. Wenigstens ein Vorteil, denkt er und sieht dann dreiundneunzig Textnachrichten. Das Netz ist mit exakt den Schlagzeilen voll, die er befürchtet hat:

›Spiegel Online‹ schreibt: *Zusammenbruch während der Live-Sendung.*

Die ›Bild‹-Zeitung zeigt Tom am Moderationstisch mit angstvoller Grimasse. Darunter: *Wie steht es um die Gesundheit von Tom Monderath?*

Die sozialen Medien überschlagen sich mit Theorien von Überarbeitung und Alkoholmissbrauch.

»Ich glaube ehrlich gesagt nicht, dass das jetzt gut ist für Sie«, sagt der Kardiologe.

Tom hat ihn gar nicht kommen hören und steckt das Handy wieder ein. Der Arzt fährt mit dem Schallkopf über seine Brust und betrachtet das schlagende Herz auf dem Bildschirm.

»Und? Was sehen Sie?«

»Herzklappen, die Wände, Herzbeutel, alles ohne Befund. Gut«, sagt er und wischt Tom mit einem Papiertuch das Trägergel von der Haut.

»Super. Dann kann ich ja gehen.«

»Wir sollten zur Sicherheit noch das Ergebnis der Blutuntersuchung abwarten, Herr Monderath.«

»Das können Sie mir doch genauso gut am Telefon mitteilen«, meint er und zieht sich weiter an.

»Leben Sie alleine?«

»Wieso?«

»Ich denke, es ist besser, wenn Sie in Ihrem Zustand nicht alleine sind.«

»Zustand? Was meinen Sie damit?«

»Ich habe Sie im Fernsehen gesehen. Für mich sieht es wie eine Panikattacke aus. Hatten Sie so etwas schon einmal?«

Tom schüttelt den Kopf.

Der Kardiologe ruft im Labor an und fragt nach, wie lange es dauert, bis das Untersuchungsergebnis vorliegt.

»Ich kann Sie nicht gegen Ihren Willen festhalten. Bleiben Sie wenigstens noch diese halbe Stunde«, bittet er dann und lässt Tom in seinem Büro warten, damit er den anderen Notfallpatienten nicht unter die Augen treten muss.

Tom Monderath erlitt heute Abend einen Schwächeanfall wegen einer nicht auskurierten Grippe. Er befindet sich in ärztlicher Behandlung. Es besteht keinerlei Grund zur Beunruhigung, liest Tom in der Pressemeldung des Senders.

Na doll, dass ihr das wenigstens wisst, denkt er und googelt *Panikattacke.*

Atemnot, Engegefühl in Brust und Kehle, Hyperventilation sind typische Symptome, liest er. Herzrasen und Schweißausbrüche auch. Er überfliegt die Liste mit den Ursachen und schließt sie für sich allesamt aus: Platzangst, posttraumatische Belastungsstörung, Burn-out.

Sein Handy klingelt. Es ist Jenny.

»Ja?«

»Wo bist du?«

»Im Krankenhaus bei dir um die Ecke.«

»Und? Was sagen sie?«

»Alles okay. Ich warte noch einen Bericht ab, dann fahr ich nach Hause.«

Tom tritt aus der Pforte des Krankenhauses der Augustinerinnen, im Volksmund Klösterchen genannt, und wählt die Nummer der Taxizentrale.

»Tom!«

Er dreht sich um und sieht Jenny auf der Straßenseite stehen.

»Was machst du denn hier?«

»Ich fahr dich nach Hause. Los, steig ein.«

»Aber …«

»Kein ›aber‹!«

Er quetscht sich auf die Rückbank des Mini Coopers, weil der Beifahrersitz von einer Babyschale besetzt ist, in der der kleine Carl schläft.

Jenny fährt schweigend durch das nächtliche Köln und ist zehn Minuten später am Gereonshof. »Wo kann man hier parken?«

»Es reicht, wenn du mich da vorne rauslässt«, sagt Tom.

»Wir kommen mit.«

»Aber wieso?«

»Ich denke, es sollte jetzt jemand bei dir sein.«

Tom überlegt, aus dem Wagen zu springen. Als würde Jenny das ahnen, verriegelt sie die Türen zentral.

»Jenny, bitte. Ich muss einfach nur schlafen.«

»Kannst du ja. Aber nach so einem Auftritt lass ich dich nicht allein.«

Tom könnte platzen vor Wut, dass offensichtlich jetzt jeder weiß, was für ihn gut ist. Sogar Jenny!

Er lotst sie in die Tiefgarage, gibt im Aufzug einen Code ein und fährt schweigend mit ihr und dem schlafenden Baby ohne Zwischenstop Richtung Penthouse.

Eine Panikattacke alleine hätte auch gereicht, denkt Jenny. Aber unter den Augen eines Millionenpublikums, das ist Höchststrafe!

Sie vermeidet es, Tom direkt anzuschauen, denn sie weiß genau, wie er sich fühlt. Ungeschützt. Bloßgestellt. Er hat offensichtlich nur noch einen Wunsch: sich zu verkriechen. Sie hat das selber erlebt und weiß deshalb auch, dass Alleinsein alles nur noch schlimmer macht.

Der Aufzug hält. Als die Tür sich öffnet, schaltet sich das Licht automatisch ein, und Tom macht keine Anstalten, sie hineinzubitten. Er geht voraus in sein geräumiges, minimalistisch eingerichtetes Wohnzimmer und legt seine Laptoptasche auf den ausladenden Esstisch.

Bevor die Aufzugtür sich wieder schließt, macht Jenny einen Schritt nach vorne und schaut sich um. Die Wände sind aus Sichtbeton, der Holzboden grauweiß gebürstet, die schweren Vorhänge grau wie das Sofa und die Bezugsstoffe der Stühle. Es kommt ihr vor, als würde Tom von diesem Allesgrau geschluckt. Er steht in der offenen Küche. Auch sie ist grau. So einen Purismus hätte sie nicht erwartet.

Jenny erwischt sich bei dem Gedanken, dass sie sich nicht gewundert hätte, wenn er die Titelblätter, auf denen er abgebildet war, sowie den Ausdruck der Jahresbestsellerliste des ›Spiegel‹ von 2008, auf der sein Sachbuch ›Bericht vom Abgrund‹ über seine Zeit als Kriegsreporter auf Platz eins war, gerahmt hätte. Nicht einmal seine Fernsehpreise sind zu sehen. Zumindest nicht in diesem Palast von einem Zimmer. Sie hatte Tom immer für selbstverliebt gehalten. Ist es möglich, dass er der Meister des Understatements ist?

»Kann ich dir etwas anbieten?«, fragt er eher unfreundlich.

»'ne heiße Milch mit Honig vielleicht«, antwortet Jenny und ist erleichtert, dass er mit ihr spricht. Sie schlüpft aus ihren Schuhen, lässt ihre Jacke fallen und stellt den Maxi-Cosi neben dem Tisch auf den hellen Holzboden und hört das Ploppen eines Korkens.

»Hab ich nicht«, sagt Tom und schenkt sich Rotwein ein.

»Dann nur Milch.« Jenny betrachtet die Küchenarbeitsplatte, die über und über mit Recherchematerial bedeckt ist.

Tom schüttelt den Kopf, geht mit dem Weinglas in der Hand durch den Raum, der doppelt so groß ist wie ihre gesamte Wohnung, bleibt am Fenster stehen und blickt auf den erleuchteten Dom.

Zeit gewinnen, einfach nur da sein, denkt Jenny und bemüht sich, so normal wie möglich zu sein. »Was haste denn dann anzubieten?«, fragt sie, geht um die Arbeitsplatte herum und öffnet den Kühlschrank hinter der perlgrauen Hochglanzverkleidung. Gähnende Leere. »Hast du vielleicht irgendeinen Tee?«

»No«, antwortet er aus dem fernen Halbdunkel und kippt sein Glas. »Jenny, ich will nicht unhöflich sein, aber …« Noch immer hat er ihr den Rücken zugedreht.

»Erzähl mal. Woher weißt du, dass deine Schwester in Amerika ist«, unterbricht sie ihn und füllt Leitungswasser in ein Glas.

Tom zögert, dann dreht er sich um, geht zum Tisch und zieht aus seiner Laptoptasche einen Stapel Papiere heraus.

»Was ist das?«, fragt sie und kommt näher.

»Das sind Briefe, die meine Mutter jedes Jahr für Marie abgegeben hat. Immer an ihrem Geburtstag.« Seine Stimme kippt, er dreht sich weg und geht zurück zum Fenster.

»Dann hat sie ihr ganzes Leben lang gehofft, dass Marie nach ihr sucht«, murmelt Jenny vor sich hin, setzt sich an den Tisch und beginnt zu lesen.

23. Mai 1959
Mein geliebtes Mariele,
heute wirst Du 10 Jahre alt. Ich versuche mir vorzustellen, wie groß Du bist. Wenn Du nach deinem Vater kommst, dann bist

Du bestimmt größer als die anderen Kinder in Deiner Klasse. Falls Du jedoch eher nach mir …

Sie hebt den Kopf und sieht Toms Silhouette vor dem Dom. Dann fällt ihr die gerahmte Schwarz-Weiß-Fotografie auf, die neben ihm an der Wand hängt. Sie kennt dieses Bild. Es heißt ›Kind im Glück – Hoffnung‹, stammt von Walter Dick und zeigt ein kleines Mädchen, das vor dem Hintergrund des Doms im zerstörten Nachkriegsköln Blumen in den Altstadtruinen pflückt. Sie liest weiter.

Ich bin so verliebt in Deinen kleinen Bruder. Er heißt Thomas und ist ein hübscher Kerl. Er hat mich heute zum ersten Mal angelächelt …

Tom rührt sich nicht vom Fleck. Jenny nimmt sich einen Brief nach dem anderen vor und legt sie in chronologischer Reihenfolge ab.

Du bist nun alt genug, um alles zu erfahren. Du musst wissen, mein Liebling, ich wollte Dich niemals weggeben.

»Das ist ja furchtbar!«, sagt Jenny in die Stille hinein und hält sich entsetzt die Hand vor den Mund.

Niemand hat mir gesagt, wohin Du gekommen bist, wie es Dir geht. Ich bin fast verrückt geworden …

Vor ihren Augen verschwimmen die Buchstaben. »Oh, Tom.« Sie schnieft und wischt sich mit dem Handrücken die Tränen weg. »Sie haben ihr das Kind gegen ihren Willen weggenommen!«

Carl quäkt. Jenny zieht den Maxi-Cosi, unter dem sich offensichtlich Steinchen verfangen haben, über den Parkettboden zu sich heran und holt den Kleinen heraus.

»Hast du Hunger, mein Schätzchen«, sagt sie, küsst ihr Baby auf die Stirn, setzt sich mit ihm auf die Couch und fängt an, ihn zu stillen. Carl schmatzt, und sie streichelt über sein Köpfchen. »Unvorstellbar. Deine arme Mutter! Was die in den Fünfzigern alles angestellt haben mit Frauen und Kindern. Was für Verbrecher!« Sie entdeckt Gretas Jugendfoto auf der gegenüberliegenden Wand. »Ist das deine Mutter auf dem Bild?«

Tom dreht sich um und nickt.

Niemand hat mir gesagt, wohin Du gekommen bist. Ich bin fast verrückt geworden. Jenny gehen die Zeilen aus dem Brief von Toms Mutter an ihre erwachsene Tochter durch den Kopf, und ihr Hals schnürt sich zu bei dem Gedanken, dass Greta deshalb in der Psychiatrie war.

Tom kommt näher, setzt sich in einiger Entfernung auf die Couch und starrt wie Jenny auf das Foto seiner Mutter. »Ich überlege mir, wann dieses Lächeln für immer verschwunden ist«, sagt er leise.

»Erinnerst du dich, dass in dem Personenstandsausdruck meiner Mutter eine Adresse in Wiesloch aufgelistet war?«, fragt er dann, als könne er ihre Gedanken lesen.

Sie nickt. »Ja, ich weiß, was dort ist.«

»Du wusstest das? Warum hast du nichts gesagt?«, fragt Tom empört.

Jenny zögert kurz. Soll sie drum herumreden, um einem eventuellen Konflikt aus dem Weg zu gehen? Sie entscheidet sie sich für die Wahrheit. »Ich wollte dich nicht belasten.«

»Du bist lustig«, sagt Tom und lässt sich in die Rückenlehne fallen. »Meine Mutter hat ihr halbes Leben in Psychiatrien verbracht. Da kommt es auf die ehemalige Großherzoglich Badische Heil- und Pflegeanstalt auch nicht mehr an.«

»Wenn ich mir vorstelle, dass mir irgendjemand meinen Kleinen wegnimmt … Das kann doch kein Mensch aushalten.« Jenny kann ihre Gefühle nicht mehr unterdrücken und schluchzt auf. Aus den Augenwinkeln sieht sie, dass auch Tom sich die Tränen wegwischt.

»Warum hat sie nur immer geschwiegen?« Seine Stimme versagt.

»Ich hab mal gelesen, dass die Seele in eine Art Schockstarre verfällt, dass es einem beim Verlust eines geliebten Menschen im wahrsten Sinne des Wortes die Sprache verschlägt.« Jenny geht mit ihrem Baby auf und ab, klopft ihm auf den Rücken, damit es ein Bäuerchen machen kann. Danach zieht sie aus der Wickeltasche zahllose Utensilien und macht den Kleinen auf dem Boden frisch und sieht den Kratzer auf dem grauweiß gebürsteten Parkett hinter dem Maxi-Cosi.

Als sie fertig ist, ist Tom im Sitzen eingeschlafen.

Jenny nimmt ihm das Weinglas aus der Hand, er lässt sich zur Seite fallen, zieht seine Beine an und verschränkt die Arme.

»Wir müssen leise sein, Carlchen«, flüstert sie ihrem Baby zu und schleicht mit ihm durch die fremde Wohnung.

Hinter der Küchenzeile findet sie einen Flur, von dem mehrere Türen abgehen. Sie öffnet eine nach der anderen, sieht das Badezimmer, die Gästetoilette, einen Raum mit einem Schreibtisch und voller Umzugskartons. Und schließlich das Schlafzimmer, in dessen Mitte ein überdimensional großes Boxspringbett steht. Mit einer Hand zieht sie die Tagesdecke herunter, greift das Plumeau und schleppt es hinter sich her ins Wohnzimmer. Damit deckt sie Tom zu und legt sich mit Carlchen im Arm ans andere Ende des ausladenden Sofas.

Tom kann die Hände nicht bewegen. Seine verschränkten Arme sind eng an den Oberkörper gebunden, er steckt in einer Zwangsjacke, liegt auf einer Pritsche in der Mitte eines riesigen, steil nach oben ansteigenden Hörsaals. Gleißendes Licht. Von allen Seiten sind Kameras auf ihn gerichtet. Dazwischen Köpfe, die auf ihn herabblicken: Gisbert Wehrle, der Intendant, Anne Will, Peter Kloeppel, Christiane Amanpour, Ingo Zamperoni, Barbara Hahlweg, Anderson Cooper, Markus Lanz, sein Vater Konrad und daneben seine Mutter Greta. Ohne Mund. Hinter ihr steht ein Kind.

»Marie«, schreit Tom, doch er hat keine Stimme.

Das Mädchen lacht und läuft hüpfend davon.

Er hört Schreie. Aus Leibeskräften. Sie werden immer lauter.

»Pst, du darfst ihn nicht aufwecken.«

Tom wälzt sich hin und her. Das Schreien wird von Schmatzen abgelöst. Er blinzelt, erkennt, dass er auf dem Sofa liegt, und sieht über dem Plumeau am Fußende Jenny sitzen, mit Carl an ihrer Brust. Er stellt sich schlafend.

Wie ist die denn hierhergekommen?, grübelt er. Schlagartig ist alles wieder da: der Zusammenbruch während der Livesendung, das Krankenhaus. *Fuck!*

Tom schlägt die Augen auf und sieht ungewohntes Chaos im vom ersten Morgenlicht erhellten Wohnraum: Schuhe, Jacke, eine Wickelunterlage, gebrauchte Pampers. Er kratzt sich am Kopf. Jenny hat es wirklich fertiggebracht, an einem einzigen Abend seiner Wohnung ihren Stil aufzuzwingen. Unglaublich! Er sieht die kopierten Briefe auf dem Tisch. Von der Wand lächelt ihn die jugendliche Greta an.

»Guten Morgen«, sagt Jenny.

Tom murmelt eine unverständliche Antwort, steht auf und sucht sein Handy. Zitternd macht er es an.

»Ich glaube, das ist keine gute Idee.«

So weit kommt es noch, dass ich mich von ihr bestimmen lasse, denkt er und überfliegt die Nachrichten auf dem Display. Katastrophe! Er wirft das Handy auf den Tisch, tapert in die Küchenzeile, macht die Espressomaschine an und geht pinkeln. Sein kreideweißes Antlitz mit den tiefen dunklen Rändern unter den Augen starrt ihn im Spiegel an. Heißes Duschwasser rieselt ihm über den Kopf. In seinem Hirn rattern Rechtfertigungsszenarien. Lebensmittelvergiftung. Verschleppter Infekt. Kreislaufkollaps. Alles, nur keine Panikattacke. Kaltes Wasser. Auf fünfundfünfzig zählen. Er muss sein Leben wieder in den Griff kriegen!

Im Jogginganzug taucht er im Wohnbereich auf und kippt einen Espresso.

»Wie spät ist es?«, fragt Jenny mit belegter Stimme.

»Kurz nach sechs.«

Sie rappelt sich auf, wickelt das Baby auf dem Designersofa, und Tom sieht schon seine Haushälterin vor sich, wie sie mit Zaubermitteln die Flecken entfernt. Er muss Jenny loswerden. Er braucht keinen Aufpasser.

»Kann ich dein Bad benutzen?«

Mit einer Kopfbewegung deutet er in die Richtung.

»Wirfst du bitte ein Auge auf ihn?«, fragt sie, legt den Kleinen in die Babyschale und verschwindet auf der Gästetoilette.

Carl strampelt mit Ärmchen und Beinchen und fängt an, sich lauthals zu beschweren. Tom tippt die Sitzschale an, sie wippt. Er entdeckt den tiefen Kratzer in dem Eichenparkett und könnte platzen. Der Wonneproppen hält inne und studiert ihn mit aufgerissenen Augen und offenem Mund.

»Was?«, fragt Tom.

Carl brabbelt, als würde er eine Geschichte erzählen.

»Genau, das sage ich auch immer«, erwidert Tom. »Wenigstens einer, der mich versteht, was?«

Das zahnlose Monster verzieht seine Schnute zu einem breiten Lächeln, strampelt vor Vergnügen und jauchzt.

Gequält lächelt Tom zurück.

Jenny reißt die Toilettentür auf. »Ich hab mir eben überlegt, wie wir deine Schwester ...« Mitten im Satz hört sie auf, hastet quer durch den Raum, stolpert über ihre herumliegenden Schuhe und bleibt vor ihrem Söhnchen stehen. »Was ist das denn?«

Carl hält kurz inne, schaut von seiner Mutter zu Tom und zurück, erinnert sich an das Auf-den-Arm-genommen-Werden und entscheidet sich für Schreien.

»Das gibt's ja nicht!«, sagt sie, nimmt ihn hoch. »Da kannste dir echt was drauf einbilden, Tom.«

»Auf was?«

»Na, du bist der erste Mensch, den er angelacht hat.«

Toms Gedanke, dass ihm bei Jenny auch das Lachen vergeht, wird vom klingelnden Haustelefon unterbrochen. Er erschrickt, denn solange er hier wohnt, hat dieses Gerät noch nie einen Ton von sich gegeben.

»Ja?«

»Es tut mir leid, dass ich Sie so früh störe, Herr Monderath, aber hier ist eine Dame, die zu Ihnen möchte, und ich ...«, sagt der Pförtner am anderen Ende der Leitung.

Tom hört Geraschel und Gemurmel, dann befiehlt eine Frauenstimme: »Mach mir auf!«

Als sich die Tür des Aufzugs wenig später öffnet, steht eine verblüffte Helga Schmitz vor ihm. Sie schaut sich irritiert um, murmelt: »Na, so was, ich bin ja schon da«, dann sieht sie Tom und legt sofort los: »Was ist passiert, Jung? Warum bist du nicht im Krankenhaus?«

»Was machst du denn hier?«, unterbricht er sie erstaunt.

»Na, wenn du nicht ans Telefon gehst. Ich bin fast gestorben vor Angst. Mensch, Jung, was ist denn los?«

»Es ist alles okay, Helga.«

Sie mustert ihn skeptisch und schüttelt den Kopf. »Hast du mal in den Spiegel geschaut?«

Tom gibt ihr keine Antwort und lässt sie stehen. Er stapft ein paar Meter, krallt sich an einer Stuhllehne fest und starrt blicklos vor sich hin.

»Hallo, ich bin Jenny.« Jenny streckt der Besucherin die Hand entgegen und wiegt Carl in ihrem Arm.

»Hallo.« Helga mustert Mutter und Kind und geht zu Tom. »Also, ich dachte, du stirbst, Jung. Wie dein Vater. Du musst dein Herz untersuchen lassen.«

»ES IST ALLES IN ORDNUNG!«, faucht er und presst die Lippen zusammen.

»Aber wenn alles in Ordnung ist, dann passiert doch so was nicht«, kontert Helga. »Ich hab das doch alles gesehen.« Sie dreht sich um und wendet sich an Jenny. »Was sagen Sie denn dazu?«

»Also, ich – «

»SCHLUSS JETZT!«, brüllt Tom. »Könnt ihr mich bitte einfach in Ruhe lassen! Und zwar beide!«

Helga denkt gar nicht daran, sie geht zum großen Esstisch und lässt sich auf einen Stuhl plumpsen. Aufmerksam beobachtet sie, wie Jenny die Wickelutensilien zusammenrafft und in der Küche vergeblich einen Mülleimer für die gebrauchten Pampers sucht.

»Lass mal«, meint Tom, holt mit dem Schlüssel den Fahrstuhl und schaut weder Jenny noch den Kleinen an, die grußlos in der Kabine verschwinden.

»Was war denn das jetzt?«, fragt Helga.

»Wie ›was‹?«

»Na, die Frau. Wer ist das?«

»’ne Kollegin.«

»Und das Kind? Ist das deins?«

»Helga, bitte!«

Tom wird sie nicht los. Damit sie aufhört, ihn mit Fragen zu löchern, in seiner Wohnung zu schnüffeln und zu meinen, dass es kein Wunder sei, dass ihm so was passiert ist – einem, der nicht richtig isst und der niemanden hat, der für ihn sorgt –, lässt er sich von ihr in die Gerontopsychiatrie fahren. Vom Beifahrersitz ihres klapprigen Ford sieht er die Zeitungskästen an den Kreuzungen. Sowohl auf der ›Bild‹ als auch auf dem Deckblatt des ›Kölner Express‹ prangt sein Konterfei. Er setzt die Sonnenbrille auf und zieht die Baseballkappe tiefer ins Gesicht.

»Hier kannst du mich rauslassen«, sagt er an der Einfahrt zum Krankenhausgelände.

»Aber …«

»Kein ›aber‹, Helga. Ich schau nach Mam, und dann komme ich zum Mittagessen zu dir. Okay?«

»Was soll ich dir kochen?«

»Mein Lieblingskinderessen.«

»Ich kenn Sie«, begrüßt ihn der inkarnierte Jesus mit ausgestreckter Hand.

Tom sieht hinter der Sonnenbrille die unsicheren Blicke der Krankenschwestern und geht anders als sonst grußlos durch den langen Flur, von dem rechts und links die Krankenzimmer abgehen. Aus einer Tür kommt Prof. Marvick, gefolgt von einer Visiten-Entourage aus Ärzten und Pflegern.

»Herr Monderath«, begrüßt ihn der Psychiater.

Tom wünscht, dass die Erde sich auftut und er oder dieser Professor darin verschwindet. Doch er erwidert den Gruß jovial.

»Wenn Sie vielleicht einen Moment Zeit für mich hätten?«

»Sicher«, sagt Tom und begleitet Marvick ins Ärztezimmer.

»Wir haben Ihre Mutter medikamentös eingestellt. Sie ist unauffällig und ruhig. Ich denke, wenn nichts Außergewöhnliches passiert, dann …«

»Was wäre denn außergewöhnlich?«

»Na ja. Alles, was sie aufwühlt.«

Tom will jetzt eigentlich nicht reden, und schon gar nicht mit Marvick. Doch dann platzt es einfach aus ihm heraus: »Ich habe eine Schwester, von deren Existenz ich bis vor Kurzem nichts wusste. Sie wurde zur Adoption freigegeben. Gestern war ich in Heidelberg auf dem Jugendamt und habe erfahren, dass diese Adoption gegen den ausdrücklichen Willen meiner Mutter vollzogen wurde.«

»Gestern, sagen Sie?«

Tom sieht dem Psychiater beim Denken zu.

»Ich will Ihnen nicht zu nahetreten, Herr Monderath, aber …«

Der Professor ringt nach Worten, und Tom hasst sich dafür, dass er seine Klappe nicht gehalten hat. Sein vibrierendes Handy ist die Erlösung. Er schielt auf die Nummer, erkennt, dass sie zum Sender gehört, murmelt eine Entschuldigungsfloskel und nimmt den Anruf entgegen.

»Herr Monderath, ich wollte mich nach Ihrem Befinden erkundigen.« Es ist Wehrle, der Intendant.

»Danke, alles bestens.«

Der Professor gibt mit Handzeichen zu verstehen, dass Tom in Ruhe telefonieren kann, geht zu seinem Wandschrank und studiert Buchrücken.

»Nehmen Sie sich alle Zeit der Welt, um wieder gesund zu werden«, sagt der Senderchef am anderen Ende der Leitung.

»Ich bin gesund!« Tom könnte platzen und bereut, dass er den Anruf in einer Situation, in der er nicht offen sprechen kann, angenommen hat.

»Ich denke, dass es besser ist, wenn Sie sich erst einmal erholen. Wie gesagt, lassen Sie sich Zeit.«

Tom schaltet sein Telefon aus und macht Anstalten zu gehen.

»Was ich sagen wollte.« Der Professor stellt sich ihm in den Weg. »Wenn Sie gestern erfahren haben, was Ihrer Mutter zugestoßen ist und Sie dann während Ihrer Sendung … nun, nennen wir es einmal: die Kontrolle verloren haben, dann –«

»Kommen Sie mir jetzt auch mit einer Panikattacke?«, unterbricht ihn Tom.

»Wieso? Wer kommt denn damit?«

»Na, alle.«

»Und was glauben Sie?«

»Das ist Quatsch! Ich wüsste nicht, woher.«

»Haben Sie schon einmal etwas von transgenerationaler Weitergabe von Traumata gehört?«

»Ich denke, ich gehe jetzt«, sagt Tom und muss aufpassen, dass er nicht die Beherrschung verliert. Schließlich hat er diesen Dreckspsychiater nicht um seine Meinung gebeten.

»Ja, sicher«, meint Prof. Marvick. »Wenn Sie Hilfe brauchen …«

»Endlich bist du da«, empfängt ihn Greta. »Ich muss hier raus.«

Sie sitzt reisefertig auf ihrem Bett, hat die pinkfarbene Baseballmütze auf dem Kopf und ihre Handtasche auf dem Schoß.

»Wo willst du denn hin, Mam?«

»Na, nach Hause.«

Tom ist kurz irritiert. Dann macht sich Erleichterung breit, denn sie ist die erste Person seit fünfzehn Stunden, die sich nur um sich selbst sorgt. Von dem kleinen Carl einmal abgesehen.

»Dann komm.« Tom nimmt ihre Tasche in die eine und Greta an die andere Hand und verlässt das Zimmer.

Auf der Rückbank im Taxi überlegt er, wie er seiner Mutter beibringen kann, dass er in Heidelberg war und Bescheid weiß. Er will ihr sagen, dass es ihm leidtut, dass man ihr Marie weggenommen hat, und auch, dass sie mit niemandem über ihr Leid reden konnte. Aber wühlt er damit nicht wieder alles auf? Bringt sie das dann wieder durcheinander?

»Auf der Kölner Straße ist ab Ecke Elisenstraße eine Baustelle. Da staut es sich. Soll ich den Umweg fahren?«, fragt der Taxifahrer.

»Egal«, sagt Tom. »Wir haben Zeit.«

»Genau«, meint Greta und tätschelt seine Hand.

Ich bin so verliebt in Deinen kleinen Bruder, er hat seinen eigenen Kopf. Ich denke, den hat er von mir. Ich liebe ihn, weil er stark ist und klar und kompromisslos.

Diese Sätze haben sich in Toms Seele gebrannt.

»Was denkst du, Mam?«

»Du hast schöne Hände«, sagt Greta voller Freude und lächelt ihn an.

»Die hab ich von dir.«

»Wie schön, dass Sie wieder zu Hause sind, Frau Monderath«, freut sich Helga, der Tom vom Taxi aus Bescheid gegeben hat, dass sie auf dem Weg sind.

»Die Frau ist verreist«, sagt sie verschmitzt. »Ich bin die Greta.«

Sie flitzt zielstrebig ins Wohnzimmer, zieht an den Ketten die bronzefarbenen Tannenzapfengewichte der Kuckucksuhr nach oben und stellt mit dem Zeigefinger die Zeiger auf zwölf. Die Klappe geht auf, der Kuckuck wird herausgeschwenkt und krächzt zwölf Mal.

»Was habe ich den vermisst!« Greta meldet sich ab aufs Klo und ruft auf dem Weg durch den Flur, dass sie danach endlich einen ordentlichen Kaffee trinken will.

»Schön, dass du sie mitgebracht hast. Deine Mutter, also die Greta, gehört nicht ins Heim«, sagt Helga und füllt Wasser in die Kaffeemaschine. »Das kriegen wir alles hin.«

Tom ist froh über ihre Haltung und auch, dass sie ihr Kümmerer-Gen jetzt nicht mehr an ihm, sondern an seiner Mam austobt.

Nach dem gemeinsamen Mittagessen – Helga hat Speckpfannkuchen gemacht und zum Nachtisch Schokoladenpudding serviert – gibt er vor, in den Sender fahren zu müssen. Es ist nicht gelogen, denn noch immer steht sein Wagen dort in der Tiefgarage.

Aus dem Taxi ruft er Sabine an und bittet sie, ihm alles zum Auto zu bringen, was er aus dem Büro braucht, denn er will sich den Spießrutenlauf ersparen.

»Ich kann hier im Moment nicht weg«, sagt sie bedauernd. »Bin auf dem Sprung zu einer Sitzung beim Chef.«

Sie einigen sich, dass der Autoschlüssel beim Pförtner hinterlegt wird, wo ihn der Taxifahrer für ein nobles Trinkgeld abholt, und Sabine ihm später sowohl den Wagen als auch alles andere zu seiner Wohnung bringt.

Toms Appartement riecht wieder nach Frische und Sauberkeit. Alles ist an seinem Platz.

»Eine Atmosphäre wie in einem Schaufenster«, hat Helga ihm an den Kopf geworfen. »Da lebt doch keiner drin«, hört er sie sagen und ärgert sich erneut über den Kratzer im Parkett.

Er überfliegt eine Textnachricht nach der anderen.

Mensch, Tom, ich mache mir Sorgen.

Gute Besserung!

Pass auf dich auf!

Wir wünschen Ihnen das Allerbeste.

Gott und die Welt scheint meine Nummer zu haben, denkt

er, liest nicht mehr weiter und löscht alle inzwischen einhundertdreiundzwanzig Nachrichten auf einen Schlag.

Manes, sein Kameramann und Kumpel, ruft an.

»Was ist los, Alter?«

»Alles gut.«

»Sollen wir uns heute Abend treffen? Ich bin in der Stadt.«

Tom stellt sich die Kneipe vor, in der sämtliche Gespräche verstummen, wenn er durch die Tür kommt. »Nein, danke.«

»Geht es dir denn wirklich gut? Soll ich vorbeikommen? Bist du allein?«

»Ein andermal gerne«, sagt er und lügt: »Ich hab Besuch.«

Fluchend schaltet er sein Handy aus. Hat er gestern so einen elendigen Auftritt hingelegt, dass jetzt sogar Manes bei ihm aufschlagen will? Manes! Der hat seine Wohnung noch nie betreten!

Tom fährt sein Laptop hoch, widersteht dem Drang, sich die Aufzeichnung der Sendung von gestern anzusehen, und überfliegt die Meldungen des Tages. Innerhalb von Sekunden ist er kurz davor, den Rechner vom Schreibtisch zu fegen, denn es scheint, als gäbe es in Deutschland kein größeres Problem als seinen Schwächeanfall. Er springt auf, tigert an den Fenstern entlang und blickt auf den Platz vor dem Haus, auf dem der Springbrunnen für niemanden plätschert. Aus dem Weinschrank zieht er eine Flasche und trinkt ein Glas in einem Zug aus. Seine kleine Schwester schaut ihm von der Arbeitsplatte aus zu.

Zum ersten Mal denkt er, dass er nicht alleine ist, kein Einzelkind, und überlegt beim Blick auf die Uhr, dass es jetzt an der amerikanischen Ostküste halb zehn am Vormittag ist. Wenn sie hingegen an der Westküste lebt, dann steht sie vielleicht gerade auf.

»Hast du ein gutes Leben, Schwesterchen?« Tom stellt sie sich als schwarze Mama vor. Eine, die mit viel Temperament den ganzen Laden zusammenhält und schallend lacht.

»Was hast du eigentlich für Hände?«

Zärtlich berührt er Maries Foto und nimmt es samt der Flasche Wein und dem Laptop mit aufs Sofa.

Im Internet findet er eine Reportage des Süddeutschen Rundfunks von 1957. Darin befragt ein Reporter eine junge Mutter, die mit ihren beiden afrodeutschen Kindern in einer Mannheimer Barackensiedlung lebt.

»Wie stellen Sie sich die Zukunft Ihrer Kinder überhaupt vor, wie soll das weitergehen? Was sollen die Kinder denn werden? Ihr Kind kann doch nicht zum Zirkus gehen, oder glauben Sie das? Haben Sie noch nie den Gedanken gehabt, Ihre Kinder adoptieren zu lassen? Sagen Sie, wollen Sie sie nicht weggeben?« Der Reporter bombardiert sie mit Fragen.

»Nein, nein«, antwortet die eingeschüchterte Frau mit ihrem Sohn auf dem Schoß.

Die Schwarz-Weiß-Bilder sind gnadenlos wie die Reporterfragen.

»Na, warum nicht?«

»Weil ich sie unter meinem Herzen getragen hab und weil ich die Kinder gernhab.«

Tom schaut seine Schwester auf dem Foto an. »Kannst froh sein, Marie, dass du in diesem Deutschland nicht aufgewachsen bist.«

Mit dem Weinglas in der Hand nimmt er seine ruhelose Wanderung von einer Wand zur anderen wieder auf. Er denkt an die Hölle, durch die seine Mutter gegangen ist. Der Begriff Trauma schießt ihm in den Kopf, er versucht sich an Marvicks Worte zu erinnern und gibt »transgenerationale Weitergabe von Traumata« als Suchbegriff ein.

Traumatische Erfahrungen sind mit der sie direkt erlebenden Generation noch lange nicht ausgestanden. Verdrängung bewirkt, dass traumatische Inhalte, Verhaltensweisen und Überlebensmechanis-

men von Generation zu Generation weitergegeben werden, liest er. *Das wesentliche Problem ist üblicherweise, dass Betroffene der zweiten Generation vom Erleben der ersten Generation und ihrer transgenerationalen Traumatisierung nichts wissen. Über das Schlimme wird ja gerade nicht gesprochen. Die Personen der zweiten Generation fühlen sich »irgendwie komisch« oder leer, sie leiden unter Ängsten oder depressiven Verstimmungen, Schlafstörungen oder Energielosigkeit, nicht erklärbaren Körperbeschwerden. Oft haben sie Probleme mit Alkohol oder Drogen und vielem mehr …*

Draußen dämmert es, in den gegenüberliegenden Wohnungen gehen die Lichter an. Tom sitzt wie angewurzelt auf dem Sofa und starrt vor sich hin.

Hat er das Trauma seiner Mutter in den Knochen? Und wenn ja, wie wird er es wieder los?

Er stellt den Wein weg, wankt durch die dunkle Wohnung, pinkelt und überlegt: Wenn das Trauma meiner Mutter ist, dass sie ihr Kind verloren hat, dann muss ich Marie wiederfinden.

Tom schaltet die Lichter an, setzt sich wieder vor seinen Laptop und findet in einem ›Spiegel‹-Artikel vom Juli 1958, dass es einen regelrechten Adoptionsmarkt für die sogenannten Besatzungskinder gab. Die weißen Kinder waren begehrt, weil Amerikaner deutscher Abstammung ihre Familie mit »deutschem Blut auffrischen wollten«, und nicht wenige amerikanische Familien glaubten, dass »deutschblütige Kinder besonders tüchtige Amerikaner« werden würden.

Er überlegt, die Weinflasche zurückzuholen. *Deutsches Blut.* Er könnte kotzen!

1958, das war mitten in der Rassentrennung in den USA, denkt er dann und findet prompt den Hinweis, dass sich dieser Adoptionsmarkt nur um die hellhäutigen Kinder von Besatzungssoldaten drehte. Tom vergisst den Wein, sucht nach Artikeln über schwarze Kinder im Nachkriegsdeutschland und wird in der afroamerikanischen Presse, die ihre Reporter in den ersten Jahren nach dem Krieg regelmäßig nach Deutschland geschickt hat, fündig.

Im ›Afro-American‹ liest er:

Geboren inmitten der Ruinen von Hitlers Reich sind diese afro-deutschen Kinder verlassen, hungrig, gehasst wegen ihrer Hautfarbe, schmutzig, weil es keine Seife gibt, und krank, weil sie nicht medizinisch betreut werden. Deutschland, dieses Land der Arier, das farbige Menschen nur durch ihre seltsamen Geschichten über menschenfressende Affenmenschen kannte, die es nie gab, wird nun konfrontiert mit einer historischen Realität.

Tom findet das Buch ›Zwischen Fürsorge und Ausgrenzung‹ von Yara-Colette Lemke Muniz de Faria, in dem steht, dass bereits im Jahr 1946, also kurz nach der Geburt der ersten »Mischlingskinder«, Beamte der Militärregierung, Politiker und Jugendämter in Westdeutschland über die Existenz und Zukunft der afroamerikanischen Kinder spekulierten.

Inzwischen ist er wie gefangen von diesem Thema und macht das, was ihn schon immer am meisten an seinem Beruf interessiert hat: Er recherchiert, verfolgt jede noch so kleine Spur bis hin zur Quelle.

In einem Memo vom November 1950, das an alle deutschen Jugendämter sowie an die katholische Caritas und die protestantische Innere Mission gerichtet war, fordert das Innenministerium diese Agenturen auf, sich zu der Frage der »Deportation von Mischlings-Negerkindern nach Afrika« zu äußern.

Tom hält inne. DEPORTATION? Dass irgendjemand dieses Wort nach 1945 noch in den Mund nehmen konnte!

Er liest, dass die überwiegende Mehrheit der Antworten die

Idee befürwortete, diese Kinder ins Ausland zu bringen, vorzugsweise in die Vereinigten Staaten. Die Zustimmung zu diesem Vorschlag beruhte auf zwei Argumenten. Zunächst wurde angenommen, dass diese Kinder aufgrund ihrer »rassischen Besonderheit« nicht in die westdeutsche Gesellschaft integriert werden könnten. Mit Zorn im Bauch liest Tom, dass diese »Rassenbesonderheit« hauptsächlich durch die Annahme minderwertiger Intelligenz, eines ungestümen Temperaments und Frühreife definiert wurde, die alle als dominierende Verhaltensmerkmale der Kinder angesehen wurden. Ein zweites Argument hatte weniger die Kinder im Fokus, sondern sah die westdeutsche Gesellschaft im Vordergrund. Jene, so hieß es, betrachte diese Kinder mit einer derartigen Feindseligkeit, dass sie, würden sie in Deutschland verbleiben, einer unglücklichen Zukunft entgegensehen müssten. Deshalb kam man zu dem Schluss, dass diese afrodeutschen Kinder zu ihrem eigenen Schutz am besten – »unter ihrer eigenen Art« – in Afrika, Südamerika oder den Vereinigten Staaten betreut werden sollten.

Nirgendwo steht etwas über die Mütter, stellt Tom fest und schaut das Jugendfoto von Greta an. »Oh, Mam. Was waren das für finstere Zeiten.« Ihm fällt ein, dass es in Deutschland zwischen 1945 und 1955 fast achtundsechzigtausend nichtehelich geborene Kinder von alliierten Besatzungssoldaten und deutschen Frauen gab. Gut die Hälfte hatten einen amerikanischen Vater. Aber nur über die viertausendachthundert, die wegen ihrer Hautfarbe auffielen, zerbrach man sich den Kopf.

Sein Handy klingelt.

»Ich fahre in fünf Minuten los«, sagt seine Assistentin und lässt sich von Tom genau erklären, in welcher Straße die Einfahrt zur Tiefgarage ist.

Er blickt auf die Uhr. Zehn Minuten hat er noch. Fieberhaft sucht er weiter und findet in den afroamerikanischen Magazinen ›Ebony‹ und ›Afro-American‹ Artikel, die die Verantwortungslosigkeit vieler schwarzer GIs gegenüber ihren deutschen Freundinnen und Kindern thematisieren. Diese kritischen Beiträge versuchten offensichtlich, dem deutschen Rassismus mit finanzieller und materieller Unterstützung für afrodeutsche Kinder und ihre Mütter entgegenzuwirken.

Germany's ›Brown Babies‹ must be helped! Will You?, titelte Ebony und berichtete über die medizinische Vernachlässigung afrodeutscher Kinder und ihre öffentliche Diskriminierung. Der Autor spekulierte, dass dies »in ihrer endgültigen Ausrottung« gipfeln könnte. »Die Deutschen haben bewiesen, dass sie zu so einem Akt fähig sind.«

Sein Handyklingeln reißt ihn aus seinen Recherchen.

»Ich komme runter, Sabine!«, sagt er, eilt Richtung Aufzug und kehrt noch einmal um, um sich seine Baseballmütze zu schnappen.

Er fährt bis in die Tiefgarage und öffnet das Rolltor von innen. Eigentlich hatte er sich vorgestellt, hier seine Sachen und das Auto entgegenzunehmen, aber Sabine druckst umständlich herum. Weil hinter ihr ein anderer Wagen hupt, steigt Tom schließlich auf den Beifahrersitz und lotst sie zu seinem Parkplatz ganz hinten in der Ecke, wo auch das rote Cabriolet steht.

»Hier kannst du anhalten«, sagt er und erklärt, dass er selbst einparken will, weil es etwas tricky ist mit den beiden Fahrzeugen in einer Box.

Sabine steigt aus und schaut ihm beim Rangieren zu.

»Ich bring dich noch zum Tor«, sagt Tom, als er ausgestiegen ist, und will ihr Geld für ein Taxi geben.

Sie winkt ab, bleibt stehen und zeigt auf das Cabriolet.

»Ist das der Wagen deiner Mutter?«

Tom nickt.

»Ich dachte, du wolltest ihn verkaufen«, sagt sie, geht zu dem Sportwagen und befühlt die Karosserie.

Tom kennt Sabine lange genug, um zu wissen, dass sie sich nicht die Bohne für dieses Auto interessiert. Sie will ihn in ein Gespräch verwickeln, weil auch sie sich Sorgen um ihn macht. Ich muss sie loswerden!

»Kannst du das nicht übernehmen?«, fragt er, fädelt den Schlüssel des Cabriolets von seinem Schlüsselbund und drückt ihn ihr in die Hand. Er wartet ihre Antwort nicht ab, setzt seinen Wagen zurück und sieht aus den Augenwinkeln, wie sie seine Aktentasche verkrampft vor sich hält.

»Bitte, Sabine. Du würdest mir einen riesigen Gefallen tun. Die Papiere sind im Handschuhfach.« Er nimmt ihr die Tasche aus der Hand, hält ihr dann die Wagentür auf und lächelt gequält.

»Sonst brauchst du nichts?«, fragt sie und versucht, hinter seine Fassade zu blicken.

»Nein, danke. Ich muss nur mal richtig schlafen.«

»Aber du meldest dich, wenn was ist. Ja?«

»Sicher«, sagt er und ist erleichtert, als er die Rücklichter des Cabriolets aus der Tiefgarage fahren sieht.

Tom ist völlig aufgekratzt, weiß, dass es besser wäre, mit seinen Recherchen aufzuhören und alles wohldosiert anzugehen. Aber er kann sich nicht bremsen und setzt sich, kaum dass er mit dem Aufzug nach oben gefahren ist und die Tasche auf den Tisch geknallt hat, wieder vor seinen Laptop.

Zehn kleine Negerlein warten auf eine Mammy, steht unter dem Foto von 1948, auf dem zehn Kinder auf der Mauer des Kinderheimes im badischen Ladenburg sitzen und mit traurigen Mienen in die Kamera blicken. Der Artikel erschien 1950 im ›Stern‹ und berichtete darüber, dass dasselbe Bild zwei Jahre zuvor im ›Chicago Tribune‹ veröffentlicht worden sei und die afroamerikanische Lehrerin Margret E. Butler daraufhin beschloss, zwei dieser Kinder zu adoptieren.

Die anderthalbjährige Ute, deren polnische Mutter »sie bereits vergessen hatte«, und den zweijährigen Haesi, »der Seppl mit dem Negerblut«, wie der ›Stern‹ schrieb. Weil man Mrs. Butler sagte, sie müsse bei der Adoption anwesend sein, reiste sie nach Deutschland und wurde dort von den US-Dienststellen frostig empfangen.

»Was sie heute will, werden morgen tausend andere Negerfrauen wollen«, sagte der Stadtkommandant von Heidelberg und wies sie darauf hin, dass das Kontingent für Flüchtlinge aus Deutschland ausgeschöpft sei.

Die resolute Mrs. Butler kämpfte zwei Jahre gegen Paragraphen, Vorurteile und Rassengesetze. Dann endlich wurden die sogenannten Mischlingskinder vom US-Außenministerium in das Adoptionsprogramm für Vertriebenenwaisen aufgenommen.

Zwei kleine Negerlein, die fahren über'n Teich, titelte der ›Mannheimer Morgen‹ daraufhin. Die inzwischen dreieinhalbjährige Ute und der vierjährige Haesi wurden von der Stadt Mannheim mit Teddys und neuen Mäntelchen beglückt und durften zu ihrer »Negermammy« nach Chicago und in eine ungewisse Zukunft reisen.

Tom stößt auf den Begriff »Brown Baby Plan« und überfliegt den Artikel über eine Adoptionsagentur. Die hat zwischen 1951 und 1954 dreihundertfünfzig Kinder vermittelt. Dreihundert an afroamerikanische Paare, die in Deutschland stationiert waren, fünfzig direkt in die USA.

Er fühlt sich, als hätte ihn ein Blitz getroffen.

Da brummt sein Handy. Sabine. Kurz überlegt Tom, sie einfach wegzudrücken, aber dann nimmt er den Anruf entgegen. »Ja?«

»Du, mir ist jemand eingefallen, der den Wagen kaufen würde, aber …«

»Sabine, dann verkauf ihn doch! Sämtliche Papiere liegen im Handschuhfach. Das hab ich dir doch gesagt.«

»Ja, aber …«

»Was aber?« Langsam ist Tom genervt.

»Jens, also Lars hätte Interesse. Aber er müsste die Hälfte in Raten zahlen.«

»Ist okay«, sagt Tom, ohne auch nur eine Sekunde zu überlegen, denn er starrt auf den Bildschirm und sieht nichts anderes als: BROWN BABY PLAN.

Als er Sabine endlich auch am Telefon losgeworden ist, springt er auf und kramt in Maries Unterlagen, die er aus Heidelberg geschickt bekommen hat: *06/1953 Wegzug »nach unbekannt«*.

Tom ist wie elektrisiert. Seine Augen fliegen über die Informationen. Initiatorin des Brown Baby Plans war eine Mabel E. Grammer, Ehefrau eines schwarzen Offiziers, die von 1950 bis 1954 in Mannheim lebte. Dort adoptierte sie zehn afrodeutsche Waisenkinder. Die Frau war Journalistin und schrieb für den ›Afro-American‹.

Wenig später findet Tom in den Archiven der Zeitschrift einen Artikel von ihr, in dem sie schreibt: *Solange Deutschland nicht in der Lage ist, die Gleichbehandlung von weißen und schwarzen Kindern zu garantieren, sind schwarze Kinder in der afroamerikanischen Gemeinschaft in besseren Händen. In Deutschland gibt es 3100 braune deutsch-amerikanische Kinder. Wenn Afro-Leser geduldig sind und die Qualifikationen des Ministeriums und der deutschen Behörden erfüllen, ist es möglich, ein solches Kindchen bei sich zu Hause zu haben. Solange ich in Deutschland bin, werde ich treu daran arbeiten, diesen verdienten Kindern ein neues Leben zu geben.*

»Zwischen 1951 und 1954. Das könnte es sein!«, sagt Tom fassungslos und wählt Jennys Nummer. Sie drückt ihn weg.

Jenny, ich habe eine Idee, wie meine Schwester in die USA gekommen sein könnte. Melde dich!

Er sieht am blauen Haken, dass sie den Text gelesen hat, aber auf eine Antwort wartet er vergeblich.

Tom lässt über den Lieferservice Thaifood kommen, geht in die Badewanne und schreibt ihr, bevor er sich ins Bett legt:

Brown Baby Plan. Sagt dir das was?

Jenny beantwortet auch diese Nachricht nicht, und als er sie am nächsten Morgen anrufen will, drückt sie ihn wieder weg.

Er fährt in die Südstadt, bekommt keinen Parkplatz und stellt seinen Wagen genervt im Halteverbot ab. Mit der Baseballkappe tief im Gesicht spurtet er über den Chlodwigplatz, unter dem Severinstor hindurch und drückt Jennys Klingelknopf.

»Ja?«, fragt sie durch die Gegensprechanlage.

»Warum gehst du nicht ans Telefon und antwortest mir nicht?«

»Weil ich nicht dein Arschloch bin. Mach deinen Mist alleine. Such dir Leute, denen es egal ist, wenn sie wie Dreck behandelt werden.«

Es kracht im Lautsprecher. Sie hat aufgelegt. Toms Zeigefinger zuckt über dem Klingelknopf, da hört er hinter sich ein wildes Kreischen.

»Das ist ja der Monderath!« Eine in Rot gekleidete Brautjungfer, deren Bustierkleid es offensichtlich nicht in ihrer Größe gab, reißt ihre Arme in die Luft.

Sie ist Teil einer Hochzeitsgesellschaft, die die Severinstorburg ausgespuckt hat, damit Platz ist für die nächste Trauung. Schnell ist Tom von den drei weiteren, in die Jahre gekommenen Brautjungfern eingekreist, die sich offensichtlich in einer Weight-Watchers-Gruppe kennengelernt haben, und kann sich nicht gegen Selfies wehren. Hinter ihm drückt jemand dem Postboten die Haustür auf.

Er rettet sich hinein, jagt die Treppe nach oben und bleibt vor Jennys Tür stehen. Carl schreit. Weil es vielleicht nicht der günstigste Moment ist zu klingeln, setzt er sich auf die ausgetretenen Holzstufen und wartet.

Ein Mittsiebziger mit Schnurrbart unter der knolligen Nase ächzt mit seinem Wochenendeinkauf die Treppe hinauf und bleibt schnaubend vor ihm stehen.

Tom steht auf, um ihm Platz zu machen. »Das ist ganz schön hart ohne Aufzug, was?«, sagt er.

»Training«, meint der alte Kölner und steuert die nächste Stufe an. »Die Leute sterben von unten nach oben.«

Tom schmunzelt, setzt sich wieder und schickt Jenny eine neue Textnachricht: Es tut mir leid! Entschuldigung!!!!! Lass uns bitte reden.

Keine Reaktion. Aus ihrer Wohnung ist nichts zu hören. Kein Babyschreien. Keine Schritte.

Tom weiß, dass er ohne sie nicht weiterkommt. Er lenkt sich mit dem Lesen von Nachrichten ab, bis das Geräusch tapsender Pfoten näher kommt und auch der Gestank von nassem Hund.

»Kann ich Ihnen helfen?«, fragt das drahtige Frauchen jenseits der sechzig, beäugt Tom argwöhnisch, während ihr Chow-Chow an seiner Hose schnuppert.

»Danke, ich warte auf jemanden.«

Er sieht, dass Jenny seine Nachricht geöffnet hat, und liest auf ›faz.net‹ ein Interview mit einem Farbforscher, der behauptet, dass der Mensch nach dem Winter besonders empfänglich für Erdtöne, warmes Gelbgold und Pastellfarben sei: *Wenn Sie so wollen, sehnen wir uns nach goldenen Zeiten. Und weil unsere*

Wohnung unser Naherholungsplatz Nummer eins ist, ein Hort für unser Wohlbefinden, umgeben wir uns dort mit genau diesen Farben.

Tom denkt darüber nach, ob er sein Wohnzimmer umstreichen lassen sollte, da öffnet sich Jennys Tür. Nach zwei Stunden Warten.

»Entschuldigung, Jenny!«

Sie gibt ihm keine Antwort und legt Carl in den Kinderwagen.

»Es tut mir leid. Ich wollte dich nicht verletzen. Es ist nur, dass …«

Der Kleine schaut Tom mit großen Augen an.

»Ich hab keine Zeit. Ich muss einkaufen.«

»Kann ich dir irgendwie helfen?« Tom ist froh, dass sie ihn wenigstens nicht wegschickt und er den Kinderwagen nach unten tragen darf.

Die Severinstraße ist voller Menschen, wie jeden Samstag. Tom hasst Einkaufen. Am Tag, nachdem er *die* Sensation in den Medien war, sowieso. Aber er muss Jenny knacken, deshalb nimmt er die Blicke der Passanten in Kauf. Um die Veganerin nicht zu verärgern, verzichtet er sogar auf eine warme Frikadelle beim besten Metzger der Südstadt, schleppt ihre Tasche voller Obst und Gemüse vom Wochenmarkt und wartet mit dem Kinderwagen vor dem Bioladen.

»Können wir bei einem Kaffee in Ruhe über alles reden?«, fragt er, als sie Reiscracker, Sojamilch, Hirse und Tofu in die Einkaufstasche stopft.

Sie schüttelt den Kopf und lässt sich von ihm die Einkäufe nach Hause tragen. In ihrer Wohnung bricht sie endlich ihr Schweigen: »Ich kenne den Brown Baby Plan. Das ist eine Spur, die man verfolgen muss. Aber zuallererst musst du einen DNA-Test machen.«

»Wieso?«

»In den USA machen das unheimlich viele. Sind ja alles Einwanderer, die herausbekommen wollen, woher ihre Vorfahren stammen. Das ist inzwischen fast eine Modewelle. Selbst wenn deine Schwester keinen Test gemacht haben sollte, dann vielleicht eines ihrer Kinder oder Enkel, falls sie welche hat.«

»Und wie funktioniert das?«

»Du spuckst in ein Röhrchen, und in vier Wochen ist das Ergebnis da. Ich habe dir die Utensilien von dem größten amerikanischen Anbieter bereits besorgt.«

Tom ist sprachlos und nippt jetzt sogar an dem Ingwertee, den sie ihm hingestellt hat. »Ist das denn anonym?«

»Ja. Ich lasse das verschlüsselt laufen. Es bekommt keiner raus, dass du dahintersteckst. Hab das früher auch schon so gemacht. Die ganze Sache ist nach deutschem Recht derzeit sowieso verboten. Deshalb muss man über Holland oder Österreich ausweichen. Das hab ich im Griff.«

»Profi!«, sagt Tom anerkennend und studiert die Gebrauchsanweisung des DNA-Tests.

»Danach starten wir einen Suchaufruf in den sozialen Medien. Instagram, Twitter, Facebook. Du hast doch sicherlich noch Kontakte zu deinen früheren amerikanischen Kollegen? Die sind gute Verteiler, denke ich.«

Tom kratzt sich verwundert am Kopf. »Warum haben die dich damals bei Place to Place Media eigentlich gehen lassen?«

Carl ist aus seinem Schlaf erwacht und fängt an zu schreien.

»Ich hatte einen Burn-out, Tom.« Jenny nimmt ihren Kleinen hoch. »Hat sich das nicht zu dir rumgesprochen?«

»Nein.« Er spuckt in das Plastikröhrchen und überlegt, ob sie ihm das nur gesagt hat, damit er mehr von sich erzählt.

»Wenn wir uns beeilen, kannst du das gleich noch zur Post bringen«, sagt sie und gibt ihm während des Wickelns genaue

Instruktionen, wie er in ihrem Ahnenforschungsaccount den Aktivierungscode der DNA-Probe eingeben soll.

Tom packt das Speichelröhrchen ein und eilt damit um die Ecke zur nächsten Postfiliale. Als er den Karton über den Tresen schiebt, schießt es ihm in den Kopf, dass diese Sendung sein ganzes Leben verändern könnte.

Die Glocken des Doms und von St. Gereon läuten zum Sonntagsgottesdienst, als Jenny am nächsten Tag bei ihm ist. Obwohl Tom mit dem katholischen Bodenpersonal Gottes nicht viel am Hut hat, reißt er jedes Mal die Fenster auf, denn dieser Klang ist für ihn Heimat.

Carl schläft in seinem Maxi-Cosy, und Jenny studiert die beiden abfotografierten Fotos von Marie.

»Wenn sie vier Jahre alt war, als sie adoptiert wurde, dann hat sie vielleicht noch Erinnerungen an ihre Zeit in Deutschland. Aber wir müssen davon ausgehen, dass ihr Name geändert wurde. Das wurde oft gemacht bei Adoptionen.«

Gesucht wird ein Mädchen, das als MARIE SCHÖNAICH am 23.5.1949 in Heidelberg geboren ist und Mitte 1953 in die USA adoptiert wurde, schreibt Tom als Entwurf in seinen Laptop.

»Ich hab eine Idee«, unterbricht ihn Jenny. »Gib mal die Suchbegriffe *Brown Baby Plan* und *Fotos* ein.

Tom tippt und klickt auf die Bilder: Mabel Grammer umringt von unzähligen dunkelhäutigen Kindern. Zwei ängstlich dreinschauende Jungs auf den Armen eines schwarzen Paares. Als Drittes finden sie einen Artikel aus der ›Bild‹ vom November 1953. *Winke, Winke … Braune Fee aus USA bringt Negerkindern neue Heimat.* Darunter eine Menschengruppe vor der Gangway eines Flugzeuges, mit der Aufschrift *Scandinavian Airlines*. Es sind Kinder, eine Nonne und eine farbige Frau.

»Vergrößere das mal!« Jenny ist wie im Fieber und zeigt auf das

Mädchen ganz rechts mit einer Art Puppe im Arm. Dann hält sie Maries Foto, auf dem sie eine Puppe im Arm hat, neben den Bildschirm. »Schau mal, die Puppe.«

»Fuck. Das könnte sie sein!«

»Das ist ein komisches Ding. Gar keine richtige Puppe. Blöd ist nur, dass das Foto so verpixelt ist.«

»Und noch blöder ist es, dass ich meine Mutter nichts mehr fragen kann«, flucht Tom.

»Wieso kannst du das nicht?«, fragt Jenny.

»Sie ist dement«, antwortet er kurz angebunden.

»Oh, das tut mir leid.«

Er tippt den Hinweis auf diese Puppe und den Brown Baby Plan in den Suchaufruf, den er anschließend zusammen mit Jenny in alle großen Internetportale stellt.

Mit Carl auf Jennys Schoß sitzen sie davor und schauen zu, in welcher Geschwindigkeit der Post geliked wird.

»Was denkst du, wie groß die Chance ist, dass wir Marie finden?«, fragt Tom.

»Keine Ahnung, aber egal, ob sie gefunden wird oder nicht, du wirst am Ende nicht mehr der sein, der du warst.«

In zehn Minuten haben die Likes die Zweihunderter-Grenze überschritten, und bereits sechsunddreißig User haben den Aufruf weitergeleitet. Carl strampelt mit den Ärmchen und brabbelt vor Vergnügen.

»Hast du schon mal was davon gehört, dass traumatische Erfahrungen in die nächste Generation weitergegeben werden?«

»Ja«, sagt Jenny. »Das ist ein Riesenthema bei uns Kriegsenkeln. Auf den Couchen von Psychologen liegen immer mehr Patienten mit Symptomen, die nicht zu ihren eigenen, sondern zu den traumatischen Erfahrungen ihrer Eltern passen.«

Es fällt Tom auf, dass sie »uns Kriegsenkel« sagt, aber er schweigt dazu und lässt sie weiterreden.

»Verrückt, dass du danach fragst. Mein Burn-out, und wie das alles heißt, hat seine Wurzeln im Zweiten Weltkrieg. Ohne es zu wissen, haben die Lebensdramen meiner Mutter und meiner Oma mein Leben bestimmt. Wenn ich nicht dahintergekommen wäre, würde es Carlchen heute nicht geben.«

Tom überlegt kurz, ob er fragen soll, wie wissenschaftlich belegt dieses Verfahren ist. Aber dann liest er lieber die Kommentare, die nichts anderes sind als Daumendrücken.

»Vielleicht kannst du ja auch den Teufelskreis durchbrechen«, meint Jenny.

»Welchen Teufelskreis?«

»Über das Wesentliche zu schweigen.«

Er weiß nicht, was er darauf antworten soll.

Auch in den darauffolgenden Tagen gibt es keinen ernsthaften Hinweis auf Marie. Dafür hat Jenny ein anderes interessantes Rechercheergebnis.

»Deine Schwester ist im Juni 1953 nach unbekannt verzogen. Und jetzt rate mal, wer im Juni 1953 in Deutschland war?«, fragt sie Tom am Telefon.

»Wer?«

»Maries Vater. Bob Cooper.«

»Vielleicht war der ja die ganze Zeit da. Es gab genug Besatzungssoldaten.«

»Fakt ist, dass er im Juli auf einer Passagierliste aufgetaucht und in Bremerhaven gelandet ist. Zwei Wochen später, am 2. August, fuhr er wieder zurück nach New York. Auffallend dabei ist, dass er nicht mit einem Militärschiff gereist ist.«

»Wenn Cooper etwas mit Maries Verschwinden zu tun hat, könnte das der Grund sein, warum er nicht mit Mam an ihrem Geburtstag telefonieren wollte«, überlegt Tom. »Hatte er auf der Rückreise ein Kind dabei?«

Es dauert eine Weile, da Jenny offensichtlich nachschaut.

»Nein, ich kann keines finden, aber das heißt nichts. Er könnte ja in Deutschland alles organisiert haben. Tom, es ist nur eine Spur. Dazu passt aber auch noch eine andere Information: Wenn ein GI sein Kind haben wollte, dann musste er es adoptieren.«

»Was schlägst du vor?«

»Wir könnten jemanden engagieren, der in New Orleans für dich recherchiert. Es gibt da einen guten Typen.«

»Ich kenne einen besseren«, sagt Tom entschieden.

»Du willst nach Amerika?« Helga ist entsetzt. »Du solltest dich lieber ausruhen, Jung.«

Greta sitzt am Küchentisch vor einem Kreuzworträtsel und sagt ohne aufzublicken: »Reisende soll man nicht aufhalten.«

»Genau, Mam«, meint Tom und wirft einen Blick in ihre Handtasche, in der sie immer all ihre Schätze mit sich herumträgt: das Foto von ihrer kleinen Marie, eines von Bob und die abgegriffene Voodoo-Puppe.

»Brauchst du etwas Taschengeld?«, fragt Greta und lächelt ihn durch ihre in Fältchen eingebetteten Augen an.

»Immer her damit!«, sagt er und küsst sie auf die Stirn.

Vor der Landung auf dem Louis Armstrong International Airport von New Orleans drückt Tom seine Nase gegen das Flugzeugfenster. Er versucht, einen Blick auf die Stadt zu erhaschen, die im Sommer 2005 von der verheerendsten Naturkatastrophe in der Geschichte der Vereinigten Staaten heimgesucht wurde.

Täglich hat er damals als Freelancer im größten deutschen Nachrichtensender vom Hurrikan Katrina berichtet. Eine riesige Herausforderung, die der Grundstein wurde für seine internationale Karriere. Tom erinnert sich noch gut daran, wie seine Faszination über diesen Job umgeschlagen ist, als er von einem

Boot aus sah, wie Menschen auf den Dächern ihrer Häuser um Hilfe schrien und Leichen im Wasser trieben. Sie waren allesamt schwarz. Er hatte keinerlei Angst um sein Leben, arbeitete bis zur Erschöpfung rund um die Uhr und schickte Bilder, die an einen Bürgerkrieg in der Dritten Welt erinnerten, nach Deutschland. Er interviewte Experten, die schon seit Langem vor den Einsparungen der Regierung beim Katastrophenschutz warnten, weil die tieferliegende Stadt volllaufen würde wie eine Suppenschüssel, sollten die veralteten Dämme des Lake Pontchartrain nicht standhalten. Tom war auf der Pressekonferenz mit dem Präsidenten, der erst zwei Tage nach der Katastrophe seinen Urlaub abbrach und mit der Bemerkung verblüffte, niemand habe damit rechnen können, dass in New Orleans die Dämme bersten würden. Er fragte George W. Bush daraufhin, ob die Hilfe genauso verspätet eingetroffen wäre, wenn die Überlebenden weiß gewesen wären.

Ob damals auch Marie und ihr Vater unter den Opfern waren? Eine Flut von Erinnerungsfetzen stürzt über ihn herein: verstörte Frauen, die nur noch in Unterwäsche gekleidet nach Lebensmitteln und Medikamenten suchten, Frauen, die weinten, weil sie alles verloren hatten. Marie war damals sechsundfünfzig, denkt Tom und spürt, wie sein Mund trocken wird und sein Puls sich beschleunigt.

Nach dem Einchecken in seinem Hotel widersteht er der Versuchung, das Viertel Tremé zu besichtigen, von dem er weiß, dass es jetzt, elf Jahre nach der Katastrophe, immer noch zur Hälfte in Trümmern liegt. Stattdessen lässt er sich mit einem Taxi ins Veteranenheim fahren. Er muss herausbekommen, wo seine Schwester ist.

»Sergeant Steward ist in einem Meeting«, meint die Assistentin des Heimleiters und bittet Tom um etwas Geduld.

Zeit scheint hier keine Rolle zu spielen, stellt er nach einer halben Stunde fest und geht, auch um sich wach zu halten, auf dem endlosen Flur auf und ab. An einer Glasscheibe hängt ein Zettel: *Leibesübungen mit Mrs. Whitaker*. Dahinter wirft eine unförmige Pflegerin, deren Körper ebenfalls ein gezieltes Training vertragen könnte, mit den ehemaligen Kämpfern der US Army in einem Stuhlkreis einen roten Schaumstoffball hin und her. Er blickt in eine Welt, in der keiner mehr zu etwas gebraucht wird, in der man die Zeit totschlägt.

Ein alter Schwarzer schlurft an ihm vorbei, und Tom überlegt, ob er ihn nach seinem Namen fragen soll.

»Gleich gibt es Abendbrot, Sergeant Taylor«, ruft eine Pflegerin und schiebt einen Wagen mit Geschirr an dem Bewohner vorbei.

Es riecht nach Pfefferminztee und Kacke, denkt Tom und stellt seine Atmung auf flach.

Auf dem Weg zurück zum Heimleiterbüro kommt ihm ein weiterer Afroamerikaner entgegen. Der transportiert auf dem Rollator Ehrennadeln, Medaillen und eingerahmte Zeugnisse.

»Respekt«, sagt Tom. »Sie sind ja höchstdekoriert.«

Der Zahnlose mit dem Namensschild *First Lieutenant a. D. Rupert Spector* nuschelt Rätselhaftes und strebt zum Abendessen, das zu Unzeiten serviert wird und der Höhepunkt des Tages zu sein scheint.

Tom hasst Altersheime. Und noch mehr hasst er es, als Nobody behandelt zu werden. »Es dauert nur eine Minute«, bittet er die Assistentin des Heimleiters.

Sie klopft daraufhin zögerlich an die Tür neben ihrem Schreibtisch und öffnet sie einen Spalt. »Sorry, Sergeant …«

»Ich habe doch gesagt, dass ich nicht gestört werden will«, hört Tom eine Männerstimme.

Er macht einen Schritt nach vorne, schaut der Sekretärin über die Schulter und sieht Sergeant Jack Steward am Schreibtisch sitzen und mit einer jungen Frau diskutieren.

»Entschuldigen Sie«, sagt Tom, schiebt die Sekretärin sachte zur Seite, drückt dann die Tür ganz auf, betritt den Raum und stellt sich vor. »Ich komme extra aus Übersee, und es dauert wirklich nicht lange.«

Ja, meint Steward zackig, er erinnere sich an das Telefonat vom März, und nein, er glaube nicht, dass es günstig sei, Corporal Cooper vor dem Zubettgehen noch zu besuchen. »Wir haben morgen Vormittag eine Veranstaltung. Da können wir nicht auf den Corporal verzichten. Ist doch so, Ms. Nessenthaler?«

Die Angesprochene weiß nicht, was sie sagen soll, und lächelt Tom verlegen zu.

Der in die Jahre gekommene Sergeant, der den Grundsatz, seine Haare bloß nicht zu dunkel zu färben, weil man sonst plastisch und künstlich wirkt, offensichtlich nie gehört hat, reicht Tom die Hand und schiebt ihn aus der Tür.

Tom ist sprachlos.

Da er jedoch gar nicht daran denkt aufzugeben, wartet er in sicherem Abstand, bis die Tür sich wieder öffnet, folgt Stewards Besucherin und spricht sie auf dem Weg zum Parkplatz an. »Ms. Nessenthaler, warten Sie einen Moment.«

Er verwickelt sie in ein Gespräch und erfährt, dass es bei der Veranstaltung am morgigen Vormittag um die Verbindung zwischen der Diskriminierung afroamerikanischer Soldaten im Zweiten Weltkrieg und dem Beginn der Bürgerrechtsbewegung geht.

»Und was hat Robert Cooper damit zu tun?«, fragt Tom.

»Der Corporal war ein sehr aktives Mitglied des Civil Rights Movement und ein enger Vertrauter von Martin Luther King.« Zuletzt erzählt sie Tom, dass sie an der Universität von New Orleans Geschichte studiere und die Gespräche mit den Veteranen aus dem Zweiten Weltkrieg für ihre Promotion wichtig seien.

»Ich bin Journalist«, sagt Tom und reicht ihr seine Visitenkarte. »Nehmen Sie mich morgen mit, ich bitte Sie, Amy. Unter Umständen kann ich Sie in Ihrer Arbeit unterstützen.«

Am folgenden Tag betritt Tom hinter dem grimmigen Heimleiter und der Doktorandin Amy den bis auf den letzten Platz besetzten Gemeinschaftsraum des Veteranenheimes.

»Soldiers«, ruft Sergeant Stewart in den Raum.

Das Gemurmel verstummt, und die Veteranen grüßen militärisch mit der flachen Hand an der Stirn.

»Wie bereits angekündigt, möchte Ms. Nessenthaler sich mit Ihnen über Ihre Erfahrungen im Zweiten Weltkrieg unterhalten.«

»Hooah!«, rufen die Veteranen im Chor, und Amy winkt leicht verlegen. Die Luft ist geschwängert von Old Spice, Royal Crown Pomade und Cool Int Mundspray.

Tom steht in der Ecke und beobachtet, wie die etwas jüngeren ehemaligen Vietnamkämpfer alles geben, um die Doktorandin zu überzeugen, dass es wesentlich interessanter sei, eine Dissertation über den Vietnamkrieg zu schreiben. Die alten Haudegen, die so viele Schlachten geschlagen haben – auch in den Bars von Paris und den Bordellen von Straßburg oder Pattaya –, sind immer noch Männer und buhlen regelrecht um Amys Aufmerksamkeit. Ganz offensichtlich genießen sie es, mit einer Frau zusammen zu sein, die etwas anderes von ihnen will als Medikamenteschlucken, Umkleiden, Duschen oder gar Pamperswechsel. Einer jungen Frau mit samtiger Haut, wallendem Haar, aufgeworfenen Lippen, strahlenden Augen, wohlgeformten Brüsten und einem einfach geilen Arsch. Alle scheinen verliebt in Amy. Tom kann die Alten verstehen.

Als Amy sich der Flirtereien erwehren kann, tritt sie nach vorne und fragt, wer von den Anwesenden etwas zu dem Widerspruch sagen könne, dass die US-Armee Westeuropa vom Nazi-Rassenwahn befreite, während es innerhalb der Army zugleich Rassentrennung gab.

Lieutenant General a. D. Abe Thomson, wie der Heimleiter ihn vorstellt, erhebt sich und erzählt mit brüchiger Stimme, wie er durch einen gezielten Schuss dafür gesorgt habe, dass die wichtigste Brücke über den Rhein nicht gesprengt wurde – was wahrscheinlich kriegsentscheidend war. Dann erhebt sich Major a. D. Harvey MacCarmick. Auch er erinnert sich nicht an Kameraden zweiter Klasse, aber daran – und das erzählt er mit unendlich langen, kaum enden wollenden Schachtelsätzen –, wie er mit seiner Einheit Berlin quasi im Alleingang vor dem Verhungern bewahrt habe. Es folgen weitere Wortbeiträge und Geschichten, die nichts mit Amys Frage zu tun haben. Dafür sind sie aber alle Helden. Und diese Helden sind alle weiß.

»Corporal Cooper, Sie waren Teil der legendären Black Panther«, sagt Sergeant Steward. »Dieses 761. Panzerbataillon bestand ausschließlich aus afroamerikanischen Soldaten und gilt als das effektivste des Zweiten Weltkrieges.«

Ein weißhaariger Schwarzer, der etwas abseits sitzt, nickt.

Das ist er also, denkt Tom und studiert den alten Mann, der auch im Sitzen alle überragt.

»Sie waren höchstqualifiziert ausgebildet und durften erst nicht kämpfen, weil es keine schwarzen Helden geben sollte. Richtig?«, spricht ihn nun auch die Doktorandin an.

Cooper, dessen Stirn von tiefen Furchen durchzogen ist, bestätigt auch dies mit einem kurzen Nicken.

Amy versucht einen weiteren Anlauf: »Sie haben zwei Jahre intensiv trainiert, und als sie dann nach Europa kamen, wurden sie nicht eingesetzt. Stimmt das?«

Cooper deutet ein Nicken an und macht keinerlei Anzeichen, etwas zu sagen.

Kein Wunder, dass sie mit dieser Fragetechnik, auf die man nur mit Ja oder Nein antworten kann, nichts aus ihm herausbekommt, denkt Tom und überlegt, wie er Amy bei einem Abendessen in einem Restaurant am Jackson Square Nachhilfeunterricht geben könnte.

Jack Steward springt ihr schließlich zur Seite. »Sie haben die Rassentrennung innerhalb der Army hautnah erlebt, Corporal Cooper. Erst als es so aussah, als wäre der Sieg über die Nazis in Gefahr und General Patton …«

»Das ist doch alles bekannt«, unterbricht ihn Robert Cooper mit tiefer Stimme. »Ich habe dazu nichts mehr zu sagen. Nur so viel: Wenn man sich wochenlang kaum waschen kann, man es nach Jahren im Ausland vor Heimweh kaum aushält, die Schreie der Verwundeten und Sterbenden nicht aus dem Kopf bekommt, wenn man in seinem Panzer eingeschlossen ist und sich in die Hose scheißt vor Angst, ist es egal, ob man schwarz oder weiß ist.«

Was ist das denn für ein Typ? Tom ist fasziniert und kann verstehen, dass er seine Mam beeindruckt hat.

Steward, auch er ein alter Kämpfer, gibt so schnell nicht auf. »Corporal Cooper, ich habe Ms. Nessenthaler erzählt, dass Sie am eigenen Leib erlebt haben, wie die US Army Häftlinge aus den Konzentrationslagern befreite und zur gleichen Zeit Weiße in Louisiana applaudierten, als ein junger Schwarzer gelyncht wurde, weil er ein weißes Mädchen zu lange angeschaut hat.«

Bob verschränkt die Arme und wendet sich ab. Dabei trifft sein Blick den von Tom. Der Alte zuckt zusammen, schaut aber nicht weg.

Er beobachtet mich, denkt Tom irritiert.

»Kommen Sie«, sagt der Heimleiter nach der Veranstaltung, als er endlich Toms Bitte nachgibt, und geht mit ihm zu Robert Cooper. »Corporal Cooper, ich würde Ihnen gerne Herrn Monderath vorstellen. Er ist extra aus Deutschland –«

»Ich bin müde«, unterbricht ihn dieser. Ohne Tom eines Blickes zu würdigen, lässt er die beiden Männer stehen und schlurft aus dem Saal.

»Es tut mir leid. Er ist ein Eigenbrötler«, meint Steward und kümmert sich dann darum, dass die attraktive Doktorandin aus den Fängen der anderen Veteranen befreit wird.

Tom überlegt kurz, sich mit Amy für später zu verabreden, doch dann entscheidet er sich dafür, Bob in sicherem Abstand zu folgen.

Er klopft an die Tür, hinter der der Alte verschwunden ist, und betritt den Raum, ohne dass er dazu aufgefordert wird. Bob schaut ihn erstaunt an, wendet sich ab, geht zu seinem Fenster und blickt hinaus.

»Entschuldigen Sie, Mr. Cooper, aber ich muss mit Ihnen sprechen. Ich bin der Sohn von –«

»Ich weiß, wer Sie sind«, unterbricht ihn Bob. »Sie sind Ihrem Vater aus dem Gesicht geschnitten.«

Tom ist wie vom Donner gerührt.

»Meinem VATER? Woher kennen Sie meinen Vater?«

»Er hat mich besucht.«

»ER HAT WAS? WANN???«

»Im April 1968.«

Tom kratzt sich am Hinterkopf. Sein Vater hat ihm einmal erzählt, dass er auf einem Ärztekongress in Amerika war, genau in der Zeit, in der Martin Luther King ermordet wurde. »War meine Mutter dabei?«

»Er war allein.«

»Was wollte er?«

»Er wollte von mir wissen, wo Marie ist.«

Tom spürt, wie ein Kribbeln seinen Körper durchzieht. Sein Atem beschleunigt sich. Hektisch zieht er die Luft tief in die Lungen. »Was … also … wie …?«, stammelt er und denkt: *Pap wusste von Marie?*

Bob dreht sich zu ihm um. »Alles okay mit dir?«

Gretchens Sohn nickt und setzt sich auf das Bett und atmet hektisch ein und aus.

Bob sieht die Angst in seinen Augen, geht zu ihm und legt die Hand auf seine Schulter. »Ruhig. Ganz ruhig«, sagt er und atmet im richtigen Rhythmus vor. »Dein Name ist Tom, nicht wahr?«

Tom nickt, dann stammelt er: »Das ist mir jetzt unangenehm.«

»Alles ist gut«, sagt Bob, schenkt ihm ein Glas Wasser ein und blickt in sein ängstliches Gesicht. Er erkennt diese auffallend hellblauen Augen. Diesen vollen Mund, der damals sagte, er käme aus Deutschland, sei der Ehemann von Greta und wolle wissen, wo Marie abgeblieben ist. Jener Mr. Monderath strahlte etwas Hartes aus, etwas, was ihm damals Furcht eingeflößt hat. Sein Sohn wirkt, obwohl er exakt dieselben Gesichtszüge wie sein Vater hat, hingegen völlig anders.

»Was haben Sie ihm gesagt? Meinem Vater, meine ich«, fragt Tom, nachdem er getrunken hat.

Bob geht drei Schritte, denn länger ist der Weg zu seinem Sessel nicht, setzt sich und schaut an Tom vorbei aus dem Fenster. »Ich hab ihm gesagt, dass er als Gretas Ehemann doch besser wissen muss, wo mein Kind ist.«

»Und was hat mein Vater dann gesagt?«

»Dass Marie zur Adoption freigegeben wurde.« Bob weiß,

dass seine Stimme hart klingt, aber er kann es nicht verhindern. Er schweigt und erinnert sich noch genau, wie damals alles in ihm zusammengestürzt ist. Zum zweiten Mal. Erst hatte Greta ihn verraten. Und dann musste er von ihrem Ehemann erfahren, dass sie auch noch sein Kind weggegeben hatte. An irgendwelche Fremden.

Tom steht vom Bett auf, stellt sich vor Bob und schaut ihn von oben herab durchdringend an. »Was haben Sie im Sommer 1953 in Heidelberg gemacht?«

Bob spürt, dass Tom ihm nicht glaubt. So wie dessen Vater ihm damals auch nicht glauben wollte. Konrad bot ihm sogar Geld an. Er dachte, er könnte mich kaufen. Mich Nigger!

»Was haben Sie im Sommer 1953 in Heidelberg gemacht?«, wiederholt Tom seine Frage.

»Ich habe nach der Frau gesucht, die ich heiraten wollte. Und nach meinem Kind.« Er betont jedes einzelne Wort.

»Und?«

»Ich habe sie nicht gefunden«, sagt Bob, und dann kommen all die Bilder hervor, über die er einen Betondeckel schieben musste, um weiterleben zu können:

Wie er in der Heidelberger Plöck die Treppe hinaufrannte, ihn dort ein wütender Mann als »Drecksneger« beschimpfte und ihm mit der Polizei drohte. Er kannte diesen Mann von einem Foto, das Greta ihm einmal gezeigt hatte, und wusste, es war ihr Vater.

Wie ihn auch Emma, Gretas Mutter, der er auf der Straße auflauerte, wegschickte, er jedoch stur blieb, bis sie endlich mit der Wahrheit rausrückte.

»Man hat mir gesagt, dass Greta nicht mehr in Heidelberg ist und geheiratet hat. Und dass ihr Mann Marie adoptiert hat«, sagt Bob schließlich zu Tom, und er empfindet den Schmerz brennend wie vor dreiundsechzig Jahren.

»Wer hat dir das gesagt?«, will Tom wissen.

»Deine Großmutter. Gretas Mutter.«

Bob wusste danach nicht, wohin, und irrte durch die Innenstadt, in der sich die Menschen für nichts anderes zu interessieren schienen als dafür, dass die Krönung der neuen Königin von England im Fernsehen übertragen wurde. Mit letzter Kraft schleppte er sich nach Mannheim zu einem Kameraden, den er bei der Überfahrt kennengelernt hatte. Steve war frisch verheiratet. Glücklich. Er lebte mit seiner jungen Frau in *Little America*. In einem Leben, wie Bob es für sich und seine kleine Familie erträumt hatte.

Sein Herz zieht sich zusammen, als er sich erinnert, wie er auf dem Gästebett lag und hörte, wie nebenan ›Blueberry Hill‹ von Louis Armstrong lief, und die beiden kicherten. Damals wäre er vor lauter Sehnsucht nach Greta fast verrückt geworden.

Tom geht in die Hocke, um mit Bob auf Augenhöhe zu sein. »Bob, das stimmt alles nicht! Meine Eltern haben erst 1956 geheiratet. In der Zeit, in der du in Deutschland warst, kam meine Mutter in die Psychiatrie.«

»Was?« Er starrt Tom mit offenem Mund an.

»Und weißt du, warum?«

Bob hebt die Augenbrauen und schüttelt den Kopf.

»Weil man ihr das Kind weggenommen hat. Sie wollte Marie nicht hergeben.«

Bob spürt, wie ihm alles Blut aus dem Gesicht weicht. Plötzlich klopft es an der Tür, und eine Pflegerin streckt den Kopf herein.

»Möchten Sie nicht zum Mittagessen kommen, Corporal Cooper?«, fragt sie.

Er winkt ab, kramt nach einem Taschentuch und wischt sich die Tränen aus den Augen. Sie haben ihr Marie weggenommen? Weggenommen? Gegen ihren Willen?

Er sieht Greta vor sich, wie sie ihm sagt, dass sie ihn liebt, und jetzt weiß er, dass das keine Lüge war. Wie sehr muss sie gelitten haben! »Wie geht es Gretchen?«

»Gut. Also … Nun ja, sie ist eben auch nicht mehr die Jüngste. Aber im Prinzip. Also sie lebt noch zu Hause und …«, stottert Tom.

»Sie war die Liebe meines Lebens«, unterbricht ihn Bob und denkt daran, dass es keinen einzigen Tag gab, an dem er nicht an sie gedacht hat. Und an Marie. Sie fehlten ihm immer. Besonders schlimm war es an Maries Geburtstag und an Weihnachten. Oder wenn er irgendetwas aus Deutschland hörte, in den Nachrichten oder so.

»Warum hast du sie denn dann verlassen?«, holt Tom ihn aus seinen Gedanken.

»Ich habe sie nicht verlassen! 1950, was meinst du, was da los war. Ein schwarzer Mann und eine Weiße, das war in den USA gesetzlich verboten. Ich wollte raus aus der Army und dann zurück nach Heidelberg, um Gretchen zu heiraten und mit meiner Familie in einem Land ohne Rassentrennung und Diskriminierung zu leben.«

»Wie alt warst du da?«, fragt Tom, zieht seine Jacke aus und setzt sich im Schneidersitz gegenüber von Bob auf den Boden.

»Vierundzwanzig.«

»Und wie lange warst du nicht mehr zu Hause?«

»Sechs Jahre«, sagt Bob. »Sechs Jahre, in denen sich mein Leben radikal verändert hatte.«

»Wo in den USA bist du angekommen?«

»New York«, sagt Bob. »Und dort holte mich die Vergangenheit wieder ein. Schon auf dem Weg zum Bus bekam ich zu spüren, was früher selbstverständlich für mich war: dass Schwarze jeglichen Blickkontakt mit Weißen zu vermeiden und selbstverständlich jedem Weißen auch auszuweichen hatten. Im Bus waren die hinteren Plätze für ›coloured only‹.«

»Schrecklich«, meint Tom.

»In Alabama musste ich umsteigen. Mein Bus nach New Orleans kam später als erwartet. Ich war von der langen Reise müde, hungrig und vor allen Dingen durstig, weißt du. Doch im Warteraum für Schwarze gab es kein Wasser mehr. Es reichte mir. Ich schulterte meinen Seesack und öffnete die Tür zum Warteraum für Weiße. ›Hey, Nigger, verpiss dich!‹, fuhr mich ein vielleicht Siebzehnjähriger an. Man hätte meinen können, dass er vor meiner Uniform Respekt zeigen würde. ›Ich habe für dieses Land in Übersee gekämpft‹, sagte ich. ›Und jetzt bitte ich um nichts als um einen Schluck …‹ Bevor ich ›Wasser‹ sagen konnte, wurde ich von hinten angegriffen.«

»O mein Gott«, sagt Tom.

Es gefällt Bob, dass Gretchens Sohn sich für seine Geschichte interessiert, und er ist froh, sich endlich alles von der Seele reden zu können. »Mehrere Jugendliche haben wie von Sinnen auf mich eingeschlagen. Später erzählte man mir, dass sie erst aufhörten, als sie mich für tot hielten. Dann haben sie mich auf die Straße geworfen, und die Polizei rief einen schwarzen Bestattungsunternehmer. Der fühlte meinen Puls und brachte mich schließlich in ein Krankenhaus.«

»Wie lange hast du dort gelegen?«, fragt Tom.

»Ganze acht Wochen. Ich heulte und hab mir jeden Tag gewünscht, Adolf Hitler hätte die Amerikaner besiegt.«

Als Reporter ist Tom fasziniert von der Lebensgeschichte dieses Mannes. Gleichzeitig ist er aber auch emotional betroffen, weil Bob seine Mutter geliebt hat und der Vater seiner Schwester ist.

»Meine Mom holte mich nach Hause und päppelte mich mit Hilfe ihrer Heilkräfte wieder auf«, erzählt Bob weiter.

»Was für Heilkräfte?«, fragt Tom.

»Voodoo.«

»Glaubst du daran?«

»Du etwa nicht?«

»Um ehrlich zu sein: Ich hatte noch nie das Vergnügen, Teil eines Vodoo-Zaubers zu sein. Jedenfalls nicht, dass ich davon wüsste«, scherzte er.

»Nun, bei mir half es. Doch meine Mutter wollte nichts hören von meinen Plänen, die USA – also auch sie – zu verlassen«, sagt Bob. »Die Army auch nicht. Man hat mir gedroht, mich wegen Befehlsverweigerung anzuklagen und vor ein Militärgericht zu stellen. Ich bekam das Angebot, für ein halbes Jahr im Koreakrieg zu dienen. Danach wäre ich frei, sagten sie. Darauf ließ ich mich ein. Doch dann haben sie meine Dienstzeit willkürlich verlängert, und ich musste drei lange Jahre, fast bis zum Kriegsende 1953, in Korea kämpfen.«

»Hast du meiner Mutter nicht geschrieben?«, fragt Tom, als Bob lange schweigend aus dem Fenster blickt. Ihm ist eingefallen, dass seine Mam in einem Brief an Marie geschrieben hat, dass Bob sich nie wieder bei ihr gemeldet hatte.

»Natürlich«, empört sich der alte Mann und schaut ihn an. »Jeden Tag.«

Tom überlegt, dass seine Großeltern die Briefe konfisziert haben könnten, und sagt: »Mam dir auch.«

Fassungslos schüttelt Bob den Kopf. »Ich habe nie eine Antwort bekommen.«

»Voodoo?«, fragt Tom grinsend.

»Es würde mich nicht wundern. Meine Mom wollte mich nicht verlieren. Ich war ihr einziger Sohn«, sagt er nachdenklich.

Tom spürt, dass Bob erschöpft ist. Er schielt auf die Uhr und sieht, dass er jetzt schon seit über drei Stunden bei ihm im Zimmer ist. Langsam steht er auf und zieht seine Jacke an.

Auch Bob erhebt sich vom Sessel. »Hatte Gretchen ein gutes Leben?«, fragt er.

Dass er *Gretchen* sagt, rührt Tom, denn er kann sich nicht erinnern, dass sie jemals so genannt wurde. »Ich weiß, dass sie dich nie vergessen hat. Und eure kleine Marie auch nicht.«

»Hat sie dir das gesagt?«

»Nicht direkt. Aber sie hat es aufgeschrieben.«

Tom sieht die Tränen in Bobs Augen. Er nimmt ihn in den Arm und spürt, wie starr sich der alte Körper anfühlt. Wie von jemandem, der schon lange nicht mehr umarmt worden war.

»Es war eine große Bereicherung für mich, dich kennengelernt zu haben«, sagt er zum Abschied und versteht, warum seine Mutter diesen besonderen Menschen geliebt hat.

An der Tür dreht er sich noch einmal um. Bob kann nichts mehr sagen. Er winkt nur traurig.

Vor dem Veteranenheim überquert Tom die Straße, geht an dem National World War II Museum vorbei und überlegt, dass man eine Sonderausstellung über die Liebesgeschichten organisieren müsste, die durch diesen Krieg entstanden sind.

In deinem Herzen ist meine Heimat wäre ein guter Titel, spinnt er übermüdet und aufgekratzt.

Er beschließt, sich nicht von einem Taxi ins Hotel fahren zu lassen, geht zu Fuß weiter und lässt sich treiben, um das Leben der Stadt aufzusaugen. Doch er sieht nichts und hört nichts von diesem Paris des Südens, wie sich New Orleans seit dem 18. Jahrhundert gerne nennt, denn seine Gedanken kreisen immer wieder um die Frage, wie es sein kann, dass sein Vater von Marie wusste.

Einmal als Achtjähriger, erinnert er sich, hat er mit seinem Vater Mam in einem Sanatorium im Schwarzwald besucht. Auf der Rückfahrt nahm er allen Mut zusammen und fragte, was für eine Krankheit sie habe.

»Deine Mutter hat viel mitmachen müssen«, antwortete Konrad damals, und der kleine Thomas spürte, dass es besser war, nicht weiterzufragen, warum Pap, der schließlich selbst Arzt war, Mam nicht gesund machen konnte.

Am Mahalia-Jackson-Theater bleibt er stehen und liest auf den Plakaten, dass am Abend das Lousiana Philharmonic Orchestra Musik von David Bowie spielt. Greta und Konrad schieben sich vor die Buchstaben. Schweigend wie immer. Unter einer schweren Last. Tom kann sich nicht vorstellen, dass sie jemals über die unehelich geborene Marie gesprochen haben.

An einem Street-Food-Truck kauft er sich einen Shrimp Po-Boy. Er wischt sich die Chilitränen von den Wangen und überlegt, ob sein Vater gedacht hat, dass Greta gesund werden würde, wenn er ihr das Kind zurückbrächte. Es ist verrückt, wie wenig ich weiß, überlegt Tom. Auch über meinen Vater.

Im Stadtteil Tremé findet er sich mitten in einem Andenkenladen wieder, mit einem Voodoo-Püppchen in der Hand.

»Sie wird Ihnen Glück bringen und Sie beschützen«, meint die afroamerikanische Verkäuferin und packt das Mitbringsel mit graziösen Bewegungen ein.

»Glauben Sie daran?«

»Zu hundert Prozent«, antwortet sie und strahlt über das ganze Gesicht.

Dann hat das Püppchen mit dem bunten Federschmuck in Mams Handtasche sechsundsechzig Jahre lang versagt, denkt Tom und tippt trotz Zweifel den Zahlencode in das Kreditkartenlesegerät.

Zwei Blocks vom Hotel entfernt entdeckt er auf dem Parkplatz einer Mietwagenfirma einen elfenbeinfarbenen Chevrolet Corvette Stingray. Er beschließt, New Orleans zu verlassen – hier gibt es für ihn nichts mehr zu tun.

Tom testet die atemberaubenden Beschleunigungswerte, die ihm der Autovermieter angepriesen hat, muss jedoch bereits dreihundert Meter weiter wegen einer roten Ampel in die Eisen treten. Sein Handy klingelt.

»Wie geht es dir?«, fragt Jenny, und Tom hört im Hintergrund den kleinen Carl brabbeln.

»Gut. Ich fahr morgen nach Los Angeles. Mit dem Auto. Nirgendwo macht Autofahren mehr Spaß als auf amerikanischen Highways.«

»Ist deine Schwester in L. A.?«

»Keine Ahnung, wo sie ist. Jedenfalls weiß Bob nichts über sie.«

»Tom, es hat sich ein Mann gemeldet, der ebenfalls über Mabel Grammers Brown Baby Plan in die USA gekommen ist«, sagt Jenny. »Er ist auch auf dem Flughafenfoto und meint, sich an Marie zu erinnern.«

Toms Herz schlägt schneller. Hinter ihm hupen die Autos. Er hat nicht gesehen, dass die Ampel auf Grün umgesprungen ist, gibt Gas und fährt den Parkplatz eines Diners an. Dort wählt er die Nummer, die Jenny ihm inzwischen gemailt hat.

Nachdem sie sich vorgestellt haben und Tom weiß, dass Max Weller neunundsechzig Jahre alt ist und in St. Paul, Minnesota, lebt, sprechen sie über das Foto.

»Ich bin der Junge, der auf dem Bild neben der Nonne steht«, erzählt Max. »Ich erinnere mich, dass ich der kleinen Marie auf dem Flug vorgesungen habe, damit sie aufhört zu weinen. Ich habe alle Lieder heruntergerattert, die ich kannte. Erst bei ›Weißt du, wie viel Sternlein stehen‹ hat sie sich beruhigt.« Dann, als er alle drei Strophen gesungen hatte, fügt er mit einem kleinen Lachen hinzu, habe er wieder von vorne angefangen. Bis Marie schließlich eingeschlafen war.

Toms Herz hämmert, aber sein Mund formt sich zu einem Lächeln.

»Man hat uns Kindern vor der Landung erzählt, dass unsere Muttis uns abholen würden«, erzählt Max Weller weiter. »Dann wurden wir von unseren Adoptivmüttern in Empfang genommen. Fremde Frauen! Die kleine Marie hatte Angst und schrie: ›Eine Negerin, eine Negerin.‹ Ich fürchtete mich auch vor ihnen. Ich hatte keine Ahnung, dass ich selber schwarz war.«

»Sind Sie mit Marie zusammen in eine Familie gekommen?« Toms Gesicht zeigt null Gefühlsregung, aber er spürt, wie es in seinem Innersten explodiert.

»Ja. Dort waren auch schon zwei andere Brown Babies aus Deutschland«, meint Max, und seine Stimme wird leiser. »Wir durften untereinander nicht Deutsch sprechen. Marie, die auf den Namen Grace umgetauft wurde, war die Kleinste. Sie haben ihr die Puppe weggenommen, und sie ist sehr krank geworden. Da hat sie ihre Puppe wiederbekommen.«

Tom knibbelt an seinen Fingernägeln und hört gebannt zu, wie Max Weller von der Schulzeit berichtet, in der er als deutscher Nazi verspottet wurde.

»Wir waren die ›Krauts‹. Sind vom Regen in die Traufe gekommen«, sagt er.

»Wo ist Marie heute?«

»Ich weiß nicht, was aus ihr geworden ist. Zwei Jahre nach unserer Ankunft starb der Adoptivvater. Wir vier Kinder wurden auf neue Familien verteilt und verloren uns aus den Augen. Aber ich werde mich umhören und melde mich dann bei Ihnen.«

Noch Minuten, nachdem das Gespräch zu Ende ist, starrt Tom wie gelähmt vor sich hin. ›Weißt du, wie viel Sternlein stehen‹ hat seine Mutter ihm immer vorgesungen, wenn sie ihn ins Bett gebracht hat. Er hat dann immer auf die Zeilen »Weißt du, wie viel Mücklein spielen in der hellen Sonnenglut? Wie viel Fischlein auch sich kühlen in der hellen Wasserflut?« gewartet und ist getrost eingeschlafen, weil »Gott der Herr sie mit Namen gerufen hat, daß sie nun so fröhlich sind«.

Seit Jahrzehnten war dieses Lied verschwunden. Der Gedanke, dass seine Mutter es auch Marie vorgesungen haben könnte und es seiner kleinen Schwester deshalb Halt gab, als Max es für sie sang, berührt ihn zutiefst. Mit Tränen in den Augen nimmt Tom das Voodoo-Püppchen vom Beifahrersitz und schaut es nachdenklich an. »Jetzt zeig mal, was du kannst!« Er klemmt den Talisman hinter die Frontscheibe und sieht dahinter auf einer Häuserwand ein Grafitto: *I can't breathe*.

Tom weiß, dass dieser Satz seit 2014 landesweit das Symbol für eine Bewegung ist, die sich für die Gleichberechtigung von Schwarzen und Weißen und gegen Polizeibrutalität einsetzt. Damals wurde der Afroamerikaner Eric Garner bei seiner Festnahme in New York im Würgegriff zu Boden gestreckt. Mehrere Polizisten hielten ihn fest und drückten sein Gesicht nach unten auf den Bürgersteig. *Ich kann nicht atmen*, wiederholte er elf Mal, dann verlor er das Bewusstsein und blieb sieben Minuten auf dem Bürgersteig liegen, während die Beamten auf das Eintreffen eines Rettungswagens warteten. Eine Stunde später wurde er in einem Krankenhaus für tot erklärt.

Seine Schwester ist also in einem Land, in dem Rassenkonflikte noch immer an der Tagesordnung sind, auch unter einem Präsidenten Obama, denkt Tom. Blöd, dass ich Max nicht gefragt habe, wo genau sie damals lebten. Hoffentlich nicht in den Südstaaten, denn dort war die Rassentrennung in den Fünfzigerjahren am schlimmsten. Ihm fällt ein, dass im September 1963 in Alabama bei einem Bombenattentat des Klu-Klux-Klans auf eine Baptistenkirche vier kleine Mädchen getötet wurden. Da war Marie vierzehn Jahre alt, sagt er sich, startet den Motor und fährt zurück zu seinem Hotel.

»Hello, Mr. Monderath«, empfängt ihn der schwarze Rezeptionist mit herzlichem Lachen. »Ich hoffe, Sie haben einen schönen Tag.«

»Danke«, sagt Tom und lächelt gequält. Er schleppt sich in den Aufzug, schiebt seine Karte durch den Schlitz, lässt hinter sich die Tür ins Schloss fallen und wirft sich auf das Bett. Erschöpft und aufgekratzt zugleich schließt er die Augen und hofft, dass seine rasenden Gedanken aufhören. Vergeblich.

Marie. Marie. Marie. Er hat kein Bild von einer erwachsenen Marie im Kopf, sondern sieht das kleine Mädchen vor sich, das sich an ihn kuschelt und will, dass er ›Weißt du, wie viel Sternlein stehen‹ singt.

Seine Hände zittern. Wie lange wird es dauern, bis Max Weller sich meldet? Tom springt auf, steckt die Hände in die Hosentaschen, damit wenigstens sie Halt haben, und überlegt, ob er nicht noch einmal bei ihm anrufen soll, denn schließlich ist dieses *Ich melde mich* verdammt unverbindlich.

Er wählt die Nummer. Besetzt.

Tom geht zum Fenster. Er braucht frische Luft. Aber es lässt sich nicht öffnen. »Fuck! Nie kann man in diesem scheiß Amerika ein Fenster aufmachen, weil sie überall Klimaanlagen haben!«

Bob kommt ihm wieder in den Sinn und die Tatsache, dass sein Vater hier in New Orleans war und nach Marie gesucht hat. SEIN VATER.

Er hält es nicht mehr aus. Im Bad sammelt er seine Utensilien ein und wirft sie in die Reisetasche. Er will nur noch weg. Das

Warten ist unerträglich. Als sein Handy vibriert, zuckt er zusammen.

»Ja?«, meldet er sich. Doch es ist nicht Max Weller.

Eine Stunde später sitzt Tom frisch geduscht im Innenhof des angesagtesten Steakhouses vom French Quarter, keine hundert Meter von seinem Hotel entfernt. Er hat sein strahlendstes Lächeln aufgesetzt, den teuersten Rotwein ausgesucht und stößt mit Amy Nessenthaler an. »Cheers.«

Sie nickt stumm. »Sie haben gesagt, dass Sie mich bei meiner Doktorarbeit eventuell unterstützen könnten«, sagt sie nach einem kleinen Schluck. »Wie meinten Sie das?«

»Das war ein alter Journalistentrick. Sorry, Amy! Wie kann ich das wiedergutmachen?« Wie ein Junge, der bei einem Streich erwischt wurde, schaut er sie bedröppelt an. »Heimleiter Steward hat versucht, mich zu ignorieren, da waren Sie meine einzige Möglichkeit.«

Amy funkelt ihn mit ihren hellbraunen Augen an und schweigt.

»Ich habe so gut wie keine Ahnung vom Thema Ihrer Doktorarbeit. Sie sind mir mit Ihrem Wissen in dem Bereich haushoch überlegen.«

»Sie kennen Corporal Cooper?«, fragt sie.

Tom weiß, dass sie versucht, hinter seine Fassade zu blicken. Kurz überlegt er, ihr zu erzählen, dass Bob der Vater seiner Halbschwester ist, aber das muss sie nicht wissen, und so antwortet er wahrheitsgemäß mit »Nein« und ist froh, dass die Grilled Vegetables, die Trüffle Fries und die Steaks serviert werden. Er lobt das Essen und den Wein, wünscht ihr einen guten Appetit und sucht nach einer Taktik, wie er das Gespräch in Gang bringen könnte. »Ist wirklich ein interessantes Thema, das Sie für Ihre Doktorarbeit gewählt haben. Wie sind Sie darauf gekommen?«

»Mein Doktorvater hat es mir vorgeschlagen. ›Apartheid in Uniform‹, also die Unterdrückung afroamerikanischer Soldaten in der Army während des Zweiten Weltkriegs. Im Laufe der Recherche bin ich dann auf den Zusammenhang zwischen der Bürgerrechtsbewegung und den schwarzen Soldaten gestoßen, die in Übersee gekämpft haben. Die Männer erlebten in Europa eine ungeheure Freiheit. Nach ihrer Rückkehr lehnten sie sich gegen die Unterdrückung auf und wurden ein starker Motor im Civil Rights Movement. Das hat mich so fasziniert, dass ich es schließlich zu meinem Schwerpunkt gemacht habe.«

Tom sieht Amy reden, aber hört ihre Worte nicht, denkt an die afrodeutschen Kinder, an »Vom Regen in die Traufe«, an Marie.

»Hören Sie mir überhaupt zu?«, fragt Amy schließlich.

»Sicher!«, sagt Tom und füllt sein Glas.

»Und worüber habe ich gesprochen?«

»Sie wollten wissen, wie ich Ihre Doktorarbeit unterstützen könnte.«

Amy schaut ihn fassungslos an, legt ihre Serviette zur Seite und greift nach der Handtasche, die über der Lehne hängt.

Fuck, denkt Tom und weiß, dass er sich schnell etwas einfallen lassen muss, um diesen Abend noch zu retten. »Mir ist im Veteranenheim etwas an Ihrer Fragetechnik aufgefallen, Amy.«

»Was?«

»Wenn Sie mehr über die Menschen erfahren wollen, sollten Sie offen fragen, sonst besteht die Gefahr, dass Sie lediglich Ja- oder Nein-Antworten bekommen.« Er schaut ihr tief in die Augen und registriert, dass ihre Pupillen sich weiten. »Also, wenn ich jetzt zum Beispiel mehr über Sie erfahren wollte, dann kann ich fragen: Ihr Familienname klingt deutsch?«

»Ja«, gibt sie ihm zur Antwort.

»Und?«

»Was und?«

»Wenn ich will, dass Sie mir mehr erzählen, muss ich anders fragen. Zum Beispiel: Wer war dieser erste Nessenthaler, der von Deutschland nach Amerika kam?«

Amy hängt ihre Handtasche wieder zurück, nippt an ihrem Wein und grinst. »Das wollen Sie nicht wissen!«

Situation gerettet, denkt Tom und bewundert ihre Grübchen. Sie sieht süß aus, wenn sie lächelt. Laut sagt er: »Klar will ich das. Wissen Sie, wie er hieß??« Er schenkt ihr nach.

»Sein Name war Johann Philipp. Er war mein Ururgroßvater«, sagt sie und nestelt an ihrer Serviette.

»Dann könnte er gegen Ende des 19. Jahrhunderts aus Deutschland ausgewandert sein«, sagt Tom.

Amy nickt. »Er hat sich in New York als Werkzeugmacher mit der Herstellung von Luftpumpen einen Namen gemacht.« Sie stockt und greift erneut nach dem Glas.

Tom schaut sie erwartungsvoll an.

»Das ist die Geschichte. Damit hat er Geld gemacht.«

»Okay«, sagt Tom. »Und warum sollte ich das nicht wissen wollen? Luftpumpen sind doch eine wunderbare Sache.«

»Hören Sie auf, Tom.« Amy lacht. »Sie wissen doch alles. Sie haben es bestimmt gegoogelt.«

»Was? Den Johann Philipp kann man also googeln. Dann muss er ja berühmt sein.«

»Ist das jetzt eine offene Frage?«, fragt sie mit gespieltem Ernst.

Tom grinst. Eins zu null, Sweetie. Er sieht, wie sie einen Tropfen Wein von ihren Lippen leckt. »Hat er vielleicht etwas erfunden?«

Amy nickt.

Er lässt sich auf das Spielchen ein. »Ist das, was er erfunden hat, häufig verkauft worden?«

Amy nickt ein weiteres Mal und verzieht keine Miene.

»Kann man das, was er erfunden hat, heute noch gebrauchen?«

Sie wiegt den Kopf von rechts nach links und will damit ein *Kann schon sein* andeuten.

»Kann ich das brauchen?«

Sie schaut ihn frech an und sagt: »Ich hoffe nicht.«

Tom hat keine Idee, was er noch fragen könnte. »Gut, Amy. Sie haben gewonnen. Was muss ich tun, damit Sie es mir verraten?«

»Sie dürfen nicht lachen!«

»Versprochen. Ich werde Ihnen absolut ernst zuhören. Egal, was es ist.«

»Also, er, also mein Ururgroßvater, besagter Johann Philipp, hat sich auf *Handluftpumpen zur Selbstmassage des Penis* spezialisiert und impotenten Männern zu einer Erektion verholfen.«

»Interessant«, sagt Tom, versucht, sich das Gerät vorzustellen, und versucht vor allen Dingen alles, damit seine Gesichtsmuskeln nicht entgleisen.

Amy setzt ihre Exkursion in Sachen Familiengeschichte fort und lässt ihn dabei nicht aus den Augen. »Seit diesem wirtschaftlichen Erfolg haben die Nessenthalers ihre gesamte Energie gebündelt und ausschließlich für die Wiederherstellung des Phallus gearbeitet – jedoch nicht mehr als Handwerker, sondern als Urologen.«

Tom nickt und konzentriert sich auf den Punkt zwischen Amys Augenbrauen, vermeidet, ihr direkt in die Augen zu blicken, sonst wäre er verloren.

»Urgroßvater John verfeinerte die Penispumpe, sein Sohn John Jacob war maßgeblich an der Entwicklung von Penisprothesen beteiligt«, sagt Amy und fixiert ihn.

»Interessant«, sagt Tom und denkt: Du kleines Biest! Er zuckt mit keiner Wimper.

Der Kellner fragt, ob sie einen Nachtisch wollen. Synchron schütteln sie den Kopf.

Amy erzählt weiter, dass ihr Vater, der international anerkannte Prof. Dr. John P. Nessenthaler, zusammen mit seiner Ehefrau Dr. Claire Muller Nessenthaler innovative Schwellkörperimplantate entwickelte. Das John Nessenthaler Memorial Hospital in Chicago, eine Spezialklinik für erektile Dysfunktion – ein Geheimtipp für betroffene Männer aus dem gesamten Land –, war zu hundert Prozent in Familienbesitz. »Meine gesamte Erziehung hatte nur ein Ziel«, sagt Amy. »Ich sollte als einziges Kind das erfolgreiche Potenzzentrum einmal übernehmen.«

»Und das, obwohl Sie sich dafür nicht interessieren. Für Penisse, meine ich«, sagt Tom ernst.

»Das würde ich so nicht sagen«, antwortet Amy süffisant.

Fünfzehn Minuten später reißen sie sich in Toms Hotelzimmer die Kleider vom Leib, und er stellt unter Beweis, dass die Nessenthalers an ihm nichts verdienen können.

Tom weiß nicht, wie lange er neben Amy geschlafen hat, aber als er aufwacht, ist sofort alles wieder da. Er schält sich aus der Umarmung, zieht seine auf dem Boden liegende Jeans heran und fingert nach seinem Handy.

Keine Nachricht von Max Weller. Dafür eine WhatsApp von Jenny.

Wir drücken dir die Daumen, dass du Marie bald findest, schreibt sie und hat ein Foto von sich mit Carl auf dem Schoß angehängt.

»Alles okay mit dir?«, fragt Amy und schnurrt sich an ihn ran.

»Bob Cooper ist der Vater meiner Schwester«, platzt es aus ihm heraus.

Amy reagiert nicht. Nach einer Weile sagt sie verschlafen: »Ich wusste nicht, dass er Kinder hat. Der Heimleiter hat mir erzählt, dass es keine Familienangehörigen gibt.«

»Ich wusste auch nicht, dass ich eine Schwester habe«, sagt Tom.

Amy setzt sich auf und reibt sich den Schlaf aus den Augen. »Und wo ist sie?«

»Keine Ahnung. Irgendwo in Amerika.«

»Bist du deshalb hier?«

Tom nickt.

Sie ziehen sich an, sind sich seltsam fremd und gleichzeitig vertraut. So wie im Zug, denkt Tom und erzählt Amy von Max Weller und dem Brown Baby Plan. Als er ihr etwas über die Frau sagen will, die diese Adoptionen ins Leben gerufen hat, unterbricht sie ihn.

»Mabel Grammer?«

»Ja. Weißt du etwas über sie?«

»Ich habe den Film gesehen. ›Brown Babies – The Mischlingskinder Story‹, den Regina Griffin vor sechs Jahren gedreht hat.«

Weil Tom noch nie etwas von diesem Film gehört hat, sucht Amy ihn auf ihrem Smartphone. Auf YouTube gibt es lediglich einen Ausschnitt aus einer TV-Show, in der die Regisseurin und eine der Protagonistinnen interviewt werden. Die bekannte amerikanische Moderatorin Doris McMillon, die selbst als Brown Baby nach Amerika kam, erzählt: »Wir wurden von zwei Ländern abgelehnt. Deutschland wollte uns nicht, und Amerika wollte uns auch nicht.«

Tom hört kaum zu, was die beiden Frauen sagen, denn im Hintergrund werden eine Unzahl von Gesichtern jener Menschen, deren Geschichte in diesem Film erzählt werden, eingeblendet. Atemlos denkt er bei jeder Frau: Ist das Marie?

»Ich muss diese Doku sehen«, sagt er entschieden.

Nach drei Stunden hat Amy endlich jemanden aus ihrem Kommilitonenkreis ausfindig gemacht, der den Film auf seiner Festplatte hat. Sie ruft Tom von der Uni aus an und sagt, wo er ihn herunterladen kann.

»Danke«, sagt er. »Und viel Glück bei deiner Doktorarbeit.«

Er setzt sich auf sein Bett und sieht als Erstes ein Interview mit Lisa Hein Dixon, deren Mutter aus Breslau kam und kurz nach Kriegsende von drei Amerikanern vergewaltigt worden war.

»Niemand wollte mich haben«, sagt sie mit starkem deutschen Akzent. »Ich kam zu Pflegeeltern. Die Familie hatte noch zwei Jungs, die waren älter. Als ich heranwuchs, galten schwarze Mädchen als promiskuitiv. Es war sicherer, mich in ein Waisenhaus zu geben. Das wurde nicht mit mir besprochen. Ich sah keinen Koffer. Nichts. Bis es Zeit war, zum Bahnhof zu gehen. Ich war zehn Jahre alt, saß alleine im Zug Richtung Waisenhaus und dachte, was habe ich getan?«

Kopfschüttelnd spult Tom vor, bis er endlich auf den Namen Mabel Grammer stößt, die 1950 in Mannheim ein Waisenhaus in der Nähe der Militärbasis besuchte, wo viele schwarze Kinder abgegeben wurden.

»Sie war eine hellhäutige schwarze Frau«, erklärt dazu die amerikanische Historikerin Heide Fehrenbach. »Die Kinder sind auf sie zugestürmt und riefen: ›Mama, Mama.‹«

Peter Grammer war eines dieser Kinder. Im Film ist er Mitte sechzig und erzählt, wie er sich noch heute an den Tag erinnert, an dem er adoptiert wurde und zum ersten Mal in seinem Leben das Waisenhaus verließ. Mabel und ihr Mann Oscar, ein Offizier der US Army, haben erst ihn und danach Rosa und Vera adoptiert, die er aus dem Heim kannte. Später kamen Eugenia, Carmen, Oscar jr., Mac, James, Owen, Nadja und Edward dazu, und sie lebten zu zwölft in der Mannheimer Arndtstraße 7.

Um so viele Kinder wie möglich aus den Heimen zu holen und ihnen außerhalb von Deutschland zu einer besseren Zukunft zu verhelfen, entschloss sich Mabel schließlich, nach afroamerikanischen Familien Ausschau zu halten, die bereit waren, schwarze Heimkinder aufzunehmen. Sie fotografierte die Kinder, ließ ihre Bilder in afroamerikanischen Magazinen veröffentlichen und beschrieb Schritt für Schritt, wie man sie adoptieren könnte.

Die deutschen Offiziellen schienen gerne mit ihr zu arbeiten, behauptet Heide Fehrenbach, weil sie fühlten, dass ihre Lösung für das Problem mit den schwarzen Besatzerkindern eine gute sei.

In manchen Fällen konnten die Verantwortlichen der Jugendämter die Familien treffen, weil diese in Deutschland stationiert waren. Für diejenigen hingegen, die in den USA lebten, fand Grammer eine legale Lücke, die das Adoptionsverfahren von Jahren auf Monate beschleunigte. Dank dieser Methode erhielten Familien die Adoptionserlaubnis für die Heimkinder von ausländischen Gerichten. Mabel Grammer vertrat mit ihrer One-Woman-Adoptionsagentur die Familien in Deutschland. Im Gegenzug mussten jene in Amerika beweisen, dass sie die Voraussetzungen erfüllten, ein Kind adoptieren zu können. Darüber hinaus verhandelte die Offiziersgattin mit Scandinavian Airlines, die Kinder kostenlos von Deutschland nach New York zu transportieren.

Aber nicht alle hatten so ein Glück mit ihrer Familie wie Peter Grammer. Tom hält den Atem an, als er die Geschichte von Dan Cardwell hört. Die afroamerikanische Farmerfamilie, in die er kam, adoptierte insgesamt fünf deutsche Brown Babys. Das Leben auf der Einhundert-Hektar-Farm in Süd-Maryland war für ihn nicht viel anders als im Waisenhaus.

»Es gab nicht eine wirkliche Verbindung zwischen uns«, sagt

Dan im Interview. »Wenn ich meine Mutter fragte, wie ich hierhergekommen sei, antwortete sie: ›Das brauchst du nicht zu wissen.‹«

Auch seine Adoptivschwester Sonja erzählt, dass die Adoption das Schlimmste war, was ihr in ihrem Leben hätte passieren können: »Es gab kein Bett für jeden. Ich schlief auf einer Matratze auf dem Boden.«

»Wir arbeiteten von morgens bis nachts«, fügt Dan hinzu. »Wir standen auf, gingen sofort in die Scheune, mussten Hühner füttern und Eier einsammeln. Da gab es dreißigtausend Hühner. Es dauerte nicht lange, bis wir erkannten, dass wir Farmarbeiter waren. Wir wurden deshalb adoptiert.«

O Gott, denkt Tom und saugt den Kommentar auf, dass der internationale Socialservice sich beschwerte, dass die Familien nicht ausführlich genug untersucht und befragt worden seien.

Gegen Ende des Filmes sagt Heide Fehrenbach: »Keiner sah die Kinder als Individuen. Keiner sah, was sie brauchten. Sie wurden als Gruppe behandelt, in den USA und in Deutschland, und am Ende mussten sie den Preis bezahlen. Die Frau, die für diese Kinder das Beste tat, was sie allein tun konnte, während Armeen und Staaten nichts taten, war Mabel Grammer.«

Dafür erhielten sie und ihr Mann 1968 den Humanitätspreis von Papst Paul VI., erfährt Tom. Dann folgt der Abspann, und er hat keine Marie entdeckt. Auch keine Grace.

Wieder ruft er Max Weller an. Und wieder ist die Nummer besetzt.

Mach dich nicht verrückt, Idiot, denkt Tom und beruhigt sich mit den Gedanken, dass von den dreihundertfünfzig Kindern, die Mabel Grammer vermittelt hat, sicherlich viele in gute Familien gekommen waren. Und vielleicht wurde Marie ja auch gefördert wie Doris McMillon und hat ebenso Karriere gemacht.

Er bezahlt das Hotel, wirft seine Reisetasche auf den Rücksitz des Cabriolets, drückt den Startknopf und legt den Rückwärtsgang ein. In vier Tagen will er in L. A. sein. Fünfhundert Meilen am Tag zu fahren ist allemal besser, als hier rumzusitzen und zu warten. Sein Telefon klingelt. Es ist Max Weller. Tom macht den Motor wieder aus und grinst das Voodoo-Püppchen an.

»Schön, dass Sie sich melden, Max.«

»Ich habe leider keine gute Nachricht, Tom.«

»Warum? Haben Sie sie nicht finden können?«

»Das ist es nicht. Marie ist von uns gegangen, hat mir Ava vom Afro-German Tea Room in Louisville erzählt.«

Tom spürt, wie das Blut in seinen Adern gefriert.

»Wie? Von uns gegangen?«, wiederholt er langsam.

»Sie soll Leukämie gehabt haben. Schon als Jugendliche ...«

Ziellos rast Tom durch die Stadt und findet sich plötzlich auf dem Lake Pontchartrain Causeway, der die Lagune im Mississippi-Delta als längste Brücke der USA überspannt. Der Himmel verdunkelt sich. Er schließt das Deck des Chevrolets, fährt wie der Teufel weiter und hat keinen anderen Gedanken mehr als den, dass Marie in Amerika durch die Hölle gegangen ist. Der Schmerz darüber, dass er sie verloren hat, bevor er sie überhaupt kennenlernen konnte, brennt in seiner Brust.

»Du bist ein Arschloch, Gott!«, schreit er, öffnet das Fenster und wirft die Voodoo-Puppe hinaus.

Die Scheibenwischer können die gewaltigen Wassermengen nicht wegschieben, die der plötzlich einsetzende tropische Regen freigibt. Nach zwölf Meilen, mitten auf dem See, ist die Straße überschwemmt, die Reifen verlieren die Haftung, der Wagen gerät aus der Spur. Nur mit geschicktem Gegenlenken kann Tom verhindern, dass er von der Brücke abkommt.

Er lässt das Auto ausrollen. Seine Augen sind weit aufgerissen, der Puls rast, er zittert am ganzen Körper, friert, obwohl es neunundzwanzig Grad warm ist.

»Was machst du da?«, fragt er sich entsetzt, ist völlig handlungsunfähig.

Erst als der Regen aufhört und es wieder hell wird, rollt er in gemäßigtem Tempo weiter. Wenden kann er eh nicht. Auf dem Nordufer folgt er den Schildern nach New Orleans, landet auf der Parallelbrücke und fährt die achtunddreißig Kilometer zurück.

Im Hotel ist sein altes Zimmer noch frei. Tom läßt sich vom Roomservice eine Flasche Whiskey bringen und recherchiert vom Bett aus, wann der nächste Flug nach Deutschland geht. Im Fernsehen läuft auf CNN die Ankündigung, dass Senator Bernie Sanders und die in New Yorker Umfragen führende demokratische Spitzenreiterin Hillary Clinton sich am Abend zu einer letzten Debatte treffen werden. Er bucht sich auf die erste Maschine am kommenden Morgen, hört Satzfetzen aus früheren Reden der Präsidentschaftskandidaten und kann nur mit Mühe seine Augen offen halten. Er ist zu müde, das Glas Whiskey zu leeren, das er sich eingeschenkt hat, und als sein Kopf zur Seite kippt, denkt er, dass er keine Schwester mehr hat.

Ein Telefonklingeln reißt ihn aus dem Halbschlaf.

»Ja?«, fragt er und reibt sich die Augen.

»Hier spricht Sergeant Steward«, hört er die Stimme am anderen Ende der Leitung. »Corporal Cooper bat mich, Sie anzurufen. Kann ich Sie mit ihm verbinden?«

»Sicher.«

Es folgt Geraschel und Husten. Dann ist Bob am Apparat. »Ich komme mit dir nach Deutschland. Ich muss Gretchen sehen.«

Tom ist schlagartig wach.

Eine halbe Stunde später kommt er im Veteranenheim an, entschlossen, Cooper diese Idee auszureden. Weder denkt er, dass Bob diese Reise in seinem Alter schafft, noch, dass die Begegnung seiner Mutter guttun würde. Schon von Weitem hört Tom Bobs Stimme und sieht ihn durch die offene Tür im Heimleiterbüro, umringt von Steward, einer Sozialarbeiterin und einem Mann, der dem Kittel nach der Heimarzt sein muss.

»Was meinen Sie, was ich schon alles ausgehalten habe in meinem Leben?«, fragt Bob gerade wütend. »Ich bin auf einer Nussschale über den Ärmelkanal gefahren, habe die Ardennenschlacht überlebt und in Korea die Schlacht am Chongchon. Und jetzt soll ich mich nicht in eine gemütliche Passagiermaschine setzen dürfen?«

»Ich kann ja verstehen, dass Sie noch einmal verreisen wollen«, meint die Sozialarbeiterin in einem Tonfall, der vermuten lässt, dass sie an Bobs Verstand zweifelt.

Validation ist hier also auch ein Begriff, denkt Tom und beobachtet die Szenerie aus sicherem Abstand.

»Mr. Cooper, Sie sind fast neunzig Jahre alt«, wendet der Arzt nun ein.

»Na und?«, sagt Bob. »Die älteste Frau der Welt ist hundertzweiundzwanzig Jahre alt geworden. Da habe ich noch locker dreißig Jahre vor mir. Und die will ich nicht damit verbringen, dass ich schon mal übe, auf dem Friedhof zu liegen!«

Tom kann sich ein Schmunzeln nicht verkneifen. Und merkt, dass er seine Meinung geändert hat. Mit einem »Hallo« betritt er das Büro.

»Na endlich«, begrüßt ihn Bob mit funkelnden Augen.

Tom bittet darum, mit Corporal Cooper unter vier Augen sprechen zu dürfen, nimmt einen Stuhl und setzt sich vor ihn. »Bob, ich weiß nicht, ob das eine gute Idee ist.«

»Ich habe bereits alle Argumente gehört, Tom.«

»Nein, nicht alle. Meine Mutter wird dich vielleicht gar nicht erkennen.«

»Warum?«

»Sie hat Alzheimer.«

Das Funkeln in Bobs Augen ist erloschen.

»Sie kann sich an jedes Detail ihrer Kindheit erinnern, aber nicht daran, was sie am Morgen zum Frühstück gegessen hat.«

Bob vergräbt das Gesicht in seinen Händen.

Tom schielt auf die Uhr. In Köln ist es jetzt 12:30 Uhr. Er schreibt Jenny eine Textnachricht: Bob will mit mir nach Deutschland kommen. Was denkst du darüber? Geht das deiner Erfahrung nach gut?

Zwanzig Sekunden danach kommt ihre Antwort: MEGA!!!!!!!!!!!!!!

Bob räuspert sich und richtet sich auf. »Ich muss Gretchen sehen. Ohne dich schaffe ich das nicht.«

Keine vierundzwanzig Stunden später steht Tom mit dem geschniegelten und gebügelten Bob im Duty-free-Shop des Louis Armstrong Airports und wundert sich, dass sein Reisebegleiter den gesamten Schokoladenvorrat aufzukaufen scheint.

»Du weißt schon, dass es im Flieger etwas zu essen gibt.«

»Das ist alles für Gretchen. Hershey's, danach war sie schon früher verrückt.«

Im Airbus begrüßt die Flugbegleiterin beide mit ihren Namen und führt sie in die Businessclass.

»Hier setze ich mich nicht hin«, sagt Bob laut und empört. »Das ist doch viel zu teuer.«

»Mach dir keinen Kopf. Das geht auf mein Meilenkonto.«

»Ich hab dir gesagt, dass ich meine Reise selbst bezahle. So geht das nicht!«

Tom sieht die pikierten Blicke der vorwiegend männlichen

Mitreisenden. Alle sind weiß. Alle haben offensichtlich den gleichen Modeberater wie er selbst.

»Wir sind ausgebucht, Mr. Cooper«, kommt die Flugbegleiterin zu Hilfe und wirft Tom einen flirtigen Blick zu.

Umständlich lässt Bob sich versichern, dass Tom das Ticket keinen Cent gekostet hat, dann trinkt er seinen Begrüßungschampagner in einem Zug aus.

Auf den zweieinhalb Stunden bis Washington versucht Tom, die ›New York Times‹ zu lesen, aber er schafft nicht einmal den Artikel über den Tod von Prince, denn neben ihm ist Bob mit der Technik beschäftigt. Er drückt alle Knöpfe, lässt den Sitz in die Relaxposition fahren und probiert schließlich die Full-Flat-Liegeposition aus.

»Wie komme ich wieder hoch?«, ruft er hilflos – und viel zu laut.

Die Flugbegleiterin zeigt ihm den entsprechenden Knopf, und Bobs Körper wird sanft in die Sitzposition gefahren.

»Verrückte Welt!« Der alte Mann ist beeindruckt. Auch vom Gourmetessen. »Diesen Koch hier sollten sie mal im Veteranenheim vorbeischicken.«

Tom versucht, die Blicke der Mitreisenden zu ignorieren, setzt sich die Kopfhörer auf und wählt einen Spielfilm aus, der auch Cooper unterhalten könnte.

Während Matt Damon auf dem Mars um sein Überleben kämpft, kommt Bob an die mehrstufige Massagefunktionstaste. Wellenförmig bewegt sich erst das Rückteil, dann der Sitz unter seinem Hintern. »Hilfe!«, schreit er entsetzt.

Tom sucht in den Tiefen seines Gedächtnisses nach Rosenkranzgebeten und könnte sich in den Hintern treten, dass er sich auf dieses Himmelfahrtskommando eingelassen hat.

Nach einem kurzen Stopp in Washington fliegen die beiden weiter Richtung Frankfurt. Das Kabinenlicht wird gelöscht. Bob kann nicht schlafen und blickt hinaus in die mondlose Nacht über dem Atlantik.

»Weißt du, was das erste Wort war, das ich von deiner Mutter gehört habe?«, fragt er Tom, als nach sieben Stunden das Frühstück serviert wird.

»Was?«

»Aschloch«, sagt Bob.

»Ich habe schon immer an den unzerstörbaren Kern einer Persönlichkeit geglaubt«, antwortet Tom schmunzelnd. »Das ist der Beweis.«

Am 23. April 2016 betritt Bob am Frankfurter Flughafen endlich wieder deutschen Boden. Die elektrische Schiebetür öffnet sich und gibt wie ein Vorhang den Blick auf die Empfangshalle frei. Tom schiebt neben Bob den Gepäckwagen und sucht das Hinweisschild für den Taxistand.

»Tom!«

Überrascht schaut er sich um und sieht Jenny, die mit dem kleinen Carl auf dem Arm hinter der Glasabsperrung winkt.

»Was machst du denn hier?«, will er wissen.

»Ich war zu neugierig.« Sie umarmt Bob. »Herzlich willkommen in Deutschland!«

»Guten Tag, wie geht es Ihnen?«, fragt der betagte Amerikaner in feinstem Deutsch.

»Fantastisch«, antwortet Jenny. »Das ist so wunderbar, dass Sie hier sind. Unglaublich, dass das geklappt hat!«

Bob streift Carl mit der Rückseite des Zeigefingers über die Wange. Der Kleine schaut den ersten Schwarzen in seinem Leben mit weit aufgerissenen Augen an.

Jenny schlägt vor, dass sie alleine den Wagen aus der Parketage holt, und drückt Tom ihr Söhnchen in die Hand.

»Nimm ihn, dann bin ich schneller wieder hier.«

»Deine Familie?«, fragt Bob und schaut, wie sie davonflitzt.

»Nein, nein. Jenny ist meine Kollegin. Sie hat dich gefunden.« Tom wiegt Carl auf dem Arm sanft hin und her und tätschelt ihm den Rücken. »Ist doch so, Chef, oder?«

Er wäre gerne gefahren, aber Jenny lässt nicht mit sich diskutieren und meint, dass er sich nach der langen Reise erholen soll. Tom kann es nicht leiden, wenn andere zu wissen meinen, was gut für ihn ist, und quetscht sich neben Carl hinter den Fahrersitz. Sie gibt Gas, und der Kleine in der Babyschale saugt mit Staunen die Welt auf, die an ihm vorbeirast.

»Wie lange ist das genau her, dass Sie das letzte Mal in Deutschland waren?«, fragt sie Bob, der neben ihr sitzt und nicht weniger staunt.

»Über zweiundsechzig Jahre«, antwortet er und schiebt hinterher: »Gretchen habe ich seit zweiundsechzig Jahren, einem Monat und zwölf Tagen nicht mehr gesehen.«

Er hat jeden Tag gezählt, denkt Tom und kann es kaum fassen. Und jeden Tag an meine Mam gedacht.

Carl hat sich an dem Geschehen vor dem Fenster sattgesehen und schaut nun wie hypnotisiert Tom an. Mit dem rechten Händchen umschließt er seinen riesigen Zeigefinger und nuckelt dazu im Akkord am Schnuller.

»Wow!«, entfährt es Jenny in lupenreinem Südstaatenslang. »Die Welt hat sich seitdem ganz schön verändert, was?«

»Allerdings«, meint Bob. »Kommen Sie auch aus den Staaten?«

»Nein, ich stamme hier aus der Nähe von Frankfurt. Aber als Kind und Jugendliche habe ich einige Zeit dort gelebt. Ein Jahr davon in Louisiana. Mein amerikanischer Stiefvater war dort stationiert.«

Tom sieht im Rückspiegel Jennys grüne Augen, die sie mit einem schwarzen Kajalstift betont hat, und hört ihr zu, wie sie von ihrem Leben in einer Militärfamilie erzählt. Schließlich fragt sie Bob, ob er in den USA eine Familie gegründet hat.

»Ich habe es versucht. Aber es ist mir nicht wirklich gelungen.«

»Haben Sie Kinder? Ich meine, außer Marie?«

Cooper schüttelt den Kopf und schaut aus dem Fenster auf den vorbeifliegenden Westerwald.

Tom erschrickt, weil Jenny nach Marie fragt. Er hat ganz vergessen, ihr zu sagen, dass sie tot ist. Soll er es Bob sagen? Oder seiner Mam? Im Seitenspiegel betrachtet er Bobs ernstes Gesicht und denkt daran, dass sie beide um ihre Liebe betrogen wurden. Auch auf ihr Kind haben sie ihr Leben lang verzichten müssen. Jetzt sollen sie wenigstens einander haben, sofern das geht, überlegt er und beschließt zu schweigen.

»Ich habe Bob ein Hotel besorgt, Tom«, unterbricht Jenny seine Gedanken und biegt von der Autobahn ab. »Ganz in der Nähe deiner Mutter. Sollen wir da zuerst hinfahren?«

Tom beugt sich nach vorne, ohne sich aus Carls Umklammerung zu lösen. »Was meinst du Bob?«

»Ich will erst einmal mein Gretchen sehen.«

In Köln-Porz parkt Jenny vor dem Haus am Rhein. Tom hilft Bob aus dem Wagen und winkt Helga zu, die er noch von New Orleans aus telefonisch vorbereitet und die vom Küchenfenster aus alles im Blick hat.

»Willst du mit hochkommen, Jenny?«, fragt Tom.

»Supergerne!« Sie hebt ihren Kleinen aus dem Maxi-Cosi, und leise, damit Bob es nicht hören kann, erzählt Tom ihr die traurige Nachricht und bittet sie, kein Wort über Marie zu verlieren. Jenny nickt.

Auf dem Weg über den Parkplatz stolpert Bob über seine Füße. Tom fängt ihn auf, spürt das Zittern des alten Mannes und hofft, dass er nicht enttäuscht sein wird.

»Das wird«, sagt er aufmunternd, nimmt ihn am Arm und führt ihn ins Haus.

Der Aufzug ruckelt sie in die erste Etage, in der das Geländer und die Wohnungstür zur Feier des Tages mit deutschen und amerikanischen Papierfähnchen geschmückt sind. Tom klopft leise an.

Sekunden später öffnet Helga die Tür.

»Hello!«, begrüßt sie Bob mit verhaltener Stimme auf Englisch und flüstert zu Tom: »Ich hab sie schön parat gemacht. Ich hab nix verraten. Sie ist im Wohnzimmer.«

Tom geht alleine vor und findet seine Mutter flott frisiert in ihrer blumigen Lieblingsbluse und mit einer Perlenkette um den Hals auf dem Sofa sitzen. Sie blättert in einer Zeitschrift.

»Hallo, Mam.« Er gibt ihr ein Küsschen auf die Wange.

»Hallo«, sagt Greta, ohne aufzublicken.

»Ich bin wieder zurück aus Amerika. Schau mal, wen ich mitgebracht habe.«

Neugierig blickt Greta auf und schaut den großen schwarzen, weißhaarigen Mann an, der mit einer Duty-free-Tüte in der Hand in der Tür steht. Sein breiter Mund lächelt sie an.

»Guten Tag, Gretchen …« Bobs sonore Stimme kippt.

Greta lässt die Zeitschrift fallen, hält Maulaffen feil und bekommt keinen Ton heraus.

Bob gibt sich einen Ruck, geht auf sie zu und kramt in seiner Tüte. »Ich hab something for dich«, sagt er auf Deutsch und setzt sich neben sie.

Greta reißt die Packung auf, bricht ein großes Stück ab und stopft es sich in den Mund. »Schokolade!« Sie strahlt wie ein Kind.

»Gretchen, meine Gretchendarling«, sagt Bob und schaut sie mit Tränen in den Augen an.

Schmatzend wiederholt Greta »Gretchendarling« und schiebt sich ein weiteres Stück in den Mund.

»Mam, weißt du, wer das ist?«, fragt Tom. Im nächsten Moment könnte er sich auf die Zunge beißen, denn seit der Diagnose Demenz hat er sich vorgenommen, nichts mehr abzufragen, um sich zu vergewissern, inwieweit sie noch Teil der Realität ist.

»Du kannst aber dumm fragen!«, gibt Greta nichtsdestotrotz zur Antwort, leckt sich die Finger ab und reißt eine zweite Packung auf.

Ihre lebenslang eingeübten Floskeln passen irgendwie immer, denkt Tom.

»I'm making believe that you're in my arms, though I know you're so far away …«, beginnt Bob zu singen.

Greta hört auf zu kauen. Verdutzt starrt sie ihn an.

»Tust du erinnern, Gretchen? Das war unsere Song«, hört Greta den alten Mann fragen. »Making believe is just another way of dreaming, so till my dreams come true …«

Er schaut mich an, als müsste ich ihn kennen, denkt sie und weiß, dass sein Gesicht sie an etwas erinnert, was wichtig war. Das weiß sie. Und weiß es nicht. In ihrem Mund schmilzt die Schokolade.

Warum schauen sie jetzt alle so ich verstehe das nicht wo kommen sie denn alle her und warum schauen sie denn jetzt so ich verstehe das nicht

»Meine Gretchen«, sagt plötzlich der alte Mann neben ihr.

Greta schaut ihn suchend an. Ich verstehe das nicht.

»Mam, das ist Bob. Ich habe ihn aus Amerika mitgebracht«, sagt Opa.

»Aus Amerika?«, fragt Greta. »Ich verstehe das nicht.«

»It's all right, Gretchen«, sagt der Alte und summt das Lied und riecht wie Bobby. Greta denkt FOREVER und hört ihn singen und taucht ins Gestern. Ins Ich-liebe-dich. Ist Gretchen, sieht ihren lachenden Bobby, sitzt neben ihm im Jeep, spürt den Fahrtwind in ihrem Gesicht und rast mit ihm parallel zum Neckar.

Ihre Gedanken und Gefühle sind wie das hölzerne Baumaterial einer Almhütte, die hoch in den Alpen von einer Lawine zerschmettert und ins Tal gerissen, von Schneeschmelzen und heftigen Sommerregen Jahr für Jahr weiter in Gebirgsbäche gespült, in Flüsschen davongetragen wird und schließlich im Rhein landet. Dort wird es von Strudeln in die Tiefe gesogen, taucht wieder auf, verkantet sich, bleibt an der Kette einer Schiffsanlegestelle hängen – bis die nächste Welle es befreit.

Gretchen wälzt sich mit Bobby auf dem weichen Waldboden, geschützt unter dem dichten Blätterdach der Buchen.

Es ist ein schöner Tag und ich muss heim ich will gar nicht mehr heim und Bobby lacht und Bobby hat es Opa versprochen und will nicht heim und wir fahren gar nicht mehr heim und Bobby hat frei und es ist ein schöner Tag und Bobby hat frei und seine Fingerspitzen streicheln meinen Rücken und ein schöner Tag mit Fingerspitzen und er will nicht heim und Bobbys Haut schmeckt nach Salz und Bobby sagt er hat es Opa versprochen nach Salz und es ist ein schöner Tag und ich will nicht heim

Gretchen fühlt sich geborgen. Und sicher. Sie ist glücklich. Greta auch.

Jenny steht neben Tom und Helga in der Tür. Sie gibt ihm Carl auf den Arm, zückt ihr Smartphone und fotografiert, wie Bob Greta im Arm hält und sie im Rhythmus der Musik sanft wiegt.

»Bobby«, flüstert Greta mit einer mädchenhaften Stimme und lehnt ihren Kopf an seine Schulter.

Tom kann seine Tränen nicht zurückhalten. Jenny greift nach seiner Hand und drückt sie. Er schaut sie an und flüstert: »Wahnsinn!«

Der kleine Carl strampelt mit Ärmchen und Beinchen, jauchzt vor Vergnügen und lacht ihn an.

Greta reißt die Augen auf, sieht das Baby, springt auf und klatscht in die Hände. »Ja, wen haben wir denn da?«, fragt sie mit übertriebener Betonung und hoher Stimme.

»Das ist Carl, Mam. Und das ist Jenny, seine Mutter«, sagt Tom und putzt sich die Nase.

Greta beachtet Jenny nicht. Sie hat nur Augen für das Kind. »Du bist ja ein herziges Bobbele.«

»Wie wäre es mit Kaffeetrinken?«, fragt Helga dazwischen. »Sie haben doch bestimmt Hunger, Mr. Bob, nach so einer langen Reise.«

Alle setzen sich an den feierlich gedeckten Tisch, und Helga verteilt den aufgetauten Premium-Kuchen von Deutschlands größtem Konditor.

»Das ist Schwarzwälder Kirschtorte, Mr. Bob. Haben Sie die in Amerika auch?«

»Nein«, sagt er voller Vorfreude. »Isch haben geträumt von diese Kuchen since 1950.«

Greta sitzt neben ihm, schaufelt die Torte in sich hinein und hat nur Augen für das Baby auf dem Schoß seiner Mutter. Noch bevor sie die erste Gabel in den Mund gesteckt hat, fängt Carl an zu schreien.

»Was hat das arme Schätzchen denn?«, will sie wissen.

»Ich denke, Hunger.« Jenny steht auf, holt aus ihrer Tasche ein Fläschchen und fragt, ob sie das in der Küche warm machen kann.

»Klar«, sagen Greta und Helga synchron und stehen gleichzeitig auf.

Carl brüllt aus Leibeskräften und lässt sich auch nicht mit dem Schnuller beruhigen.

»Sorry, es tut mir leid«, sagt Jenny.

Bob winkt lächelnd ab.

»Ach, das ist doch wunderbar. Endlich ein Kind im Haus«, meint Greta und streichelt den Rücken des Kleinen.

Mit dem Smartphone fotografiert Tom wenig später den zufriedenen Bob und seine Mam, die neben Jenny auf der Couch sitzt und das Händchen des trinkenden Babys hält.

»Ich habe auch Kinder«, sagt Greta.

»Wie schön!« Jenny wirft Tom einen kurzen Blick zu.

Er drückt ab und beobachtet, wie sich die Welt im Wohnzimmer seiner Mam um dieses fünf Wochen alte Wesen dreht. Wenn Carl lächelt, freuen sich alle, wenn er weint, verziehen alle ihre Gesichter und leiden mit ihm. Er ist der Meister im Hier und Jetzt, und alles hört auf sein Kommando.

Tom kann sich nicht erinnern, wann jemals so viel Leben in dieser Wohnung war. Mam hatte nie gerne Besuch, schon gar nicht von Kindern. Gewusel ging ihr auf die Nerven. Selbst Lachen empfand sie als Lärm.

»Wollen Sie noch ein zweites Stück Schwarzwälder, Mr. Bob?«, fragt Helga und setzt sich neben den alten Amerikaner.

Tom hält fest, wie Bob zufrieden nickt und Greta Jenny ein Handtuch bringt, damit sie den Kleinen auf der Couch wickeln kann.

Er fotografiert seine Mutter, die mit Carl auf dem Arm am Fenster steht und ihm den GROOOSSEN Rhein zeigt, auf dem die VIIIIELEN Schiffe fahren. Wie die rauchende Helga von der Terrasse aus winkt und Jenny auf dem Boden kniet und sich Gretas Schallplattensammlung ansieht.

»Das wäre schön, wenn du auch ein Enkelchen hättest, was, Greta?«, fragt Helga, als sie nach Nikotin dünstend wieder reinkommt und Tom dabei ansieht.

Er verdreht die Augen.

»Das wäre ja wohl etwas früh, nicht wahr?«, kontert Greta und wiegt den Kleinen auf ihrem Arm.

»Wieso?«

»Na, ja. Oma in meinem Alter. Ich bitte dich!«

»Wie alt bist du denn?«, will Helga wissen.

»Du kannst dumm fragen. Fünfunddreißig, das weißt du doch!«

Tom hält die Luft an, schielt aus den Augenwinkeln auf Bob und ist sich nicht sicher, ob der alles verstanden hat.

»Wie heißt das Hotel, in dem du ein Zimmer für Bob reserviert hast, Jenny?«, fragt er, um das Thema zu wechseln.

»Ein Hotel? Das ist doch Quatsch«, unterbricht Helga und schenkt erst sich und dann Bob Kaffee nach. »Ich habe für Mr. Bob dein Kinderzimmer parat gemacht. Hier ist doch Platz genug.«

Bob murmelt etwas von »No circumstances«, was Tom mit »Keine Umstände« für Helga übersetzt.

Doch resolut, wie sie ist, lässt diese keinerlei Diskussion zu, nimmt den alten Mann an der Hand und zeigt ihm, wo er schlafen wird.

»Ich finde auch, dass hier Platz genug ist«, meint Greta, die ihnen gefolgt ist, und setzt sich mit dem Baby auf das frisch bezogene Bett.

»Meinst du, dass deine Mutter weiß, wer er ist?«, fragt Jenny auf der Fahrt in die Innenstadt.

»Ich habe keine Ahnung«, sagt Tom müde und schließt die Augen.

»Ich hab mal gelesen, dass das emotionale Gedächtnis trotz Demenz erhalten bleibt«, meint Jenny.

»Ich befürchte, Alzheimer zerstört alles«, murmelt er.

»Vielleicht ist Liebe gar nicht im Gehirn, sondern in der Seele gespeichert. Dann kann sie auch nicht durch Alzheimer zerstört werden.«

Tom interessiert sich nicht für den Sitz der Liebe, er lauscht dem Straßenbelag. Den zugeschmierten Schlaglöchern auf der Kölner Straße. Dem Pflastersteinstreifen in Höhe des Poller Wegs. Dem ausgefahrenen Walzasphalt, wo die Siegburger Straße die Zufahrt zur Drehbrücke kreuzt. Nach einer Rechtskurve spürt er den Hubbel beim Überfahren der Dehnfuge und hört am rauer werdenden Asphalt, dass sie auf der Deutzer Brücke sind. Er schätzt die Geschwindigkeit ab, zählt bis neun und öffnet endlich die Augen. Traumblick! Der Dom steht immer noch.

»Gleich sind wir da«, sagt Jenny, und er bedankt sich dafür, dass sie ihn nach Hause bringt.

Tom rollt den Koffer durch seine Wohnung und ist zum ersten Mal seit zwanzig Stunden alleine. Wie nach jeder Reise schält er sich sofort aus den Kleidern und duscht heiß, um sich vom Staub der Welt zu befreien. Mit einem Badetuch um die Hüfte gießt er sich einen doppelten Whiskey ein. Er fläzt sich auf die Couch, checkt seine E-Mails, öffnet eine SMS von Jenny mit zweiundzwanzig Fotos, die sie am Nachmittag aufgenommen hat, und betrachtet den innigen Moment des alten Paares, als seine Mutter »Bobby« flüstert.

Dann sieht er eine Serie von Bildern, wie er neben Bob am Kaffeetisch sitzt. Zwei Männer mit exakt den gleichen Körperhaltungen und Gesichtsausdrücken, die wirken, als würden sie in sich ruhen.

Sie hat einen guten Blick.

Tom speichert die Fotos ab und betrachtet die, die er selbst geschossen hat:

Jenny lässt sich von Bob die Titel der abgegriffenen Plattenhülle vorlesen.

Helga mit dem Fläschchen an der Wange.

Jenny, die dieses Fläschchen strahlend entgegennimmt.

Greta in dem Moment, als sie sagt, dass sie auch Kinder hat, und Jennys entzückter Blick in die Kamera.

Dieser Blick trifft ihn mitten ins Herz.

Es ist, als habe nicht Carl, sondern Jenny den Raum mit Leben geflutet, denkt er, und es fällt ihm auf, dass er sie so noch nie wahrgenommen hat.

Im Internet sucht Tom den Song ›Making believe‹, lässt Ella Fitzgerald für sich singen und übersetzt den Text:

Ich gaukle mir vor, dass du in meinen Armen bist,
obwohl ich weiß, du bist so weit weg.
Vorgaukeln ist nur eine andere Art zu träumen,
bis meine Träume wahr werden.
Ich werde ›Gute Nacht‹ flüstern,
das Licht ausmachen und mein Kissen küssen.

»Das war unser Lied«, hat Bob zu Greta gesagt. Tom schaut sich noch einmal das Foto an, wie die beiden nebeneinander auf dem Sofa sitzen, und überlegt, wie viele Nächte Bob sein Kissen geküsst hat und wie viele tausend Nächte seine Mam sich vorgestellt hat, er würde neben ihr liegen.

Er schenkt sich einen weiteren Whiskey ein, lässt den Song auf Dauerschleife laufen. Draußen ist es längst Nacht geworden, und er sitzt in der Dunkelheit seines einsamen Wohnzimmers mit schwerer werdenden Augenlidern und wehrt sich nicht gegen Jenny, die ihm am Frankfurter Flughafen entgegenlacht.

»Making believe is just another way of dreaming, so till my dreams come true.«

Tom spürt Jennys Händedruck und flüstert: »Halt mich einfach fest.«

Dann schlägt er die Augen auf.

Er schaltet die Musik aus. Auf dem Weg ins Schlafzimmer bleibt er vor dem Kratzer stehen, den Jenny auf dem Eichenparkett hinterlassen hat. Er bückt sich und erwischt sich dabei, wie er über diese Schramme streichelt.

»Idiot«, sagt er zu sich und zieht die Bettdecke über den Kopf. Er wälzt sich eine halbe Stunde hin und her und denkt darüber nach, ob so die Midlifecrisis beginnt.

Kurz nach neun Uhr wird er von Helgas Anruf geweckt.

»Ist alles okay?«, fragt Tom mit belegter Stimme.

»Deine Mutter hat mich gefragt, wer der alte Mann ist.«

»Scheiße«, flucht er und reißt die Augen auf. »Und jetzt?«

»Keine Ahnung.«

Mit geschwollenen Augen unter der Sonnenbrille und einer Tüte Croissants auf dem Beifahrersitz fährt er über den Rhein und überlegt, ob das wirklich so eine gute Idee war, Bob nicht im Hotel unterzubringen.

Schon im Treppenhaus hört er Trompetenklänge, und als er aufschließt, sieht er Bob, der im Wohnzimmer steht und das ›Ave Maria‹ von César Franck spielt. Greta klatscht Applaus.

»Frühstück!«, ruft Tom.

»Wir haben schon längst gefrühstückt«, sagt Helga gestresst.

»Das ist doch Quatsch«, widerspricht Greta und reißt ihrem Sohn die Bäckertüte aus der Hand.

Damit Helga in Ruhe einkaufen und sich ein wenig erholen kann, holt Tom die Sanellaschachtel vom Schrank.

»Das ist meine Heidelbergschachtel! Die hab ich ja schon ewig gesucht.« Greta lässt das Croissant fallen und hebt den brüchigen Deckel an.

»Schauen Sie mal hier: Fine und ich in unseren Sonntagskleidern«, sagt sie und zeigt Bob das Foto.

»Nice.«

»Und das ist Mami an ihrer Nähmaschine.«

Bob geht zu der alten Singer, auf der ein Spitzendeckchen die Wasserränder des Orchideentopfes verhindern soll. »Ist das die?«

»Ja sicher!«, ruft Greta und klatscht in die Hände.

»It all started with that. Tust du erinnern, Gretchen, wie ich gebracht die Maschine up in kleines Haus?«

»Ja, sicher!«

Tom kann den beiden nicht folgen, weiß nicht, warum sie sich wegen dem amerikanischen Präsidenten Truman lachend ins Wort fallen. Er freut sich mit ihnen über das fünfundzwanzig Zentimeter große Strohpüppchen mit der verblassten Gesichtsmarkierung, das Anlass ist für neue Geschichten. Sie haben eine gemeinsame Vergangenheit, und Tom ist sicher, dass seine Mutter endlich begriffen hat, dass dieser Mann kein Fremder ist.

»Und das bin ich.« Sie zeigt ihm das Foto, auf dem ein burschikoses Mädchen unter einer Kappe hervorlugt und frech in die Kamera grinst.

»You are beautiful, Gretchen!«, sagt Bob. »So scheen.«

Sie errötet.

»Hast du die Bilder fotografiert?«, will Tom wissen.

Bob nickt.

Greta schüttelt energisch den Kopf. »Nein, die hat Bobby gemacht.«

Tom beugt sich vor, damit er ihr direkt in die Augen blicken kann. »Mam, der Mann, der neben dir sitzt, ist Bobby.«

»Du weißt auch nicht alles!«

Bob tut so, als hätte er nicht verstanden. Sein Lächeln ist erloschen.

»Hast du auch noch Bilder aus der Zeit?«, fragt ihn Tom.

»Nein, ich habe alles weggeworfen nach 1953. Ich konnte nicht ertragen, sie zu sehen«, antwortet er auf Englisch.

Greta nimmt das Gruppenfoto in die Hand, auf dem der junge Bob in Uniform zwischen der gesamten Familie vor dem Heidelberger Schloss steht.

»Das sind wir«, sagt sie.

»Schön«, meint Bob und kann sie nicht ansehen. Er sucht im Karton und findet einen Goldknopf mit einem Adler. Greta nimmt ihm diesen sofort aus der Hand und hält ihn krampfhaft fest.

Endlich ist der Schlüssel im Schloss zu hören.

»Helga ist zurück, Mam. Schau mal, ob sie dir eine Zeitung mitgebracht hat.«

Greta springt auf und hat Heidelberg schon im Türrahmen vergessen.

Tom packt die Bilder zurück in den Karton und macht den Deckel zu. »Mir würde ein kleiner Spaziergang guttun. Kommst du mit?«

Bob nickt müde.

Schweigend gehen die beiden am Rheinufer entlang, schauen Möwen nach, ohne sie zu sehen, riechen den beginnenden Frühling nicht und hören auch nicht das Tuckern der holländischen Gastanker.

»Es ist ein bisschen viel für sie«, sagt Tom.

Bob nickt abwesend.

In Gedanken zählt Tom die Schritte. Das hat er als Kind schon gemacht, wenn er Zeit gewinnen wollte. Eintausendeinhundertelf nimmt er sich vor. Ab eintausend zählt er langsamer. Dann, nach eintausendeinhundertzehn, bleibt er stehen und schaut Bob an. »Sollen wir zusammen nach Heidelberg reisen. Du, ich und Mam?«

Bob schüttelt den Kopf. »Wir können die Vergangenheit nicht mehr zurückholen. Nirgendwo. Auch in Heidelberg nicht.«

Alles okay bei euch?, fragt Jenny per SMS.

Tom spürt, wie sein Herz schneller schlägt.

Bestens!, lügt er.

Zu Hause checkt er seine E-Mails, überfliegt eine Nachricht, die Sabine ihm von ihrem privaten Mailaccount geschickt hat, mit der Bitte, sich dringend zu melden, weil es im Sender brodelt. Dann liest er eine weitere vom Intendanten, der um ein Vieraugengespräch bittet. Tom antwortet Sabine, dass er mit einer Grippe aus den USA zurückgekehrt sei, und bittet sie, einen Termin mit Gisbert Wehrle frühestens in einer Woche zu vereinbaren.

Er taucht in der Badewanne unter und versucht, luftanhaltend auch das Denken zu stoppen. Vergeblich. Wie konnte er nur Bob nach Deutschland mitnehmen? Hat es nicht sowieso schon gereicht? Mam, eine Schwester, die nicht mehr lebt, die Krise im Job.

Mit einem Glas Whiskey in der Hand schaut er auf sein Handy und hofft, dass Jenny ihm nicht geschrieben hat, denn auch die Gedanken an sie lassen sich nicht bändigen. Krampfhaft versucht er, sich an die verkniffene Zimtziege zu erinnern, die ihm auf der Arbeit ewig auf die Nerven gegangen ist. Doch diese Bilder scheinen gelöscht zu sein. Dafür liefert ihm sein Hirn eine Show von ihren blitzenden grünen Augen, dem verschmitzten Lächeln, der kleinen Spalte zwischen den Schneidezähnen, den kurzen, breiten Händen, die jeden Satz unterstreichen. Er stellt sich vor, wie ihre Haut riecht, sich ihr runder Körper anfühlt und wie ihre Lippen schmecken.

Tom reißt die Terrassentür auf und stellt sich in die kühle Vorfrühlingsluft. »Du Idiot!«, ruft er in die Nacht. »What the fuck will ich mit einer Frau wie Jenny? Die ist doch viel zu kompliziert!« Es fängt an zu regnen. Tom bleibt stehen und redet sich ein, er müsse nur wieder richtig vögeln, um zur Vernunft zu kommen.

Als das Agrippabad um 6:30 Uhr endlich öffnet, ist er der Erste an der Kasse.

Jenny. Warum, verdammt noch mal, bekomme ich die nicht aus dem Kopf? Ausgerechnet Jenny. Was für ein Bullshit!

Nach der ersten Rollwende taucht er zwanzig Meter weit, und als er an der Wasseroberfläche Luft schnappt, ahnt er, wie es ablaufen wird. Eine Nacht oder mehrere. Danach das immer gleiche Chaos voller Erwartungen. Tom erhöht die Frequenz seines Beinschlages, weiß, dass es mit Frauen nicht funktioniert. Dass es überhaupt nie funktionieren wird, weil sie ihn einengen!

Die nächste Rollwende. Mit aller Kraft stößt er sich ab, taucht diesmal eine gesamte Bahnlänge durch. Als er am Startblock anschlägt, denkt er: Warum gerade die? Sie ist doch gar nicht mein Typ! Und ist sie mit ihren einundvierzig Jahren nicht zu alt?

Auf der nächsten Bahn schießt es ihm in den Kopf: Wer ist überhaupt der Vater von Carl?

Wie ein Wahnsinniger gräbt er sich dreitausend Meter am Stück durchs Chlorwasser und redet sich ein, dass Jenny in einer Beziehung ist.

Als er unter der Dusche steht, denkt er darüber nach, vielleicht doch einen Therapeuten zu konsultieren.

In der Umkleidekabine macht er sein Handy an und findet fünf Sprachnachrichten von Helga, die er nicht abhört.

Es gibt keinen verpassten Anruf von Jenny. Keine Textnachricht. Nichts. Zum Glück.

Dafür steht ihr Auto auf seinem Parkplatz in Porz. Tom hört sein Blut in den Ohren rauschen. Was macht die denn hier? Er überlegt, zu wenden und einfach wieder in die Stadt zu fahren, da sieht er Helga am Küchenfenster.

»Warum hast du mich nicht zurückgerufen?«, fragt sie ihn noch an der Tür.

Aus dem Wohnzimmer ist Gelächter zu hören.

»Guten Morgen«, ruft Tom in die Runde, versucht möglichst fröhlich zu klingen, und Jenny, die mit Mam und Bob am Wohnzimmertisch sitzt, nicht anzusehen. »Was ist denn hier los?«

»Deiner Mutter fallen alle Zungenbrecher ein, die sie Bob beigebracht hat. Es ist zum Schießen!«

»Flutschen!«, ruft Greta, und Bob bricht sich beim Wiederholen fast die Zunge.

»Schön«, meint Tom, schiebt Helga in die Küche und schließt die Tür. »Was macht Jenny hier?«

»Ich hab sie angerufen, weil ich dachte, dass es gut wäre, wenn jemand da ist, der mit Bob rausgeht. Ich hatte Angst, deine Mutter dreht durch.

»Wieso?«

»Sie hat ihn beschimpft, weil er sie in den Arm nehmen wollte, und gedroht, sie werde die Polizei rufen, wenn sie noch einmal angegriffen wird. Er tat mir so leid.«

»Oh, fuck!«, sagt Tom und hört Jenny lachen.

»Dich habe ich ja nicht erreicht.«

»Und woher hast du ihre Nummer?«

»Na, von ihr.«

»Und wo ist das Kind?«

»Schläft in Gretas Bett«, antwortet Helga.

Aus dem Wohnzimmer werden Worte wie Donnerlittchen, schusselig, Morgenmuffel und Glückspilz von Gelächter unterbrochen.

Tom setzt sich an den Küchentisch.

»Du siehst schlecht aus, Jung«, sagt Helga und reicht ihm seine mit Kaffee gefüllte Hahn-und-Henne-Tasse. »Was ist los?«

»Jetlag.«

»Ich glaub dir kein Wort.«

Das Gelächter aus dem Wohnzimmer wird von Kindergeschrei abgelöst, und Bob kommt in die Küche. Er sieht abgekämpft aus.

»Alles okay bei dir?«, fragt Tom.

Bob nickt leidenschaftslos.

»Hast du Lust auf eine Herrenrunde am Rhein?«

»Gerne.«

Als würden sie sich schon ewig kennen und seit Jahren regelmäßig diese Strecke gehen, marschieren Tom und Bob schweigend nebeneinanderher.

»Wie komme ich eigentlich wieder nach Hause?«, will Bob nach einer Weile wissen.

»Ich begleite dich. Jederzeit«, sagt Tom und denkt, dass das die Gelegenheit wäre, von hier zu verschwinden, bis sich sein seltsamer Zustand aufgelöst hat und er wieder klar denken kann. »Ich habe sowieso vor, eine Weile in den USA zu bleiben. Also sag Bescheid, wann du zurückwillst.« Tom malt sich aus, wie es wäre, wenn er in New Orleans wieder Kontakt zu Amy aufnehmen würde, und dabei fällt ihm auf, dass er ganz vergessen hat, sich von ihr zu verabschieden.

Bob bleibt neben ihm stehen und unterbricht so seine Gedanken. »Okay«, sagt er und schnappt nach Luft.

»Was ist okay?«

»Ich denke, es ist besser, ich fahre wieder zurück.« Bob setzt sich auf eine Bank und schaut auf den träge fließenden Rhein.

Tom setzt sich neben ihn. Er spürt Bobs tiefe Traurigkeit, und es tut ihm so leid, dass es für ihn und seine Mutter keine Gegenwart gibt, weil Greta in einer anderen Wirklichkeit lebt. »Ich hätte es dir deutlicher sagen sollen, wie es um sie steht«, entschuldigt er sich.

»Mach dir keine Vorwürfe. Es ist gut, dass ich hergekommen bin.«

Ohne einander anzublicken, spricht Bob, mehr zu sich selbst als zu Tom: »Mein ganzes Leben hat es mich gequält, weil ich dachte, dass sie mich verraten hat. Es tut gut zu wissen, dass unsere Liebe keine Lüge war.«

Tom überlegt, dass diese Qual auch das Leben seiner Mutter bestimmt hat. Und seines. Vielleicht ist das ja dieses transgenerationale Dings. Dass ich keine ernsthafte Beziehung eingegangen bin, weil ich Angst hatte, sie wieder zu verlieren. Wie Mam.

Als würde Bob seine Gedanken lesen, drückt er Toms Hand und schaut ihn eindringlich an. »Don't waste your time, son!«

Ich soll meine Zeit nicht verschwenden? Tom betrachtet den Fluss und weiß, dass das jetzt einer dieser Sätze ist, die man, wenn sie einmal ausgesprochen sind, nicht mehr wegschieben kann. Und er weiß auch, dass er Amy nicht wiedersehen will.

Langsam gehen sie den Hochwasserdamm hinauf. Bob atmet schwer. Als sie endlich oben ankommen, sieht Tom, dass Jennys Wagen nicht mehr vor dem Haus steht. Er ist erleichtert.

Helga klatscht jedem zwei Kellen Erbsensuppe mit Würstchen auf den Teller.

»Jenny was not hungry?«, fragt Bob und Tom übersetzt.

»Dat Madämmchen ist Veganerin, Mr. Bob.«

»Madämmchen?«

Helga versucht, mit Händen und Füßen zu erklären, dass das ein kölsches Wort für eine Dame ist. Aber Tom kennt sie lange genug und sieht ihren schmalen Lippen an, dass sie das nicht so neutral meint, wie sie vorgibt.

Nach dem Essen machen die beiden Alten ein Mittagsschläfchen, und Tom beobachtet, wie Helga die Spülmaschine mit Karacho einräumt.

»Warum bist du so genervt?«

Sie gibt ihm keine Antwort und schrubbt den Topf mit der angebrannten Suppe.

»Komm, Helga. Du platzt doch gleich. Was ist los?«

Sie lässt den Kochtopf in der Spüle stehen, trocknet sich die Hände ab und fischt die Zigarettenpackung aus ihrer Schürze.

»Diese Jenny. Ich komme da gar nicht drüber weg«, sagt sie und zieht den Rauch bis in den letzten Lungenzipfel.

»Wieso?«

»Ein Kind von der Samenbank, die hat doch einen Sprung in der Schüssel.«

Tom steckt sich auch eine Zigarette an. »Woher weißt du das denn?«

»Na, weil sie es mir gesagt hat. Sie meinte, sie wollte unbedingt ein Kind, und weil kein Vater in Sichtweite war, hat sie sich gedacht … Das arme Kind, kann ich da nur sagen!«

Tom macht die Zigarette nach dem ersten Zug wieder aus. Sein Smartphone klingelt. Jennys Gesicht lacht ihm auf seinem Display entgegen.

»Jetzt ruft die dich auch noch an!« Helga ist empört.

Tom drückt den Anruf weg. Sein Blut stockt. Zitternd zündet er sich die ausgedrückte Zigarette wieder an.

»Die will doch was von dir. Das habe ich mir gleich gedacht.« Helga schnaubt vor Wut. »Die braucht einen Vater für ihren Panz. Jung, das hast du nicht nötig!«

Kannst du vorbeikommen? Ich muss mit dir reden, schreibt Jenny per SMS.

Ist im Moment schwierig. Um was geht es denn?

Kann ich dir nur direkt sagen! Es ist dringend und es wird dich SEHR freuen!!!!!

Okay, denkt Tom und lässt Helga fluchen. Dann bring ich es eben hinter mich. Schließlich kann ich ihr nicht ewig aus dem Weg gehen.

Mit fünfunddreißig km/h schleicht er durch die Stadt und konstruiert Anfangssätze:

»Jenny, die letzten Wochen waren schwierig für mich, und du hast Seiten von mir erlebt …«

Er nähert sich einer grünen Ampel, wird noch langsamer und hofft, dass sie auf Rot schaltet. Die Autos hinter ihm hupen.

»Ich vermute, dass mein Verhalten dir gegenüber nicht eindeutig war …«

Anders als sonst findet er direkt vor ihrem Haus einen Parkplatz.

Tom knallt den Kopf gegen die Kopfstütze, bleibt sitzen und zählt bis zweihundertzweiundzwanzig.

»Ich hab dich schon immer sehr geschätzt als Kollegin, Jenny. Ich bin dir dankbar für alles, aber … Wenn ich den Eindruck erweckt haben sollte, dass ich etwas von dir will, dann muss ich leider sagen, dass …«

Es hupt. Auf seiner Höhe steht ein Wagen, in dem eine Frau gestikulierend fragt, ob er rausfahren will. Tom schüttelt den Kopf und steigt aus.

Stell dich nicht an wie ein Pennäler! Er klingelt an dem 1895 erbauten Eckhaus und nimmt langsam Stufe für Stufe.

Jenny steht in der Tür und schaut ihm entgegen. Alles an ihr strahlt.

»Sorry, das ging nicht so schnell. Ich musste noch …« Er wirft ihr einen verstohlenen Blick zu, spürt, wie sein Körper ihrem ganz nahe kommt, spürt das Kribbeln und spürt auch seine aufkommende Panik.

»Schon gut. Komm rein!« Sie macht ihm mit leiser Stimme klar, dass Carl schläft, räumt Klamotten vom Stuhl und wirft sie auf einen Trockenständer.

»Setz dich«, sagt sie und lächelt.

Tom bleibt stehen und räuspert sich. »Ich hab dich schon immer sehr geschätzt als Kollegin, Jenny. Ich bin dir dankbar für alles, aber …« Dann fällt ihm der Satz von Bob wieder ein: »Don't waste your time«, und es ist ihm egal, was er sich vorgenommen hat. Er will jetzt und sofort am liebsten nur eines: Jenny in den Arm nehmen und ihr sagen, dass er sich in sie verliebt hat.

»Tom. Setz dich. Bitte. Sonst fällst du um.«

»Vielleicht kannst du mich ja festhalten.«

»Mach keinen Quatsch jetzt«, sagt sie, drückt ihn auf den Stuhl, setzt sich ihm gegenüber an ihren kleinen Küchentisch, der wie immer voller Zeug ist, und zückt ein bedrucktes DIN-A4-Blatt.

In einer Mischung aus Unsicherheit und Neugierde schaut er sie an.

»Also«, sagt sie und liest den englischen Text:

Ich habe Ihren Suchaufruf gefunden und war mir erst nicht sicher. Aber heute habe ich dann meine Oma Grace besucht, habe die Puppe auf Ihrem Bild mit der verglichen, die in ihrer Wohnzimmervitrine steht, und festgestellt, dass sie sehr ähnlich sind. Ich wusste immer, dass meine Gran aus Deutschland stammt, aber sie hat nie darüber geredet. Ich habe sie jetzt gefragt. Sie ist in Heidelberg geboren. Am 23. Mai 1949.

Tom zittert am ganzen Körper. »Aber das kann doch auch alles Zufall sein, oder?«

»Diese Grace weiß, wie ihre leibliche Mutter heißt: Greta Schönaich.«

Er schlägt die Hände vors Gesicht und hört auf zu atmen.

Jenny berührt seine Schulter. Alles in ihm fällt, er wird von einem heftigen Weinkrampf geschüttelt.

»Entschuldigung«, presst er mit zittriger Stimme hervor und versucht, sich zusammenzureißen.

Jenny setzt sich neben ihn und nimmt ihn in den Arm. »Alles gut. Ich bin bei dir.«

»Und ich dachte, sie ist tot«, stammelt er unter Tränen.

»Nein, deine Schwester ist quicklebendig. Sie hat eine riesige Family. Vier Töchter zwischen vierzig und fünfzig, dreizehn Enkel. Der älteste ist fünfundzwanzig, der jüngste vier, ein Urenkelchen ist auch unterwegs.«

»Was?«, lacht Tom und schaut sich nach einem Taschentuch um.

Jenny steht auf und reicht ihm die Küchenrolle. »Sie lebt in einem kleinen Kaff sechzig Meilen nördlich von Atlanta. Ihr Mann ist Ranger im Chattahoochee Nationalpark.«

Tom wischt sich die Tränen weg und putzt seine Nase. »Hast du etwa mit ihr geredet?«

»Klar«, sagt Jenny. »Ich wollte sicher sein, dass sie die Richtige ist, bevor ich dir etwas davon erzähle.«

»Und? Will sie Kontakt zu mir?«

»Sicher will sie das! Hier ist ihre Nummer. Ruf sie an.«

Tom nimmt Jennys Kopf in beide Hände und küsst sie auf die Stirn. »Danke!«

Von seiner Wohnung aus wählt er die fünfzehnstellige Telefonnummer, und auf dem Bildschirm erscheint eine Brown Lady in den besten Jahren.

»Hi, ich bin Tom.«

»Du bist mein Bruder?«, fragt Grace mit melodischer Stimme und strahlt Tom über die Entfernung von siebentausend Kilometern an.

»Ich bin so glücklich, dass dein Enkel Leo sich bei uns gemeldet hat.«

»Und ich erst. Seit meinem Telefonat mit Jenny fahren meine Gefühle mit mir Achterbahn. Jetzt hab ich also einen kleinen Bruder!« Ihr temperamentvolles Lachen flutet in einer tsunamiartigen Welle Toms Wohnzimmer.

»Und ich eine große Schwester!«

»Ich hätte nie gedacht, dass jemand nach mir sucht.«

»Warum nicht?«

Sie erzählt Tom, dass man ihr als Kind sagte, ihre Mutter sei tot. »Und nach meinem Vater konnte ich auch nicht suchen, denn der war ja unbekannt.«

»Beides ist nicht wahr.« Tom vertraut Grace die tragische Liebesgeschichte ihrer Eltern an.

Sie weint. Wie gerne hätte er sie getröstet. Doch kein Wort der Welt kann ihr Leid schmälern, deshalb schweigt er lieber.

»Lebt Mom noch?«

»Ja, aber sie ist dement.«

»Dann wird sie gar nicht wissen, wer ich bin.«

»Das kann ich nicht sagen«, antwortet Tom. »Aber komm doch nach Deutschland. Dein Dad ist zurzeit auch hier.«

Grace ist wie vom Donner gerührt. Nur an ihrem Lidschlag erkennt Tom, dass das Bild nicht eingefroren ist.

»Und will er mich sehen?«, fragt sie kaum hörbar.

»Er wird überwältigt sein.«

Drei Tage später hallt durch die Ankunftshalle des Frankfurter Flughafens ein lautes: »TOM!«

Passagiere bleiben staunend stehen, als eine große, dunkelhäutige Frau mit einer gigantischen hellbraunen Lockenperücke und der prominente Moderator aufeinander zulaufen, sich in die Arme schließen, sich minutenlang festhalten und weinen.

»Willkommen in deiner Heimat, Grace«, flüstert Tom ihr ins Ohr und küsst sie auf beide Wangen. Über ihre Schulter sieht er, dass etliche Handys auf ihn gerichtet sind. Da küsst er sie stolz ein weiteres Mal.

»Darf ich ein Selfie mit Ihnen machen, Herr Monderath?«, fragt eine Passagierin.

»Ich auch?«, will ein Flugbegleiter in Uniform wissen.

»Machen Sie lieber ein Bild von mir und meiner Schwester.« Tom legt den Arm um Grace und strahlt in die Kameras.

»Ich hab mir überlegt, dass ich in Deutschland wieder Marie heiße«, sagt sie ihm im Auto. »Das ist für unsere Eltern doch bestimmt auch einfacher, oder was denkst du?«

»Das klingt nach einem guten Plan, Marie.«

Kurz vor Mitternacht kommen sie in seiner Kölner Wohnung an.

»Fühl dich wie zu Hause!« Tom zeigt ihr, wo sie schlafen, duschen oder baden kann. Er reißt den vollen Kühlschrank auf und sagt, dass sie sich bedienen soll, wenn sie Hunger hat oder Durst.

»Hier lebst du alleine?« Irritiert schaut sie sich um.

»Ja«, bestätigt Tom und will wissen, ob sie auch Lust auf ein Glas Rotwein hat.

Marie nickt, setzt sich auf die Arbeitsplatte und sieht ihrem Bruder zu, wie er eine Flasche Chianti aus dem Weinkühlschrank holt, den Korken fast geräuschlos aus dem Flaschenhals zieht und daran schnuppert. Er schenkt sich ein Schlückchen ein, hält das Glas gegen das Licht, schwenkt es und steckt seine Nase hinein. Erst dann befüllt er die bauchigen Rotweinkelche und stößt mit ihr an.

»Darf ich dich fragen, warum du nicht verheiratet bist?«

»Keine Zeit.«

»Das sagt man, wenn man schwul ist, oder?«

»Nein, wirklich. Mein Beruf und Familie lassen sich nicht vereinbaren.«

»Hast du beruflich mit Wein zu tun?«, fragt sie süffisant, leert das Glas in einem Zug und schenkt sich selber nach.

Tom will ihr erklären, was er arbeitet.

Mit einer Handbewegung unterbricht sie ihn. »Ich weiß Bescheid. Mein Leo hat dich gegoogelt.«

»Willst du noch eine Kleinigkeit essen? Ich hätte Lust auf Käse.«

Marie nickt und schaut ihm erneut zu, wie er eine Käseplatte aus dem Kühlschrank holt und die Klarsichtfolie abzieht. »Wer ist für dich da, wenn du nach Hause kommst?«

»Du siehst doch, ich kann gut für mich selber sorgen.«

»Stimmt«, sagt sie und schnappt sich ein Pecorinodreieck.

»Erzähl mir von deinem Mann, Marie.«

»Bruce ist mein Zuhause! Mein Fels. Hast du auch Brot?«

»Ich habe nie daran geglaubt, dass das System Ehe funktioniert«, sagt Tom und schneidet Baguette auf. »Das, was meine Eltern mir vorgelebt haben, fand ich, um ehrlich zu sein, nicht so berauschend.«

Marie weicht das Brot in ihrem Rotwein auf und schiebt sich eine ganze Scheibe in den Mund. »Weil es bei Mom nicht geklappt hat, heißt das nicht, dass du dazu verurteilt bist, so zu leben, als würde dir das Gleiche passieren.«

»Wie meinst du das?«

»Na ja, es kann ja sein, dass du deshalb nicht lieben willst, weil du Angst hast, dass du alles wieder verlierst?«

»Bist du Lucy von den Peanuts? Psychiatric Help. The Doctor is here?«

Marie bringt mit ihrem Lachen die Gläser zum Klingen. »Bei mir brauchst du keine fünf Cent. Ich berate dich umsonst. Ich bin schließlich deine große Schwester und bin jetzt für dich verantwortlich.«

»Oha!«, sagt Tom und kann sich ein breites Grinsen nicht verkneifen. »Langsam bekomme ich Angst!«

Marie entdeckt das Schwarz-Weiß-Porträt der jugendlichen Greta. »Ist das Mom?«

Tom nickt.

Sie rutscht von der Arbeitsplatte, nimmt den Rahmen von der Wand und schaut das Foto lange an. »Ich erinnere mich an sie«, sagt sie erstaunt.

»Hast du viel an sie gedacht?«

Marie nickt und bekommt kein Wort mehr heraus.

Jetzt kann Tom sie trösten. Er trocknet ihre Tränen, führt sie zum Sofa und deckt sie mit einer flauschigen Wolldecke zu.

»Soll ich dir vielleicht einen Tee machen?«

»Ich könnte es jetzt nicht ertragen, wenn du so weit weg bist«, antwortet sie und schlägt die Decke zur Seite, damit er dicht neben ihr Platz nehmen kann.

»Auf meine Frage, woher ich komme, hat mir meine Adoptivmom gesagt, dass mich das nichts anginge. Ein paar Jahre später habe ich noch einmal gefragt. Da hieß es dann: ›Deine Mutter war eine Schlampe, kannst froh sein, dass sie tot ist.‹ Ich habe gedacht, wenn meine Mutter eine Hure ist, dann wurde ich vielleicht in einem Puff gezeugt.«

Tom legt ihre dunkle Hand in seine und streichelt sie.

»Erst als ich geheiratet habe, habe ich erfahren, dass ich in

Heidelberg geboren bin. Bruce hat mir gesagt, dass er mit mir nach Deutschland fährt, wenn ich das will. Aber ich wollte keine Friedhöfe besuchen.«

»Es tut mir so leid«, sagt Tom und spürt nicht nur den Schmerz von Marie, sondern auch den von seiner Mam und Bob. Er schlägt die Decke zurück, steht auf, holt in der Küche den Wein und macht ein paar Kerzen an.

»Wenn du adoptiert bist, hast du immer das Gefühl, du bist nichts wert. Du denkst, deine Mutter hat dich weggegeben, weil sie dich nicht wollte. Das schwebt dein Leben lang über allem. Selbst wenn du noch so eine große Familie hast«, sagt Marie.

»Ich muss dir etwas zeigen.« Tom öffnet die Schiebetür des deckenhohen Wandschranks. Mit den Kopien der Briefe, die Greta jedes Jahr am Geburtstag ihrer Tochter im Heidelberger Jugendamt abgegeben hat, kommt er zurück und kuschelt sich wieder zu seiner Schwester unter die Decke. In chronologischer Reihenfolge übersetzt er ihr einen Brief nach dem anderen.

Marie schweigt lange und schaut durch ihre Tränen in die lodernden Flammen der Kerzen.

»Ich wusste nicht, was ich vermisst habe. Aber ich habe immer gespürt, dass etwas fehlt. Jetzt fühle ich mich komplett. Kannst du das verstehen?«, sagt sie in die Stille hinein, und das Weinen, das dann folgt, klingt, als befreie es sie von ihrem lebenslang angestauten Schmerz.

Tom legt den Arm um sie und hält sie fest.

»Aber weißt du, ich habe ein gutes Leben. Wahrscheinlich ist die Liebe, die ich am Anfang meines Lebens erfahren habe, der Grundstock dafür. Alles ist gut, wie es ist. Ich habe meinen Mann und meine Kinder und Enkelkinder. Und dich würde es auch nicht geben, wenn all das nicht passiert wäre.«

»Stimmt. Das wäre wirklich schade!«, sagt Tom und drückt ihr einen Kuss auf den Mund.

Als es draußen dämmert, wachen die beiden eng aneinandergeschmiegt auf.

»Komm«, sagt Tom. »Wir frühstücken bei Mam.«

Mit Brötchentüten bewaffnet nehmen sie eine Stunde später nicht den Aufzug, sondern die Treppe.

»Kann Mom englisch?«, fragt Marie leise und zuppelt nervös an dem bunten Stirnband, das ihre grauen Afrohaare im Zaum hält.

»Ein wenig.«

Tom schließt die Tür auf. Es duftet nach Kaffee. Sein früheres Kinderzimmer ist noch verschlossen. In der Küche sitzt Greta im Bademantel am Tisch und brütet über einem Kreuzworträtsel.

»Guten Morgen, Mam.« Tom legt die Tüte auf die Anrichte. »Wir haben Besuch.«

Greta hebt den Kopf und schaut verwundert.

»Das ist Marie, Mam«, sagt Tom und führt seine Schwester zum Tisch.

»Guten Morgen, Mom.« Marie streichelt zitternd Gretas Hand und setzt sich zu ihr.

Tom sieht seiner Mutter an, dass sie angestrengt überlegt, wer diese Person sein könnte. Sie hat Marie das letzte Mal als Kind gesehen. Vor über sechzig Jahren! Selbst wenn sie nicht dement wäre, würde sie sie nicht erkennen.

Greta unterbricht seine Gedanken: »Du erinnerst mich an jemanden«, sagt sie zu ihrer Tochter, und Tom übersetzt.

»An wen?«, fragt Marie mit Tränen in den Augen.

»An dich.« Langsam hebt Greta ihre Hand und streicht Marie die Tränen von den Wangen.

Marie schließt ihre Arme um ihre Mom und weint. Als Tom sieht, wie Greta sich an sie klammert, ist er zutiefst gerührt.

Das Wesentliche bleibt, denkt er.

Marie wühlt in ihrer Tasche und zieht die abgegriffene Voodoo-Puppe hervor. Das Einzige, das sie aus ihrer Kindheit retten konnte.

»Das ist ja Bobbele«, sagt Greta. »Schau mal, Tom!«

Aus dem Flur hört man Türengeklapper, Wasserspülung und Schritte. Dann steht Bob in der Küchentür.

»Du siehst ja aus wie ich«, sagt er zu seiner Tochter.

Marie steht auf, geht auf ihn zu, schaut ihn lange an und sagt schließlich: »Hello, Daddy!«

Weitere Worte brauchen sie nicht.

»Ich habe Hunger«, meint Greta.

»Ich auch.« Tom holt alles aus dem Kühlschrank, was zum Frühstücken gehört, seine Schwester verteilt Tassen und Teller und setzt sich zwischen ihre Eltern. Das erste Mal seit sechsundsechzig Jahren. Tom zückt sein Handy und hält diesen Augenblick für die Ewigkeit fest.

Marie schneidet ein Brötchen auf, beschmiert die Hälften dick mit Butter und Aprikosenmarmelade, reicht sie ihren Eltern und erzählt auf Amerikanisch von ihrer großen Familie. Bob lacht, und Greta kaut, nickt zufrieden und macht nicht im Geringsten den Eindruck, als würde sie nichts verstehen.

Ohne dich hätten diese drei ihre Heimat nicht wiedergefunden. DANKE!!!!!, schreibt Tom an Jenny und schickt ihr das Foto.

Sie ist online und antwortet sofort. Das macht mich glücklich!!!

Ganz Köln ist heute pures Glück! ☺, antwortet er.

Wenn eure Wiedersehensfeier vorbei ist, kannst du dann kurz vorbeikommen????

Vierzehn Minuten später steht er vor ihrer Tür.

»Ich muss unbedingt mit dir reden«, sagt sie ernst, mit ihrem Baby auf dem Arm. »Komm rein.«

»Ich mit dir auch«, sagt Tom und drückt die Tür hinter sich zu. »Diesmal bin ich zuerst dran.«

»Was ist?«, fragt sie.

»Ich habe mich in dich verliebt.«

Jenny schaut ihn ungläubig an.

»Ich weiß, Jenny, dass ich einen katastrophalen Ruf habe, aber so, wie ich mich mit dir fühle, ging es mir noch nie. Ich …«

Sie kommt einen Schritt auf ihn zu, geht auf die Zehenspitzen, zieht ihn mit ihrem freien Arm zu sich herab und küsst ihn.

Tom nimmt ihr Gesicht in beide Hände. »Endlich«, haucht er.

Carl strampelt in ihrem Arm und macht quietschend auf sich aufmerksam.

»Das sind Neuigkeiten. Was, Chef?«

»Apropos Neuigkeiten«, sagt Jenny und wird wieder ernst. »Ancestry hat sich gemeldet. Es gibt ein Ergebnis.«

»Ja, das weiß ich«, sagt Tom. »Das Ergebnis sitzt in Porz am Küchentisch.«

Sie drückt ihm Carl in die Hand und stellt zwei Stühle nebeneinander. »Setz dich.«

»Du machst es ja richtig spannend«, sagt Tom mit dem Kleinen auf dem Schoß und schiebt herumliegendes Zeugs zur Seite, damit Jenny ihren Laptop abstellen kann.

Sie klappt den Rechner auf und fährt das Schreiben der Gendatenbank des Ahnenforschungsportals hoch.

Tom betrachtet ihr Profil. Wie schön sie aussieht, denkt er.

»Schau mal«, sagt sie und zeigt auf das Ergebnis.

Er liest und schaut dann Jenny ungläubig an. »Half-brother Match. Was soll das heißen?«

»Du hast offensichtlich zwei Halbbrüder«, antwortet sie.

Tom zittert und drückt Carl an sich. Dem scheint das zu gefallen, denn er jauchzt.

»Ich habe WAS?« Er starrt auf den Bildschirm, als würde der das Geheimnis freigeben, wenn man ihn nur lange genug betrachtet, und denkt an weitere Brown Babys. »Und wo sind die?«, fragt er schließlich.

»Das weiß ich nicht«, sagt Jenny. »Ihre Daten sind verschlüsselt. Aber du hast die Möglichkeit, sie anzuschreiben.«

»Meine Mam … Ich kann es nicht fassen, was da noch alles rauskommt.« Verwundert schüttelt er den Kopf.

»Das hat nichts mit deiner Mutter zu tun, Tom. Ihr habt den gleichen Vater.«

»Mein Vater?«, sagt er ungläubig und denkt: Unsere ganze Familie ist eine Lüge! Seine Gedanken hängen, als wäre sein Hirn eine verkratzte Schallplatte. Lüge! Alles Lüge!

Der Monitor wird blau und verschluckt das Anschreiben. Einzelne Worte schieben sich im Bildschirmschonermodus von links nach rechts.

Überdruss

Quadratur

Zeit

Tom sieht, wie Carl aufgeregt atmend den Buchstaben folgt, die verschwinden, wie sie gekommen sind, bis schließlich der letzte Begriff stehen bleibt und sich seine Definition einblendet:

Zeit
Substantiv, feminin
Physikalische Größe. Die Zeit beschreibt die Abfolge von Ereignissen, hat also eine eindeutige, unumkehrbare Richtung. Aus einer philosophischen Perspektive beschreibt die Zeit das Fortschreiten der Gegenwart von der Vergangenheit kommend und zur Zukunft führend.

Don't waste your time, denkt Tom und weiß, dass jetzt nicht die Zeit für Halbbrüder ist. Später unbedingt, aber jetzt ist Gegenwart. Er spürt den kleinen Carl auf seinem Schoß und sieht Jenny neben sich.

Das ist JETZT.

Sie lächelt ihn an. Viele kleine Fältchen umspielen ihre grünen Augen. »Und?«, fragt sie. »Was denkst du?«

»Kannst du mich noch mal küssen? Ich habe ganz vergessen, wie sich das anfühlt.«

Nachwort

Im Herbst 2015, als überall in Deutschland provisorische Unterkünfte für Flüchtlinge errichtet wurden, sah ich in einem Fernsehbeitrag, wie zwei alte Menschen mit ein paar Habseligkeiten auf dem Arm im Kölner Norden vor einer solchen Behelfseinrichtung standen. Eine Reporterin fragte, warum sie etwas spenden wollen. Die beiden konnten nicht viel sagen, nicht nur, weil sie es nicht gewohnt waren, in ein Mikrofon zu sprechen. Sie konnten nicht reden, weil ihnen der Schmerz die Kehle zuschnürte.

»Wir wissen genau, wie es diesen Menschen geht«, sagte die Frau, die ein Kopfkissen und eine Decke abgeben wollte, schließlich.

»Wir haben es selbst mitgemacht, als wir Kinder waren. Wir kamen aus Ostpreußen«, fügte ihr Mann hinzu.

Dieser Beitrag war die Initialzündung für meinen Roman.

Wie sehr die tragischen Erlebnisse aus der Nazizeit und dem Krieg gerade im Alter lebendig sind, habe ich miterlebt, als meine Mutter an Alzheimer erkrankte. Die Schrecken der Vergangenheit fluteten ihre Gegenwart. Sie war dagegen wehrlos, wie damals.

Trotz aller Differenzen, die wir beide zeitlebens miteinander hatten, stand für mich nicht eine Sekunde in Frage, dass ich sie so gut wie möglich in dieser Krankheit begleiten wollte. Diese Entscheidung hat mein Freiberuflerleben auf den Kopf gestellt, zumal ich mehrere hundert Kilometer von meinen Eltern entfernt wohnte.

Die Krankheit meiner Mama dauerte zwölf Jahre lang. Mitzuerleben, wie sie gefangen war in einer nicht enden wollenden Achterbahn aus Leid und Schmerz, war auch für mich kaum aushaltbar. Ich wusste immer, dass sie ihre Mutter bereits als Kind verloren hatte. Auch der frühe Tod ihrer ersten großen Liebe und meiner erstgeborenen Schwester waren nie ein Geheimnis. Doch die genauen Umstände, die Abgründe, das Verlorensein erfuhr ich erst, als sie den Betondeckel vergaß, den sie über dieses Leid schieben musste, um weiterleben zu können.

Hilflos zuzuschauen, wie ihre Welt zerfiel und sich ihr Geist langsam auflöste, tut mir noch heute in der Erinnerung weh. Noch immer spüre ich, wie sich der Boden unter mir auftat, als sie mir von ihrer Tochter Susanne erzählte und darauf bestand, dass nicht ich diejenige war.

Und doch war diese Erkrankung auch eine Bereicherung, denn als meine Mutter ihren Schutzschild vergaß, kam eine weiche, liebevolle Seite zum Vorschein, nach der ich mich mein Leben lang gesehnt hatte. Ihre pragmatische Härte löste sich auf. Was blieb, war Liebe. Das zu erleben gehört zu den intensivsten Erfahrungen meines Lebens.

Die traumatischen Erfahrungen meiner Mutter haben auch mein Leben geprägt. Wie sehr, das weiß ich erst seit einigen Jahren. ›Stay away from Gretchen – Eine unmögliche Liebe‹ ist ein rein fiktiver Roman. Und doch dient die Geschichte meiner Mutter und auch meine eigene in gewisser Weise als Blaupause.

Im Laufe meiner Recherchen bin ich mehrfach darauf gestoßen, dass afroamerikanische GIs sich direkt nach dem Kriegsende, als ihnen der Kontakt zum Feind noch verboten war, Deutschen gegenüber hilfreich verhielten. Der verstorbene Kabarettist Dieter Hildebrandt, der sich kurze Zeit in amerikanischer Kriegsgefangenschaft befand, mutmaßte, dass sie sich wegen der Unterdrückung, die sie sowohl in ihrer amerikanischen Heimat als auch innerhalb der US Army erlebten, mehr zu den Verlierern als zu den weißen Siegern hingezogen fühlten.

Dass diese afroamerikanischen Soldaten, die während des NS-Regimes als sogenannte »affenartige Untermenschen« gesehen wurden, gerade im Nachkriegsdeutschland in jedes Restaurant gehen konnten, ohne dass sie auf Rassenschranken trafen und diskriminiert wurden, zog mich in den Bann. Diese Männer brachten Jazz und Swing in die Welt des gleichförmigen Marschierens und gingen Verbindungen zu jungen Frauen ein, die in den USA unmöglich waren. Einmal auf dieser Spur, war mein Weg zu den Brown Babies nicht weit.

Das Thema Adoption und die Suche nach der genetischen Herkunft beschäftigt mich schon seit Jahrzehnten. Ich habe unzählige Dokumentationen über Menschen gesehen, die ihr Leben lang versuchen herauszufinden, wo ihre Wurzeln sind. Auch die Lebensgeschichten von Frauen, die unter widrigen Umständen keine andere Wahl hatten, als ihre Kinder fortzugeben, haben mich immer tief berührt. Vor allem, wenn ich sah, dass diese meist geheim gehaltene Entscheidung sich wie ein grauer Film über das weitere Leben legte. Gerade im Krieg und direkt danach wurden in Ost und West viele solcher Schicksale besiegelt.

Von den Brown Babys in den ersten zehn Jahren nach Kriegsende in Deutschland wusste ich dennoch so gut wie nichts. Es hat mir die Sprache verschlagen, als ich die Bundestagsrede vom 12. März 1952 zum ersten Mal gehört habe und auch die mit Worten kaum zu beschreibende Reportage des Süddeutschen Rundfunks von 1957, die ich im Roman zitiere.

Was für ein Skandal, dass sich niemand für diese Mütter und Kinder zuständig fühlte, und auch, dass dieses Thema weitgehend unbekannt ist. Ein Segen, dass es Menschen wie Mabel Grammer gab, die versucht hat, mit ihrer privat initiierten Adoptionsvermittlung, dem Brown Baby Plan, einigen dieser Kinder zu einem besseren Leben zu verhelfen.

Alles in meiner Geschichte führt zurück auf den Zweiten Weltkrieg. Der Brown Baby Plan, die unmögliche Liebe und der Rassismus, der auch heute nichts von seiner Brisanz verloren hat. Fünfundsiebzig Jahre nach seinem Ende beeinflusst dieser Krieg immer noch unser Leben – und das nicht nur, weil auf den Baustellen der Großstädte immer noch Bomben gefunden werden. Die Auswirkungen sind in unseren Familien und in uns Kriegsenkeln spürbar. Um uns selbst besser verstehen zu können, ist es wichtig, die Vergangenheit zu begreifen.

Mit dem vorliegenden Roman will ich den Alten, die in unserer Höher-größer-weiter-Zeit oft überrannt werden, Gehör verschaffen und ein Gesicht geben. Auch wenn sie oft uniformiert wirken in ihren Jacken, die dieselben Farben haben wie ihre Gesichtshaut, sind sie nicht weniger individuell wie wir Jungen. Sie sind nicht weniger verrückt. Nicht weniger leidenschaftlich. Auch sie haben verzweifelt geliebt, waren leichtsinnig oder verwegen, sahen wahnsinnig gut aus und haben Kopf und Kragen riskiert. Sie sind acht, sind achtzehn und achtzig. Gleichzeitig. In ihnen schlummert nach wie vor der Kern. Der ist alterslos, egal wie welk die Haut auch ist. Man kann das Blitzen in den Augen sehen, wenn man genau hinschaut.

Die politischen und gesellschaftlichen Hintergründe, in die ich meine erfundenen Romanfiguren eingebettet habe, entsprechen den Tatsachen. Sämtliche im Text erscheinenden Reden, Interviews, Zeitungsberichte, Radiosendungen, Fernsehbeiträge und Filme gab es so und wurden von mir transkribiert.

Die CDU-Politikerin Luise Rehling hielt die Rede, die ich auf Seite 324 zitiere, am 12. März 1952 im Bundestag in Bonn.

Beide Kinderheime, in denen Marie untergebracht war, wurden von mir erfunden. Die Gesamtumstände habe ich nach gründlichen Recherchen an reale Ereignisse angelehnt. Auch die Vorkommnisse rund um die Maries Adoption, in die Mabel Grammer involviert ist, sind rein fiktiv. Der Realität hingegen entspricht alles andere, was ich über Mrs. Grammer, die mit ihrem Ehemann und ihren Adoptivkindern in der Mannheimer Arndtstraße 7 gelebt hat, schreibe.

Meines Wissens nach hat kein Journalist Angela Merkel 2015 nach Heidenau begleitet, aber all ihre Aussagen entsprechen Interviews aus jener Zeit. Selbst die Sätze, die die Demonstranten in Heidenau skandierten, sind exakt so gefallen.

Beim Entwurf der beruflichen Entwicklung von Tom Monderath stand der amerikanische Journalist und Moderator Anderson Cooper, den ich sehr verehre, Pate.

Die humorvolle und erfrischend direkte Art meiner Mutter Else Abel hat auf Gretchen abgefärbt. Und auf mich.

»Sei brav und klau nix, aber wenn du was findest, schick's heim«, ist ein Vermächtnis!

Susanne Abel
März 2021

Literatur- und Filmverzeichnis

Es gibt unzählige hervorragende Bücher, Filme und Dokumentationen, auf die ich im Laufe meiner Recherchen gestoßen bin, die mich begleitet, inspiriert und bereichert haben. Die folgende Literatur-, Film- und Dokumentationenliste ist eine subjektive Auswahl.

LITERATUR

Baer, Udo und Schotte-Lange, Gabi: *Das Herz wird nicht dement*, Weinheim, Beltz, 2017

Baer, Udo, Frick-Baer, Gabriele: *Kriegserbe in der Seele*, Weinheim, Beltz, 2018

Baur-Timmerbrink, Ute: *Wir Besatzungskinder – Töchter und Söhne alliierter Soldaten erzählen*, Berlin, Ch. Links, 2015

Bode, Sabine: *Die vergessene Generation. Die Kriegskinder brechen ihr Schweigen*, Stuttgart, Klett-Cotta, 2011

Böll, Heinrich: *Briefe aus dem Krieg. 1939–1945*, München, dtv, 2003

Braam, Stella: *Ich habe Alzheimer*, Weinheim, Beltz, 2011

Cooper, Anderson: *Dispatches from the Edge: A Memoir of War, Disasters, and Survival*, New York, Harper, 2006

Domentat, Tamara: *Hallo Fräulein,* Berlin, Aufbau, 1998

Führer, Christian u. a.: *Places – Amerikaner in Mannheim*, Ubstadt, Verlag Regionalkultur, 2015

Huber, Florian: *Kind, versprich mir, dass du dich erschießt*, München, Piper, 2015
Jung, Christian u. a.: *Zukunft mit Heimweh*, Ubstadt, Verlag Regionalkultur, 2013
Klier, Freya: *Wir letzten Kinder Ostpreußens*, Freiburg, Herder, 2015
Kopp, Gabi: *Warum war ich bloß ein Mädchen*, München, Knaur, 2012
Lasky, Melvin J.: *Und alles war still: Deutsches Tagebuch*, Hamburg, Rowohlt, 2014
Lemke Muniz de Faria, Yara-Colette: *Zwischen Fürsorge und Ausgrenzung – Afrodeutsche »Besatzungskinder« im Nachkriegsdeutschland*, Berlin, Metropol, 2002
Lorenz, Hilke: *Heimat aus dem Koffer*, Berlin, Ullstein, 2009
Orback, Jens: *Schatten auf meiner Seele*, Freiburg, Herder, 2015
Pfeifer, Moritz: *Mein Großvater im Krieg*, Bremen, Donat, 2012
Satjukow, Silke; Gries, Rainer: *»Bankerte!« Besatzungskinder in Deutschland nach 1945*, Berlin, Campus, 2015
Schießl, Sascha: *Das Tor zur Freiheit*, Göttingen, Wallstein, 2016
Swientek, Christine: *Adoptierte auf der Suche*, Freiburg, Herder, 2001
Stormer, Carsten: *Im Schatten des Morgenlandes*, Bergisch Gladbach, Lübbe, 2017
Swientek, Christine: *Ich habe mein Kind fortgegeben. Die dunkle Seite der Adoption*, rororo, 1994
Tietjen, Bettina: *Unter Tränen gelacht*, München, Piper, 2015
Vaccaro, Tony: *Entering Germany*, Taschen, 2001
Wilson jr., Joe: *The 784th Tank Battalion in World War II*, McFarland & Company, Jefferson NC USA, 2015
Zander, Gabriele: *Meine Seele sucht Dich!*, Baden-Baden, Aquensis, 2013

FILME UND DOKUMENTATIONEN

Battle of The Bulge (Hurtgen Forest Recollections, YouTube)
Brown Babies – The Mischlingskinder Story (Regie: Regina Griffin, 2010)
Deutschlands Brown Babies: Eine ewige Suche, ARD (Regie: Michaela Kirst, 2015)
Ein Hauch von Freiheit. Schwarze GIs, Deutschland und die US-Bürgerrechtsbewegung (Regie: Dag Freyer, 2015)
Ein Leben lang vermisst – Adoption – »37 Grad«, ZDF (Regie: Martina Morawietz, 2013)
Jimmy Hartwig – Liegenbleiben ist keine Option, ARD (Regie: Stefan Panzner, 2020)
Leben der Flüchtlinge nach dem Zweiten Weltkrieg (YouTube, 2010)
Let there be light (Regie: John Huston, 1946)
Long Lost Family (UK), ITV
Mannheim – Puerto Rico. Besatzungskinder suchen nach ihrem Vater, SWR (Regie: Christiane Albus, 2005)
The Negroe Soldier (Regie: Frank Capra, 1944)
Toxi (Regie: Robert Adolf Stemmle, 1952)

Dank

Ich danke allen Zeitzeuginnen und Zeitzeugen des Dritten Reichs und der Nachkriegszeit, die mir ihre Lebensgeschichten anvertrauten.

Allen voran danke ich meinem Papa Werner, dessen Vater versucht hat, ihn von der Front aus zu erziehen – was mal mehr und mal weniger gut gelang.

»Hab ich dir eigentlich schon erzählt, dass ich im Gefängnis war?«, fragte er mich achtzigjährig während einer Autofahrt. Ich wäre fast in den Straßengraben gefahren.

Dieser Vater, der mir in der Pubertät nichts durchgehen ließ und zu dem ich fortan auf Distanz ging, erzählte mit einem Mal verschmitzt von der Zeit, in der er zu den »jungen Wilden« im Dorf gehörte – und das mitten im Krieg. Wegen groben Unfugs wurde er mit fünfzehn zu einwöchigem Jugendarrest verurteilt, weil er in seinem Übermut in einen Telefonhörer brüllte, es sei Fliegeralarm, und so die Evakuierung des Krankenhauses und der Korker Anstalten auslöste.

Baba, wie ich ihn nannte, zeigte mir die Briefe, die mein Großvater an ihn schrieb und ihm darin erklärte, wie er die Kühe zu waschen und die Jauche auszufahren und auch, wie er sich seiner kränkelnden Mutter gegenüber zu verhalten habe. Ich begann zu verstehen, wie sehr ihn die frühe Verantwortung prägte.

Aus Liebe und Dankbarkeit darüber, wie nahe wir uns in seinen letzten Lebensjahren waren, habe ich eines seiner Erlebnisse – nämlich, wie er einen an den Leib gebundenen toten Hasen über die französisch-amerikanische Sektorengrenze schmuggelte und dabei erwischt wurde – abgewandelt in meinem Roman eingebaut.

Auch bei den Kriegskindern Rita Geis, Hilde Truttenbach, Georg »Schorsch« Göpper, Helmut Schneider und Annemie Kleefeld möchte ich mich von Herzen bedanken. Ihre Lebensgeschichten, ihre Kindheit und Jugend, sind in meinen Roman eingeflossen und haben mir geholfen, die Figuren lebendig werden zu lassen.

Dankbar bin ich ebenfalls dem Deutschen Tagebucharchiv der Stadt Emmendingen und den unzähligen Zeitzeuginnen und Zeitzeugen, die ihre Erlebnisse aus der Kriegs- und Nachkriegszeit im Internet veröffentlicht haben.

Gabriele Zander, die die Liebesbriefe ihrer Eltern in dem Buch ›Meine Seele sucht Dich!‹ veröffentlicht hat, danke ich dafür, dass sie mir gestattet hat, den Satz »Ich küsse Dich in großer Liebe und noch größerem Heimweh« abgewandelt benutzen zu dürfen. Ich hätte keinen besseren schreiben können, als ihre Mutter Clara das damals getan hat.

Ich danke außerdem:

Manfred Grich und den Mitarbeitern der Alzheimer-Station Sonnenschein im Veronikaheim Bühl, die 2008 meine Mutter Else und meine gesamte Familie liebevoll betreuten.

Bruno Romeiks aus Unna und Burkhardt Lehmann aus Bremen, die mir ihre ostpreußische Heimat mit ihrer wunderschönen Sprache nähergebracht haben.

Elke Völker und Angela Steinhardt vom Museum Friedland für ihre vielfältigen Materialien und eine sehr besondere Führung in die Vergangenheit des Durchgangslagers.

Heike Ortmann-Gerdes, Hebamme aus Lübeck, die mit mir ihr Wissen über die Geburtshilfe Ende der Vierzigerjahre teilte.

Professor Dr. Christian Führer, Experte für Mannheimer und

Heidelberger Nachkriegsgeschichte, der alles über Mabel Grammer und den Brown Baby Plan weiß und darüber, wie die Amerikaner in Mannheim lebten.

Oberstleutnant a. D. Hans Konze vom Geschichtsverein Hürtgenwald e. V. dafür, dass er mir zahlreiche Informationen über afroamerikanische Soldaten im Zweiten Weltkrieg zukommen ließ.

Jenny Reiche, Kölner Expertin für die Suche von vermissten Personen, die mit ihrem Wissen und ihrer Erfahrung meinen Roman bereichert hat.

Isabel Kleefeld, Regisseurin, Autorin und Freundin, die an Gretchen glaubte, noch bevor sie eine Zeile gelesen hatte, und die mein leidenschaftlicher Sparringspartner ist.

Der britischen Rockband Snow Patrol für den Song ›What If This Is All The Love You Ever Get?‹, den ich beim Schreiben hoch und runter gehört habe.

Mein Dank gilt ferner meiner Verlegerin Barbara Laugwitz und den vielen engagierten Mitarbeiter*innen vom dtv. Ganz besonders danken möchte ich meiner Lektorin Martina Vogl für die bereichernde Zusammenarbeit, die ich als großes Geschenk ansehe.

Nachdem ich tief eingetaucht bin in die Lebensbedingungen des Zweiten Weltkriegs und der deutschen Nachkriegszeit, weiß ich, welches Glück ich habe, in einer Zeit geboren zu sein, in der zumindest in Deutschland Frieden, wirtschaftlicher Wohlstand und soziale Sicherheit herrschen. Einer Zeit, in der ich als Frau mein Leben frei gestalten kann. Dafür bin ich zutiefst dankbar.

Zu guter Letzt danke ich Angela Merkel, die ich nie gewählt habe, für die menschlichen Entscheidungen, die sie im Sommer 2015 getroffen hat.

Leseprobe

ISBN der gedruckten Ausgabe 978-3-423-29023-4
eBook ISBN 978-3-423-44111-7

Wenn Sie mehr über die Autorin und ihre Bücher erfahren möchten: https://www.dtv.de/autor/susanne-abel-7875

1958

Köln, den 23. Mai 1958, schrieb Greta am nächsten Tag auf ihr schönstes Briefpapier.

> *Mein geliebtes Mariele,*
> *heute wirst du 8 Jahre alt. Es ist so viel passiert, seitdem ich dir das letzte Mal geschrieben habe. Ich bin jetzt verheiratet. Konrad ist ein guter Mann. Ich darf mich nicht beschweren.*

Sie wollte ihre Kleine nicht belasten, deshalb schrieb sie nicht, dass Opa Ludwig gestorben war und sie sich verloren fühlte in Köln. Dass sie sich überhaupt verloren fühlte in der Welt. Und einsam neben Konrad. Dass sie nichts empfand, wenn sie mit ihm intim war. Und dass sie das selbst nicht verstand, denn er war doch so bemüht. Und dass sie so tat als ob, damit das Bemühen schneller ein Ende fand. Das konnte sie doch nicht schreiben! Das konnte sie doch nicht einmal denken! Genauso wenig wie, dass sie am liebsten weglaufen würde, jedoch nicht wusste, wohin.

Dafür schrieb sie von der schönen Stadt am Rhein, in der vor einem Monat die erste Bundesgartenschau Deutschlands eröffnet worden war mit einer Seilbahn, die den Rheinpark und den Zoo verband. Sie erzählte von der Fütterung der Seelöwen – wie frech und vorwitzig vor allem eine kleine Robbe war.

> *Ich würde dich so gerne mitnehmen und mit dir die Giraffen besuchen und die Elefanten. Und wir würden Eis essen.*

Tränen lösten die mit Tinte geschriebenen Worte auf, und sie holte ein neues Blatt.

Nach zehn Versuchen konnte Greta das Kuvert endlich zukleben und fuhr unter dem Vorwand, Tante Elise zu besuchen, nach Heidelberg.

»Wissen Sie etwas Neues von meinem Kind?«, fragte sie im Jugendamt.

»Es tut mir leid, aber ich darf Ihnen keine Auskunft geben«, sagte Karl-August Ebert, der früher der Vormund von Marie gewesen war, nahm den Brief entgegen und versprach, ihn aufzubewahren, falls das Kind je nach seiner Mutter suchen würde.

Zwei Tage blieb Greta in der Stadt, wohnte bei den Hollochs im Gästezimmer und versuchte, Tante Elise und auch sich klarzumachen, dass das Leben weitergehen musste. Onkel Hermann ließ sich beim Abendbrot informieren, welche Fortschritte der Aufbau der Praxis machte, und zeigte sich zufrieden.

Als die beiden schliefen, schlich Greta auf den Speicher und suchte ihre Sanellaschachtel, in der sie all ihre Geheimnisse aufbewahrte und die sie vor ihrem Umzug nach Köln hier versteckt hatte. Auch vor sich selbst.

Deshalb hatte sie sie nicht mit nach Köln genommen. Unter dem Schein einer Kerze schaute sie sich die beiden Fotos von Marie an und las den Brief, den Bob ihr an ihrem ersten gemeinsamen Silvester vor fast zehn Jahren geschrieben hatte.

Heidelberg, 12–31–1947
Mein kleine, susse, liebe Gretchendarling,
ich kann mir nicht vorstellen zu sein ohne Dich.
Jede Minute mit dir war besser als alles in mein Leben davor.
Jeder Umweg war notig, weil er mich gefuhrt hat zu dich. Bei dir bin ich angekommen. Du bist alles für mich.
Meine Heimat ist in dein Herz!

Du bist mein Glück, mein Leben, mein Alles.
I love you.
Bobby (Gluckspilz)

Das muss aufhören, sagte sich Greta und nahm sich fest vor, den Brief in den Fluss zu werfen. So wie sie es seinerzeit mit den Briefen gemacht hatte, die ihr Vater ihr im Krieg geschrieben hatte. Liebesbekundungen ohne jeglichen Wert.

Sie nahm den Hinterausgang, setzte ihre Füße vorsichtig auf den Kies, um jedes Geräusch zu vermeiden, und ging hinüber zum Neckar. Auf der Staustufenbrücke standen Menschen und lachten, deshalb ging sie flussaufwärts durch die mondhelle Nacht. Plötzlich fand sie sich an der Stelle wieder, an der sie und Bob gesessen hatten, als er aus dem Gefängnis gekommen war. Man hatte ihn verhaftet, weil er sie vor der Zudringlichkeit eines amerikanischen GIs geschützt hatte. Und weil er schwarz war.

Damals hatte er ihr gesagt, dass ihre Liebe keine Zukunft hätte.

»Was ist, wenn das alle Liebe ist, die wir jemals bekommen?«, hatte sie ihn gefragt.

Mit dem Brief in der Hand starrte Greta ins Wasser und wartete auf den richtigen Moment.

»Was, wenn das wirklich alle Liebe war, die ich jemals empfinden kann?«, flüsterte sie. Unter einem Tränenfilm sah sie den Mond über dem Schloss stehen. »Du weißt es«, sagte sie zu ihm und wusste es selbst auch.

Als Greta von der gegenüberliegenden Uferseite das Läuten der Heiliggeistkirche hörte, erschrak sie. Es war hell, und sie lag zusammengekrümmt auf den Uferkieseln. Ihr war klar, was sie zu tun hatte: Sie konnte die Erinnerung an die Zeit, in der es noch eine Zukunft gegeben hatte, die Zeit, als ihre Welt noch nicht zersprungen war, nicht wegwerfen.

In der Altstadt fand sie eine Postkarte, die das Schloss von der Hirschgasse aus zeigte. Im Mondenschein. Damit ging sie in ein Rahmengeschäft, suchte ein schönes Passepartout aus und ließ Bobs Brief hinter der Postkarte rahmen. Für die Ewigkeit.

———

»Das ist ja schön! Das muss einen Ehrenplatz bekommen«, sagte Conny, als seine Frau wieder in Köln war, holte Hammer und Nagel aus dem Werkzeugkasten und brachte das Heidelbergbild an der Stelle an, die Greta dafür ausgesucht hatte. Hinter ihrem Platz am Esstisch.

Als am nächsten Tag die letzte Patientin gegangen war, holte Conny das Buch ›Die vollkommene Ehe: Eine Studie über ihre Physiologie und Technik‹ aus dem Schrank und schlug das Kapitel über *Stellung und Haltung beim Coitus* auf. Er wollte herausfinden, welche Positionen die Befruchtungsmöglichkeiten positiv oder negativ beeinflussten. Ihn interessierten sowohl der wissenschaftliche als auch der praktische Standpunkt.

Erst war er ein wenig enttäuscht, dass der Autor nicht in Betracht zog, die berühmten Positionen orientalischer Liebesbücher wiederzugeben, weil diese seiner Meinung nach den Zweck nicht erfüllten. Das nächste Problem war, dass Conny die zweiseitige Aufstellung mit sämtlichen Indikationen und Kontraindikationen der verschiedenen Stellungen in Bezug auf Beförderung einer Schwangerschaft nicht entziffern konnte, da er infolge des Krieges kein großes Latinum hatte.

Er blickte auf die Armbanduhr. 19:30 Uhr. Eine halbe Stunde wollte er sich noch geben. Auf neunundzwanzig eng beschriebenen Seiten erörterte der holländische Autor die beiden in Betracht kommenden Koitus-Stellungen und ihre Variationen.

Die erste, in der die Vorderseite des Mannes der der Frau zugewendet war, war die *Positio obversa.* Die zweite, bei der er sich dem Rücken des Weibes zukehrte, war die *Positio aversa.*

Viele Wissenschaftler hielten die zweite Stellung aus entwicklungsgeschichtlichen Gründen für die naturgemäße. Nicht so van de Velde. Er war davon überzeugt, dass *die erste Stellung für den Menschen mit seinem jetzigen anatomischen Bau als die natürlichste betrachtet werden muß, weil bei ihr die leichten Biegungen, die den beiden Vergattungsorganen eigen sind (Vagina nach vorne, Phallos nach hinten) einander entsprechen.*

Mit dem Hut auf dem Kopf schaute Drickes durch die Tür. »Mach Feierabend, Conny. Du hast eine Frau, die auf dich wartet.«

»Gleich«, sagte Conny und las weiter, was unter der Überschrift *A. Erste Stellung. Positio obversa* zu finden war.

Erstens: Die Normalhaltung beim Coitus – womit sowohl die »mittlere« Haltung (Lage) gemeint ist, wie die am meisten übliche – ist die folgende: Die Frau liegt mit leicht gebeugten, gespreizten Oberschenkeln auf dem Rücken; der Mann, seine Schwere mehr oder weniger vermindernd, indem er sich mit Ellenbogen und Knie auf die Unterlage stützt, liegt auf seiner Gattin, seine Beine befinden sich zwischen den ihrigen. Diese Lage genügt im großen und ganzen sowohl physiologischen wie psychologischen Anforderungen. Besonders auch diesen, weil sie dem vom Manne unbewußt begehrten Gefühl des Besitzergreifens und Beschützens ebenso wie den entsprechenden seelischen Wünschen der Frau entspricht.

Conny überflog die Varianten: Strecklage, Beugelage. Reithaltung: Rückenlage des Mannes, *die Frau lässt sich, nachdem der Phallos eingeführt ist, geradeauf sitzend rittlings auf den Mann nieder.*

Ihm wurde heiß, und er las weiter, dass diese Stellung Nachteile hatte: Das Sperma floss sofort aus der Vagina ab. Auch unter einem anderen Aspekt schien sie dem Autor ungeeignet, *denn die völlige Passivität des Mannes und die Verlegung der ganzen Ak-*

tivität auf die Seite des Weibes läuft dem natürlichen Verhältnis der Geschlechter zuwider – was sich deshalb auf die Dauer rächen müßte.

Es folgte die vordere Sitzhaltung (vis-à-vis), die vordere Seitenlage, und Conny überlegte kurz, ob er den Abschnitt mit der zweiten Stellung, der Positio aversa, auf morgen verschieben sollte. Aber dann blieb er dran. Bauchlage. Hintere Seitenlage. Knielage. Hintere Sitzhaltung.

Am Ende kam er zu dem Schluss, dass die Normalhaltung beim Koitus sowohl für die Fortpflanzung als auch für die Befriedigung der Frau die geeignetste sei. Wie gut, dass er das instinktiv sowieso schon gemacht hatte.

Er setzte sich ins Auto und fuhr den einen Kilometer vom Rudolf- zum Barbarossaplatz nach Hause, stellte den Wagen in der Tiefgarage ab und ließ sich mit dem Aufzug nach oben bringen. Als er im zehnten Stock ankam, roch er schon das leckere Abendessen und dachte an Balzac. Dieser schrieb, dass die Frau in der Liebe einer Harfe zu vergleichen sei, die ihre Geheimnisse nur dem preisgab, der sie gut zu spielen wusste. Er steckte den Schlüssel ins Schloss mit dem Vorsatz, aus dem klingenden Instrument ein singendes Wesen machen zu wollen.

»Wie war dein Tag?«, fragte er.

»Schön«, sagte sie und schenkte ihm Kölsch ein. »Und deiner?«

»Viel Arbeit. Aber gut.«

Zum Abendbrot gab es Nudelsuppe, und im Anschluss servierte ihm Greta Hühnerfrikasee mit Dosenerbsen.

»Schmeckt lecker«, sagte Conny und überlegte, ob er ihr gleich beim Abwasch helfen sollte, damit sie schneller Feierabend und Zeit für ihn hätte.

»Konrad, ich habe mir überlegt, dass ich wieder arbeiten will.«

»Aber du hast es doch gar nicht nötig, zu arbeiten. Ich verdiene genug.«

Greta schob den Teller von sich. »Ich kann nicht den ganzen Tag hier sitzen und nichts tun.«

»Aber du tust doch etwas, mein Schatz«, sagte Conny, lobte sie für die gute Haushaltsführung und rechnete in Gedanken nach, wann sie das letzte Mal menstruiert hatte, denn solche Verstimmungen waren schließlich zyklusbedingt.

Er vermied es, sie zu fragen, was sie arbeiten wollte, denn er wusste ja, dass Greta nichts gelernt hatte. Und dass sie für andere Menschen putzte, das war indiskutabel. Er sagte ihr, wie sehr er sie bewunderte, weil sie so gut nähen konnte, ihm und Drickes die Kittel bügelte und dafür sorgte, dass ihr Zuhause so gemütlich war.

Sie räumte den Tisch ab. Und sagte nichts.

Lange konnte er neben ihr nicht einschlafen, dachte an die Positionen, die die Befruchtungsmöglichkeiten positiv oder negativ beeinflussten, wagte jedoch nicht, sie auszuprobieren, weil Greta sich von ihm abgewandt hatte. Weil er an ihrem Atem hörte, dass auch sie noch wach war, sagte er: »Wenn wir erst einmal Kinderchen haben, dann wird alles gut.«

Aber die Kinderchen kamen nicht, und langsam machte er sich Sorgen.

Keinen Druck auszuüben, war das, was er seinen Patientinnen oft sagte, denn immer wieder stellte man in Studien fest, dass Frauen, die ein Kind adoptierten und ihren Kinderwunsch quasi begruben, plötzlich schwanger wurden. Und so vermied er jegliche weitere Andeutung in dieser Richtung. Heimlich machte er jedoch in seinem Kalender Notizen über Gretas Zyklus und rechnete ihre fruchtbaren Tage aus. An denen gab es dann auch einmal unter der Woche Nelken oder ein Fläschchen 4711, wenn er früher nach Hause kam.

Am Morgen ihres zweiten Hochzeitstages überraschte Conny Greta mit einer elektrischen Nähmaschine und der Ankündigung, dass sie abends chic essen gehen würden.

Der Regen klatschte an die Fenster, als er nach Hause kam und Greta nett zurechtgemacht auf ihn wartete. Er zog seinen guten Anzug an und rieb sich Old-Spice-Rasierwasser, das Greta ihm geschenkt hatte, ins Gesicht. Als er ins Wohnzimmer kam, hörte er, wie der Nachrichtensprecher eine Meldung aus Amerika vorlas: »Der demokratische Gouverneur von Arkansas hat in Little Rock neun schwarze Schüler am Betreten der örtlichen High School gehindert.«

»Mir ist schlecht«, sagte Greta, als sie im Aufzug nach unten fuhren. Sie schaute ihn panisch an.

Conny fühlte ihren Puls und sah den kalten Schweiß auf ihrer Stirn. Noch bevor sie wieder in ihrer Wohnung waren, musste sie erbrechen. Zum einen machte er sich Sorgen um sie, aber nach einem heimlichen Blick auf ihren Zykluskalender flammte auch eine leise Hoffnung in ihm auf. Schweren Herzens ließ er sie am nächsten Tag allein, aber es war ein Freitag, und der Terminkalender war voll.

Abends, als er nach Hause kam, ging es Greta wieder gut. Sie musste sich nicht mehr übergeben. Auch morgens nicht, und als sie wieder ihre Tage bekam, nahm er all seinen Mut zusammen und sprach das aus, was ihm seit Monaten auf der Seele lag: »Ich finde, du solltest einmal einen Arzt konsultieren.«

»Wieso?«

»Reine Routine, einfach nur …«

»Du meinst, weil ich nicht schwanger werde«, unterbrach sie ihn.

»Ja«, sagte er und war erleichtert, als sie einwilligte, sich von Drickes untersuchen zu lassen.

Bereits am nächsten Tag fuhr sie morgens mit ihm in die Praxis, damit sie vor Beginn der Sprechstunde drankam. Conny saß währenddessen in seinem Behandlungszimmer, blätterte in Patientenakten, ohne etwas zu lesen. Als er Stimmen im Flur hörte und sah, wie seine Tür aufging, sah er aufgeregt hoch.

»Es ist alles bestens«, sagte Drickes, und Greta lächelte.

Als sie sich verabschiedet hatte, drückte Drickes die Tür hinter sich zu und blickte Konrad ernst an. »Sie hat schon einmal ein Kind geboren. Weißt du das?«

»Ja!« Konrads Mund wurde trocken. Sein Herz raste. »Hat sie dir das erzählt?«

»Nein, hat sie nicht. Wo ist das Kind?«

Konrad zögerte, ballte seine Faust in der Kitteltasche und war wütend auf sich selbst, weil er nicht daran gedacht hatte, dass der Muttermund Einrisse zeigte, die bei einer Geburt entstehen. »Das spielt keine Rolle.«

»Willst du mir nicht sagen, was passiert ist?«

»Nein!«, antwortete er und dachte daran, wie oft ihn Gretas Kind beschäftigte. Er hätte so gerne gewusst, wo es sein könnte. Aber sie zu fragen, das war für ihn tabu, aus Angst, sie könnte wieder in diesen schrecklichen Zustand geraten, den er in der Psychiatrie bei ihr gesehen hatte.

»Körperlich hat sie nichts. Aber auf mich wirkt sie verspannt.«

Verspannt? Gut, Drickes war ein angesehener Gynäkologe, aber was wusste er schon über Frauen? Verheiratet war er jedenfalls nie gewesen, und Konrad wurde das Gefühl nicht los, dass er sich mehr für das gleiche Geschlecht interessierte. Das las er an Drickes' Blick ab, wenn er eine bestimmte Sorte Männer sah. »Ich will auf keinen Fall, dass du sie darauf ansprichst.«

Drickes schaute ihn fragend an.

»Ich hoffe, ich habe mich klar genug ausgedrückt.«

»Ja«, sagte der Alte nach einer gefühlten Ewigkeit und ging.

Conny bemühte sich, seiner Greta das Leben so schön wie möglich zu machen. Er führte sie ins Kino aus, besuchte mit ihr in der Ehrenfelder Rheinlandhalle den ersten deutschen Supermarkt und fuhr an einem Sonntag mit ihr nach Bensberg zum Schloss. Von dort hatte man nicht nur einen sensationellen Blick auf Köln, sondern man konnte, sobald es dunkel war, auch den ersten Sputnik sehen, den die Sowjets auf eine Erdumlaufbahn geschossen hatten.

Zu Weihnachten schenkte er ihr Stoff für ein Abendkleid, das sie trug, als sie gemeinsam an Karneval im wieder aufgebauten Gürzenich die Prunksitzung der Kölsche Funke rut-wieß vun 1823 besuchten. Mit Drickes, der Ehrenmitglied war und dessen Kopf die gleiche Farbe hatte wie die rote Jacke seiner Paradeuniform.

»Dat Gretsche is aber ganisch jeck«, lallte er in einer Pinkelpause, stützte sich mit der linken Hand an der Wand ab und schaute seinem Urinstrahl nach, der in der Pissrinne verschwand. »Die ist ja so was von verspannt. Verreis doch mal mit ihr, vielleicht wird sie dann locker.«

Conny antwortete ihm nicht und machte jedoch noch am selben Abend Urlaubspläne, denn auch er dachte, dass Greta ein Tapetenwechsel guttun würde.

Überall wurde für die Weltausstellung in Brüssel geworben, die vom 17. April bis 19. Oktober stattfinden sollte. In einer Mittagspause ging er in ein Reisebüro und buchte ein Doppelzimmer im Traditionshotel *Metropole*.

»Das wird gerne genommen«, sagte die Reisefachfrau.

»Was ist das?«, fragte Greta, als er ihr strahlend einen Hotelprospekt und Informationsmaterial über die Expo58 vorlegte.

»Wir fahren nach Brüssel. Über Pfingsten«, sagte er.

»Pfingsten?«, fragte sie wie aus der Pistole geschossen und stellte hektisch die Teller zusammen. »Wann ist Pfingsten?«

»Am 25. Mai. Ich dachte, wir fahren schon am 24. und kommen …«

»Äh, ich muss aber am 23. Mai in Heidelberg sein«, unterbrach sie ihn, ließ Spülwasser ein und wischte hektisch den Herd ab.

»Wieso?«

»Es ist wegen Tante Elise. Ich kann nicht darüber reden«, antwortete Greta und schaute ihn nicht an.

Conny blickte auf das Heidelbergbild an der Wand »Gut, aber sieh zu, dass du einen Tag später hier bist.«

»Und? Alles klar mit Elise?«, fragte er, als Greta am 24. Mai mittags im Kölner Hauptbahnhof aus dem Zug stieg.

»Ja«, sagte sie und lächelte.

Viereinhalb Stunden später checkten sie in ihrem Brüsseler Hotel ein und wurden zu ihrem Zimmer geführt. Einem mit dunkelrotem Samt ausgeschlagenen und schweren goldgelben Brokatvorhängen ausgestatteten Raum, in dem ein Himmelbett thronte. Beide fühlten sich deplatziert und trauten sich kaum, etwas zu berühren oder sich gar zu bewegen.

Sie speisten und wussten nicht, was sie mit den verschiedenen Messern und Gabeln anfangen sollten, und saßen danach im Clubraum, in dessen Mitte ein Flügel stand, auf dem ein seelenlos spielender Pianist die flüsternden Gespräche der Gäste nicht störte.

»Darf ich Ihnen noch eine Pink Lady servieren?«, fragte der livrierte Kellner, als er sah, dass Gretas Glas leer war.

»Klar«, sagte sie.

Conny bemerkte das Funkeln in ihren Augen, das er so selten sah. Und hätte platzen können. Vor Glück.

Greta kippte das Gin-Grenadine-Eiweiß-Gemisch, als wäre es Apfelsaft, und orderte das nächste Gläschen.

Auf dem Weg zum Fahrstuhl musste er sie stützen, im verspiegelten Lift zog sie Grimassen und sagte ihrem Spiegelbild: »Frau Monderath, ich glaube, wir ham einen kleinen Schwips.«

Als Conny die Zimmertür aufschloss, kickte Greta die Schuhe von den Füßen, schmiss ihre Handtasche in die Ecke, nahm Anlauf und sprang auf das Himmelbett. Sie hüpfte und lachte und riss sich die Kleider vom Leib. Und dann passierte es einfach.

Ohne zu denken. Wild und innig und voller Vertrauen. Alles war möglich. Es war, als würden ihre Seelen tanzen.

Sie schauten einander an, als sie morgens aufwachten. Lange. Und Conny hatte das Gefühl, dass er endlich verheiratet war.

»Ich hab Hunger, Frau Monderath«, sagte er.

Greta ahnte, worauf.

Erst als die Staubsauger der Zimmermädchen näher kamen, duschten sie, sprangen in ihre Kleider, und bevor sie das Zimmer verließen, machte Greta das Bett.

Beschwingt schlenderten sie durch die Stadt. Händchenhaltend und nicht wie sonst untergehakt. Greta fühlte sich leicht neben Konrad und sicher und spürte Zuversicht. In Heidelberg hatte sie es kaum ausgehalten, weil es sie wahnsinnig gemacht hatte, ständig nicht an Marie denken zu wollen und an Bob – und gleichzeitig an nichts anderes denken zu können. Das war vergangen. Vorbei. Sie musste einen Schlussstrich ziehen. Vernünftig sein. Ihr Leben war jetzt. Hier. Mit Konrad.

Sie gingen durch die Galeries Royales Saint-Hubert, einem in italianisierendem Cinquecento-Stil gehaltenen Bauwerk mit leicht gebogenem Glasdach in gusseisernem Rahmen, und schauten sich die Schaufenster der einzelnen Läden an. Vor einem Schuhgeschäft blieb Greta stehen und studierte die eleganten Damenschuhe. Grüne Stöckelschuhe. »Was es alles gibt.«

»Komm«, sagte er, zog sie in den Laden und machte der Verkäuferin mit Händen und Füßen klar, welche Schuhe aus der Auslage er für seine Frau kaufen wollte.

»Das ist doch völlig unvernünftig, Konrad.«

»Es wird höchste Zeit, dass wir unvernünftig sind, mein Schatz!« Er schaute sie mit seinen strahlenden blauen Augen an.

Verliebt fuhren sie in den Brüsseler Nordwesten zum Ausstellungsgelände der Expo58, die unter dem Motto »Technik im Dienste des Menschen. Fortschritt der Menschheit durch Fortschritt der Technik« stand und auf der die beiden neuen Zukunftstechnologien Raumfahrt und Atomkraft erstmals einer breiten Öffentlichkeit vorgestellt wurden. Das Atomium schauten sie sich nur von unten an, weil dort ein extra Eintrittsgeld von dreißig belgischen Franken erhoben wurde. In den Philips-Pavillon von Le Corbusier kamen sie nicht hinein, weil der Andrang zu groß war. Auch durch den niederländischen Pavillon, der von symbolischen Deichanlagen und Entwässerungsgräben durchzogen war, schoben sich die Besuchermassen. Aber das war ihnen egal. Denn sie waren glücklich.

Als Greta und Konrad in den Bereich kamen, in dem die Kolonie Belgisch-Kongo mit einem kongolesischen Dorf präsentiert wurde, sahen sie schon von Weitem eine riesige Menschenansammlung.

»Sollen wir lieber gehen? Ich hab langsam genug nicht gesehen.« Konrad gab ihr einen Kuss und schlug vor, dass sie sich im Hotel von den Strapazen ausruhen könnten.

»Nur das hier noch«, sagte Greta und strahlte ihn an. Sie war neugierig, denn sie hörte lautes Rufen und Lachen. Es dauerte eine Weile, bis sie und Konrad sich in die erste Reihe vorgekämpft hatten.

Zu sehen war das wirkliche Leben in einem typischen Dorf im Kongo, mit fünfzehn kongolesischen Kunsthandwerkern, denen die Ausstellungsbesucher bei der Ausführung ihrer handwerklichen Tätigkeiten und Verrichtungen von Dingen des täglichen Lebens zuschauen konnten.

»Lass uns gehen«, sagte Konrad mit einem Mal ernst.

»Wieso?« Sie verstand ihn nicht. Bis sie in die Richtung schaute, in die er blickte. Und Kinder sah. Schwarze Kinder. Ein Mädchen in einem kurzen Röckchen. Dann rief jemand etwas, warf Bananen und fütterte die Kinder wie Affen im Zoo.

Greta fror, als wäre alle Wärme aus der Welt verschwunden. Um sie herum wurde es dunkel, sie spürte, dass Konrad sie wegtrug, und es war, als würden Bleigewichte an ihrem Körper hängen. Sie sank. Und sank. Immer tiefer.

»Greta!«

Sie sah Konrad unendlich weit entfernt, wollte nach oben zu ihm, aber sie sank weiter. Wurde panisch. Wütend auf sich. Auf jeden, der sie berührte, und gleichzeitig wollte sie nichts als gehalten werden.

»Greta!«

Sie sah, wie er litt. Wegen ihr. Und alles wurde nur noch schlimmer.

Panisch fuhr Conny noch mitten in der Nacht zurück nach Köln. Mit der apathischen Greta auf dem Beifahrersitz. Er machte sich solche Vorwürfe und hatte nichts als Angst. Was, wenn sie wieder versuchte, sich umzubringen? Noch vom Hotel aus hatte er seinen Onkel angerufen, ihm erzählt, dass er nicht mehr weiterwusste.

»Sie muss in die Psychiatrie«, hatte Drickes gesagt und versprochen, alles zu organisieren.

Vor der Universitätsklinik wartete er mit einem Rollstuhl, in den sie Greta setzten, weil sie zu schwach zum Gehen war. Der Chefarzt, den Drickes privat kannte, hatte extra sein Wochenende unterbrochen und untersuchte sie.

»Mithilfe der EKT kann die Krankheitsdauer bei phasischen Psychosen, insbesondere der Melancholie, entschieden verbessert werden.«

»Meinen Sie Elektroschock? Wie würde das aussehen?«, fragte Conny und sah, wie Greta völlig teilnahmslos vor sich hinstarrte.

»Die durchschnittliche Anzahl an Behandlungen beträgt dreizehn bis fünfzehn Schocks pro Patient und orientiert sich damit an den Erfahrungswerten des Cardiazolschocks. Die Schocks werden meistens an zwei Tagen pro Woche verabreicht.«

Conny schluckte seine Tränen hinunter und nickte. Dann ging er zu Greta. »Alles wird gut, mein Schatz.«

Sie zeigte keine Regung.